LIBRO DEL CONDE LUCANOR

Don Juan Manuel

Libro del Conde Lucanor

Edición, estudio y notas
de
REINALDO AYERBE-CHAUX

Alhambra

Primera edición, 1983

EDITORIAL ALHAMBRA, S. A.
R. E. 182
Madrid-1. Claudio Coello, 76

Delegaciones:

Barcelona-8. Enrique Granados, 61
Bilbao-14. Doctor Albiñana, 12
La Coruña. Pasadizo de Pernas, 13
Madrid-2. Saturnino Calleja, 1
Málaga-9. La Regente, 5
Oviedo. Avda. del Cristo, 9
Palma de Mallorca-10. Francisco Suau, 14
Santa Cruz de Tenerife. General Porlier, 14
Sevilla-12. Reina Mercedes, 35
Valencia-3. Cabillers, 5
Zaragoza-5. Concepción Arenal, 25

México
    Editorial Alhambra Mexicana, S. A.
    Avda. División del Norte, 2412
    México-13, D.F.

Rep. Argentina
    Editorial Siluetas, S. A.
    Buenos Aires-1201. Bartolomé Mitre, 3745/49

n c   13020240

Cubierta: Editorial Alhambra, S. A.

ISBN 84-205-0933-7

Depósito legal: M-34.627-1.982

Impreso en España - Printed in Spain

A. G. Grupo, S. A. - Nicolás Morales, 40 - Madrid-19

ÍNDICE

A Paul y a Mark dedico este libro de sabios consejos.

ESTUDIO PRELIMINAR

I. LA VIDA

«Yo, don Johan, fijo del infante don Manuel, adelantado mayor de la frontera et del rreyno de Murcia». Éste es el título que se da don Juan Manuel tanto en el *Libro de los enxemplos* (Prólogo, lín. 41-42) como en el *Libro de los proverbios del conde Lucanor et de Patronio* (Prólogo, lín. 1-3). La defensa de este título o su pérdida y recuperación aparecen siempre en los momentos más importantes de su vida. El adelantamiento lo había obtenido su padre por decreto real de Alfonso X el Sabio; era un título con el cual —sólo él— confería plenos poderes judiciales en la región. Por ello, cuando don Juan Manuel tenía sólo doce años (había nacido el 5 de mayo de 1282 de doña Beatriz de Saboya, segunda esposa del Infante don Manuel, hijo de Fernando III el Santo y hermano de Alfonso X), tuvo que ir a Murcia, atacada entonces por los moros, y sus súbditos defendieron en su nombre el territorio mientras custodiaban al niño en la ciudad.

Su padre murió cuando don Juan Manuel tenía sólo un año y ocho meses; perdió a su madre cuando había cumplido los ocho. A los trece años, fue llamado por su primo moribundo, el rey don Sancho IV el Bravo, y a tan temprana edad recibió del rey la impresionante confesión que iba a transcribir años más tarde en páginas magistrales en su *Libro de las armas*. Ya en estos años tempranos de su vida quedó envuelto en las intrigas de la política y en las disputas del trono que convulsionaron el reino durante su vida. El hijo mayor de Alfonso X, Fernando de la Cerda, legítimo heredero del trono, había muerto, dejando dos hijos. Sancho, el segundón de Alfonso X, tomó la corona al morir su padre, y los hijos de su hermano mayor se consideraron destituidos. El joven don Juan Manuel había apoyado sin vacilar a Sancho y, al morir éste, consideró como legítimo rey a su hijo Fernando IV. Los Infantes de la Cerda, refugiados en el reino de Aragón, trataron desde allí de recuperar a Castilla y, actuando como reyes, concedieron, entre otras cosas, a Jaime II de Aragón las tierras de Murcia. Don Juan Manuel vio venir sobre Alicante las fuerzas aragonesas y, caída ésta, fue atacada Elche, que era lo mejor de su patrimonio en Murcia. Elche se hallaba en tierra que no dependía jurídicamente ni de Castilla ni de Aragón y no requería juramento de fidelidad a ningún soberano. Don Juan Manuel, joven y sin recursos, tuvo que capitular y entrar en negociaciones: aunque perdió la jurisdicción en Elche, pudo conservar la propiedad. Fue la primera dolorosa experiencia de cuán difícil era conservar «la onra, la fazienda et el estado». Por ello, en el resto de su vida sabrá recurrir a todos los medios para defender sus intereses.

Año de 1299. Matrimonio con la infanta de Mallorca, de la cual queda viudo cuando tiene sólo veintiún años (1303). En este año de la muerte de su esposa un grupo de nobles castellanos se decide a negociar con Aragón. Don Juan Manuel es escogido como representante especial y en vez de cumplir su misión en nombre de los nobles ante Jaime II, negocia lo suyo: 1) Matrimonio con Constanza, la hija del rey de Aragón. 2) Elche y demás territorios son devueltos a don Juan Manuel. 3) El rey de Aragón se compromete a defender a don Juan Manuel contra cualquier enemigo, especialmente el rey de Castilla. Este pacto de Játiva enfurece al rey Fernando, quien intenta hacerle asesinar; pero don Juan Manuel es avisado afortunadamente por Gonzalo García, emisario del rey de Aragón (octubre de 1303).

Año de 1304. Castilla y Aragón hacen, por fin, la paz y organizan la costosísima campaña de Almería y el asedio de Algeciras. Es muy probable que don Juan Manuel desde un principio no creyera en el éxito de la empresa. El hecho es que sus consejos y planes de ataque no son seguidos por el rey, quien prefiere en cambio los consejos menos experimentados de los señores de Lara y de Haro. El Adelantado de Murcia no podía creer en una campaña en la que se trataba de tomar fortalezas (*vid.* exemplo XII), y prefería atacar por Murcia con una fuerza a su mando. Al verse forzado a seguir, como uno de tantos, al resto de las tropas, se encuentra entonces con otro noble descontento: el infante don Juan, su primo, hermano menor de Sancho IV, y los dos se retiran de la campaña. Cuando ésta fracasa, son ambos acusados de desertores y don Juan Manuel se defiende diciendo que se había ido con el infante a petición del mismo rey, quien le había pedido que lo vigilase para que en su ausencia no cometiera ninguna locura. La verdad es que había aceptado todo el plan de guerra y nunca lo cumplió. Los dos «desertores» tienen que mantenerse alejados del rey, temerosos de su ira.

Año de 1311. Matrimonio con Constanza, niña de doce años, hija del rey de Aragón.

1314-1315. Había muerto Fernando IV y corrían los años de la primera regencia de la minoría de Alfonso XI. En esta época causan admiración las quejas y la animosidad de los súbditos de don Juan Manuel en Murcia, quienes se expresan con miedo y odio a su señor. Quizá una de las causas fuera la amenaza que había hecho don Juan Manuel al concejo de Murcia de excluirlos del pacto de no agresión con Granada, lo cual los dejaba desamparados e indefensos. Seguro que había también en esto influencia secreta de sus enemigos en la corte, especialmente del primer regente, el infante don Pedro, tío de Alfonso XI. Estas quejas de sus súbditos le hacen perder el título de adelantado. Ocurre también por esta época la misteriosa disputa con el catalán Guillén de Rocafull, cuyo huésped había sido don Juan Manuel en Valdecañas. Una causa desconocida hace que el catalán lance un *riepto* a don Juan Manuel en presencia de doña María de Molina, de los regentes y del rey niño. El combate no se lleva a cabo, pero el odio queda no sólo entre desafiante y desafiado, sino entre sus partidarios. Lo admirable es que el regente don Pedro es quien defiende a don Juan Manuel en este caso.

Año de 1319. Segunda regencia. Don Juan Manuel es uno de los corregentes pero hay luchas y divisiones y, antes de que su nombramiento sea sancionado en las cortes, la coacción que don Juan Manuel ejerce sobre las poblaciones para que apoyen su causa es a veces inhumana. Uno de los momentos más tenebrosos de su vida es el asesinato de Diego García en Toledo, íntimo consejero y amigo del joven arzobispo don Juan, cuñado de don Juan Manuel, quien se había negado a apoyar la regencia de su pariente.

Año de 1325. Año de humillación y del mayor dolor. Don Juan Manuel negociaba el matrimonio de su hija Constanza con Juan el Tuerto, ya ex regente. El rey Alfonso XI, para impedir esa alianza temible de dos nobles tan poderosos, pide a don Juan Manuel la mano de Constanza y, cegado por la ambición, no prevé el engaño del rey. Al recibir a la novia, Alfonso la pone prisionera en Toro y se casa con la hija del rey de Portugal. Don Juan Manuel, enfurecido, se declara en abierta rebeldía y guerra contra Alfonso: ataca posesiones, hace alianza con los moros para hostigar al rey. Son cinco años de luchas tan serias, que tiene que intervenir el Papa y se hacen las paces en 1330. Recobra don Juan Manuel su adelantamiento de Murcia, que durante las hostilidades había pasado a Pero López de Ayala, entonces un niño.

Sin embargo, seguirán las tensiones, con pactos intermitentes entre monarca y vasallo, que se firman y luego se rompen, hasta el pacto de Madrid (1337). De allí en adelante, el rey tratará de mantener a su lado a don Juan Manuel, pensando que quizá así le sea menos peligroso. Don Juan Manuel no pudo nunca medir las reacciones de Alfonso, siempre violentas e imprevisibles. Lo admirable es que estos años tormentosos, de 1325 a 1335, son los de su mayor producción literaria.

Al lado de Alfonso participa don Juan Manuel en la batalla del Salado (1340) y en la toma de Algeciras (1344). El capítulo XXV de la *Crónica de Alfonso XI* acusa a don Juan Manuel de cobardía en la batalla del Salado. ¿Será insidiosa la crónica? ¿Sería don Juan Manuel tan rencoroso que, llegado el momento, no quisiera exponerse a la muerte para dar gloria a un rey que odiaba? Nunca lo sabremos. En cambio, en el *Poema de Alfonso XI* (estrofas 1282-1291), de Rodrigo Yáñez, es don Juan Manuel quien pide al rey el privilegio de dar en la batalla los primeros golpes. La crónica trata también de desacreditar a don Juan Manuel al hablar de la toma de Algeciras. En realidad, lleva a cabo actos de gran valor y, al rendirse la ciudad, entra el primero en ella y toma posesión en nombre de su rey.

El 13 de junio de 1348 muere y es enterrado en Peñafiel, donde queda guardado, también para siempre, el códice oficial de sus obras[1].

[1] Para la biografía de don Juan Manuel, *vid.* Andrés Giménez Soler, *Don Juan Manuel, biografía y estudio crítico*, Zaragoza, 1932; H. Tracy Sturcken, *Don Juan Manuel*, New York, Twayne, 1974, pp. 11-56; Julio Valdeón Baruque, «Las tensiones sociales en Castilla en tiempos de don Juan Manuel», en *Juan Manuel Studies*, ed. Ian Macpherson, London, Tamesis, 1977, pp. 181-192; R. Brian Tate, «The Infante Don Juan of Aragón and Don Juan Manuel», en *Juan Manuel Studies*, pp. 169-179; H. Tracy Sturcken, «The Assassination of Diego García by don Juan Manuel», *KRQ*, XX, 1973, pp. 429-449; Derek W. Lomax, «The Date of Don Juan Manuel's Death», *BHS*, XL, 1963, p. 174.

II. LA ACTIVIDAD LITERARIA

De acuerdo con las listas que traen tanto el prólogo general del códice S de la Biblioteca Nacional de Madrid como el misterioso prólogo que precede al *Libro del conde Lucanor* (problema que examinaré más adelante), don Juan Manuel escribió catorce libros, de los cuales tenemos hoy sólo ocho:

La crónica abreviada. Posiblemente fue escrita entre 1302 y 1324. Ambos prólogos la mencionan y se conserva en el ms. 1356 de la BNM. Se trata de un resumen de la *Primera Crónica General* de su tío Alfonso X el Sabio. Es fundamental el estudio de Diego Catalán, «Don Juan Manuel ante el modelo alfonsí: El testimonio de la Crónica abreviada», en *Juan Manuel Studies*, pp. 17-51.

El libro de la caza (1325?), mencionado también en ambos prólogos, se conserva en el ms. 17785 de la BNM y también, aunque incompleto, en el códice S. Trata de cómo cuidar, curar y adiestrar los halcones para la caza. En realidad es más que eso, ya que se cuentan experiencias personales y ofrece una lectura vívida en que se admira la fluidez y riqueza del lenguaje en una materia que habría sido cuerpo muerto en manos de otro autor.

Libro del cavallero et del escudero (1326?), mencionado en los dos prólogos. Se conserva en el códice S y en dos copias del siglo XVI (mss. 17785 y 17978 de la BNM). El marco narrativo y más de una idea proceden de Ramón de Llull, *Llibre del orde de la cavaylería:* un joven escudero, camino de las cortes, se encuentra con un ermitaño que ha sido caballero; éste le instruye no sólo en la caballería, sino en otros muchos puntos acerca de Dios, el mundo, el hombre, el placer y el pesar.

Libro de los estados o *Libro del infante* (1327-1332). También mencionado en los dos prólogos. Se conserva en el códice S y en una copia posterior (ms. 17978 de la BNM). La indudable relación con el *Barlaam e Josafat* [1] pierde importancia ante la riqueza de ideas, la completísima descripción de los estratos sociales de la época, el autor personaje que aparece y desaparece con escuetas reminiscencias personales, y la exquisitez del estilo.

Libro del conde Lucanor (1335).

Libro infinido o *Libro de los castigos a su fijo don Fernando* (1324-1344). Resumen de sus propias experiencias para aconsejar a ese hijo varón que había esperado con ansiedad por tantos años y que finalmente le dio su tercera esposa Blanca Núñez de Lara (1329). Se halla en el códice S y en las mismas copias del siglo XVI, que conservan el *Libro del cavallero et del escudero*. Sólo lo menciona el prólogo general.

Libro de las armas, escrito después del año 1342. Mencionado sólo en el prólogo general y conservado en el códice S y en la copia 17978.

Tractado de la Asunción de la Virgen, también posterior a 1342 y dedicado al prior de los dominicos de Peñafiel, fray Remón Masquefa. Aunque no lo mencionan los prólogos, está en el códice S y en la copia 17978.

Las seis obras perdidas son: *El libro de los sabios*, posiblemente no lo tenemos porque su contenido pudo quedar incorporado en el *Libro de los proverbios del conde Lucanor et de Patronio*; el *Libro de la cavallería*; el *Libro de los engennos* o máquinas de guerra; *Libro de los cantares* o *Libro de las cantigas; La crónica cunplida; Libro de las reglas commo se deve trovar*.

Germán Orduna [2] ha dado razones convincentes para que se deban distinguir dos épocas en la producción literaria de

---

[1] *Barlaam e Josafat*, ed John E. Keller y Robert W. Linker, Madrid, CSIC, 1979.

[2] «Los prólogos a la *Crónica abreviada* y al *Libro de la caça*: la tradición alfonsí y la primera obra literaria de don Juan Manuel», *CHE*, LI-LII, 1970-1973, pp. 123-144; *id.*, «¿Un catálogo más de obras de don Juan Manuel?», *BHS*, L, 1973, pp. 217-223.

don Juan Manuel. La primera, hasta 1326, en la que el autor sigue la tradición alfonsí y lleva a cabo trabajos de síntesis: *La crónica abreviada, Libro de la cavallería, Libro de los engennos* y, en mi opinión, el *Libro de las cantigas* o cantares, que pudo ser una recopilación o selección de las *Cantigas de Nuestra Señora Santa María,* de Alfonso el Sabio. A esta misma época pertenece el *Libro de la caza,* pero, como ya se dijo, los recuerdos personales le dan vida. A la segunda época pertenecen las obras de verdadera creación literaria.

El mismo Orduna ha notado también en su edición del *Libro del conde Lucanor et de Patronio* (p. 24), que existe cierta unidad en la obra literaria juanmanuelina, ya que, a excepción del *Tratado de la Asunción,* sus libros contienen todo lo que un joven noble debía saber de la historia, de la guerra, de la política y la sociología, del recreo de la caza, del componer versos y de la filosofía básica de la vida [3].

---

[3] Hay dos estudios excelentes sobre la obra juanmanuelina. Uno se refiere al estilo: Kenneth R. Scholberg, «Figurative Language in Juan Manuel», en *Juan Manuel Studies,* pp. 143-155. El otro versa sobre su contenido ideológico: Peter N. Dunn, «The Structures of Didacticism: Private Myths and Public Fictions», en *Juan Manuel Studies,* pp. 53-67.

III. LIBRO DEL CONDE LUCANOR

1. El género

Basta con leer el prólogo en prosa al *Libro de buen amor*, de Juan Ruiz, para darse uno cuenta de lo árido que podía ser un sermón medieval. Seguramente, el sabio Arcipreste intentaba subrayar con su prólogo el contraste entre la enseñanza del sermón culto y la enseñanza por *exemplos*[1] en el sermón popular. Sobre todo, los frailes, tanto franciscanos como dominicos, sembraron su predicación de anécdotas y fábulas, y en los siglos XII y XIII hubo una verdadera necesidad de recoger y organizar por temas esos *exemplos* en *tábulas, speculos* y *summas*, para facilitar su uso a los predicadores. La lengua de estas codificaciones tenía que ser el latín, para que se pudieran usar en toda Europa. El auditorio medieval sentía un verdadero placer en escuchar esas anécdotas y no hay duda de que así como se pasaban de recitador a recitador los cantares y romances, estos *exemplos*, a pesar de estar codificados en las colecciones latinas, se pasaban también en la lengua de las gentes de boca en boca, de narrador a narrador. Como sugiere John England[2],

---

[1] J. Th. Welter, *L'Exemplum dans la littérature religieuse et didactique du Moyen Age*, Paris y Toulouse, 1972, p. 1, define el *exemplum:* «Par le mot *exemplum* on entendait, au sens large du terme, un récit ou une historiette, une fable ou une parabole, une moralité ou une description pouvant servir de preuve à l'appui d'un exposé doctrinal, religieux ou moral.»

[2] John England, «*¿Et non el día del lodo?*: The Structure of the Short Story in *El conde Lucanor*», en *Juan Manuel Studies*,

11

en su estudio de las estructuras narrativas de varios *exemplos* de *El conde Lucanor*, las cuales tienen una gran semejanza con las de los cuentos folklóricos, hay en las anécdotas de Patronio una huella de transmisión oral (p. 85).

Lo admirable es que don Juan Manuel tomara ese material, ya oral, ya escrito, y le diera forma literaria. Es lo que me propuse demostrar en 1975 [3]. En la literatura europea de *exemplos* España se lleva la palma con el Arcipreste de Hita y, sobre todo, con don Juan Manuel. Los personajes de los breves *exemplos*, tocados por la pluma de don Juan Manuel, ganan en dimensión psicológica; otras veces, la anécdota tradicional se adjudica a personajes históricos y crea artísticamente un contrapunto irónico entre esas personalidades reales y el mundo de ficción en que se las coloca. En muchos aspectos, las versiones de los ejemplarios contrastan por su pobreza, al ser comparadas con las de don Juan Manuel, y nos damos cuenta de que algo extraordinario ha ocurrido en nuestra literatura, que la creación literaria ha tenido lugar: la palabra fluida y potente de un gran escritor explora un mundo intocado y lo expresa con belleza y armonía; la reiteración repetitiva, los grupos sintácticos paralelos de su prosa roban la atención de los oyentes. Una materia muerta ha obtenido vida [4].

No importa que sólo en muy contados casos se pueda señalar la fuente precisa de los cuentos de Patronio. Su versión, cotejada con las versiones europeas contemporáneas de la misma anécdota, se destaca por su superioridad, ya por

---

pp. 69-86. *Vid.* Alan D. Deyermond, *A Literary History of Spain. The Middle Ages*, London, New York, 1971, pp. 96-99 y 144-145. Es fundamental el trabajo de Germán Orduna, «El *exemplo* en la obra literaria de don Juan Manuel», en *Juan Manuel Studies*, pp. 119-142. Orduna investiga el proceso de desarrollo seguido por don Juan Manuel desde el período en el cual escribe tratados doctrinales ilustrados con citas, proverbios, comparaciones, alegorías y anécdotas cortas, antes de llegar al género propiamente dicho y lanzarse a escribir una colección de relatos de propósito didáctico y moralizante.

[3] Reinaldo Ayerbe-Chaux, *El conde Lucanor. Materia tradicional y originalidad creadora*, Madrid, Porrúa Turanzas, 1975.

[4] *Vid.* Salvatore Battaglia, «Dall'esempio alla novella», *Filologia Romanza*, VII, 1960, pp. 21-84.

la riqueza de la elaboración, ya por el poder de síntesis, o bien por los toques y cambios originalísimos que don Juan Manuel ha sabido darle.

2. La estructura

El *Libro del conde Lucanor* se había venido editando dividido en cinco partes: I, ejemplos; II, III, IV, sentencias; y V, tratado doctrinal. Germán Orduna, con muy buenas razones y gran sentido crítico, en su edición de 1972 lo dividió en dos libros: *El libro de los exemplos del conde Lucanor et de Patronio* (parte I) y *El libro de los proverbios del conde Lucanor et de Patronio* (partes II, III, IV, V). Cada libro va precedido de un prólogo en primera persona, siendo el prólogo del segundo el «Razonamiento que faze don Johan por amor de don Jaime, señor de Xérica» (título tomado del ms. *G*). Era el primer paso de liberación de una tradición establecida por la edición de Knust (*vid.* p. 42) o, mejor aún, por la forma en que el códice *S* agrupa las diversas secciones.

En 1975, Joaquín Gimeno Casalduero[5] propuso la división en tres partes: ejemplos, sentencias, tratado; las dos primeras partes con el tema temporal de la hacienda, la honra y el estado, y la última con el tema trascendental de la salvación del alma. El estudio es una excelente contribución para comprender la funcionalidad y significado del *Libro de los proverbios*, pero, como explicación de la estructura visible, deja a un lado el final del *Libro de los exemplos*, sobre todo el hasta ahora llamado *exemplo* LI, y la rigidez ideológica a la que somete su estructura no deja lugar al mundo conflictivo de don Juan Manuel, a ese tira y afloja entre los deberes de estado y el negocio de la salvación del alma que está muy claro en el primer libro (exemplos III,

---

[5] «*El conde Lucanor:* composición y significado», *NRFH*, XXIV, 1975, pp. 101-112; reeditado en *La creación literaria de la Edad Media y del Renacimiento*, Madrid, Porrúa Turanzas, 1977, pp. 19-34. La división tripartita había sido sugerida por Germán Orduna, «Notas para una edición crítica del *Libro del conde Lucanor et de Patronio*», *BRAE*, CXCIV, 1971, p. 52.

XIV, XXXVIII, XL) y que culmina en los exemplos XLVIII, XLIX y LI. Temas discutidos en la parte V, ya aparecen clarísimos en la I. En todo caso, el editor se encuentra con otros problemas y puntillosidades de orden que quizá puede pasar por alto el crítico que traza los rasgos de la totalidad ideológica de la obra.

Volviendo al camino señalado por Germán Orduna, cada uno de los dos libros va precedido de un prólogo en primera persona y, en mi opinión, terminado por un epílogo. El epílogo del *Libro de los exemplos* es el hasta ahora llamado *exemplo LI*. El códice S, único ms. que lo tiene, no le da ningún título, lo cual contrasta con el resto de los *exemplos*. Además, su tema de la soberanía de Dios sobre la soberanía temporal de un rey o de un gran señor viene a cerrar con mucha propiedad el tema más saliente de los ejemplos: de cómo conservar y acrecentar la hacienda, la honra y el estado sin perder la salvación eterna. Sólo Dios está sobre todos y, por lo tanto, la humildad se debe ejercitar para con Dios; pero «los poderosos sobervios nunca fallen en vos humildat con mengua, nin con vençimiento» (Epílogo, lín. 309-310).

El *Libro de los proverbios*, que pertenece a la literatura sapiencial, opino que tiene, después del prólogo en primera persona, tres partes y un epílogo. Al editar estas partes, era necesario romper el hechizo de respeto incondicional a las divisiones que hasta ahora había impuesto el códice S. *Proverbios I* se inicia con una brevísima declaración de Patronio, quien aduce luego cien proverbios (en mi edición los he numerado de cinco en cinco), y termina con una aclaración de Patronio sobre el valor y número de estos proverbios, que era hasta ahora el primer párrafo de la parte III. *Proverbios II* comienza con las palabras del conde a Patronio. El conde expresa su deseo de saber. Siguen la respuesta de Patronio y cincuenta proverbios, para los cuales he adoptado la sugerencia de David A. Flory (en «A Suggested Emendation of *El Conde Lucanor*, Parts I and III», en *Juan Manuel Studies*, pp. 90-99), pero dividiendo en dos su proverbio número 25 para obtener así el total de cincuenta que anuncia Patronio. Se cierra de nuevo con otra aclaración de Patronio sobre el número de ejemplos y de proverbios y su valor didáctico para la salvación del alma y guarda de la hacienda, la honra y el estado. Es el párrafo que hasta ahora se ha editado como primero de la parte IV. *Proverbios III* se inicia también con una petición del conde, seguida de la protesta impaciente de Patronio. Se aducen treinta proverbios, de los cuales diez y ocho tienen barajado el orden sintáctico de las palabras. Termina asimismo con una protesta de Patronio, en la cual culpa hasta cierto punto a don Johan, el autor, de la necesidad en que se ha visto de decir esos proverbios. Este párrafo se ha editado siempre con la V parte. El marco es repetitivo, como ha sido repetitivo, casi formular, el marco del *Libro de los exemplos*.

El *Epílogo* es el tratado doctrinal que contiene primero el resumen de la fe cristiana conservada en el símbolo o credo de los apóstoles y con el razonamiento sobre los dos sacramentos principales del bautismo y de la eucaristía. Se siguen luego las condiciones para que sea buena una acción: se hace referencia al *exemplo XL* del primer libro (buena acción que es mala) y da un ejemplo de una acción mala que es buena. Viene luego la tercera parte del tratado, constituida por la disquisición sobre la miseria del hombre. (Compárese ésta, como lo ha hecho Joaquín Gimeno, *ob. cit.*, p. 109, con el cap. II de *El libro de Calila e Digna* y se verá la superioridad literaria de este último.) Termina con la triple actitud que el hombre puede tomar ante el mundo. De estas actitudes, la mejor es aquella que atiende a los bienes temporales sin perder los eternos: «ca çierto es que muchos reyes et grandes omnes et otros de muchos estados guardaron sus onras et mantenieron sus estados, et, faziéndolo todo, sopieron obrar en guisa que salvaron las almas et aun fueron sanctos» (Epílogo, lín. 739-742).

Queda otro problema estructural por examinar. Cada uno de los dos libros va precedido, como se ha visto, de un prólogo en primera persona. Ahora bien, ¿tiene el *Libro del conde Lucanor* un prólogo general para la obra bipartita? Al hablar de la obra litearia de don Juan Manuel mencioné ya el prólogo general que precede al *Libro del conde* en el códice *S*. Este mismo prólogo general precede a la obra en los otros cuatro manuscritos que describiré más adelante, y sólo Argote de Molina, el primer editor de 1575, lo omite. Este prólogo (que llamaré A) va escrito en tercera persona y expresa la idea de que los libros, al ser «trasladados» (copiados, *vid. LBA* 1197*a*), quedan fácilmente cambiados por los escribas y, por ello, don Juan Manuel ha dejado una colección de sus obras en el monasterio de los dominicos de Peñafiel. Da una lista de nueve libros. Añade que sus «menguas» (faltas, *vid. LBA* 504*c*, 1134*d*, 1363*c*) deben atribuirse a su poco entendimiento, y para que todos se aprovechen de sus libros los escribe en «romance» (idioma castellano; *vid. LBA* 353*d* y nota de Corominas en su edición, p. 160), y termina: «Et de aquí adelante comiença el prólogo del Libro de los exemplos del conde Lucanor et de Patronio» (Primer Prólogo, lín. 41-43).

Ahora bien, este prólogo, como ha notado Germán Orduna, siguiendo a Giménez Soler[6], contiene las mismas ideas del prólogo general que precede a las obras de don Juan Manuel en el códice *S* (lo llamaremos prólogo B). Las características en que difiere de A el prólogo B son: 1) Está escrito en primera persona; 2) añade el bello *exemplo* del caballero de Perpiñán, y 3) las obras escritas por don Juan Manuel son once en vez de nueve. Orduna avanza la teoría de que el prólogo A es un resumen, hecho por un copista, de un prólogo general en primera persona, con el ejemplo del caballero de Perpiñán, que precedía a una primera colección de las obras de don Juan Manuel que data de 1335. Escritas nuevas obras, se cambió la lista en 1342 (si se admite la fecha de Giménez Soler). De modo que ese prólogo más breve en tercera persona, sacado de la colección de 1335, es espúrio. Los reseñistas ingleses de la edición de Orduna[7] han hecho notar que hubiera debido llevar sus conclusiones a la consecuencia natural de publicar dicho prólogo como un apéndice al final del libro, lo mismo que hace con el prólogo B.

Sin embargo, hay algo muy importante que para el editor crítico no cuadra en la teoría del copista resumidor de Orduna, y es el hecho de que el prólogo se encuentre no sólo en el códice *S*, en donde el escriba quizá copiara mecánicamente (Orduna, p. 498), sino en *P*, que, como veremos, pertenece a una familia completamente distinta, en *H* (otra rama distinta), en *M* y en *G* que, como se verá, pertenece a la misma

---

[6] «Notas para una edición», art. cit., pp. 495-499; Giménez Soler, ob. cit., pp. 147-151.

[7] Alan D. Deyermond, «Editors, Critics and *El conde Lucanor*», *RPh*, XXXI, 1977-1978, pp. 618-630, *vid.* p. 622. Ian Macpherson, *BHS*, LI, 1974, pp. 376-379, *vid.* p. 378.

línea de Argote. Argote de Molina es el único que lo omite. Además, en *H* y *M* va precedido este prólogo por el título general de la obra: *Libro del conde Lucanor*.

Por lo tanto, vale la pena adelantar la siguiente hipótesis: El prólogo A no es resumen de un escriba, sino que lo compuso el mismo don Juan Manuel para su primera colección de 1335, la cual se iniciaba con el *Libro del conde Lucanor*. Esa tercera persona en la cual lo escribió se mantiene a lo largo de los cincuenta *exemplos* y epílogo y aparece en el colofón final del *Libro de los proverbios*. Cuando, después de cada *exemplo*, dice: «Et viendo don Johan... Et porque don Johan vio...», don Juan Manuel crea diversos niveles de distancia con respecto a su obra. Esa tercera persona del autor en el primer prólogo y al final de cada ejemplo es la misma que usa don Juan Manuel en el *Libro de los estados*, cuando Julio se refiere a don Johan, con quien antes había trabajado. El prólogo de 1335 en tercera persona, en contraste con la primera de los prólogos al *Libro de los exemplos* y al *Libro de los proverbios*, crea diversas distancias sutiles entre el autor y su obra y se convierte desde un principio en parte integrante del *Libro del conde Lucanor*. A veces, nuestras teorías dan más crédito al feliz error de un copista que al ingenio del autor. La tercera persona del prólogo A es demasiado artística para atribuirla a un escriba y sin ella queda inexplicable y aislada la tercera persona que cierra cada *exemplo*.

Es muy posible que, al preparar el códice de todas sus obras que definitivamente iba a dejar en Peñafiel, don Juan Manuel escribiera otro prólogo con las mismas ideas del de la primera colección de 1335 y añadiera el ejemplo del caballero de Perpiñán. El autor no siente ningún escrúpulo en repetir ideas del *Libro del cavallero et del escudero* en el *Libro de los estados*, e ideas de este último en el epílogo al *Libro de los proverbios*. El prólogo A de 1335, en tercera persona, quedó allí, inseparable del *Libro del conde Lucanor* y la tradición manuscrita y el compilador de *S* nunca lo separaron.

3. El marco narrativo

La «manera del libro», para usar la expresión de don Juan Manuel, la constituye el conde Lucanor, quien consulta sus problemas con Patronio, su criado filósofo. La historia-marco y el ensartado de cuentos dentro de esa historia nada tiene de nuevo en la Edad Media[8]; aún más, pudiera haber sido menos soso, un poco más interesante, no tan simple. Al menos así lo parece a primera vista. Sabemos que don Juan Manuel tomó prestado el marco narrativo del *Libro del caballero et del escudero*, lo mismo que el del *Libro de los estados*. Hasta ahora, que yo sepa, no se ha explorado la procedencia de este marco narrativo[9], quizá por considerarlo tan pobremente artístico.

Creo que se pueden adelantar las siguientes sugerencias: Un tipo o especie de ejemplo medieval muy conocido consistía en narrar la vida de un filósofo, compuesta de anécdotas que le ocurrían a él y seguida de una serie de máximas o de un tratado doctrinal. En esa forma se combinaban la anécdota ejemplarizante y el género sapiencial, pero el todo formaba un *exemplum*[10]. A este tipo pertenece el *exemplo* XLVI, «De lo que contesçió a un philósopho que por ocasión entró en una calle do moravan malas mugeres» (p. 411), en el cual hay una anécdota de su vida y el tratado del filósofo sobre la buena o mala ventura buscada o no buscada. Otro ejemplo conocido por don Juan Manuel era la vida de Segundo, el filósofo, que narra Alfonso el Sabio en el capítulo 196 de su *Estoria de España*[11] y que había tomado del *Speculum*

---

[8] *Vid.* el libro de María Jesús Lacarra, *Cuentística medieval en España: los orígenes*, Zaragoza, Pórtico, 1979, especialmente los capítulos III y IV.

[9] Martín de Riquer, «Lucanor y Patronio», en *Estudios ofrecidos a Emilio Alarcos Llorach*, II, Oviedo, 1978, pp. 391-400, explora la procedencia de los dos nombres.

[10] *Vid.* J. Th. Welter, ob. cit., p. 197.

[11] *Primera Crónica General de España que mandó componer Alfonso el Sabio y se continuaba bajo Sancho IV en 1289*, ed. Ra-

historiale de Vicente de Beauvais. La vida de Segundo recoge tres motivos: el hijo peregrino a quien no reconocen en casa de sus padres; la madre que muere de vergüenza al saber que el hombre con quien ha dormido es su propio hijo; el silencio del sabio que no se rompe ni ante la amenaza de muerte. La parte sapiencial está compuesta de las cortas máximas con que el filósofo responde forzadamente por escrito a las preguntas del emperador Adriano en Atenas.

Esta especie o tipo de *exemplo* se puede aplicar perfectamente al marco narrativo del libro, pero teniendo en cuenta que en don Juan Manuel se transforma y adquiere una nueva dimensión. Vale recordar lo que él mismo dice en el *Libro de las armas*: «et así contesce en los que (los que) fablan las scripturas: toman de lo que fallan en un lugar et acuerdan en lo que fallan en otros lugares et de todo fazen vna razon» [12]. Sutilmente, en el *Libro del conde Lucanor* los ejemplos no son ya las aventuras que le ocurren al filósofo Patronio, sino su misma vida interior: una serie de aconteceres que guían su propia existencia y la del conde. Son hechos que se han convertido en convicciones, en vivencias. De la aventura o acontecer exterior se ha pasado al vivir auténtico: al ser humano que dirige y gobierna su existencia con una serie de actitudes y principios. Ya no es el filósofo a quien lo que ocurre afecta o destruye, sino el filósofo que, con lo ocurrido a otros, va dirigiendo y gobernando su existencia y la de su señor. Ante esta sutileza, ante este refinamiento con los cuales el *exemplo* tradicional de este tipo ha quedado transformado, el segundo libro, que pretende ser más oscuro, es el que irónicamente revela con claridad la especie literaria de la obra con los proverbios y el tratado. En la voluntad forzada de Patronio hay un eco de Segundo en Atenas.

Para aquellos de nosotros que, con emoción y admiración. nos hemos venido acercando a la creación literaria de don Juan Manuel es claro y sabido que hablamos de narraciones

---

món Menéndez Pidal, Madrid, Gredos, 1955², p. 146A.12. *Vid.* Reinaldo Ayerbe-Chaux, «El uso de *exempla*, en la *Estoria de España*, de Alfonso X», *La Corónica*, VII, 1978-1979, pp. 28-33.

[12] Giménez Soler, ob. cit., p. 677, 3; *vid.* Germán Orduna, «El exemplo», art. cit., pp. 124-125.

análogas, de relatos paralelos (poquísimas veces de fuentes), entre los cuales se destaca en su unicidad inconfundible la obra de nuestro autor. Lo mismo pasa en este caso, al examinar el marco narrativo del *Libro del conde Lucanor*, que, a primera vista, parece tan simple, tan superficial, pero que, contemplado sobre el fondo de las variantes del género, deja relucir su propia sutileza y originalidad.

IV. PROBLEMAS TEXTUALES

Los manuscritos que contienen el *Libro del conde Lucanor* son cinco y han sido descritos en detalle en las ediciones de Knust (1900), Frapf (1902) y Juliá (1933)[1]. Las siglas que los designan son *S, M, H, P, G:*

1. *S* (ms. 6376 de la BNM). Es el único que contiene las obras conocidas de don Juan Manuel (menos la *Crónica abreviada*) y en el cual el *Libro del conde Lucanor* está completo: Prólogo general de 1335, *Libro de los exemplos* (con el epílogo) y *Libro de los proverbios* (con prólogo, tres partes y epílogo). Tiene un total de 216 folios en pergamino, en muchos de los cuales la tinta se ha desvanecido, pero queda la marca legible de la pluma. La letra es del siglo xv (quizá primera mitad). Es el ms. que desde Knust se viene editando. Lo he usado directamente y he encontrado poquísimos errores de transcripción en la edición de José Manuel Blecua, Madrid, Castalia, 1971[2].

2. *M* (ms. 4236 de la BNM). En papel, tiene 101 folios, con letra de la segunda mitad del siglo xv. Sólo contiene el prólogo general de 1335 y el *Libro de los exemplos* sin el epílogo. Fue transcrito por Nydia R. Gloeckner para su disertación en Pennsylvania State University, 1971 (*DAI*, XXXII, 1971-1972, p. 5183). La transcripción es excelente y tiene poquísimos errores.

---

[1] *Vid. Ediciones principales*, p. 42. *Vid.* también Daniel Devoto, *Introducción al estudio de don Juan Manuel, y en particular de «El conde Lucanor». Una bibliografía*, Madrid, Castalia, pp. 225 y 291 (obra primordial a la que tendremos que recurrir incesantemente).

3. *H* (Est. 27, gr. 3, E-78, de la Academia de la Historia en Madrid). Tiene 108 folios de papel, con letra del siglo xv. Faltan dos folios: entre el 36 y 37 y entre el 99 y 100; el 62 está roto. El mismo contenido de *M*. Fue transcrito por Rigo Mignani para su disertación en la Universidad de Washington, 1957 (*DA*, XVIII, 1958, p. 1435). No es una transcripción tan exacta como la del ms. *M*.

4. *P* (ms. 15 de la Real Academia Española de la Lengua). Pertenecía al conde de Puñonrostro. En papel, con letra del siglo xv. La primera obra que contiene este códice (fol. 1 al 62v) es *El conde Lucanor* (pero el mismo contenido de *MH* y dos cuentos más, erróneamente atribuidos a don Juan Manuel). El códice contiene otras cinco obras de otros autores. Eugenio Krapf editó este texto (Vigo, 1902) y, a pesar de la amarga reseña que le dedicó María Goyri de Menéndez Pidal (*RABM*, VII, 1902, pp. 320-321), Krapf llevó a cabo una transcripción cuidadosísima, cuya validez he podido verificar directamente con el manuscrito.

5. *G* (ms. 18415 de la BNM). 127 folios en papel con letra del siglo xvi. Contiene el prólogo de 1335, el *Libro de los exemplos* (sin epílogo), el *Libro de los proverbios*, pero el epílogo de éste se trunca en el folio 123*r* y en la misma línea, sin título ninguno ni separación, sigue un texto tomado de *Flores de Filosofía* (*vid.* p. 509.293). El papel es delgado y la tinta se pasa, por lo cual, aunque la caligrafía es muy fácil de leer, hay que tener cuidado con las interferencias del reverso. Fue transcrito por Paul B. Gloeckner para su disertación en la New York University, 1972 (*DAI*, XXXIV, 1973-1974, pp. 298-299A), pero el número de errores de esta transcripción es tan increíblemente copioso que la hace del todo inservible [2].

Un texto crítico no se podía llevar a cabo sin tener en

---

[2] Debo advertir que para esta edición no he partido de ninguna transcripción, sino que he trabajado directamente con los manuscritos, de los cuales la Biblioteca Nacional de Madrid me facilitó microfilmes y la Academia de la Historia una xerocopia excelente: para estas dos instituciones mi sincera gratitud. La Real Academia puso a mi disposición el códice, pero en su biblioteca; afortunadamente, durante mis nueve meses de permanencia en Madrid he podido verificar así cuidadosamente la validez de la transcripción de Krapf, con la cual he trabajado. Debo adver-

cuenta la edición de Argote de Molina, hecha en Sevilla en 1575 [3]. Argote dice en el prólogo que, entusiasmado por la belleza de la prosa de don Juan Manuel, al querer preparar la edición, el texto de que disponía estaba «estragado en muchas partes por culpa del escriptor, o por no habérsele offrescido mas fiel exemplar». Entonces, Jerónimo de Zurita y el doctor Oretano le prestaron las copias que ellos poseían. Es imposible determinar el paradero de estos tres manuscritos. Enrique Miralles en su prólogo a la reimpresión de la edición de Argote (p. 29) llama la atención sobre una nota del códice de Puñonrostro que he podido verificar: aparece al pie de la primera página de éste y dice: «Faltan en este libro cuando yo le recibo a primero de enero del 74 los folios 2, 3, 63.» Como lo indica Miralles, es imposible saber si la nota es de Argote. En todo caso, ninguno de los mss. está más distante del texto de A (de ahora en adelante por Argote), y es menester descartar esta posibilidad. Las conjeturas de identificación podrían fijarse en el hecho de que en S se encuentran arrancados los folios del *exemplo* XXVIII y A omite precisamente este *exemplo*. Sin embargo, como veremos, aunque SGA pueden considerarse relacionados y como pertenecientes a un mismo cauce, A se acerca mucho más a G que a S. Ante la incertidumbre, creo que sin dar importancia al hecho del orden tan diferente que tienen los ejemplos en la edición de Argote, ya que parece que los barajó a su manera (*vid.* prólogo de Miralles, p. 30), al crítico sólo le queda tratar este texto como un manuscrito más, según lo ha aconsejado Alan Deyermond [4].

---

tir también que las variantes de los manuscritos en la edición de Knust están plagadas de errores y desafortunadamente se han tomado a veces en cuenta para opiniones textuales.

[3] Aunque la reedición del texto de Argote (*vid. Ediciones principales*, p. 42) apareció en 1978, he llevado a cabo el trabajo con un microfilme de la copia que posee el British Museum y que muy amablemente me regaló Alan D. Deyermond.

[4] Alan D. Deyermond en «Editors, Critics», art. cit., p. 620, da importancia al orden de los ejemplos en Argote. Allí mismo dice: «the way ahead would be relatively clear: The editor of a critical edition would treat A's text much as if it were another MS». Para el orden de los ejemplos en los manuscritos *vid.* la tabla de concordancia que tiene D. Devoto, ob. cit., p. 296.

Al tratar de establecer la relación entre los diferentes manuscritos, la más obvia y fácil de probar es la de *GA*. Hay, en primer lugar, una serie de omisiones comunes, de las que puedo dar una idea con sólo examinar los diecinueve primeros *exemplos* (doy *exemplo* y línea):

1.83: que si esto fiziesse. 1.95: en toda guisa en su voluntad. 2.19: Sennor assí. 2.165: et lo que falláredes que es bien et vuestra pro, conséjovos yo que nunca lo dexedes de fazer. 11.7: en aquel fecho. 11.75: que avía començado pero puso en su coraçón de non dexar. 20.5: que avía menester. 15.137: en soffrir.

Existen también añadidos pequeños en *GA* que faltan en los otros mss. He aquí unos casos de sólo los ocho primeros *exemplos* (la palabra añadida va en bastardilla):

2.18: dixo *assí.* 2.68: *en la bestia* por el camino. 2.69: otros *omes.* 2.72: podría *andar e* sufrir. 2.86: *yr cavallero* en la bestia. 2.99: yr amos *cavalleros.* 2.105: verdad aquello *que dezían.* 3.170: que fezistes *e fiziéredes.* 9.22: amor *e amistad.* 10.31: atarmuçes *quél desechava.*

Basta pasar la mirada por las variante textuales para notar que *GA* coinciden con mucha frecuencia. Cito sólo del prólogo y de los *exemplos* I y II. Va primero la variante de *GA* y en paréntesis el texto correcto:

P. 23,24: Otrosí (Et assí)... serían luengos de contar e de dezir (s. muy l. de dezir. P. 34: lo ha de aprender (la ha de a.). P. 59: los que también non entendieren (l.q. lo tan bien n.e.). 1.11: seméjame que es muy (seméjame muy). 1.15: non vos fazía muy grant (n.v. faze grant). 1.65: aquella fabla con él (a. fabla). 1.77: E por aquella (Et que por a.). 1.85: mantenidos (mantenidas). 1.91: por su fijo pequenno (p. su f. muy pequennuelo). 1.96: pensaría en su coraçón en la manera (pensó él la manera). 1.108: recaudo de todo (recabdo en todo). 1.121: e era muy philósopho (et muy grant ph.). 1.128: y con muy gran (*G* grande) alegría que tenía que era de muy buena ventura (et muy grand alegría, quanto de buena ventura era). 1.135: començóle a lo mal traer (començólo a mal t.).

1.144: aquestas razones (aquellas r.). 1.156: sus vestiduras (su vestidura). 1.169: Dios quisiesse (quisiesse D.). 1.173: desterramiento que él quería tomar
(d. quel rrey q.t.). 1.184: en lealtad (con l.). 1.199: el
amor entre ellos (entre ellos el amor). 2.21: noble entendimiento (sotil e.). 2.69: que loco era mucho
(que lo errara mucho). 2.110: que quando veníamos
de pie (q. amos v. de p.). 2.112: e dixiste que te semejava bien (et tú dizías q. te s. que era b.). 2.150: e non
catando (et non catan). 2.157: et que vos fiedes (et
que non v.f.).

Aunque algunas de las citas anteriores pueden considerarse como errores comunes, cito los que con toda seguridad
lo son en esa misma porción del texto:

P. 7: pero las cosas (caras). P. 47: que aprovecha
(aproveche). 1.7: acaesçiera (acaesçieran). 1.89: por
todo lo dexasse que lo non debría dexar (por todo
esto non lo dexasse, que lo devría d.). 1.158: que ende
falló (que ý falló). 1.165: dexassen (dexasse). 2.136:
podemos ser (puede ser). 2.157: et que vos fiedes
(que non vos fiedes). 2.164: pierda tienpo (pierda por
tienpo).

Queda por mencionar la variante más extensa, común
a GA en el exemplo XXXVIII, líneas 16 y 25.

A veces, Argote tiene lecturas únicas que se pueden explicar por error, o por escrúpulos doctrinales, o por preferencias estilísticas:

Por error: 1.10: e lo a él encomendado (et lo
ál e.). 1.17: fazello he e luego (fazerlo he luego).
2.98: tan flaca que mala ves (tan flaca que abez).
Por deseo de corregir el texto: P. 56: tirar para sí
(tirar a sí). 1.45: ningún omne cuerdo deve (n.o.c. non
deve). 3.159: quantos fincaron en mal (quantos fincaron).
Por escrúpulos doctrinales: 3.89: que non menos
servicio fiziera a Dios e no menos meresçiera (q. más
s.f. a D. et más m.). 4.46: vete con Dios (ve con la
yra de Dios et será muy nesçio qui de ti se doliere
por mal que te venga). 14.26: omite «entendió Sancto
Domingo que non era voluntad de Dios que aquel mal
omne non sufriesse la pena por el mal que avía fecho,

et non quiso yr allá». 35.94: En «prometo a Dios» Argote omite: *a Dios*. 40.30: omite que el diablo «sabe todas las cosas fechas et dichas», y en la línea siguiente, para quitar la impresión de que los frailes se habían beneficiado con el testamento del senescal, omite: «en que dexara el senescal fecho de su alma».

Por preferencias estilísticas: P. 79: en manera de diálogo entre un gran sennor que fabla (en m. de un grand sennor que fablava). 1.78: que Dios le avría merçed de sus pecados (q. avría D. merçed dél). 1.98: su tierra mantenida e guardada (su tierra guardada). 1.114: dexava muy buen recaudo (dexava recabdo). 1.136: diziendo que (et díxol que). 3.80: maguer él conosçía (ca él c.). 9.92: en tan gran quexa, e siendo de vos socorrido non quiso olvidar (en t.g.q. non quiso olvidar), etc.

Ante estos datos que sólo abarcan una parte reducida del texto, para no transcribir aquí listas interminables, la pregunta más natural será: ¿depende *A* de *G*? ¿Es *G* uno de los tres manuscritos que usó Argote? Lo menos arriesgado sería decir que ambos tienen un subarquetipo común [5]. Sin embargo, aunque los dos son del siglo XVI, el hecho de que Argote manejara otros dos manuscritos puede explicar tanto los casos en que uno, con exclusión del otro, coincide con *SHMP* como las mutuas divergencias que no se pueden explicar ni por error del amanuense o del editor, ni por gustos estilísticos, ni por escrúpulos religiosos de Argote. Debo añadir que, así como éste dice que conoció tres manuscritos, el copista de *G* informa dos veces que tiene ante su vista dos manuscritos: 5.53: ganzela, así está en otro libro; 11.84: por esta rrazón non se está bien quexasse, aunque en otra dize tardasse de yr.

Con *GA* se relaciona *S*. Existe sólo un error común fácilmente reconocible: 33.5: «después que la contienda es passada, *algunos conséianme que tome otra contienda con otros,* algunos conséianme que esté en paz, et algunos conséjanme que comiençe guerra et contienda con los moros.» Se trata de un añadido (oración en bastardilla) que nació seguramente del error de algún copista. Pero es sólo un caso y, por lo

---

[5] *Vid.* E. Miralles, ob. cit., p. 59, y nota 56.

tanto, sería insuficiente para establecer por el camino del error o la omisión común la filiación *SGA*. Sin embargo, las concordancias del texto de los tres son tales que me parecen suficientes para establecerla. Basta una ojeada al aparato crítico para constatar que las variantes más numerosas se refieren a *PHM* y que el texto está especialmente basado en *SGA*, que concuerdan en un porcentaje muy alto.

S se caracteriza por arcaísmos y latinismos que hay que corregir: P. 68 piadat; 1.10 y 27.62 comendado; 1.89 y 6.22 dapno; 4.37 delectosas; 11.95 vagado (por vacado); 12.55 menaçar; 12.62 colpes; 12.90 porfidiardes; 17.22 envergonarse; 19.26 ascondidos; 24.29 donarie; 24.82 retraer; 25.34 tenptaçión; 25.51 rreys; 26.27 fructa; 26.61 ramos; 36.63 mover por; 48.88 sulco; 50.59 peora.

Tenemos, pues, una primera rama con subarquetipos que tienen que ser por lo menos dos: uno para *GA* (que llamo *y*), otro para *S* (que llamo *z*) del cual se derivaría el de *GA*, o mejor aún, un tercero (que llamo *x*) del cual procederían los dos subarquetipos de *S* y de *GA*. No hay que olvidar en ningún momento que caminamos por un terreno enteramente hipotético. La realidad que se irá delineando más y más, al seguir este examen de los manuscritos, es que, a pesar de la codificación oficial que con tan buena intención dejó don Juan Manuel en Peñafiel, los cuentos de Patronio se volvieron materia viva y maleable, como los cantos de los juglares y de los trovadores y se fueron retocando. Esto seguramente comenzó ya a ocurrir en vida del autor y de allí el ejemplar de Peñafiel.

H es el manuscrito que sufre más a causa de los errores del copista, el cual deja oraciones sin sentido o cambia palabras. A veces llega a decir lo contrario del texto, v. gr. 40.85: non deve por eso de fazer buenas obras (dexar de fazer). He aquí algunos errores de los ocho primeros *exemplos* con la lectura correcta en paréntesis:

1.75: contra algund lugar (catar a.l.). 2.147: et a so non sea (sól que non sea). 3.68: grant trabajo por ganar sofrir la graçia de Dios (sufría grandes trabajos por ganar la g. de D.). 4.28: vez aquí (vees aquí). 4.50: estades en pades (estades en paz). 5.5: muchos entendimientos (m. conplimientos). 6.3: se han apoderado ayunt gente et faziendo (que son más poderosos que yo, se ayuntan et fazen). 9.8: cada uno se reçela que non verná muy grand danno (cada uno de nos rreçela quel puede venir m.g.d.). 9.10: avisemos en uno (aviniéssemos en uno). 9.89: lo suyo fenesçen en salvo (lo suyo fuesse en salvo).

De todos estos casos podría excluirse 6.3, quizá debido a un modelo defectuoso. Todos los otros demuestran la ineptitud del copista.

¿Hasta qué punto se puede relacionar *H* con la rama *SGA*?

Por una parte, hay omisiones comunes que se pueden considerar con certeza como errores comunes, ya que en todos los casos que cito a continuación la última palabra del texto omitido es la misma del texto en donde cortaron la lectura[6]:

S.H. 2.62: Et el fijo que le paresçía que dezían (error).

GH. 43.57-61: Et despúes pusieron coles; et desque nasçieron, dixo el Mal que, pues el Bien tomara la otra vez de los nabos lo que estava sobre tierra, que tomasse agora de las coles lo que estava so tierra. Et el Bien tomó aquella parte (error). 40.20: et por el guardián de los frayles menores.

AH. 36.58: et tovo más que fazía maldat que non que era casada (error).

GAH. 33.23: et començó a andar muy bien con ella por la matar (error). 35.96: El gato non lo fizo, ca tanpoco es su costunbre de dar agua a las manos, commo el perro (error). 35.111: Desso vos guardat que si por vuestra mala ventura non fizierdes lo que yo vos mandare (error). 43.62: sería buen recabdo que (error). 50.178: Et ya por la duenna non fiziera tanto; mas, porque él era tan buen omne, tenía quel era mengua si dexasse de saber aquello que avía començado (error).

Existen variantes conjuntas corregibles:

SH. 1.194: lo que tiene en vos (tenié). 2.117: desçendiste (deçiste). 3.76: pero tanto se afincó (le afincó).

---

[6] De ahora en adelante, cuando cite omisiones comunes de esta clase, lo indicaré agregando: (error).

10.24: començó de comer (a comer). 15.95: et los otros que el segundo (et l.o. dezían q. el s.). 15.120: puede (pueden). 19.12: en commo pueda (omite: *en*). 20.120: avía errado (avían e.). 21.5: críolo yo (criélo yo). 21.78: mas que aun (mas aun). 22.11: que he reçelo (que me reçelo). 22.15: fiança (fiuza). 22.30: les ayudas (las ayudas). 22.73: non podría ser (non podía ser).

GAH. Del exemplo VII al XXIII se pueden contar unos 24 casos, de los cuales doy los siguientes:

7.35: con la mano en la su cabeça e en su frente (con la m. en su f.). 11.35: plazía mucho con él (p.m. con su venida). 12.14: muy fuertes (más fuertes). 12.25: a las vezes (a las vegadas). 14.19: que avía muy gran thesoro (q. ayuntó m.g.th.). 15.56: e desque esto ovieron (et dq. lo o.). 15.133: e a la otra parte (et a la vuestra p.). 16.11: dezides buena razón (d. bien et rrazón). 18.46: que fuessen çiertos (q. çiertos fuessen). 18.81: dexar por dar a entender (dexar por atender). 19.34: la manera fue que (la m.f. ésta). 19.36: e desque assí fue tan maltrecho (et dq. fue assí maltrecho). 20.73: E désque él vio (Et dq. rrey vio). 21.70: escuchó, estuvo una pieça (escuchó esto una p.). 21.95: que poco seso dezía (q. dezía poco seso). 22.112: por que otro nunca se atreva (p. q. nunca otros se atrevan).

Sin embargo, la independencia de *H* es innegable en la cantidad de variantes en que figura solo. De estas variantes se pueden contar hasta unas cincuenta en solo el prólogo y los exemplos I y II y sin tomar en consideración las variantes menores. Al examinarlas, podemos formar las siguientes categorías:

1. Atribuibles a error del pobre copista

PG. 31: Et los libros que están (Et estos libros están). P. 29: porque todos se semejan en ellas et en tanto que unos usan (pero todos se semejan en tanto que todos usan). P. 48: omite por error «por razón que naturalmente el fígado». P. 69: se aproveche dél a su serviçio en este mundo a los cuerpos et en el otro a las almas (se aprovechen dél a serviçio de Dios et para salvamiento de sus almas et aprovechamiento

de sus cuerpos). 1.26: que han alguna buena andança, *que aquel su privado avía* (q. alguna b.a. han), la
bastardilla es agregado. 1.115: oyó dezir quél que
quería (oyó dezir al rrey q.q.). 2.33,34: que avía del
entendimiento aquel menguava la manera de fazer
saber la obra conplidamente (q.a. del e. et quel menguava la m. de saber fazer la o.c.).

2. Atribuibles a arreglo del copista

P. 60: que en leyéndolo (q. en leyendo el libro).
P. 62: ayan a desear leer (ayan a leer). P. 79: en manera de un sennor que fabla (en m. de un grand s.q.f.).
P. 80: E dezíanlo al sennor, conde Lucanor, e al otro
Patronio, su consejero (Et dezían al s.c.L. et al consejero P.). 1.36: de guisar por do él muriesse e que
un fijo quél avía (de g. por que él m. et q. un f. pe-
quenno que el rrey avía). 1.56: provó en su coraçón
(puso en su c.). 1.58: E a cabo de algunos días estando el rrey fablando (Et estando a cabo de algunos
días el rrey fablando).

3. Atribuibles a un subarquetipo distinto de «x»

	H	*texto*
PG. 36	porque se entreme-tió a entender et fablar	pq. se atrevió a se entremeter a fablar.
P. 20	mas non de una ma-nera	mas non los sirven todos a una manera.
1.3	Patronio, a mí acaesçe que un om-ne mucho onrrado e poderoso desta tierra, que es ya-quanto mi amigo.	P. a mí acaesçió q. un grande omne et mucho onrrado et muy poderoso, et que da a e. q. es y. mi a.
1.6-7	que le acaesçen que es su voluntad.	quel acaesçieran, que era su voluntad.
1.11	parésçeme que es a mí muy grand on-rra e provecho mio et de mi tierra.	seméjame muy grand o. et grant aprovechamiento para mí.

1.155 entre las costuras de la su mala vestidura, entre los pedaços muchas doblas e florines.

e.l.c. de aquellos pedaços de su vestidura una grant quantía de doblas.

1.170 et que se quería yr con él et que así como del bien e de la onrra que del rrey avía tomado muy grant parte, que assí era razón que de la lazeria e el mal quel rrey tomasse, que oviesse otrosí grand parte.

et q. assí commo de la onra et del bien que el rrey oviera tomara muy grant parte, que assí era muy grant razón que de la lazeria et del desterramiento quel rrey quería tomar, que él otrosí tomasse su parte.

2.24 que en aquello que quería fazer su padre que le podría venir algunt contrario.

q. en a. que él quería fazer, que veía él que podría acaesçer el contrario.

2.49 la bestia vazía et yvan amos a pie.

la v. sin ninguna carga et y. amos de pie.

2.52 Et desque se fallaron en uno et se apartaron los unos de los otros, començaron a departir entre sí et dezían que non fazían bien el omne et su fijo.

Et de que fablaron en uno et se partieron los unos de los otros, aquellos omnes que encontraron començaron a departir ellos entre sí et dizían que non les paresçíen de buen recabdo aquel omne et su fijo.

Hay otras variantes que exigen la existencia de un subarquetipo distinto para *H* (que llamo *r*), variantes que por su extensión no pueden explicarse de otra manera, tales como la del exemplo V 54 y las de 22.67-68; 33.63; 36.24; 36.77; 42.11.

Si la característica de *S* son los arcaísmos y latinismos y la de *H* los errores del escriba, la característica de *M* es que ofrece el texto más contaminado por los arreglos del escriba que lo compuso, o que son el resultado de los sucesivos retoques del texto. Como veremos en su lugar, con ejemplos precisos, la tendencia en la transmisión manuscrita del cuento es a agregar.

M tiene omisiones y errores comunes importantes:

> *GAHM.* comparten las omisiones 33.23; 35.96; 35.111 y 50.178, que ya transcribí en la p. 28.
> *GAM.* 33.29: et cada quel falcón tornava a la garça.
> *HM.* 11.10: et rroguél que la fiziesse. 12.5: que son muy fuertes, he algunos que lo non son tanto et otrosí otros lugares (error). 18.87: aquellas deve omne tener que se fazen por voluntad de Dios, et que aquello es lo mejor. Et pues esto que a vos acaesçió es de las cosas que vienen por voluntad de Dios, en que non se puede poner consejo. (Debida probablemente a escrúpulos doctrinales.) 50.294: et quél respondía que la meior cosa que omne podría aver en sí et que es madre et cabeça de todas las vondades (error).

A veces, *M* adopta y armoniza las variantes de los otros manuscritos, como si estuviera usando los subarquetipos de los mismos:

> 1.183: aquellas cosas e rrazones (*cosas* de *SPGA*, *rrazones* de *H*). 27.144: se tornan en su seso e en su entendimiento (*seso* de *P*, *entendimiento* de *SGAH*). 26.77: a todas las gentes (*GPA*) e a todas las mas (*SH*) de todo el mundo. 24.80: que non quería cavalgar mas que cavalgasse él (*P*) et que fuesse andar por la villa (*SGAH*).

Al examinar las variantes de *M* en el prólogo y en los dos primeros *exemplos* se constata que todas ellas tratan de aclarar y de explicar el texto, y que la mayoría de las veces lo hace añadiendo una o dos palabras. No faltan casos en que se hace más breve.

> *PG.* 31: Et los libros de los frayles pedricadores que están en el monesterio de Peñafiel. Pero sy en los dichos libros fallaren algunas menguas (Et estos libros están en el monesterio de los f.p. que él fizo en P... Pero, desque vieren los libros que él fizo, por las menguas que en ellos fallaren). *P.* 3: de fazer e fizo una maravilla (de fazer una muy marabillosa). *P.* 11: entinciones e en los fechos de cada uno (entençiones de los omnes). *P.* 29: pero que todos se semejan en

quanto quieren et usan aprender (pero todos se s. en tanto que todos usan et quieren et aprenden). P. 37: *e por esta razón* (añadido para explicar). P. 61: leyendo este libro (l. el libro). 1.11: seméjame que es grand onrra mía e grant aprovechamiento a mi fazienda (s. muy g.o. et g.a. para mí). 1.42: de que esto todo oyó o le dixeron (de q. esto le dixeron). 1.53: cómmo podría saber (c. p. provar). 1.80: esto oyó dezir al rrey (esto le oyó dezir). 1.94: que él cunpliesse esto que tenía en toda guisa en su voluntad (q. él pusiesse en toda guisa en su voluntad). 1.106: fazer deserviçio a la rreyna e a su fijo (fazer ninguna cosa que fuesse deserviçio de su fijo). 1.144: Et quando esto oyó e entendió todas aquellas razones (Q. el privado del rrey oyó aquellas razones). 1.146: Et el cativo filósofo consejól que tomasse una manera buena por que pudiesse escapar bien (Et desque aquel sabio que tenía en su casa le vio en tan grant coyta, consejól q.t.u.m. commo podríe escapar). 1.152: traer los rromeros que andan pidiendo limosnas (traer estos omnes que a.p. las l.). (*Vid.* 1.162; 1.192; 2.23; 2.33; 2.98; 2.160 y 2.163.

Otras variantes parecen hechas por razones estilísticas:

P. 50: alguna dulçura (alguna cosa dulçe). 1.26: que non ayan otros que ayan (que algunos otros non ayan). 1.54 et enformaron al rrey en una manera muy engannosa (et e. bien al rr. en una m. engannosa). 1.59: otras muchas maneras de fablar que le fizo (otras rrazones muchas que fablaron). 1.63: Et después de algunos días, tornó el rrey a fablar con aquel su privado dándole a entender más claro que non se pagava deste mundo (Et después, a cabo de algunos días, fablando otra vez en uno con aquel su privado, dándol a entender que sobre otra rrazón començava aquella fabla, tornól a dezir que cada día se pagava menos de la vida deste mundo). 1.71: nin en las rryquezas que en el mundo son... plazeres que son en esta vida (nin en las rriquezas... plazeres que en este mundo avíe). 1.118: todo el rreyno fincava en su poder, que obraría en ello lo que quisiesse (todo fincava en su p. que podría obrar en ello commo quisiesse). 1.169: que nunca le desconoçería el bien que él le avía fecho (q.n. quisiesse Dios que él desconosçiesse quanto bien le fiziera).

La corrección llega a convertirse en verdadera *amplificatio:*

42.73: otro que amasse a ella; que fuesse tanto commo él o más. Et que en aquella moneda mesma le pagaría commo él pagava a ella; e, por Dios, que le rrogava que se guardasse (otro que la amasse a ella tanto commo él o más; que, por Dios, que guardasse). 44.41: et por la grand mengua que tenían, alquilávanse cada día en la plaça a jornal, a cavar o fazer otras cosas que les mandassen fazer segunt que fazen los labradores quando se alquilan en la plaza. Et ordenáronse ansý ca se alquilavan los dos et el conde fincava con el uno que le servía (et p. la g. m. alquilávanse cada día los dos en la plaça et el uno fincava con el conde).

Podemos concluir este examen de *M* diciendo que nos encontramos ante un texto muy retocado y muy contaminado [7], pero que, precisamente por eso, puede ser útil en algunos casos cuando se trate de establecer el texto crítico. La tendencia dominante en la transmisión manuscrita del cuento es a agregar o a puntualizar detalles; por lo tanto, partiendo de *M*, se puede identificar a veces lo agregado por los escribas.

El manuscrito *P* ofrece un caso diametralmente opuesto al de *M* y se caracteriza por la sobriedad del texto, la ausencia de detalles narrativos innecesarios y el parco uso de *muy, mucho* y *grand.*

Vale examinar primero las omisiones que se hallan en el prólogo y en los dos primeros ejemplos. Son unas dieciséis omisiones, de las cuales podemos excluir cinco debidas a error seguro o posible. Helas aquí:

P. 31: Et porque cada omne aprende meior aquello de que se más paga. 2.25: Et por esta manera lo partía de fazer algunas cosas quel conplían para su fazienda. 3.49: que fiziestes. 3.172: podedes dexar todo lo ál, et estar sienpre en serviçio de Dios et

acabar assí vuestra vida. Et faziendo esto. P. 41: adelantado mayor de la frontera et del rreyno de Murcia.

Hay once que hacen el texto más sobrio, sin dañar el
sentido:

PG. 26: que él á fecho fasta aquí. P. 19: todos les
sirven más. P. 27: que atan poco commo se semejan
en las caras. P. 31: las otras. 2.20: commo quier. 2.149:
en las cosas. 2.161: guardat que vos. 3.63: de lo que
avía de contesçer a él et al rey Richalte de Inglaterra.
3.77: por su ángel. 3.85: el hermitanno. 3.95: el rey
de Navarra.

Ahora bien, este número de omisiones, mucho más ele-
vado que el de los otros manuscritos, da una idea de lo que
pasa en el resto del texto, que omite lo innecesario. Otra
muestra de la unicidad o singularidad de *P* se encuentra en
porciones extensas que lo diferencian de los otros manuscritos. Además de las partes que se editan paralelamente
en los ejemplos II (52 a 129) y XXXIX (27) se encuentran:
6.40; 26.83; 35.79 y 150; 36.46; 40.90; 42.35, 39 y 62. De estas
referencias he excluido las variantes de los ejemplos XXIX
(31 a 44) y XLV (73, 93 y 123), que son interpolaciones de
algún copista por influencia del *Libro de buen amor*. Todo
ello manifiesta una línea o rama textual completamente distinta del resto de los manuscritos. Hay lagunas o errores
comunes, pero su corto número no deja suponer que el subarquetipo de *P* sea *x* o *r*. He aquí las omisiones:

GP. P. 27: que atan poco commo se semejan en las
caras (error).
GAPH. 20.112: et los rricos, fulano et fulano... et
los cuerdos fulano et fulano.
HP. 10.24: estava llorando. 11.164: que ovo. 25.97:
Et otrosí, escrivieron quáles eran en sí los otros omnes fijos dalgo que eran en las comarcas (*H* omite
más). 32.120: et que pues él non lo veýa (error).
PM. 37.38: et fazet en guisa que el peligro (error).
43.79: et que non lo faría (añadido por error).

Al examinar algunos casos en que *P* ofrece un texto más
breve, existe la posibilidad de que el escriba, al encontrarse
con un texto oscuro o difícil, lo echara por la borda y resu-

miera. Sin embargo, el texto más sobrio y primitivo parece remontarse a un subarquetipo menos contaminado por las elaboraciones de los copistas.

Ofrezco, para dar una idea gráfica al lector, un árbol genealógico de los manuscritos, tal como se deduce del examen que he llevado a cabo. Las variantes son tantas, que seguramente hay series de subarquetipos que no represento. El *Libro del conde Lucanor* parece haber sido muy popular y, por lo tanto, copiado y recopiado más que otras obras. Una prueba de ello es que hoy tengamos cinco manuscritos, cosa que no ocurre con muchas obras medievales españolas.

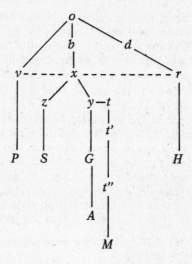

Ante una tradición textual tan compleja, creo que se deben asentar las siguientes bases o principios para la edición crítica:

1. Es imposible pretender reconstruir el texto con el rigor cientificista propuesto por Karl Lachman en el siglo pasado y que ha sido nuevamente defendido por la escuela de los neofilólogos italianos [8].

---

[8] Giorgio Pasquali, *Storia della tradizione del testo*, Florencia, 1934. *Vid.* Alfred Foulet and Mary Blakely Speer, *On Editing Old French Texts*, Kansas, Regents Press, 1979.

2. Si se siguen las normas de Mario Roques[9] de comienzos
del siglo, en primer lugar, los manuscritos no están lo
suficientemente emparentados para hacer lo que se hizo
en la edición de Knust y, si editamos S con las variantes
de los otros manuscritos, adelantamos muy poco. En segundo lugar, ediciones singulares de un manuscrito, como
la de P, de Eugenio Krapf, o la que intenta hacer Rigo
Mignani de H, nos dejan con un texto enigmático y sin
trabajar.

3. Ya que hay un núcleo central formado por SGA, el objetivo debe ser someter ese núcleo a una revisión más
severa y completa de lo que hasta ahora se ha hecho.
Con gran timidez, se han tocado solamente los errores
obvios de S. A la luz del texto más sobrio de P, y teniendo
en cuenta los otros manuscritos, hay que ir más allá y
tratar, en lo posible, de purificar el texto que nos dan
SGA.

Una vez fijado el objetivo, es posible formular las siguientes normas de trabajo: 1) Una lectura conjunta de SGA
sólo se debe corregir cuando se puede comprobar el error.
2) Lo mismo se ha de hacer con las lecturas de SP o de PGA,
ya que la concordancia de estas dos ramas indica un texto
cercano (en lo posible) al original y falto de elaboraciones.
3) Como ya he dicho anteriormente, en la transmisión del
cuento existe la tendencia a añadir detalles, a elaborar. Por
lo tanto, cuando en un añadido vacilan los manuscritos, entonces con mucha probabilidad el texto más simple es el
que se acerca al original. Quiero ilustrar lo anterior con algunos ejemplos:

5.22	P	un pedaço de queso (texto).
	SM	un grant pedaço de queso.
	GAH	un pedaço de queso muy grande.
6.4	P	se ayuntan et fazen (texto).
	SA	andan ayuntando et faziendo.
	G	andan aý juntando.
	H	se han apoderado ayunt [sic] gente et fa- ziendo.

---

[9] «Règles pratiques pour l'edition des anciens textes français
et provençaux», *Romania*, LII, 1926, p. 243.

	M	andan ayuntados faziendo.
7.44	PGA	cred et cuydat sienpre tales cosas que sean guisadas (texto).
	S	todas cosas tales que sean guisadas.
	H	tales cosas que sean guisadas por çiertas.
	M	trabajad por cuydar e creer syenpre las cosas que sean guisadas e razonables e non fiuzas vanas. Et aun sy queredes cuydad syenpre tales cosas que sean buenas.
8.25	PM	quel sacassen el fígado (texto).
	SA	el fígado por él.
	H	el fígado por ella.
	G	el fígado por el costado.
11.11	P	púsome otrossí escusa (texto).
	SG	púsome escusa commo a la otra.
	A	a la otra vez.
	H	et él eso mesmo me puso otra escusa.
	M	(omite por error, ya que *escusa* es la última palabra que trascribe y la última palabra de la omisión).
23.19	P	et según rrazón non devía aver aperçibimiento (texto).
	S	muy grand aperçibimiento.
	GAH	gran aperçibimiento.
	M	devía tener muy grand fuerça.
24.5	PH	Et veo en ellos muchas maneras estrannas (texto).
	S	muy estrannas.
	G	mucho estrannas.
	A	mañas mucho estrañas.
	M	maneras e mucho estrannas.

(*Vid*. otros ejemplos de este tipo: 2.11; 4.34; 26.40).

Quiero añadir dos ejemplos de la forma en que se van elaborando los detalles narrativos:

25.243	SGP	et desque llegaron a la villa fue luego desçender a la casa do estava el conde preso (texto).

A		casa donde el conde estava preso.
H		posada do el conde estava preso.
M		fue luego el soldán a desçender de su caba-
		llo a la posada donde estava el conde preso.
25.259	*SP*	dio el soldán muchos dones et muy rricos.
	GA	el Saladín muchas dádivas et muy rricas.
	H	muchas donas et muy buenas
		et muy rricas.
	M	muchas joyas e muy rricas e
		muy buenas.

Para las dudas acerca del lenguaje, he recurrido a la excelente edición crítica del *Libro de los estados*, de R. Brian Tate e Ian Macpherson, y a la colección diplomática de Giménez Soler. Lástima que no haya un vocabulario cuidadoso de estos documentos que, afortunadamente, no han pasado de copista a copista. Asimismo, ha sido de gran utilidad *A Concordance to Juan Ruiz, «Libro de buen amor»*, preparada por Rigo Mignani, Mario A. Di Cesare y George F. Jones (Albany, SUNY Press, 1977), con la cual, y las buenas ediciones del libro del Arcipreste, se solucionan no pocos problemas.

He conservado las siguientes vacilaciones de los manuscritos:

1. distes - diestes; dixeron - dixieron; dolistes - doliestes; ovistes - oviestes.
2. fiz - fize; fiziestes - feziestes; fizieron - fezieron; fiziesse - feziesse.
3. bevía - bivía; dezía - dizía; pedía- pidía; vinía - venían - vinían.
4. bevir - bivir; escrevir - escrivir.
5. conplir - cunplir; podieron - pudieron; sofrir - sufrir; sopieron - supieron. Y logar - lugar; sossiego - susiego.
6. bendito - bendicho; tenido - tenudo.
7. vedes - veedes; cred - creed; ser - seer.
8. vio - vido.

Conservo también la vacilación ortográfica de: consejero - consegero; linaje - linage. Bíen - vien; bivir - vivir; bestia - vestia. Suffrir - sufrir; peccado - pecado (pero regularizo *commo*). Mejor - meior; consejar - conseiar; esçer - eçer.

Los títulos de los cincuenta *exemplos* sólo faltan en el
manuscrito *M*. Para determinar el más auténtico, siempre
he seleccionado aquel que es idéntico o está más cercano al
enunciado mismo de Patronio, cuando dice, por ejemplo:
«plazerme ýa que sopiéssedes lo que contesçió...». Lo triste
es que no hay un criterio semejante para determinar los
versos finales de cada *exemplo* en los cuales existe gran diver-
sidad.

*   *   *

Creo que lo mejor y más cercano a la realidad sería
llamar este trabajo mío: «Un primer ensayo de edición crítica». Los problemas textuales que he encontrado son tan
complejos, que me parece que no he hecho otra cosa que
iniciar el camino. Por Alan Deyermond y Francisco Rico [10] sé
que Alberto Blecua ha venido preparando una importante
monografía sobre *La transmisión textual de «El conde Lucanor»* para publicarse en la Universidad Autónoma de Barcelona (Publicaciones del Seminario de Literatura Medieval
y Humanística), Bellaterra. En momentos de cerrar estas
páginas no ha llegado todavía a mis manos; pero creo que
quizá el defecto de no haber corregido algunos errores en
que haya podido yo incurrir se compensa con ventaja en
aquellos puntos en que Alberto Blecua y yo hayamos coin-
cidido sin habernos puesto en contacto.

El estudio de este texto complejísimo robará otros años
más de mi actividad intelectual y sólo ofrezco aquí un primer
paso. Ahora bien, ante el estancamiento en que se encontra-
ban los estudios textuales del *Libro del conde Lucanor* es
posible que en algunos casos haya ido más allá de lo ortodoxo.

Tengo que expresar mi gratitud más sincera a Alan Deyermond, Samuel G. Armistead, Eric W. Naylor y Harvey L. Shar-
rer por sus cartas de recomendación para este proyecto.
La Universidad de Syracuse (Nueva York) me dio en todo
momento su apoyo, proveyendo en un principio los fondos
necesarios para venir a Madrid en busca de los microfilmes

---

[10] Francisco Rico, ed. *Historia y crítica de la literatura española*; I, Alan Deyermond, *Edad Media*, Barcelona, Editorial Crítica, 1979, pp. 175 y 177.

de los manuscritos, y haciendo que pudiera estar aquí durante la etapa final del trabajo. Por último, este proyecto debe muchísimo en su génesis, progreso y culminación a Nicasio Salvador Miguel. Para todos mi profundo reconocimiento.

Madrid, 19 de diciembre de 1980

REINALDO AYERBE-CHAUX

EDICIONES PRINCIPALES
DEL «LIBRO DEL CONDE LUCANOR»

Gonzalo Argote de Molina, *El conde Lucanor*, compuesto por el excelentísimo príncipe don Juan Manuel, Sevilla, Hernando Díaz, 1575. Reimpresión facsímil con prólogo de Enrique Miralles, Barcelona, Puvill, 1978.

El libro de Patronio o *El conde Lucanor*. Ed. de Eugenio Krapf, Vigo, 1902.

El libro de los enxiemplos del conde Lucanor et de Patronio. Text und Anmerkungen aus dem Nachlasse von Hermann Knust. Herausgegeben von Adolf Birch-Hirschfeld, Leipzig, Dr. Seele Co., 1900.

El conde Lucanor. Ed. de Eduardo Juliá, Madrid, V. Suárez, 1933.

El conde Lucanor o *Libro de los enxiemplos del conde Lucanor et de Patronio.* Ed. de José Manuel Blecua, Madrid, Castalia, 1971[2].

Libro del conde Lucanor et de Patronio. Ed. de Germán Orduna, Buenos Aires, Huemul, 1972.

The Book of Count Lucanor and Patronio. A. Translation of Don Juan Manuel's El Conde Lucanor, trad. de John E. Keller y Clark Keating, Lexington, Univ. Press., 1977.

BIBLIOGRAFIA FUNDAMENTAL

Asensio, Jaime, «Una versión desconocida del *exemplo* XXV del *Libro de Patronio* o del *Conde Lucanor*», en *Miscelánea hispánica*, I, London, Ont., Univ. of Western Ontario Press, 1967, pp. 279-281.

Ayerbe-Chaux, Reinaldo, «*El conde Lucanor*»: *materia tradicional y originalidad creadora*, Madrid, Porrúa Turanzas, 1975.

Barcia, Pedro L., *Análisis de «El conde Lucanor»*, Buenos Aires, Centro Editor de América Latina, 1968.

Battaglia, Salvatore, «Dall'esempio alla novella», *Filologia Romanza*, VII, 1960, pp. 21-84.

Battesti, Jeanne, «Proverbes et aphorismes dans le *Conde Lucanor*, de don Juan Manuel», en *Hommage à André Joucla-Ruau*, Aix-en-Provence, Université, 1974, pp. 1-61.

Blecua, Alberto, *La transmisión textual de «El conde Lucanor»*, Barcelona, Universidad Autónoma (Publicaciones del Seminario de Literatura Medieval y Humanística), Bellaterra (en prensa).

Bobes Naves, María del Carmen, «Sintaxis narrativa en algunos "ensienplos" de *El conde Lucanor*», *Prohemio*, VI, 1975, pp. 257-276.

Caldera, Ermanno, «Retorica, narrativa e didattica nel *Conde Lucanor*», *Miscellanea di Studi Ispanici*, XIV, 1966, pp. 5-120.

Burke, James F., «Juan Manuel's *Tabardie* and *Golfín*», *HR*, XLIV, 1976, pp. 171-178.

Catalán, Diego, «Poesía y novela en la historiografía castellana de los siglos XIII y XIV», en *Mélanges offerts à Rita Lejeune*, Gembloux, 1969, I, pp. 423-441.

Devoto, Daniel, «Cuatro notas sobre la materia tradicional en don Juan Manuel», *BH*, LXVIII, 1966, pp. 187-215, reed. en *Textos y contextos: estudios sobre la tradición*, Madrid, Gredos, 1974, pp. 112-149.

Deyermond, Alan, «Editors, Critics and *El Conde Lucanor*», *RPh*, XXXI, 1977-1978, pp. 618-630.

England, John, «*Exemplo* 51 of *El Conde Lucanor*: the Problem of Authorship», *BHS*, LI, 1974, pp. 16-27.

Giménez Soler, Andrés, *Don Juan Manuel. Biografía y estudio crítico*, Zaragoza, 1932.

GIMENO CASALDUERO, JOAQUÍN, «*El Conde Lucanor:* composición y significado», *NRFH*, XXIV, 1975, pp. 101-112, reim. en *La creación literaria de la Edad Media y del Renacimiento*, Madrid, Porrúa Turanzas, 1977, pp. 19-34.

HUERTA TEJADAS, FÉLIX, «Vocabulario de las obras de don Juan Manuel, 1282-1348», *BRAE*, XXXIV, 1954; XXXV, 1955; XXXVI, 1956.

KELLER, JOHN E., «From Masterpiece to Résumé: Don Juan Manuel's Misuse of a Source», en *Estudios literarios de hispanistas norteamericanos dedicados a Helmut Hatzfeld con motivo de su 80 aniversario*, Barcelona, Hispam, 1974, pp. 41-50.

— «A Re-examination of Don Juan Manuel's Narrative Techniques: *La mujer brava*», *Hispania*, LVIII, 1975, pp. 45-51.

— «A Feasible Source of the Denouements of the *Exemplos* in *El Conde Lucanor*», *American Notes and Queries*, XIV, noviembre 1975, pp. 34-47.

KINKADE, RICHARD P., «Sancho IV: Puente literario entre Alfonso el Sabio y Juan Manuel», *PMLA*, LXXXVII, 1972, pp. 1039-1051.

LACARRA, MARÍA JESÚS, *Cuentística medieval en España: los orígenes*, Zaragoza, Pórtico, 1979.

LAURENCE, KEMLIN, «*Los tres consejos:* the Persistence of Medieval Material in the Spanish Folk Tradition of Trinidad», en *Medieval Studies Presented to Rita Hamilton*, ed. Alan Deyermond, London, Tamesis, 1976, pp. 107-116.

LIDA DE MALKIEL, MARÍA ROSA, «Tres notas sobre Don Juan Manuel», *RPh*, IV, 1950-1951, pp. 155-194. Reimp. en *Estudios de literatura española y comparada*, Buenos Aires, Eudeba, 1966, pp. 92-133.

LOMAX, DEREK W., «The Date of Juan Manuel's Death», *BHS*, XL, 1963, p. 174.

— «The Lateran Reforms and Spanish Literature», *Iberoromania*, I, 1969, pp. 299-313.

MACPHERSON, IAN, «*Dios y el mundo:* the Didacticism of *El conde Lucanor*», *RPh*, XXIV, 1970, pp. 26-38.

— «*Amor* and Don Juan Manuel», *HR*, XXXIX, 1971, pp. 167-182.

— «Don Juan Manuel: The Literary Process», *SP*, LXX, 1973, páginas 1-18.

— *Juan Manuel Studies*, editor, London, Tamesis, 1977.

MICHAËLIS DE VASCONCELOS, CAROLINA, «Zum Sprichwörterschatz des Don Juan Manuel», en *Bausteine zur romanischen Philologie. Festgabe für A. Mussafia*, Halle, Niemeyer, 1905, pp. 594-608.

ORDUNA, GERMÁN, «Notas para una edición crítica del *Libro del conde Lucanor et de Patronio*», *BRAE*, CXCIV, 1971, pp. 493-511.

— «Los prólogos a la *Crónica abreviada* y al *Libro de la caza:* la tradición alfonsí y la primera época en la obra literaria de don Juan Manuel», *CHE*, LI-LII, 1970, 1973, pp. 123-144.

— «¿Un catálogo más de obras de don Juan Manuel?», *BHS*, L, 1973, pp. 217-223.

PRIETO DE LA YGLESIA, MARÍA R., «Rasgos autobiográficos en el *Exemplo* V *de El conde Lucanor* y estudio particular del apólogo», *RABM*, LXXVII, 1974, pp. 627-663.

RICO, FRANCISCO, *El pequeño mundo del hombre. Varia fortuna de una idea en las letras españolas,* Madrid, Castalia, 1970, páginas 85-90.

SCHOLBERG, KENNETH R., «A Half-Friend and a Friend and a Half», *BHS*, XXXV, 1958, pp. 187-198.

STURCKEN, TRACY, «The Assassination of Diego García by Don Juan Manuel», *KRQ*, XX, 1973, pp. 429-449.

— *Don Juan Manuel*, New York, Twayne, 1974.

STURM, HARLAM, «The *Conde Lucanor:* The First *Exemplo*», *MLN*, LXXXIV, 1969, pp. 286-292.

— «Author and Authority in *El conde Lucanor*», *Hispanófila*, LII, Sept. 1974, pp. 1-9.

TATE, R. BRIAN, «Don Juan Manuel and his Sources: *Ejemplos* 48, 28,1», en *Studia Hispanica in Honorem R. Lapesa*, I, Madrid, Cátedra Seminario Menéndez Pidal and Gredos, 1972, pp. 549-561.

VÁRVARO, ALBERTO, «La cornice del *Conde Lucanor*», en *Studi di letteratura spagnola,* ed. Carmelo Samoná, Roma, Universitá-Societá Filologica Romana, 1964, pp. 187-195.

* * *

Destaco, por separado, el libro fundamental de:

DANIEL DEVOTO, *Introducción al estudio de don Juan Manuel y en particular de «El Conde Lucanor»: una bibliografía*, Madrid, Castalia, 1972.

Cuando corregía las primeras pruebas, llegó a mis manos *Juan Manuel: A Selection*, ed. Ian Macpherson, London, Tamesis Texts, 1980.

ABREVIATURAS

BAE	Biblioteca de Autores Españoles
BH	*Bulletin Hispanique*
BHS	*Bulletin of Hispanic Studies*
BNM	Biblioteca Nacional de Madrid
BRAE	*Boletín de la Real Academia Española*
CHE	*Cuadernos de Historia de España*
CSIC	Consejo Superior de Investigaciones Científicas
DAI	*Dissertation Abstracts International*
HR	*Hispanic Review*
KRQ	*Kentucky Romance Quarterly*
MLN	*Modern Language Notes*
MPh	*Modern Philology*
NRFH	*Nueva Revista de Filología Hispánica*
PMLA	*Publications of the Modern Language Association of America*
RABM	*Revista de Archivos, Bibliotecas y Museos*
RPh	*Romance Philology*
SP	*Studies in Philology*

* * *

Ali.	*Libro de Alixandre*, ed. Dana A. Nelson, Madrid, Gredos, 1979.
Apol.	*El libro de Apolonio*, ed. Manuel Alvar, Madrid, Castalia y Fundación Juan March, 1976.
Armas	Don Juan Manuel, *Libro de las armas*, en Giménez Soler, pp. 677-695.
Aut.	(Diccionario de Autoridades)=*Diccionario de la lengua castellana compuesto por la Real Academia Española*, Madrid, 1726-1739 (seis vols.).

Cab.	Don Juan Manuel, *Libro del caballero et del escudero*, ed. José María Castro y Calvo y Martín de Riquer, Barcelona, 1955.
Cantar	Ramón Menéndez Pidal, *Cantar de mío Cid. Texto, gramática y vocabulario*, Madrid, Espasa-Calpe, 1964[4].
Castigos	*Castigos e documentos para bien vivir ordenados por el rey don Sancho IV*, ed. Agapito Rey, Bloomington, Indiana Univ., Press, 1952.
Caza	Don Juan Manuel, *Libro de la caza*, ed. G. Baist, Halle, 1880.
DCELC	Joan Corominas, *Diccionario crítico etimológico de la lengua castellana*, Madrid, 1954-1957 (cuatro volúmenes).
Du.	Gonzalo de Berceo, *Duelo de la Virgen, Himnos, Loores de Nuestra Señora y Signos del Juicio Final*, ed. Brian Dutton, London, Tamesis, 1975.
Estados	Don Juan Manuel, *Libro de los estados*, ed. R. Brian Tate y Ian R. Macpherson, Oxford, Clarendon, 1974.
FnGz.	*Poema de Fernán González*, ed. Alonso Zamora Vicente, Madrid, Espasa-Calpe (Clásicos Castellanos), 1954[2].
GE	Alfonso X el Sabio, *General Estoria*, I, ed. Antonio G. Solalinde, Madrid, 1930; II, eds. A. G. Solalinde, Lloyd A. Kasten, Víctor R. B. Oelschläger, Madrid, 1957-1961.
Infinido	Don Juan Manuel, *Libro infinido y Tractado de la asunción*; ed. José Manuel Blecua, Granada, 1952.
LBA	Juan Ruiz, *Libro de buen amor*, ed. Joan Corominas, Madrid, Gredos, 1967. Ed. Jacques Joset, Madrid, Espasa-Calpe (Clásicos Castellanos), 1974.
Lo.	Gonzalo de Berceo, *Loores de Nuestra Señora* (vid *Du.*).
Mil.	Gonzalo de Berceo, *Milagros de Nuestra Señora*, ed. Brian Dutton, London, Tamesis, 1971.
PCG	*Primera Crónica General de España, que mandó componer Alfonso el Sabio y se continuaba bajo Sancho IV en 1289*, ed. Ramón Menéndez Pidal, Madrid, Gredos, 1955[2].
PMC	*Poema de mío Cid*, ed. Colin Smith, Madrid, Cátedra, 1976.
Rimado	Pero López de Ayala, *Libro rimado del Palacio*, ed. Jaques Joset, Madrid, Alhambra, 1978.
Sd.	Gonzalo de Berceo, *Vida de Santo Domingo de Silos*, ed. Brian Dutton, London, Tamesis, 1978.

Sl.   Gonzalo de Berceo, *Martirio de San Lorenzo,* edi-
                   ciones Pompilio Tesauro, Napoles, Liguori, 1971.
Sm.   Gonzalo de Berceo, *Vida de San Millán de la Cogo-*
                   lla, ed. Brian Dutton, London, Tamesis, 1967.
So.   Gonzalo de Berceo, *El poema de Santa Oria,* edi-
                   ciones Isabel Uría, Maqua, Logroño, Instituto de
                   Estudios Riojanos, 1976.
Testamento   Don Juan Manuel, *Testamento,* en Giménez Soler,
                   pp. 695-704.

NUESTRA EDICIÓN

Al tratar de los problemas textuales especifiqué los criterios básicos que dirigen esta edición. Sólo es necesario puntualizar aquí algunos detalles.

1. Reproduzco la *R* (mayúscula inicial) como rr- y lo mismo hago con -rr- siempre que *S* lo tenga así. Por lo tanto, hay vacilación entre onra y onrra, ruego y rruego. Sigo el mismo criterio con *ss* (eso y esso; pasar y passar; vasallo y vassallo; otrosí y otrossí). Sólo he normalizado *assí* y la doble *ss* en las formas del imperfecto de subjuntivo: fablasse, fiziesse.

2. Transcribo la tilde de la abreviatura ante *b* o *p* por *n*, y así mismo la *ñ* la transcribo *nn* (danno, sennor). La tilde en *como*, la transcribo por *commo* y la de *exẽplo* en *exemplo*.

3. La conjunción copulativa la normalizo en el texto en *et*. Sin embargo, en las variantes de *GAM* transcribo la *e* o la *y* cuando se presentan.

4. Para la acentuación sigo las normas ortográficas, pero debo advertir que uso el acento para distinguir: á=ha; é=he; ál=otro; aún=además; ó=donde; ý=allí. También conservo el acento escrito en las formas verbales que lo tienen, a pesar de que vayan seguidas del pronombre átono: llamól, començól.

5. La *v* con valor de vocal siempre la transcribo *u*: vna=una.

6. La puntuación sigue de cerca la de Blecua, salvo en contados casos en que la he corregido según entiendo el texto.

7. Escribo *por que* (separado) no sólo cuando es interrogativo, sino cuando equivale a *para que, por el que* (el cual), *por la que* (la cual), *por los que* (los cuales), *por las que* (las cuales).

8. En el epílogo del *Libro de los exemplos* y al final del *Libro de los proverbios* en donde sólo tenemos el manuscrito *S*, cuando hay que corregirlo, pongo la lectura del manuscrito en paréntesis y la sigo con la corrección en bastardilla.

9. Dado el enorme número de variantes textuales he tenido que excluir las de carácter puramente ortográfico y aquéllas de mínima importancia, como el uso de la conjunción copulativa cuando no afecta el significado. Después de los primeros *exemplos* he omitido también las variantes de las frases formulares del comienzo y del final de cada *exemplo*.

LIBRO DEL CONDE LUCANOR

Primer prólogo general

Aquí comiença el libro que es dicho del conde Lucanor.

Este libro fizo don Johan, fijo del muy noble infante don Manuel, deseando que los omnes fiziessen
5 en este mundo tales obras que les fuessen aprovechamiento de las onrras et de las faziendas et de sus estados, et fuessen más allegados a la carrera por que pudiessen salvar las almas. Et puso en él los exemplos más provechosos que él sopo de las cosas que acaesçie-
10 ron, por que los omnes puedan fazer esto que dicho es. Et será maravilla si de qualquier cosa que acaesca a qualquier omne, non fallare en este libro su semejança que acaesçió a otro.

Et porque don Johan vio et sabe que en los libros
15 contesçe muchos yerros en los trasladar porque las letras semejan unas a otras, cuydando por la una letra

---

2. *H:* el libro del c.L. Este título se halla solamente en *HM.*
4. *H:* El qual don Juan, fijo del muy noble don Juan Manuel fizo et compuso. *Vid.* P. 40.
5, 6. *HM:* que fuessen. *P:* que le fuessen. *G:* que les fuesse. *S:* aprovechosas (*vid.* P. 58). *H:* de las vidas et de las onras.
7. *H:* et por ello fuessen. *PH:* a su carrera. *M:* por qual p.
8. *G:* ánimas. *H:* et p. aquellos e. *S:* enxienplos (*vid.* P. 14). *SG:* aprovechosos. *GM:* que él pudo.
10. *G:* acaescíen. *M:* pudiesen fazer. *H:* fazer en esto.
11. *G:* si qualquier cosa. *P* omite: *qualquier;* (lo que sigue está muy borroso).
12. *M:* non fallaren. *H* omite: *que acaesçió a otro.*
14. *M:* vido et sopo. *H:* et sabía... acontesçe. *M:* contesçen.
15. *H:* en el traslado. *M:* en el trasladar. *G* omite: *pq. l. letras... unas a otras.*
16. *PHM:* las unas a las otras. *M* omite: *cuydando... confóndese.*

que es otra, en escreviéndolo, múdase toda la razón et por aventura confóndese; et los que después fallan aquello escripto, ponen la culpa al que fizo el libro. Et porque
20 don Johan se reçeló desto, rruega a los que leyeren qualquier libro que fuere trasladado del que él conpuso, o de los libros que él fizo, que si fallaren alguna palabra mal puesta, que non pongan la culpa a él fasta que vean el libro mismo que don Johan fizo, que es emendado
25 en muchos logares de su letra.

Et los libros que él fizo son éstos, que él á fecho fasta aquí: La crónica avreviada, El libro de los sabios, El libro de la cavallería, El libro del infante, El libro del cavallero et del escudero, El libro del conde, El libro
30 de la caça, El libro de los egennos, El libro de los cantares. Et estos libros están en el monesterio de los frayles pedricadores, que él fizo en Pennafiel. Pero, desque vieren los libros que él fizo, por las menguas que en ellos fallaren, non pongan la culpa a la su en-
35 tención, mas pónganla a la mengua del su entendimiento,

---

17. *GH:* escriviendo. *P:* escriviéndose. *G:* mucha [*sic*] toda la r...
18. *GH:* ventura (*vid.* 1.109). *M:* et porque después.
19. *P:* escrito p. su culpa aquel que. (sobre *escripto, vid.* P. 38).
20. *G:* se recela. *M* omite: *a los que leyeren... fizo.*
22. *PG:* que él faze. *M:* que si alguno fallare.
23. *P:* mala puesta. *M:* que non le ponga. *P:* ponga. *P:* vea.
24, 25. *H:* emendada. *S:* de la su letra.
26, 27. *P* omite: *que él á f.f.aquí.* M: fizo e a fecho f. a. son éstos. *G:* son éstos: el libro de los sabios del libro que se intitula de los estados fo. 107 que él a fecho fasta aquí.
27. *GHM:* coronica. *M* omite: *avreviada.* P (borroso).
28-30. *G:* de cavalleros. *H:* de la cavallía. *M:* el l.d.c. El libro del escudero. *P:* Et el libro de la cavallería et del escudero. *PM* omiten: *El libro del conde. PG:* engannos. *M:* enjennos.
31. *H:* Et libros que están. *M:* Et los libros de los.
32. *G:* flaires. *P:* frayles de los pedicadores. *S:* frayres predicadores. *Vid.* 14.29 y 40. *M:* que están en el monesterio de Pennafiel.
33. *P:* que fizo. *H:* fizo, las menguas. *M:* pero sy en los dichos libros fallaren algunas menguas.
35. *M:* pónganla a su entendimiento.

por que se atrevió a se entremeter a fablar en tales cosas.
Pero Dios sabe que lo fizo por entençión que se apro-
chassen de lo que él diría las gentes que non fuessen
muy letrados nin muy sabidores. Et por ende fizo todos
40 los sus libros en rromançe et esto es sennal çierta que
los fizo para los legos et de non muy grand saber. Et
de aquí adelante comiença el prólogo del Libro de los
exemplos del conde Lucanor et de Patronio.

---

36. *H:* pq. se entremetió a entender et fablar. *M:* a entremeterse.
P: a. en se. *S:* asse.
37. *H:* con entençión. *M:* a entençión. *G:* aprovechassen dellos.
38. *P:* de lo que él sabíe. *H:* de lo que él dixía.
39. *P:* ni tan sabidores. *M:* nin muy sabios.
40. *H:* los seys libros. *M:* todos sus l. *S:* çierto. *G:* es general
e cierto.
41. *P:* que lo fizo p.l.legos de n.m. *H:* que lo fizo p.l.l. et non
de m. grant saber. *S* añade: *commo lo él es. G* añade: *que
no fuessen fuertes para leerlos. P* añade: *que fuessen para
leerlos.*
42. *G:* e el prólogo comiença assí. *PG:* del conde et de Patronio. *H:* commo comiença de aquí adelante el libro... P. su
consejero. Et comiença assí. *M:* commo comiença así aquí el
p... Patronio. Et comiença el prólogo así. El prólogo.

LIBRO DE LOS EXEMPLOS
DEL CONDE LUCANOR
ET DE PATRONIO

Prólogo
(del Libro de los exemplos
del conde Lucanor et de Patronio)

En el nonbre de Dios: Amén.

Entre muchas cosas estrannas que nuestro sennor Dios
fizo, tovo por bien de fazer una muy marabillosa; ésta
es: de quantos omnes en el mundo son, non á uno que
del todo semeje a otro en la cara; ca[1] commo quier
5   que[2] todos los omnes an essas mismas cosas en la cara,
los unos que los otros, pero las caras en sí mismas non
semejan las unas a las otras. Et pues en las caras que
son tan pequennas cosas, ha en ellas tan grant departi-

---

1. *PGAHM* omiten esta línea.
2. *M* omite: *estrannas. S* agrega: *et marabillosas. H* omite:
   Dios. M: q. n. s. Ihú Xto.
3. de fazer e fizo una maravilla. *H:* una maravilla. *P* omite:
   ésta es.
4. *GA:* esta es que de q... *S* omite: *omnes. MH:* es ésta que.
5. *S* omite: *del todo. P:* del todo paresca.
6. *P:* an en sí e. m. c. en las caras. *H:* estas mesmas. *M:* los
   omes todos an estas m. c. en las caras.
7. *HM* omiten: *los u. q. los o. P:* p. las c. non se semejan.
   GA: p. las cosas. *H* omite: *pero las caras.*
8. *M:* semegan. *H:* non paresçen.
9. *G:* en ellas ha tan grande partimiento. *M:* tan grandes depar-
   tymientos.

---

[1] *ca:* porque. *Vid.* Ramón Menéndez Pidal, *Cantar de mío Cid.
Texto gramática y vocabulario*, Madrid, Espasa-Calpe, 1964[4],
p. 396,9.

[2] *commo quier que:* aunque.

10   miento[3], menor marabilla es que aya departimiento
      en las voluntades et en las entençiones de los omnes.
         Et assí fallaredes que ningún omne non se semeja
      del todo en la voluntad nin en la entençión a otro. Et
      fazer vos he algunos exemplos por que lo entendades
15   mejor.
         Todos los que quieren et desean servir a Dios, todos
      quieren una cosa, pero non lo sirven todos en una mane-
      ra: que unos le sirven en una manera et otros en otra.
      Otrosí, los que sirven a los sennores, todos los sirven,
20   mas non los sirven todos en una manera. Et los que
      labran et crían et trebejan et caçan et fazen todas las

---

10. *H:* menos maravilla.
11. *M:* entinciones e en los fechos de cada uno.
12. *HM:* non semeja del todo. *Semejar a* está en el prólogo ge-
    neral: «o porque las letras semejan unas a otras.» El *LBA*
    siempre usa la prep. *a* con «semejar»: 406*a*, 730*c*, 731*b*, 1268*b*.
13. *P* omite: *del todo. SGA:* con otro.
14. *Exemplo* es la forma que adopto de aquí en adelante; los
    mss. traen: *enxienplo, enxenplo, exenplo. A:* dirvos he. *G:* E
    vos e [*sic*]. *A:* por que la entendays m.
15. *GH* omiten: *mejor.*
16. *A:* los omes que q. *G:* de dos omes que q. *H:* quisieren e
    desean s. a D. t. quieran u. c. A pesar de lo que dice R. Me-
    néndez Pidal, *Cantar*, p. 625,11, regularizo la ortografía de
    desear con una *s; dessear* ocurre en el *LBA* sólo en 257*b* y
    694*c*, en tanto que *desear* es usado trece veces. La ortografía
    del sust. con doble *ss* sí se encuentra ocho veces.
17. *G:* en una m. querer unos le sirven [*sic*].
18. *AHM:* ca unos le s. *HM:* en una guisa.
19. *SA:* todos le sirven. *P* omite: *todos los sirven, mas.*
20. *G:* e otros non lo sirven todos en u. m. *H:* mas non de una
    manera.
21. *AM:* crian e trabajan. *P:* labran e aran e trabajan. *G:* labran
    e trabajan e cantan. *H* omite: *trebejan.* A pesar de que
    PAGM traen *trabajar* en vez de *trebejar:* jugar (*Vid.* n. 184),
    conservo la lectura de *S*, más conforme con el estilo de don
    Juan Manuel, quien agrupa acciones en forma paralelística.
    M: todas otras cosas.

---

   [3] *departimiento:* diferencia. Blecua cita *Estados*, 168,18. De aquí
en adelante, doy la página y línea de la edición hecha por R. Brian
Tate y Ian R. Macpherson, Oxford, Clarendon, 1974.

otras cosas, todos las fazen, mas non las entienden nin
las fazen todos en una manera. Et assí, por este exemplo et por otros que seríen muy luengos de dezir, pode-
25 des entender que, commo quier que los omnes todos
sean omnes et todos ayan voluntades et entençiones,
que atan poco commo se semejan en las caras, tan poco
se semejan en las entençiones et en las voluntades;
pero todos se semejan en tanto que todos usan et
30 quieren et aprenden mejor aquellas cosas de que se
más pagan [4] que las otras. Et porque cada omne aprende
meior aquello de que se más paga, por ende el que
alguna cosa quiere mostrar, dévelo mostrar en la manera que entendiere que será más pagado el que la ha
35 de aprender. Et porque a muchos omnes las cosas sotiles

---

22. *GAM:* todas las fazen... todas en u. m. *H:* todos lo f. m.
non lo e. *P:* todas las f. m. las fazen e non las entienden
t. en u. m.
23. *GA:* Otrosí... seríen luengos de contar e de dezir.
24. *H:* s. luengo de contar. *P:* de contar.
25. *M:* que los omes sean t. o.
26. *M* omite: *todos. P:* entençiones e voluntades. *MAG:* voluntades e entendimientos. *H:* voluntad e entendimiento.
27. *AHM:* que tan poco. *Atan* en *PMC* 2201, 2731 es adv. de cantidad, en tanto que *tan* es más bien comparativo. Se usa en 770,
1520 para ponderar. En el *Apol.* las formas parecen intercambiables aunque *tan* es más usado; compárense 212c, 250d,
322c y 43ab, 58b, 88d. Lo mismo ocurre en Juan Ruiz, aunque
tan es mucho más usado: *LBA* 193c, 285c, 671d y 9b, 47d,
729a, etc. *PG* omiten: *que atan poco... en las caras.*
28. *A:* voluntades y en las entenciones.
29, 30. *H:* porque todos se s. en ellas et en t. q. unos usan.
M: pero que t. se s. en quanto quieren et usan aprender.
P: quieren aprender m.
31. *PG* omiten: *las otras. H:* los otros. *P* omite: *Et porque...
se más paga.*
33. *H:* quiere m. a otro d. m. *S:* dévegelo. *P:* en tal m. q. entienda.
34. *M:* e. de que será m. p. *GA:* lo ha de a.
35. *H:* de deprender. *P:* Et pq. muchas cosas sotiles a los omnes
non les c. *S:* Et pq. muchos o. Ya en *PMC* 3606 el dativo

---

[4] *pagarse:* preciarse, contentarse.

non les caben en los entendimientos, porque non las
entienden bien, non toman plazer en leer aquellos libros
nin aprender lo que es escripto en ellos. Et porque non
toman plazer en ello, non lo pueden aprender nin saber
40   assí commo a ellos cunplía[5]. Por ende, yo, don Johan,
fijo del infante don Manuel, adelantado mayor de la
frontera et del rreyno de Murcia[6], fiz este libro conpuesto de las más fermosas palabras que yo pude, et
entre las palabras entremetí algunos exemplos de que se

---

reforzado con el pron. átono lleva la prep. *a;* lo mismo ocurre en el *LBA* 225*d*, 1116*a*, 1366*c*, etc.

36.   *HG;* les entienden.
37.   M omite: *bien.* H omite: *non toman plazer... escripto en
ellos.* M añade: *e por esta razón* n. t. p.
38.   *escripto:* recuérdese que, como dice R. Menéndez Pidal, *Cantar,* p. 230, 20, la *p* de *escripto* no se pronunciaba y era un
resabio ortográfico. *H* omite: *et porque.*
39.   *P:* non lo p. entender nin saber.
40.   *H:* commo les cunple. *M:* cunple. *P:* cunpla. De aquí en adelante conservo *Johan* que es la forma usada en la colección
de documentos publicados por Andrés Giménez Soler, *Don
Juan Manuel. Biografía y estudio crítico,* Zaragoza, 1932.
41.   P omite: *adelantado... de Murcia.* De aquí en adelante uso
la forma *rreyno* que está en *PMC* 2035, 3005; Dana Arthur
Nelson prefiere el cultismo en su edición del *Ali.* 66*a,* 2429*d,*
1599*b.* Ambas formas aparecen en el *Apol* lo mismo que en
el *LBA* (*regno:* 142*a,* 1329*a* y *reynos* 249*d*). El cultismo aparece en algunas cartas de don Juan Manuel, v. gr. Giménez
Soler, p. 392,3.
42.   *P:* fize e. l. con poder.
43.   *S:* apuestas. *M:* fermosas cosas.
44.   *H:* entremeter a. e.

---

[5] *cunplía:* correspondía, convenía; *LBA,* 206*a,* 722*c,* 742*d,* 1496*a,*
1610*d.*

[6] Reproduzco la excelente nota de Blecua, p. 51: «*adelantado:* gobernador militar y civil de un territorio. Cfr.: "adelantado tanto quiere dezir como omne metido adelante, en algún
fecho señalado por mandado del Rey... E este deve ser muy acu-
cioso para guardar la tierra que se non fagan en ella asonadas,
nin otros bollicios malos, de que viene daño al Rey e al reyno".
Partidas, II, tít. IX, ley XXII.»

45 podrían aprovechar los que los oyeren. Et esto fiz segund la manera que fazen los físicos [7], que quando quieren fazer alguna melezina que aproveche al fígado, por razón que naturalmente [8] el fígado se paga de las cosas dulçes, mezclan con aquella melezina que quieren me-

50 lezinar el fígado, açúcar o miel o alguna cosa dulçe; et por el pagamiento [9] que el fígado á de la cosa dulçe, en tirándola para sí, lieva con ella la melezina quel á de aprovechar. Et esso mismo fazen a qualquier mienbro que aya menester alguna melezina, que sienpre la dan

---

45. *S:* podrán. *PGAHM:* lo oyeren. *H:* Et e. f. yo. *P:* Esto fize en la manera.

47. *S:* melizina. La forma de los otros mss. está en *Ali*, 74*d* (ms. O); *Mil.* 790*d*; *Apol.* 310*a*, 312*b*, 442*d* y *LBA* 32*b*, 589*d*, 592*c*, 594*c*, etc. *M* omite: *melezina. GA:* que aprovecha.

48. *H* omite: *por razón q. n. el fígado. M:* se pagava. *P:* con cosas d. El objeto que produce contentamiento se introduce con *de* en *PMC*, 146, 2275; *Apol.* 105*d*, 429*c*, 474*b*; *LBA* 388*c*, 508*b*, 932*c*, 1021*d*, 1173*d*, 1495*d*, 1517*b*.

49. *SMG:* mezcla. *H:* mezclado c. a. m. lo que quiere el figado. *A:* con aquellas melezinas. *S:* que quiere melezinar.

50. *M:* o alguna dulçura.

51. *G:* pagamiento del fígado á la de la c. d. en tirando para sí.

52. *H:* tirándola para sí, llena. *M:* tirándolo para sí, lieve con ello. *P* omite: *con ella.*

53. *P:* et esto m. *H:* et e. m. a qualquier.

54. *S:* mester. Aunque sería imposible resolver en una nota un problema filológico tan espinoso, quiero apuntar lo siguiente: 1) Sólo *menester:* necesidad, se usa una vez en *PMC*, 135. 2) Tanto en el *Ali* como en el *LBA menester* quiere decir «necesidad» «necesario» en tanto que *mester* significa «oficio»: *menester:* necesidad en *Ali.* 65*d*, 119*d*, 367*b*(P), 567*d*, 1170*d*, 1974*d*; *LBA* 1130*d*, 1136*d*, 1138*d*. *Mester:* oficio en *Ali.* 2*ab; LBA* 622*b.* 3) Esta distinción que parece tan clara en el *Ali* y el *LBA* no existe en el *Apol.* en donde los significados se intercambian: *necesidad* 65*d* (menester), 77*b* (mester);

---

[7] *físicos:* médicos; *LBA* 252*d*, 1418*a*, 1536*c.*

[8] *naturalmente:* por su naturaleza. Blecua cita *Castigos y documentos para bien vivir ordenados por el rey don Sancho IV*, ed. Agapito Rey, Bloomington, Indiana Univ. (Humanities Series, XXIV), 1952, p. 40.

[9] *pagamiento:* apetencia, atracción, gusto. *Apol.* 149*a*, 151*a*, 362*c.*

55 con alguna cosa que naturalmente aquel mienbro la aya
de tirar a sí. Et a esta semeiança, con la merçed de
Dios, será fecho este libro, et los que lo leyeren si por
su voluntad tomaren plazer de las cosas provechosas
que ý fallaren, será bien; et aun los que lo tan bien
60 non entendieren, non podrán escusar que, en leyendo
el libro, por las palabras falagueras [10] et apuestas que
en él fallarán, que non ayan a leer las cosas provechosas
que son ý mezcladas, et aunque ellos non lo deseen,
aprovecharse an dellas, assí commo el fígado et los otros
65 mienbros dichos se aprovechan de las melezinas que son
mezcladas con las cosas de que se ellos pagan. Et Dios
que es conplido [11] et conplidor de todos los bienes fechos,

---

necesario: 89d, 90d, 140c (menester), 560d (mester); oficio:
400c, 433c (menester), 160b, 422c, 429c, 493d (mester). Vid. Nicasio Salvador Miguel, «Mester de clerecía. Marbete caracte-
rizador de un género literario», Revista de Literatura, XLII,
1979, pp. 5-30, esp. p. 11. De aquí en adelante adopto la forma
menester en contra de S que casi siempre trae mester. GA: le
dan. M: gela dan. H: le dan alguna cosa. P: el fol. 1 termina:
que siempre la dan con alguna cosa que, faltan los fols. 2
y 3.
56. A: tirar para sí. M: lo aya de tirar. M: con la ayuda de Dios.
57. S: lo leyeren su voluntad [sic]. H: e por su voluntad.
58. GAHM: aprovechosas. El verbo en el LBA es aprovechar, pero
la forma del adj. es siempre provechoso: 311d, 320d, 696d,
1419b y en el PMC 1233. Sigo siempre esta forma a pesar de
que S trae a veces aprovechoso, lo mismo que Estados 21,7.
59. H: serles ha bien. GA: los que también non e. M: los q. t. b.
non lo e. non podrá e.
60. H: q. en leyéndolo. M: q. en l. este libro.
61. A omite: et apuestas. H: falagueras e conpuestas. M: e conpuestas q. en él fallaren.
62. H: ayan a desear leer. SGA: aprovechosas.
63. M: q. ý son mezcladas. S: non lo desen. M: non lo desean.
65. H: de las melezinas commo es ya dicho.
66. G: las c. de que ellos se p.
67. S: de todos los buenos.

---

[10] falagueras: halagüeñas, lisonjeras; LBA 169c, 511b, 572a, 578c,
975c, 1342b.
[11] conplido: perfecto, excelente; PMC 65, 268, 278; Apol. 183c,
352b, 486c, etc.; LBA 130b, 480b, 1138a.

por la su merçed et por la su piedad, quiera que los que
este libro leyeren, que se aprovechen dél a serviçio de
70 Dios et para salvamiento de sus almas et aprovechamiento de sus cuerpos; assí commo Él sabe que yo, don
Johan, lo digo a essa entençión. Et lo que ý fallaren
que non es tan bien dicho, non pongan culpa a la mi
entençión, mas pónganla a la mengua del mi entendi-
75 miento. Et si alguna cosa fallaren bien dicha et provechosa, gradéscanlo a Dios, ca Él es aquél por quien todos
los buenos dichos et fechos se dizen et se fazen.

Et pues el prólogo es acabado, de aquí en adelante
començaré la materia del libro, en manera de un grand

---

68. *H:* por la su santa merçed e piedad. *S:* piadat. Como se ad-
virtió en la introducción, *S* se caracteriza por el uso de arcaísmos y latinismos; *piedad* se encuentra en *PMC* 604;
el *Apol.* usa *piedat* (141*a*, 477*b*); en el *LBA piadat* aparece
sólo una vez, al final de verso (1322*c*), en tanto que la forma
común es *piedat* o *piedad. GA* omiten: *quiera.*
69. *A:* dél a servicio suyo.
70. *M:* e a salvaçión. *H:* se aproveche dél a su serviçio en este
mundo a los cuerpos et en el otro a las almas. *GA:* sus
ánimas.
71. *H:* a. c. lo Él sabe.
72. *H:* entinçión. *M:* a esta entençión. *GA:* e lo que ende. *G:* fallare.
73. *H:* que non es bien d. *M:* q. non esta b. d. *A:* a la mia en-
tención.
74. *S:* del mio entendimiento.
75. *H:* Et si ý fallaren alguna b. d. *M:* a. c. ý fallaren. *SGA:*
aprovechosa.
76. *GA:* agradézcanlo. En el *LBA* el adj. es *agradesçido* (717*d*)
y el verbo *gradesçer* (453*a*); en *PMC* y *Apol.* los verbos son
gradesçer y *gradir. AG:* ca Él es por quien. *H:* a. por que
en t.
77. *A:* los buenos dichos se fazen e se dizen. *G:* los b. d. se d.
e se fazen.
78. *A* omite: *Et p. el p. es acabado. S:* el plogo. *M:* Et p. el plogo
es dicho. *H:* es ya acabado. Adopto *prólogo* de *GAH* como
en el *LBA* 1301*d.*
79. *S:* la manera del libro. Sobre *manera* y *materia, vid.* Germán
Orduna, «Notas para una edición crítica del *Libro del conde
Lucanor et de Patronio», BRAE,* CXCIV, 1971, p. 504. *A:* en
manera de diálogo entre un g. s. que fabla. *H:* en m. de
un s. q. fabla.

80   sennor que fablava con un su consejero. Et dizían al
     sennor, conde Lucanor, et al consejero, Patronio.

EXEMPLO I

De lo que contesçió a un rrey con un su privado [12]

Acaesçió una vez que el conde Lucanor estava fablando en su poridat [13] con Patronio, su consejero, et díxol:

---

80. *H:* e dezíanlo al s. c. L. e al otro Patronio, su consejero.
81. *S:* consegero. Adopto la ortografía de los otros mss. para
    esta palabra.
    GA: al rey con su privado. *H:* con su privado.
2. *H:* con P. su c. en su poridad.

---

[12] Se halla originalmente en el libro de *Barlaam e Josafat,*
ed. John E. Keller y Robert W. Linker, Madrid, CSIC, 1979,
pp. 25-31. Harlan G. Sturm («Conde Lucanor: the first *Ejemplo*»,
MLN, LXXXIV, 1969, pp. 286-292) ha subrayado la relación rey-
privado y privado-consejero cautivo; de este modo, el ejemplo
trasciende hacia la relación Lucanor-Patronio, que constituye la
«manera» o marco del libro. R. Brian Tate (Don Juan Manuel
and his sources: *ejemplos* 48, 28, 1», en *Studia Hispanica in
Honorem R. Lapesa,* I, Madrid, Cátedra Seminario Menéndez
Pidal y Gredos, 1972, pp. 549-561, especialmente las pp. 557-
561) traza el fondo histórico del ejemplo y puede concluir:
«No wonder then that Don Juan could not allow the rap-
turous outburst of the senator in the original apologue to be
treated as anything but a piece of political naiveté. If the king
was in his right mind, such a proposal could only be viewed
by the intelligent politician as some sort of a ruse». p. 561. Reinaldo Ayerbe-Chaux («*El conde Lucanor*»: *materia tradicional y
originalidad creadora,* Madrid, Porrúa Turanzas, 1975, pp. 2-7)
estudia la sutil gradación sicológica de la prueba, que da dimensión a los dos personajes. *Vid.* Daniel Devoto, *Introducción al
estudio de don Juan Manuel y en particular de El conde Lucanor.
Una bibliografía,* Madrid, Castalia, 1972, pp. 357-361. De aquí en
adelante, estas dos últimas obras se citarán: D. Devoto (1972) y
R. Ayerbe-Chaux (1975).
[13] *poridat:* secreto. *PMC* 680, 1884, etc.; *Apol.* 321c, 373a; *FnGz.*
642b, 643c; *LBA* 90c, 1283b, etc.

—Patronio, a mí acaesçió que un grande omne et
mucho onrrado, et muy poderoso, et que da a entender
5 que es yaquanto [14] mi amigo, que me dixo pocos días ha,
en muy grant poridat, que por algunas cosas quel acaesçieran, que era su voluntad de se partir de esta tierra
et non tornar a ella en ninguna manera; et por el amor
et grant fiança que en mí avía, que me quería dexar
10 toda su tierra: lo uno vendido et lo ál [15] encomendado.
Et pues esto quiere, seméjame muy grand onrra et grant
aprovechamiento para mí. Et vos dezitme et consejadme
lo que vos paresçe en este fecho.

—Sennor conde Lucanor —dixo Patronio—, bien en-
15 tiendo que el mi consejo non vos faze grant mengua [16],
pero pues vuestra voluntad es que vos diga lo que en
esto entiendo, et vos conseje sobre ello, fazer lo he
luego. Primeramente, vos digo que esto que aquel que

3. *S:* un muy grande o. *H:* a mi acaesçe que un omne m. o. e
poderoso de esta tierra, que es yaquanto mi amigo.
4. *M:* e que me da a e.
5. *S:* q. es quanto mio amigo. *M:* díxome muy p. d. á.
6. *MH:* en grant poridad. *GA:* acaesçiera. *H:* que le acaesçen,
que es s. v.
7. *M:* su v. de partirse. *H:* dexar toda su tierra.
9. *H:* e grant fiuzia. *M:* e g. proeza.
10. *A:* e lo a él e. *HM:* e lo otro e. *S:* comendado. Es un arcaísmo de *S. Vid.* 27.62.
11. *GHM:* Et p. él esto q. *GA:* seméjame que es m. g. o. *M:* que
es g. o. mia e g. a. a mi fazienda. *H:* parésçeme que es a mí
muy g. o. e provecho mio et de mi tierra.
12. *GA:* e ruego vos que me consejedes (*G:* consejeis).
13. *A:* lo q. vos p. que faga en esto. *G:* e que vos p.
14. *G:* bien entendido.
15. *S:* el mio consejo. *AG:* non vos fazía muy g. m. *H:* fazía.
17. *M:* conseje en ello. *A:* fazello he e luego.
18. *S:* vos digo a esto. *A:* que aquel quanto c.

[14] *yaquanto:* algo. *PMC* 2437, 3433; *Apol.* 187*b*; *FnGz.* 295*a*;
LBA 918*d*, 1435*a*.
[15] *lo ál:* lo otro. *PMC* 592, 3656; *Apol.* 291*b*; *LBA* 1204*a*.
[16] *mengua:* falta, carencia. *Apol.* 28*d*, 156*d*, 303*c*; *LBA* 818*d*,
1134*d*, 1363*c*, 1427*c*; *Estados* 40,9 y 61,22.

cuÿdades [17] que es vuestro amigo vos dixo, que non lo
20 fizo sinon por vos provar. Et paresçe que vos contesçió
con él commo contesçió a un rrey con un su privado.
El conde Lucanor le rogó quel dixiesse cómmo fuera
aquello.
—Sennor —dixo Patronio—, un rrey era que avía un
25 privado en qui fiava mucho. Et porque non puede seer
que los omnes que alguna buena andança an, que algunos otros non ayan envidia dellos, por la privança et
buena andança que aquel su privado avía, otros privados daquel rrey avían muy grant envidia et trabajávan-
30 se [18] del buscar mal con el rrey, su sennor. Et commo
quier que muchas razones le dixieron, nunca pudieron
guisar [19] con el rrey quel fiziesse ningún mal, nin aun
que tomasse sospecha nin dubda dél, nin de su ser-

---

19. *H:* q. es v. a. vos digo.
20. *GAM:* faze. *H:* E parésçeme.
21. *A:* acontesçió al Rey con su p. *H:* a un r. con su p.
22. *M* omite: *Lucanor. A* añade: *e Patronio le dixo assí.*
24. *A* omite: *Sennor, dixo P. HM:* era un rrey.
26. *H:* que han alguna b. a. que aquel su privado avía. *M:* que el que alguna b. a. á.
27. *M:* que non ayan otros que ayan e. d. *H* omite: *que algu-nos... privado avía.*
28. *M:* buen andança. *S:* bien andança. En *PMC* 2185 se encuen-tra *bienandante* y en *Ali.* 1731a(P) *bienestança;* la única for-ma en el *LBA* es *buena andança* (653c, 805c, 1477b, 1587b); *S* lo acaba de usar pocas líneas más arriba.
29. *GHM;* avían del. *MH* omiten: *muy.*
30. *H:* de buscarle. *M:* mal con su sennor el rrey.
31. *GAHM:* dixeron.
32. *M:* fazer con el rrey. *A:* mal alguno. *G:* algún mal. *M:* nin que toviesse.
33. *H:* ni aun tomasse.

---

[17] *cuydades:* pensáis, imagináis, creéis. *PMC* 2130, 2470, etc.; *Sd.* 581cd; *Mil.* 262d; *Ali.* 182d, 354b, 488d, 540d; *Apol.* 225a, 482a, 545ab, 391b, etc.; *LBA* 665c, 670c, 672b, 1442c, 1534a.

[18] *trabajávanse:* se afanaban, se esforzaban. *Vid.* 22.41.

[19] *guisar:* disponer, preparar. *Ali.* 2548d. Otras veces significa: «cuidar», «pensar».

viçio. Et desque vieron que por otra manera non podían
35 acabar lo que querían fazer, fizieron entender al rrey
que aquel su privado que se trabajava de guisar por
que él muriesse; et que un fijo pequenno que el rrey
avía, que fincasse [20] en su poder, et de que él fuesse
apoderado de la tierra, que guisaría cómmo muriesse
40 el moço et que fincaría él sennor de la tierra. Et commo
quiera que fasta entonçe non pudieran poner en ninguna
dubda al rrey contra aquel su privado, de que esto le
dixieron, non lo pudo sofrir el coraçón que non tomasse
dél reçelo. Ca en las cosas en que ha tan grant mal, que
45 se non pueden cobrar [21] si se fazen, ningún omne cuerdo
non deve esperar ende [22] la prueva. Et por ende, desque
el rrey fue caýdo en esta dubda et sospecha, estava
con grant reçelo, pero non se quiso mover en ninguna
cosa contra aquel su privado, fasta que desto sopiesse
50 alguna verdat.

---

34. *S:* Et de que. *H:* o. m. non podía acabar.
35. *S* omite: *fazer.*
36. *H:* de guisar por do él m. e que un fijo quél avía.
38. *M:* que fincaría. *M:* e después que f. a. de la t. que faría.
39. *A:* apoderado en la t. *S* omite: *q. guisaría cómmo... de la tierra.*
40. *S:* Et commo que.
41. *M:* podieron p. en el rrey n. d. *H:* pudiera.
42. *M:* de q. e. todo oyó o le dixeron.
43. *GAH:* dixeron. *M:* que non tomasse reçelo. *H:* tomasse el r.
44. *M:* Et porque las cosas. *A:* en que ay. *S:* en q. tan grant mal ha. *G:* en quien ay.
45. *GH:* puede... faze. *M:* sy se le faze. *A:* n. o. cuerdo deve esperar. *M* omite: *cuerdo.*
46. *H* omite: *ende. A:* Et porque el rey.
47. *M:* caýdo en esta sospecha. *H:* estava en g. reçelo.

---

[20] *fincasse:* quedase. *PMC* 1782; *Apol.* 600*b* y 14*a*; *LBA* 631*c*, 685*b*, 884*c*, 1381*d*.
[21] *cobrar:* remediar, solucionar: *PMC* 303. Aunque el sustantivo tiene en el *LBA* el significado de «remedio», «solución», el verbo es usado por el Arcipreste con el significado que tiene ahora.
[22] *ende:* de ello, en ello. *PMC* 2100, 3547; *Apol.* 36*b*, 563*d*; *LBA* 81*c*, 151*a*, 1319*a*. *Por ende:* por ello; es muy usado.

·Et aquellos otros que buscavan mal a aquel su privado dixiéronle una manera muy engannosa en cómmo podría provar que era verdat aquello que ellos dizían, et enformaron bien al rrey en una manera engannosa,
55 segund adelante oyredes, cómmo fablasse con aquel su privado. Et el rrey puso en su coraçón de lo fazer et fízolo.

Et estando a cabo de algunos días el rrey fablando con aquel su privado, entre otras rrazones muchas que
60 fablaron, començól un poco a dar a entender que se despagava[23] mucho de la vida deste mundo et quel paresçía que todo era vanidat. Et entonçe non le dixo más. Et después, a cabo de algunos días, fablando otra vez en uno con aquel su privado, dándol a entender
65 que sobre otra rrazón començava aquella fabla, tornól a dezir que cada día se pagava menos de la vida deste mundo et de las maneras que en él veýa. Et esta razón

---

51. *M* omite: *otros. GAH:* mal aquel su p.
52. *H:* dixeron al rrey. *G:* en como podían. *A:* en como podrían. *M:* commo podría saber.
54. *GA:* informaron. *M:* et e. al r. en u. m. muy engannosa.
55. *S:* oydredes. *M:* oyrés. *H:* cómmo fablava. *M:* de commo f.
56. *A:* púsolo. *H:* provó en su c. *M:* Et él puso.
58. *M:* Ca estando. *H:* E a cabo de a. d. estando el r. f.
59. *A:* e. otras razones que fablaron. *H:* otras muchas r. *M:* otras muchas maneras de fablar que le fizo.
60. *H:* començólo un p. de dar. *M:* c. a dar a entender.
61. *M:* et que paresçía todo v.
62. *GAH:* entonçes.
63. *GA:* al cabo.
64. *S* omite: *en uno. H* omite: *con aquel su privado.*
65. *GA:* aquella fabla con él. *M:* Et d. de algunos días tornó el rrey a fablar c. a. su p. d. a entender más claro que non se pagava deste m. et de las m. q. en él veýa.
66. *H:* que de cada día se despagava más.
67. *H:* maneras quél veýa. *M:* Et estando asý, tantas vezes le dixo el rrey a su privado esta rrazón que el privado entendió.

---

[23] *se despagava:* se hastiaba, se descontentaba. *Sd* 739*b*; *Ali.* 566*c*; *Apol.* 67*c*; *LBA* 442*b*, 467*d*.

le dixo tantos días et tantas vegadas [24] fasta que el privado entendió que el rrey non tomava ningún plazer
70 en las onras, nin en las riquezas, nin en ninguna cosa
de los bienes nin de los plazeres que en este mundo
avíe. Et desque el rrey entendió que aquel su privado
era bien caýdo en aquella entençión díxole un día que
avía pensado de dexar el mundo et yrse desterrar a
75 tierra do non fuesse conosçido, et catar [25] algún lugar
estranno et muy apartado en que fiziesse penitençia
de sus pecados. Et que, por aquella manera, pensava
que avría Dios merçed dél et que podría aver la su
graçia por que ganasse la gloria del paraýso.
80 Quando el privado del rrey esto le oyó dezir, estran-
nógelo mucho, diziéndol muchas maneras [26] por que lo

---

68. *H:* tantas vezes que el privado e.
69. *A* omite: *ningún. M:* ningunt día plazer. *H:* plazer en las
rriquezas e onrras e bienes e plazeres q. en e. m. avía.
70. *S:* onras deste mundo.
71. *A:* de los bienes deste mundo. *M:* rryquezas que en el mundo son... plazeres que son en esta vida.
72. *H:* quel su privado.
73. *M:* era caýdo.
74. *G:* que avía pensar. *H:* de dar el mundo. *HM:* yrse a desterrar.
75. *H:* e contra algund lugar.
76. *H:* estranno e muy arredrado. *M:* apartado do fiziesse.
77. *GA:* E por aquella m.
78. *A:* que Dios le avría merçed de sus pecados. *G:* merçed de
sus pecados. *HM:* que le avría D. merçed. *H:* e avría la su g.
para ganar.
80. *HM* omiten: *del rrey. M:* esto oyó dezir al rrey. *G:* esto le
oyó mucho diziendo [*sic*]... por que no lo devíe fazer.

---

[24] *vegadas:* veces. *Ali.* 536*b*, 1009*b*, 1499*b*; *Apol.* 31*d*, 139*d*, 179*b*,
etcétera; *LBA* 525*b*, 526*b*, 740*c*, etc.
[25] *catar:* originalmente significaba «mirar»: *PMC* 2, 371, 2439.
Tiene además otros sentidos metafóricos, como «examinar» (164),
«procurar» (1359). Aquí, lo mismo que en el exemplo 20.5, tiene
el sentido de «buscar», como en *Apol.* 436*c; LBA* 275*c*, 379*b*,
431*a*, 1317*c*.
[26] *maneras:* razones. Así traduce Blecua (n. 70). La verdad es
que no he encontrado ejemplos de esta acepción; quizá *por tal
manera:* «por esa razón». «por ese motivo», en *Cab.* 415,3, citado
por Félix Huerta Tejadas, «Vocabulario de las obras de don Juan

non devía fazer. Et entre las otras maneras díxol que
si esto fiziesse, que faría muy grant deserviçio a Dios
en dexar tantas gentes commo avía en el su rreyno que
85 tenía él bien mantenidas en paz et en justiçia, et
que era çierto que luego que dende [27] se partiesse, que
avría entrellos muy grant bolliçio et muy grandes contiendas, de que tomaría Dios muy grant deserviçio et
la tierra muy grant danno, et quando por todo esto non
90 lo dexasse, que lo devía dexar por la rreyna, su muger,
et por su fijo muy pequennuelo que dexava: que era
çierto que serían en muy grant aventura, tan bien de
los cuerpos, commo de las faziendas.

Et a esto respondió el rrey que ante que él pusiesse
95 en toda guisa en su voluntad de se partir de aquella

---

82. S omite: *maneras*. G: ellas otras maneras. M: las otras cosas.
H: E las quales le dixo. GA omiten: *q. si esto fiziesse.*
84. M: tanta gente. S: rregno. H: quel tenía bien mantenidos.
85. AG: mantenidos.
86. H: e q. fuesse çierto. S: que él dende.
87. A: bullicio. G: bellicio. M: rroydo (en vez de *bolliçio*). Berceo usa *bolliçio* en Sd. 100b y Du. 71b (*vid. Ali.* introducción
de Nelson, p. 100, 3.243); el Arcipreste de Hita usa *bullen*
(470a, 471b) y *bulliendo* (811c); *bolliçio* se halla en *Estados*
126,23 y 130,31; *bulliçio* aparece en una carta de don Juan
Manuel a Jaime II: Giménez Soler, p. 484,28.
88. M: mucho deserviçio.
89. S: dapno (*vid.* 6.22). H: por todo non lo dexasse. GA: por
todo lo dexasse, que lo non debría d.
91. GA: por un su fijo pequenno. SM: por un fijo. H: su fijo
que era muy pequenno. M omite: *muy.* S: sería. H: e que
fuesse çierto q. sería.
92. M: en grant aventura.
94. HM: respondió el rr. e dixo. A: posiesse. H: que ante quel
cunpliesse su voluntad. M: q. a. que él cunpliesse esto que
tenía en toda guisa en su voluntad.
95. GA omiten: *en toda guisa en su voluntad.*

Manuel, 1282-1348», *BRAE*, XXXIV, 1954; XXXV, 1955; XXXVI,
1956; publicado como separata, Madrid, BRAE, 1956.
    [27] *dende:* de allí, desde allí. *Ali.* 934a (P); *Apol.* 252d, 335d, 613d;
LBA 190d, 875b, etc. Tanto en *PMC* como en el *Ali.* y *Apol.* aparecen las formas *dent* y *dend.*

tierra, pensó él la manera en cómmo dexaría recabdo [28]
en su tierra por que su muger et su fijo fuessen servi-
dos et toda su tierra guardada; et que la manera era
ésta: que bien sabía él que el rrey le avía criado et le
100 avía fecho mucho bien et quel fallara sienpre leal, et
quel serviera muy bien et muy derechamente; et que
por estas rrazones, fiava en él más que en omne del
mundo, et que tenía por bien del dexar la muger et el
fijo en su poder, et entregarle et apoderarle en todas
105 las fortalezas et logares del rreyno por que ninguno non
pudiesse fazer ninguna cosa que fuesse deserviçio de
su fijo; et si el rrey tornasse en algún tienpo, que era
çierto que fallaría buen recabdo en todo lo que dexasse
en su poder; et si por aventura muriesse, que era çierto
110 que serviría muy bien a la rreyna, su muger, et que
criaría muy bien a su fijo, et quel ternía muy bien guar-

---

96. *GA:* pensaría en su coraçón en la m. *H:* pensó en la m.
M: pensó la m. *G:* como dexava. *GA:* recaudo.
98. *M:* e toda la tierra. *A:* su tierra mantenida e guardada.
99. *M:* sabía él que él le avía c. *G:* q. el rr. avía criado.
100. *M:* e le fallara. *S:* sienpre muy leal. Como se vió en la introducción, las elaboraciones con *muy, mucho, gran* son
frecuentes; aquí, y en la línea 108, *muy* se puede descartar
fácilmente ya que falta en *GA* que son tan cercanos a *S.*
101. *A:* e que él serviría m. b. *M:* sirviera bien e derechamente.
102. *H:* q. en omne en el mundo.
103. *GA:* et que él tenía.
104. *S:* entergarle.
105. *GAM:* lugares. *SH:* del rregno. *M:* del su rreyno. *M:* que
n. non p. fazer deserviçio a la rreyna e' a su fijo.
106. *H:* podiesse.
107. *GAM:* e si él tornase.
108. *S:* muy buen recabdo. *GA:* recaudo de todo. *HM:* lo que
le dexasse.
109. *A:* ventura. *Por ventura, por aventura* son intercambiables
no sólo en el s. XIII (*Apol.* 112*a*, 228*b*, 301*d*, 492*c*, 541*c*, 603*c*,
648*a* y 444*d*, 466*d*, 515*d*, 572*d*), sino en el *LBA* 593*c*, 609*a*,
800*a*, 1039*c*, 1424*c* y 144*a*, 594*b*, 823*a*, 989*b*.
110. *A* omite: *a la rreyna... criaría muy bien.*

---

[28] *recabdo:* remedio, cuidado (?). *PMC* 2756. Blecua cita aquí
Estados, p. 135,23.

dado el su rreyno fasta que fuesse de tienpo que lo
pudiesse muy bien governar; et assí, por esta manera,
tenía que dexava recabdo en toda su fazienda.

115   Quando el privado oyó dezir al rrey que quería dexar
en su poder el rreyno et el fijo, commo quier que non
lo dio a entender, plógol mucho en su coraçón, entendiendo que pues todo fincava en su poder, que podría
obrar en ello commo quisiesse.

120   Este privado avía en su casa un su cativo que era
muy sabio omne et muy grant philósopho. Et todas las
cosas que aquel privado del rrey avía de fazer, et los
consejos quel avía a dar, todo lo fazía por consejo de
aquel su cativo que tenía en casa.

125   Et luego que el privado se partió del rrey, fuese
para aquel su cativo, et contól todo lo quel contesçiera
con el rrey, dándol a entender, con muy grant plazer
et muy grand alegría, quánto de buena ventura era,

---

112. *SHM:* rregno.
113. *M:* et que asý. *A:* desta manera.
114. *A:* dexava muy buen recaudo. *H:* en su fazienda. *M:* su fazienda toda.
115. *H:* o. dezir quél que quería. *G:* quel quería. *A:* que le quería.
116. *S:* que lo non dio.
117. *A:* plúgole.
118. *M:* todo el rreyno f. en su p. que obraría en ello lo que
quisiesse.
119. *H:* obrar con ello.
120. *A:* captivo. *G:* cautivo; captivo de *A* es un cultismo; *cativo*
se halla en *PMC* 517; *Ali.* 954c, 2393d; *Apol.* 308d, 393d, 394a,
395b, 569d, 612d; *LBA* 1198c.
121. *H:* muy grand sabio omne e m. grand filósofo. *M:* muy
sabio e omne m. g. filósofo. *GA:* et era muy ph.
122. *H:* et todos los c.
123. *G:* consejos quel avía de fazer. *AM:* avía de dar.
124. *G:* en casse [*sic*]. *HM:* en su casa.
125. *M:* fuese para su catyvo.
126. *M:* lo quel acaesçiera.
127. *M:* d. a entender que avía grant plazer con muy grant alegría.
128. *AG:* y con muy gran (*G:* grande) alegría que tenía que era
de muy buena vetura. *H:* que de buena v. era. *M:* e quanta
b. v. le era venida.

pues el rrey le quería dexar todo el rreyno et su fijo
130 en su poder.

Quando el philósopho que estava cativo oyó dezir a
su sennor todo lo que avía pasado con el rrey, et cómmo
el rrey entendiera que quería él tomar en poder a
su fijo et al rreyno, entendió que era caýdo en grant
135 yerro et començólo a mal traer [29] muy fieramente, et
díxol que fuesse çierto que era en muy grant peligro
del cuerpo et de toda su fazienda; ca todo aquello quel
rrey le dixiera, non fuera porque el rrey oviesse voluntad de lo fazer, sinon que algunos quel querían mal
140 avían puesto al rrey [30] quel dixiesse aquellas razones por
le provar; et pues entendiera el rrey quel plazía, que
fuesse çierto que tenia el cuerpo et su fazienda en muy
grant peligro.

---

129. *GAM:* pues que el rr.
130. *S:* et su poder.
132. *HM:* lo que le avía contesçido con el rrey. *H:* como el rrey
    dezía que le quería dexar su fijo e el rregno en poder.
    G: como el rey le quería dexar todo el rreyno en su poder.
    E quando el philósopho que estava oyó dezir a su sennor
    todo lo que avía passado con el rrey e commo (*H* y *G* repi-
    ten erróneamente).
133. *A:* tomar en su poder. *M:* que a él le plazería tomar en su
    poder el rreyno e el fijo.
134. *G* omite: *et al rreyno. M:* que era ya caýdo. *S:* g. yerro co-
    mençólo.
135. *GA:* y començóle a lo mal t. *M:* començóle a rretraer muy
    f. *A:* diziendo que.
137. *M:* et de su fazienda.
138. *GAHM:* dixera *M:* oviesse talante de lo f.
139. *M:* algunos lo querían mal e avían.
140. *GAHM:* dixesse.
141. *AG:* e pues el rey entendía (*G:* entendiera). *H:* que p. quel r.
    entendió. *M:* e que pues el r. entendiera.
142. *H:* en grand peligro.

---

[29] *mal traer:* tratar mal, denostar. *PMC* 955; *Mi.* 550a; *Ali.* 222b
(0), 430a, 1838a; *PCG* 30b, 3; *LBA* 1687c.
[30] *avían puesto al rrey:* habían convenido con el rey. *Vid.*
nota 131.

145 Quando el privado del rrey oyó aquellas razones, fue en muy grant coyta ca entendió verdaderamente que todo era assí commo aquel su cativo le dixera. Et desque aquel sabio que tenía en su casa le vio en tan grant coyta, consejól que tomasse una manera commo podríe escapar de aquel peligro en que estava.

150 Et la manera fue ésta: luego, aquella noche físose raer la cabeça et la barba, et cató una vestidura muy mala et toda apedaçada, tal qual suelen traer estos omnes que andan pidiendo las limosnas andando en sus rromerýas, et un bordón et unos çapatos rrotos

155 et bien ferrados [31]. Et metió entre las costuras de aquellos pedaços de su vestidura una grant quantía de doblas. Et ante que amanesçiesse fuese para la puerta del rrey, et dixo a un portero que ý falló que dixiesse al rrey que

---

144. *M:* Et q. esto oyó e entendió todas aquellas r. *GA:* aquestas razones.
145. *M* omite: *ca entendió... tan grant coyta* (línea 148).
146. *S:* le avía dicho.
147. *H:* el sabio le vio en grand cuyta. *G:* lo vido en grande cuyta. *A:* lo vido en muy gran cuyta (*Vid.* exemplo X.26). *M:* Et el cativo filósofo c. q. t. una m. buena por que pudiese escapar bien de aquel p. en q. estava.
148. *H:* cómmo tomasse u. m. c. podía. *S:* podríe escusar.
150. *H:* fue aquesta. *S:* fuesse raer.
151. *H:* rrapar. *G:* la barba e la cabeça.
153. *H:* pidiendo limosna commo rromero. *G:* hombres que suelen andar pidiendo. *A:* hombres que suelen andar en las romerías pidiendo sus limosnas. *M:* traer los rromeros que andan p. limosnas a.
154. *S:* vordón: *bordón* está en *LBA* 1205c.
155. *G:* ferradados. *A:* ferrados foradados. *M:* et bien foradados. *H:* costuras de la su mala vestidura entre los pedaços muchas doblas e florines.
156. *GA:* de sus vestiduras. *A:* una gran cantidad de doblas.
157. *S:* amaniciesse; tanto en *PMC* 1186 como en *Apol.* 326d, 544d el radical del verbo *amanesçer* conserva la *e.*
158. *GA:* que ende falló que dixesse. *H:* al rrey en poridad.

---

[31] *ferrados:* herrados, guarnecidos con hierros o clavos; *LBA* 301b, 614c.

160 se levantasse por que se pudiessen yr ante que la gente despertasse, ca él allí estava esperando; et mandól que lo dixiesse al rrey en grant poridat. Et el portero fue muy marabillado quandol vio venir en tal manera, et entró al rrey et dixogelo [32] assí commo aquel su privado le mandara. Desto se marabilló mucho el rrey, et mandó 165 quel dexasse entrar.

Desque lo vio cómmo vinía, preguntól por qué fiziera aquello. El privado le dixo que bien sabía cómmol dixiera que se quería yr a desterrar, et pues él assí lo quería fazer, que nunca quisiesse Dios que él desco- 170 nosçiesse quanto bien le feziera; et que assí commo de la onra et del bien que el rrey oviera tomara muy grant parte, que assí era muy grant razón que de la lazeria [33] et del desterramiento quel rrey quería tomar,

---

159. *H:* la gente se levantasse que non lo sintiesse ca él le estava allí esperando. *M:* et mandó. *H* omite: *et mandól...* en *g. poridat.*
160. *M* omite: *esperando.*
161. *GAM:* dixesse.
162. *G:* quando vio. *H:* q. lo vio en tal manera. *M:* venir asý en tal m. *AHM* omiten: *assí M:* et el portero entró.
163. *H:* commo le avía mandado. *M:* gelo mandara.
164. *S* omite: *mucho. H:* et mandó al portero.
165. *GA:* dexassen.
166. *M:* El el rrey desque. *H:* lo vio el rrey así venir. *GA:* venía; en el *LBA,* por ejemplo, la forma más común del imperf. de *venir* conserva la *e* del radical, pero se encuentra *vinie* (652*d,* 695 *b*) y *vinien* (1104*a,* 1294*a*). *A:* por qué fazía.
167. *GAHM:* dixera
168. *M:* en commo se quería. *S:* yr desterrar. *H:* et que pues él. *M:* et pues que él... omite: *quisiesse Dios que él.*
169. *GA:* q. n. Dios quisiesse. *M:* que nunca le desconoçería el bien que él le avía fecho; et asý c.
171. *G:* que del rrey. *H:* et que se quería yr con él et que así como del bien e de la onrra que del rrey avía tomado muy grant parte, que así era razón q. de la l. e el mal q. el rrey
172. tomasse que oviesse otrosí grand parte.
173. *GA:* desterramiento que él quería tomar.

---

[32] *dixogelo:* díjoselo.
[33] *lazeria:* pobreza. *LBA* 2*d,* 209*b,* 947*a,* 1311*a,* etc.; *Estados,* p. 131,29.

que él otrosí [34] tomasse su parte. Et que pues el rrey
175   non se dolía de su muger et de su fijo et del rreyno et
de lo que acá dexava, que non era rrazón que se doliesse
él de lo suyo; et que yría con él et que lo serviría en
manera que ningún omne non gelo pudiesse entender;
et que aun le levava tanto aver metido en aquella ves-
180   tidura, que le abondaría assaz [35] para en toda su vida,
et que pues a yrse avían, que se fuessen ante que pudiessen ser conosçidos.

Quando el rrey entendió todas aquellas cosas que
aquel su privado le dizía, tovo que gelo dizía todo con
185   lealtad et gradesçiógelo mucho, et contól toda la manera
en cómmo oviera a seer engannado et que todo aquello
le fiziera el rrey por le provar. Et assí, oviera aquel

---

174.   *M:* tomasse ende su parte. Et pues que el rr. *S:* Et pues
el rr. *H:* Et quel pues non se dolía.
175.   *H:* nin de su f. nin d. r. nin de los que dexava.
176.   *H:* que él se doliesse. El fol. 4 de *P* comienza: *et que yría.*
177.   *SG:* et le serviría. *H:* et que se quería yr con él e él le s.
M: et que él que quería yr con él.
178.   *P:* q. ninguno non gelo entendiesse. *H:* en tal m. q. n. o. del
mundo non gelo entendiesse. *M:* q. ninguno n. g. podíese e.
179.   *P:* et aun quél levava en su vestidura lo que les pudiesse
bastar toda su vida. *H:* et aun quél l. t. a. m. en a. su v.
M: en a. su v.
180.   *S:* assaz en toda su vida. *M:* les a. en ello asaz.
181.   *H:* et q. p. andar a.
182.   *P:* que los conosçiessen.
183.   *P:* e. aquellas c. quel su p. d. *H:* t. a. rrazones. *M:* cosas
e rrazones.
184.   *H:* le dixera. *P* omite: *todo.*
185.   *S:* leatad. *GA:* en lealtad. *M:* con leal voluntad. *P:* et contól
toda la manera el rrey cómmo oviera a ser engannado et
que todo lo quel rrey le dixiera que lo fiziera por le
provar.
187.   *G* omite: *el rrey por le provar. S:* por provar. *S:* o. a seer
aquel privado engannado por mala cobdiçia. *GH:* de ser e.

---

[34] *otrosí:* también, igualmente. *PMC* 3561; *Ali.* 782*c*; *Apol.* 103*b*;
LBA 146*a*, 151*d*, etc.
[35] *assaz:* bastante. *Sl.* 104*b*; *Ali.* 39*a*, 975*a* (0); *Apol.* 379*c*, 428*b*,
478*d*, 648*a*; *LBA* 535*d*, 647*a*, 717*a*, 1320*a*.

privado a ser engannado por mala cobdiçia, et quísol
Dios guardar, et fue guardado por el consejo del sabio
190 que tenía cativo en su casa.

Et vos, sennor conde Lucanor, á menester que vos
guardedes que non seades engannado déste que tenedes
por amigo; ca çierto sed, que esto que vos dixo que
non lo fizo sinon por provar qué es lo que teníe en vos.
195 Et conviene que en tal manera fabledes con él, que entienda que queredes toda su pro et su onrra, et que
non avedes cobdiçia de ninguna cosa de lo suyo; ca si
omne estas dos cosas non guarda a su amigo, non puede
durar entre ellos el amor luengamente.

200 El conde se falló por bien aconsejado del consejo
de Patronio, su consejero, et fízolo commo él le consejara et fallóse ende bien.

Et entendiendo don Johan que estos exemplos eran
muy buenos, fízolos escrevir en este libro, et fizo estos
205 versos en que se pone la sentençia de los exemplos.

---

188. *P* omite: *por mala c.;* y añade: *et que todo lo quel rrey
le dixiera que lo fiziera por provallo e por mala cobdiçia.*
189. *GAHM:* por c. del philósopho. *P:* c. que le dio el sabio
cativo.
191. *P:* conde sennor. *H:* sennor c. *S:* á mester.
192. *P:* et non seades e. de éste. *M:* engannado por mala cobdiçia déste.
193. *P:* ca sed çierto que lo que vos dixiere q. n. lo dixo. *H:* ca
ç. el que esto vos dixo non l. f. *M:* que lo non fizo.
194. *H:* sinon por vos provar. *SHM:* lo que tiene en vos.
196. *P:* q. queríades todo su pro (*Vid.* 7.7). *M:* q. q. todavía
su pro. *P:* onrra e non querriedes nada de lo suyo.
198. *P:* ca si estas dos c. n. guarda omne a su a. *G:* estas cosas.
H: non guarda con su amigo. *P:* n. p. entrellos durar luengamente amor. *GA:* n. p. d. el amor entre ellos l.
199. *H:* el amor muy largamente.
200. *G:* se f. bien aventaiado. *A:* se f. bien a. *H:* se tovo por bien
contento e consejado de aqueste c. *M:* tóvose por b. a.
201. *A:* que P. su c. le dio. *P:* commo él dixo. *GA:* c. le consejara. *HM:* c. él le consejó. *H:* ende muy bien.
203. *M:* et entendió. *P* omite: *muy. H:* q. este exemplo era m.
bueno.
205. *versos:* regularizo de aquí en adelante adoptando esta forma (*S* trae *viessos*) de PAGHM, usada también en el *LBA,*

Et los versos dizen assí:

Non vos engannedes, nin creades que, en donado [36].
faze ningún omne por otro su danno de grado.

Et otros dizen assí:

210   Por la piedat de Dios et por buen consejo
Sale omne de coyta et cunple su deseo.

Exemplo II
De lo que contesçió a un omne bueno con su fijo [37]

Otra vez acaesçió que el conde Lucanor fablava con
Patronio, su consejero, et díxol cómmo estava en grand
coydado et en grand quexa [38] de un fecho que quería

_____

prólogo y 1325*a*, 1328*d* y 1634*d*. *P:* versos en que brevemente
se ponen e dizen assí.
206. *M:* nin tengades en donado.
207. *P:* faze el omne. *A:* faze omne. *M:* ningún omne por otro
fazer.
208. *A:* que d. a. *H:* et el otro dize. *PM* omiten.
210. *S:* piadat. *H:* et por el buen consejo.
211. *P:* cueyta. *GAH:* cuyta.
P: con un su f. castigándolo. *GA:* al hombre bueno. *H:* de
lo q. acaesçió a un o. b. con su f. que leva una bestia al
mercado.
1. *P:* Fablava otrosí. *GAH:* Otrosí, otra vez acaesçió.
3. *M:* cuyta e en g. q. *P:* coydado et en g. priessa. A pesar de
que el texto de *P* se acerca al *LBA* 512*b*, conservo la lectura de *SGA* que en muy contados casos me atrevo a corregir.

_____

[36] *en donado:* de gracia, por favor. *Apol.* 338*c*, 416*b*.
[37] Se puede señalar la *Tabula exemplorum* como *posible* fuente
inmediata de este exemplo. *Vid.* R. Ayerbe-Chaux (1975), pp. 35-39
y 190-194. Es muy importante el estudio de las estructuras básicas
que de este cuento hace John England «¿*Et non el dia del lodo?*:
The Structure of the Short Story in *El conde Lucanor*», en *Juan
Manuel Studies*, ed. Ian Macpherson, London, Tamesis, 1977, páginas 71-74. Como ocurrirá en la mayoría de los exemplos, son
indispensables las anotaciones y bibliografía de D. Devoto (1972),
pp. 361-364.
[38] *quexa:* pena, preocupación, apuro. *Mil.* 623*a*; *Ali.* 642*a*; *Apol.*
341*d*, 483*c*; *LBA* 211*d*, 639*d*, 703*c*, 839*d*, 957*c*.

fazer, ca si por aventura lo fiziesse, sabía que muchas
5 gentes le travarían en ello; et otrosí, si non lo fiziesse,
quél mismo entendíe quel podrían travar[39] en ello con
razón. Et díxole quál era el fecho et rogól quel consejasse lo que entendía que debía fazer sobre ello.

—Sennor conde Lucanor —dixo Patronio—, bien sé
10 que fallaríades vos muchos que vos pudiessen consejar
mejor que yo; et a vos dio Dios buen entendimiento,
que sé que mi consejo vos faze poca mengua; mas pues
lo queredes, dezirvos he lo que ende entiendo.

---

5. *P:* le tratarían. *H:* estrannarían. *M:* lo fyziesse sabiamente
que algunos aun le retraerían dello. *P:* o. que si non lo f.
H: o. que si lo non f. *M:* et o. lo non f.

6. *M:* q. el m. aun e. quel podría retraer en e. c. r. e depecho.
H: q. le podría travar. *P:* quel podría tratar.

7. *S:* et él rogól. *H:* q. le aconsejasse lo que devía f.

9. *M* omite: *Sennor c. L.... ende entiendo. S:* bien sé yo.

10. *SGA:* que vos fallaredes m. q. v. podrían. A pesar de que
SGA tienen los verbos «fallaredes... podrían» sigo el texto
de *P* «fallaríades... pudiessen» porque expresa mejor la hipótesis. Además, tiene el subjuntivo con antecedente inde-
finido que estaba ya en *Ali.* (*vid.* Nelson p. 132,3.57). Creo
que «bien sé *yo* que vos» es una elaboración de *S* ya que
ese *yo* no se encuentra en ninguno de los otros mss.

11. *S:* muy buen entedimiento... mi consejo que vos faze muy
pequenna mengua. *GA:* e a vos mucho (*A:* vos) dio Dios b. e.

12. *H:* vos fazía pequenna mengua. Sigo el texto de *P;* las variantes de *S,* especialmente los dos *muy* son probablemente elaboraciones que se confirman al examinar la corrección literaria de *AG* en donde se cambia el primer *muy*
en *mucho* y se omite el último *que* innecesario. *Poco* y
pequenno son sinónimos en el sentido cuantitativo, aunque
se usaba más el primero. (*Vid. A Concordance to Juan
Ruiz's «Libro de buen amor»,* ed. Rigo Mignani, Mario A.
Di Cesare y George F. Jones, Albany, State Univ. of New
York Press, 1977, p. 228). *P:* pero pues vos queredes... lo
que en ello e.

13. *GA:* lo q. entiendo ende. *H:* dezir vos lo he lo que me
paresçió en ello.

---

[39] *travar:* argüir. Es un significado propio de don Juan Manuel:
Estados 258,8. *Trabar* en otras obras significa «agarrar», «coger»:
LBA 741*c,* 420*b,* 1320*b. Vid.* exemplo 27.106.

—Sennor conde Lucanor —dixo Patronio—, mucho
15 me plazería que parássedes mientes a un exemplo de
lo que contesçió a un buen omne con su fijo moço.

El conde le rrogó quel dixiesse cómmo fuera aquello,
et Patronio dixo:

—Sennor, assí acaesçió que un omne bueno avía
20 un fijo. Commo quier que era moço segund sus días,
era assaz de sotil entendimiento. Et cada quel padre
alguna cosa quería fazer, porque pocas son las cosas
en que algún contrario non puede acaesçer, dizíal el
fijo que en aquello que él quería fazer, que veía él que
25 podría acaesçer el contrario. Et por esta manera lo partía[40] de fazer algunas cosas quel conplían para su

---

14. *P:* plazerme ýa mucho. *H* omite: *Lucanor. G* omite: *conde
L... me plazería.*

15. *S:* exiemplo de una cosa que acaesçió una vegada con un
omne bueno con su fijo.

16. *GAH:* e. de una cosa q. acontesçió (*H:* contesçió). *M:* e. de
u. c. q. acaesçió a un omne fijo [*sic*]. «Exemplo de lo que
contesçió» es mejor fórmula que «exemplo de una cosa
que», además se halla en el título. Aunque «una vegada»
(*SGAH*) podría no ser añadido formular, sigo en un todo
el texto de *P* para no hacer una mezcla de diversas
partes.

17. *P:* rogóle. *S:* dixiesse que cómmo.

18. *GA:* et P. dixo assí.

19. *P;* tenía un fijo. *S:* contesçió. *GA* omiten: *Sennor, assí.*

20. *P* omite: *commo quier. P:* segund sus días assaz.

21. *GA:* de noble entendimiento. *H:* noble de entendimiento.
M: de buen entendimiento.

23. *H:* contrario non puede aver. *S:* contrallo. *Contrallo* se
encuentra en el *LBA* 207*a*, 299*d*, pero ambos caso en rima.
Contrario es la forma más usada: *Apol.* 646*a*; *LBA* 691*b*,
1247*c*; *Estados* 137.20, 189.29, 223.13, 265.5; *Armas* 678.14.
M: dezía luego el f. viendo la obra quel padre quería fazer.

24. *H:* que en aquello q. q. f. su padre que le podría venir
algunt contrario.

25. *P* omite: *et por esta m... su fazienda. S:* manera lo puede
fazer.

26. *M:* cosas que eran menester.

---

[40] *partía:* apartaba, disuadía; *LBA* 531*d*. Blecua (n. 109) cita
Apol. 104*cd*.

fazienda. Et bien cred que quanto los moços son más
sotiles de entendimiento, tanto son más aparejados [41]
para fazer grandes yerros para sus faziendas; ca an
30 entendimiento para començar la cosa, mas non saben la
manera commo se puede acabar, et por esto caen en
grandes yerros, si non an quien los guarde dellos. Et
assí, aquel moço, por la sotileza que avía del entendimiento et quel menguava la manera de saber fazer la
35 obra conplidamente, enbargava [42] a su padre en muchas
cosas que avíe de fazer. Et de que el padre passó grant
tienpo esta vida con su fijo, lo uno por el danno que
se le seguía de las cosas que se le enbargavan de fazer,
lo ál por el enojo que tomava de aquellas cosas que
40 su fijo le dizía, et sennaladamente lo más, por castigar [43]

---

27. *P:* Ca çierto es que quando los moços. *H:* que en quanto 1.
m. son sutiles de e.
28. *M* omite: *de entendimiento.*
29. *P:* en sus faziendas. *M:* yerros sy no son con quien los
guarde dellos.
30. *P:* e. para fazer la cosa. *M* omite: *ca an entendimiento...*
puede acabar.
32. *P:* si non ay. *S:* qui los guarde dello.
33. *M:* por la manera e sotileza q. a. e del entendimiento.
34. *H:* del entendimiento aquel menguava la manera del la obra
complidamente [*sic*].
36. *P:* passó un tienpo.
37. *H:* con aquel su fijo, lo u. p. el d. q. se les seguía. *M:* que
dél se seguía.
38. *S:* seguía de las que se le e. de f.
39. *P:* lo otro por el e.
39. *H:* el enojo de lo que tomava *M* omite: *cosas.*
40. *P:* por lo quel dizía el fijo. *P:* s. por le castigar et darle e.
H: por castigarlo et darle e.

---

[41] *aparejados:* dispuestos. *PMC* 1123, 1973; *Ali.* 772*c*, 1185*a*, 2608*b*
(0); *LBA:* «E viene otrosí esto por razón que la natura umana
que más aparejada e inclinada es al mal que al bien». Prólogo
(ed. J. Joset, p. 10,76).
[42] *enbargava:* estorbaba, impedía. *Ali.* 539*c*, 558*b*, 691*d*, 1210*d*;
Apol. 380*a*, 231*a*; *LBA* 239*b*, 454*c*, 591*a*, 610*b*, 1290*d*.
[43] *castigar:* aconsejar, amonestar. *PMC* 229, 383, 3523, 3553;
Mil. 576*d*; *Apol.* 212*b*; *LBA* 89*d*, 574*d*, 719*d*.

a su fijo et darle exemplo cómmo fiziesse en las cosas
quel acaesçiessen adelante, tomó esta manera segund
aquí oyredes.

El omne bueno et su fijo eran labradores et moravan
45 çerca de una villa. Et un día que fazían ý mercado, dixo
a su fijo que fuessen amos allá para conprar algunas
cosas que avían menester; et acordaron de levar una
bestia en que lo traxiessen. Et yendo amos a mercado,
levavan la vestia sin ninguna carga et yvan amos de pie.
50 Et encontraron unos omnes que venían daquella villa
do ellos yvan.

Et en departiendo, di-   Et de que fablaron en uno
xeron que aquel omne   et se partieron los unos de
bueno et su fijo non   los otros, aquellos omnes que
55 paresçían omnes de   encontraron començaron a de-
buen recabdo, yendo el   partir [44] ellos entre sí et dizían
asno vazío et ellos yr   que non les paresçíen de buen

----

41. *A:* en le dar e.
42. *H:* esta manera que oyredes. *P:* esta manera que dize assí.
44. *P:* Un omne bueno. *M:* moravan açerca de u. v.
45. *P:* en la qual un día fazían mercado. *MGA:* E un día que
     se fazía ý (*M:* allí) mercado.
47. *S:* que avían mester. *P:* de levar un asno.
48. *P:* truxiessen. *GA:* truxessen. *MH:* troxiessen. Lo mismo
     que en el *LBA* (*vid.* nota de J. Joset al verso 23*c*), los ma-
     nuscritos del *Lucanor* vacilan en el pret. de *traer* entre las
     formas *trox*, *trax* y *trux*. Acepto la vacilación entre las dos
     primeras y rechazo como demasiado tardía la forma en
     trux. P: et assý yendo. *H:* et yendo assí. *M:* et yendo amos
     a dos. *AM:* al mercado. *H* omite: *a mercado.*
49. *P:* el asno vazío et ellos amos yvan de pie. *H:* la b. vazía
     et y. a. a pie.
50. *M:* E por el camino encontraron algunos omnes.
52. De aquí en adelante los textos de *P* y *S* difieren tanto
     que los edito paralelamente. Los otros mss., con pocas
     excepciones, se acercan a *S. H:* Et desque se fallaron en
     uno et se apartaron los unos de los otros, començaron a
     departir entre sí et dezían que non fazían bien el omne et
     su fijo.

----

[44] *departir:* hablar, conversar. *PMC* 2729; *LBA* 333*b*, 567*b*, 655*b*,
789*b*, 850*a*, 842*a*, 1128*b*, 1529*c*.

de pie. Et esto visto, dixo el omne bueno:

60 —Fijo, ¿qué te paresçe de aquel dicho de aquellos omnes? Et el fijo respondiól que era verdat, pues que el 65 asno yva vazío et ellos de pie.

Entonçe el omne bueno mandó a su fijo que cavalgasse.

70 Et cavalgó et encon-recabdo [45] aquel omne et su fijo, pues levavan la vestia descargada et yr entre amos de pie. El omne bueno, después que aquello oyó, preguntó a su fijo que quel paresçía daquello que dizían. Et el fijo dixo que le paresçía que dezían verdat; que, pues la bestia yba descargada, que non era buen seso [46] yr entre amos de pie. Et entonçe mandó el omne bueno a su fijo que subiesse en la vestia.

Et yendo assí por el camino, fallaron otros. Et de que se partieron dellos, conmençaron a dezir que lo errara mucho aquel omne bueno, porque yva

---

58. *GAM:* aquel omne bueno. *H:* et su f. en yr amos a pie et yr la bestia vazía.
59. *M:* pues que l. *M:* e que yvan amos de pie. *GA* omiten: *después.*
60. *MH:* desque aquello oyó.
61. *GA:* daquello que dezían aquellos omes. *H:* que aquellos omnes dezían. *M:* desto que estos omnes dezían.
62. *S* omite: *Et el fijo d. q. le p. q. dezían. H* omite lo mismo que *S* incluída la palabra *verdat.*
63. *M* omite: *que le paresçía.*
65. *H:* yva desenbargada que non fazían bien de yr a. a pie. Et el fijo dixo que dezían razón. *M:* descargada e que yvan amos de pie.
66. *AM:* el buen ome. *H:* cavalgasse en la bestia.
68. *M:* Et desque fueron assí. *GA:* E y. a. en la bestia por el camino.
69. *H:* encontraron. *GA:* otros omes. *GA:* que loco era mucho. *H:* que fazían mal el omne bueno que era viejo et cansado yr de pie, et el fijo que era moço et sosternía mejor el afán yr en la bestia. *M:* que lo errava m. a. buen omne.

---

[45] *recabdo:* buen sentido, cordura. *Vid.* exemplo XX, nota 179.
[46] *seso:* pensamiento; *Ali.* 214c. *Vid.* exemplo XXI, nota 190.

traron a otros omnes, et dixieron que fazían mal seso, en quanto yva el moço, que era 75 para lazdrar, cavallero, et el viejo cansado, de pie. Et el padre preguntól quel paresçía de aquello. Respondió el 80 moço que dezían razón. Estonçe desçendió el fijo et cavalgó el padre.

Et yendo assí topa- 85 ron con otros omnes,

él de pie, que era viejo et cansado, et el moço, que podría sofrir lazeria, yva en la vestia. Preguntó entonçe el omne bueno a su fijo que quel paresçía de lo que aquellos dizían; et él díxol quel paresçía que dizían razón. Estonçe mandó a su fijo que diçiesse de la vestia et subió él en ella.

Et a poca pieça [47] toparon con otros, et dixieron que fazía muy desaguisado de dexar el moço que era tierno et non podría sofrir lazeria, yr de pie et yr el omne bueno que era usado de pararse [48] a las laze-

71. *M:* viejo cansado, et el m. q. p. bien sofrir la lazeria que yva en la bestia.
74. *M:* Pues preguntó.
75. *GAHM:* que le paresçía de aquello que aquellos (*HM* añaden: *omnes*) dezían.
76. *H:* Et díxol que dezía [*sic*] razón.
78. *H:* E. mandó el omne bueno.
79. *GAHM:* que desçendiesse. Aunque sólo *S* tiene *diçiesse* lo conservo, ya que, como lo indica R. Menéndez Pidal (*Cantar* p. 617.25) es forma del verbo *deçir*=descender: *PMC* 974, 1394, 1756; *LBA* 42c.
81. *M:* Et a poca de ora. *GA:* encontráronse. *HM:* encontraron
82. c. o. omnes et d. quel omne bueno muy mal fazía.
83. *S:* desaguisado dexar. *GA:* et non p. andar e sofrir l. e yr de pie.
84. *M:* e yr él en la bestia. *H* (sigue de la variante de la línea 82): *muy mal fazía* yr él en la bestia et el moço de pie, ca mejor podría sofrir él el trabajo, que era ya duro, que non el fijo, que era pequenno et tierno. *M:* e yr él en la bestia q. e. u. de p. más al trabajo.
85. *G:* passarse lazerias. *GA:* lazerias, yr cavallero en la bestia.

[47] *pieça:* rato. *Vid.* exemplo 29.44.
[48] *pararse:* Blecua (p. 65, n. 127) le da el significado de «hacer frente»; creo que es mejor admitir: «estar de pie». *Vid.* R. Menéndez Pidal, *Cantar*, p. 785,15.

et dixieron quel omne bueno et el moço fazían desaguisado en quanto el moço tierno 90 yva de pie, et el viejo usado de lazeria yva cavallero. Estonçe preguntól que quél paresçía de aquello. Et el 95 moço dixo que entendía aquello ser verdat. Et cavalgaron amos a dos en el asno.

Et ellos yendo assí 100 toparon con otros omnes, et dixieron quel asno era tan flaco que non podía *(sic)* yr va-rias, en la vestia. Estonçe preguntó el omne bueno a su fijo que quel paresçíe desto que estos dizían. Et el moço díxol que segund él cuydava quel dizían verdat. Estonçe mandó el omne bueno a su fijo que subiesse en la vestia por que non fuesse ninguno dellos de pie.

Et yendo assí encontraron otros omnes et començaron a dezir que aquella vestia en que yvan era tan flaca que abez [49] podría andar bien por el camino, et pues assí era, que fazían muy grant yerro yr entramos en la vestia. Et el omne bueno preguntó al su fijo que quel semejava daquello que aquellos omnes buenos dizían; et

---

88. *S:* destos que esto d. *H:* aquello que aquellos omnes d. *M:* desto que estos omnes d...

89. *H:* dixo.

94. *HM:* a pie.

95. *M:* Et y. ellos a. encontraron con o. o.

96. *A:* que començaron. *H:* et c. a dezirles mal, diziendo que fazían mal, que a. vestia.

97. *M:* omite: *en que yvan. M:* aquella bestia era muy flaca e que amos podrían andar por el camino.

98. *A:* tan flaca que mala ves. *H:* que tan a vez podría andar et yr amos ençima della. *G:* andar por el c.

99. *M:* mucho mal en yr entramos a dos en la bestia. *G* omite: *muy. GA:* en yr amos cavalleros en la bestia.

101. *GA:* a su fijo. *H:* a su f. qué le paresçía de aquello que aquellos omnes dezían *(y repite esto otra vez).*

102. *M:* desto que estos omnes dezían.

104. *H:* el m. le respondió q. le s. que dezían verdat. *M:* el m. dixo que le pareçía que dezían verdat en aquello que ellos dezían.

---

[49] *abez:* apenas. *Vid.* exemplo 27.6.

zío et yvan amos en-
105 çima dél, et assí que
lo erravan mucho. Et
preguntó el fijo *(sic)*
que quel paresçía de
aquello. Entendió que
110 dezían verdat. Enton-
çe respondió el padre
et díxol:

—Sabe, que quando
salimos de nuestra ca-
115 sa, que ývamos de pie
et tú dexiste que era
bien.

Et fallamos otros
que dixieron que non
120 era bien, et desçendiste tú et sobí yo, et tú
dexiste que era bien.
Et otros dixieron que

el moço dixo a su padre quel
semejava verdat aquello. Estonçe el padre respondió a su
fijo en esta manera.

—Fijo, bien sabes que quando saliemos de nuestra casa,
que amos veníamos de pie et
traýamos la vestia sin carga
ninguna, et tú dizías que te
semejava que era bien. Et después fallamos omnes en el camino que nos dixieron que non
era bien, et mandéte yo sobir
en la bestia et finqué [50] de pie
et tú dixiste que era bien. Et
después fallamos otros omnes
que dixieron que aquello non
era bien, et por ende deçiste
tú, et subí yo en la vestia, et
tú dixiste que era aquello lo
mejor. Et porque los otros que
fallamos dixieron que non era
bien, mandéte subir en la vestia comigo; et tú dixiste que

---

105. *GA:* verdad aquello que dezían.
107. *M:* en esta manera e díxole.
108. *M:* Bien sabes fijo. *H* omite: *fijo.* Bien sabes tú q. quando
salimos que amos salimos de pie.
109. *GA:* de nuestra casa que quando v. de pie. *M:* amos a dos.
112. *GA:* e dixiste q. te s. bien. *H:* dexiste q. paresçía q. e. b. *H*
omite: *en el camino.*
115. *GAH:* e finqué yo. *M:* e yo finqué.
117. *M* omite: *omnes. HM:* que nos dixeron que non era bien
aquello. *SMH:* desçendiste. Sigo *GA, vid.* línea 79.
119. *GAH:* dexiste que aquello era lo mejor. *M:* d. q. era aquello
bien.
120. *H:* los otros omes.
121. *M:* fallamos después.
123. *H:* comigo, et tú dexiste que era bien.

---

[50] *finqué:* quedé.

non era bien. Mandéte
125 sobir comigo, et tu dexiste que aquello era
lo mejor. Fallamos
otros que dixieron que
fazíamos mucho mal.

era mejor que non fincar tú
de pie et yr yo en la vestia. Et
agora estos que fallamos dizen
que fazemos yerro en yr entreamos en la vestia; et tú tienes que dizen verdat.

130 Et pues que assí es, rruégote que me digas qué es
lo que podemos fazer en que las gentes non nos puedan
travar; ca ya fuemos entramos de pie, et dixieron que
non fazíamos bien; et fu yo de pie et tú en la vestia
et dixieron que errávamos; et fu yo en la vestia et tú
135 de pie, et dixieron que era yerro; et agora ymos amos
en la vestia et dizen que fazemos mal. Pues en ninguna
guisa non puede ser que alguna cosa destas non fagamos, ca ya todas las fezimos et todas dizen que son
yerro. Et esto fiz yo por que tomasses exemplo de las

125. *GA:* e yo yr. *H:* Et a. estos omnes.
127. *H:* fazemos mal. *M:* en yr amos a dos.
130. *M* lleva agregado al margen: *que asý es. H:* pregúntote q.
me digas.
131. *G:* podremos. *SGAM:* non puedan.
132. *P:* tratar. *H:* estranar [*sic*]. *M:* turbar. *P:* amos. *M:* entre
amos. Los mss. han venido usando *amos, entramos, amos
a dos.* Parecen intercambiables: En el *PMC* se usa *entramos* sólo dos veces (2660 y 3232) y en *FnGz* 612c. En cambio se usa *amos* con mucha más frecuencia: *PMC* 100,
104, 106, etc. En el *Apol.* no he podido hallar *entramos* y en
cambio *amos* aparece una docena de veces: 248c, 541c,
589c, etc. En el *LBA* son enteramente intercambiables.
133. *P:* fazíamos mal; et fuy yo de pie et tú cavallero. *GH:*
fue yo.
134. *S* omite: *et. M:* fazíamos mal. *P:* fuy yo cavallero. *GA:*
E fue yo. *HM:* Et yo fue.
135. *H:* que lo errávamos.
136. *H:* et dizen otrosí q. f. *M:* e dixeron que fazíamos mal.
137. *GA:* non podemos ser. *S:* algunas destas cosas. *H:* una destas cosas. *M:* ninguna destas cosas.
138. *S:* las fiziemos et todos dizen. *P:* las fazemos et dizen todos que erramos. *M:* las fezemos e a todas dixeron que
era yerro.
139. *G:* Ca esto fiz. *M:* Pues e. f. *P:* Et asý entiende que yo
esto fize p. q. tomássedes enxemplo de l. c. q. te acaesçen.

140 cosas que te acaesçiessen en tu fazienda [51]; ca çierto
sey que nunca farás cosa de que todos digan bien; ca
si fuesse buena la cosa, los malos, et aquellos que se
les non sigue pro de aquella cosa, dirán mal della; et
si fuere la cosa mala, los buenos, que se pagan del bien,
145 non podrán dezir que es bien el mal que tú feziste. Et
por ende, si tú quieres fazer lo mejor et más a tu pro,
cata que fagas lo mejor et lo que entendieres que te
cunple más, et sól que non sea mal, non dexes de lo
fazer por reçelo del dicho de las gentes; ca çierto es

---

140. *M:* cosas que a. *P:* ca çierto nunca. *AM:* que çierto soy q. n.
(*A:* fagas). *GH:* que çierto sed. Juan Ruiz usa *sed* en 869*c*,
890*c* y 1495*a*; en cambio, la forma *sey* aparece once veces:
7*d*, 514*b*, 561*a*, etc.
142. *S:* que se non sigue. *P:* que non se les sigue pro della.
M: que se non sigue pro della. *M:* provecho de la cosa.
144. *P:* los buenos, que se non pagan del mal, non podrán dezir
della bien. *M:* los buenos e los que se pagan del bien non
p. d. del mal, bien que tú fyzieres.
145. *HS:* non podrían.
146. *P* omite: *fazer. GM:* quissieres (*M* quisyeres) fazer. *P* omite:
lo mejor.
147. *H:* cata q. f. bien, et lo más que entendieres que te cunple.
G: lo m. et lo que vieres. *P:* que te más cumple.
148. *M:* mas sólo non sea. *H:* et a so [*sic*]. *P:* salvo que. *Sól
que* se usa en *Ali.* 162*b*, 700*b*, 733*d*, 741*a*, 900*a*, 2275*b*;
Apol. 161*c*, 254*b*. No he encontrado *salvo* con la acepción de
sólo que. En el *LBA salvo* aparece nueve veces (45*d*, 105*d*,
421*d*, 686*a*, etc.) pero no *salvo que.*
149. *PM:* ca çierto las gentes. *H:* ca ç. sey que todas las gentes
sienpre fablan.

---

[51] *fazienda:* «se llama también los bienes, possessiones y riquezas que uno tiene»; *Aut.* Aparece ya en el *Auto de los Reyes Ma-
gos.* Significa «asuntos», «ocupación»: *Mil.* 813; *SOr.* 15; *Ali.* 55*a*;
«estado de una persona»: *Mil.* 733*d*; «importancia», «prestigio»:
Mil. 705*a*; «batalla», «asunto»: *LBA* 1097*c*; «faena», «trabajo por
hacer». Lat. *facienda:* «cosas por hacer»... de la acepción «asuntos»
se pasó a «bienes», «riquezas» y de ahí por una parte a «adminis-
tración de los mismos, en particular los pertenecientes al Estado»; *DCELC* de Corominas.

150 que las gentes a lo demás sienpre fablan en las cosas
a su voluntad, et non catan lo que es más su pro.
Et vos, sennor conde Lucanor, en esto que me dezides que queredes fazer et que reçelades que vos travarán las gentes en ello, et si lo non fazedes que esso
155 mismo farán, pues me mandades que vos conseje en
ello, el mi consejo es éste: que ante que començedes
el fecho, que cuydedes toda la pro o el danno que se
vos puede ende seguir, et que non vos fiedes en vuestro
seso, et que vos guardedes que vos non enganne la vo-
160 luntad, et que vos consejedes con los que entendiéredes
que son de buen entendimiento et leales et de buena
poridat. Et si tal consejero non falláredes, guardat que
vos non arrebatedes a lo que oviéredes a fazer; a lo

---

150. *M:* las g. por la mayor parte s. f. *PM:* s. fablan a su voluntad.
151. *H:* e non catan en la pro. *GA:* e non catando. *M:* su pro
de aquel de quien fablan.
152. *S:* Et vos conde L. sennor. *H* omite: *Lucanor.*
153. *PH:* et q. vos resçelades que vos tratarán (*H:* travarán).
G: q. vos dirán en ello. *A:* que de vos dirán. *M:* q. v. retraerían.
154. *GAH:* et si non lo fiziéredes. *P:* fazedes esso mismo farán,
et pues mandades.
155. *M:* me mandades consejo en e.
156. *PH:* mi consejo es.
157. *P:* el fecho, pensedes toda la pro. *H:* que catedes.
158. *GA:* que ende se puede seguir. *H:* que se vos puede re-
creçer en él. *M:* que se nos puede seguir dende. *GA:* et
que vos fiedes. *P:* et que non fiedes de vuestro seso. *M:*
en vuestro entendimiento.
159. *GS:* engannen.
160. *M:* aconsejedes... entendierdes.
161. *M:* q. s. de b. seso et de buen e. e de buena p. *H:* q. s. de
buena poridad et de buen entendimiento et vuestros amigos.
162. *PM:* et si tal consejo. *G:* e se [*sic*] tal c. *P* omite: *guardat
que vos.*
163. *G:* revatedes. El verbo *rebatar, arrebatar:* atacar rápida-
mente, presenta la misma vacilación que el sust. y el adj.
(*Vid.* exemplo XXXVI.7); *rebatarse* está en *Sd.* 448*a*;
Ali. 668*c* (Nelson). En el *LBA* se usa sólo *arrebatar* 562*d*
(*Vid.* nota de J. Joset). Aquí significa: no obréis con apresuramiento.

menos, fasta que passe un día et una noche, si fuere
165 cosa que se non pierda por tienpo. Et de que estas cosas
guardáredes en lo que oviéredes de fazer, et lo falláredes que es bien et vuestra pro, conséjovos yo que nunca
lo dexedes de fazer por reçelo de lo que las gentes
podrían dello dezir.
170   El conde tovo por buen consejo lo que Patronio le
consejava, et fízolo assí et fallóse ende bien.

Et quando don Johan falló este exemplo, mandólo escrevir en este libro, et fizo estos versos en que está
avreviadamente toda la sentençia deste exemplo. Et los
175 versos dizen assí:

Por el dicho de las gentes, sól que non sea mal,
A la pro tened las mientes, et non fagades ál.

---

164. *M:* que deliberedes por espacio de un día.
165. *GA:* pierda tienpo. Et estas cosas g. *PM:* desque.
166. *M:* aguardardes el [*sic*] lo que. *PH:* lo que falláredes que.
    M: entonces lo que fallardes que es más vuestra pro e buen
    consejo. *GA* omiten: *et lo falláredes... por reçelo.*
167. *H* omite: *bien et. GA* omiten: *et lo falláredes... por reçelo.*
168. *P:* lo d. por reçelo de lo que dirán las gentes. *H:* r. de que
    las gentes digan. *M:* r. del dicho de las gentes.
170. *H:* t. esto por b. c. que P. le dio. *M:* tóvolo por b. c. lo
    que P. dezía.
172. *P:* Et don J. veyendo que era buen e. fízolo.
173. *GA:* e fizo escrevir e. v. *P:* et fizo e. v. que dizen asý.
174. *M* omite: *avreviadamente.*
176. *H:* Et por dicho. *M:* Por dichos. *P* omite: *sól que. H:* salvo
    que.
177. *S:* Al pro. *H:* A pro ternedes mientes. *SM:* et non fagades
    ál. *P:* A la pro para mientes, et non fagas ál. Sigo el texto
    del *Libro infinido,* fol. 41r.

Exemplo III

Del salto que fizo el rrey Richalte de Inglaterra en la mar contra los moros [52]

Un día se apartó el conde Lucanor con Patronio, su consejero, et díxol assí:

—Patronio, yo fío mucho en el vuestro entendimiento, et sé que lo que vos non entendiéredes o a lo que non
5 pudiéredes dar consejo, que non á otro ninguno omne

P: De lo que contesçió al rr. Ricarte de Ynglaterra por el salto que dio en la mar. *H:* De un hermitanno que quiso saber quién avía de ser su conpanere en el paraýso et del salto que fizo el Rey. *GA:* Del consejo que dio Patronio al conde Lucanor quando quería catar manera cómmo salvaríe (*A* salvase) su ánima guardando su honra (*A* e su estado, e el exemplo fue). Este exemplo del salto que dio el rey Ricarte (*A* Richarte de Inglaterra).

4. *P:* non entendedes o a lo que vos non sopiéredes d. c.

5. *S:* que non á ningún otro o. *M:* ninguno otro en que lo pueda mejor açertar.

---

[52] Se presentan en este ejemplo dos personajes: uno de pura ficción (el ermitaño que quiere saber su puesto en el cielo), y otro histórico (Ricardo Corazón de León). Don Juan Manuel, como para indicar que su relato se desarrolla en un mundo enteramente imaginario, adjudica al rey inglés una acción tomada de otra ficción: el salto del templario. Engasta así, en dos ejemplos medievales, la figura casi mítica del rey cuyas hazañas en Tierra Santa había relatado *La gran conquista de Ultramar*, ed. Pascual Gayangos, *BAE* 44, Madrid, 1858, especialmente en el libro 4.°, cap. 202-209 y 220-223. *Vid.* Daniel Devoto, «Cuatro notas sobre la materia tradicional en Don Juan Manuel», *BH*, LXVIII, 1966, páginas 187-214, reeditado en *Textos y contextos (Estudios sobre la tradición)*, Madrid, Gredos, 1974, pp. 124-137. R. Brian Tate («The Infante Don Juan de Aragón and Don Juan Manuel», en *Juan Manuel Studies*, pp. 169-179) explica la preocupación de don Juan Manuel por solucionar el problema de la salvación del alma, que puede peligrar a causa del ejercicio del poder. Para los relatos paralelos y comentario del *exemplo, vid.* R. Ayerbe-Chaux (1975), pp. 104-118 y 194-220. También *vid.* D. Devoto (1972), pp. 364-367.

que lo pudiesse açertar; por ende, vos ruego que me consejedes lo mejor que vos entendiéredes en lo que agora vos diré. Vos sabedes muy bien que ya non so mucho mançebo, et acaesçióme assí: que desde que fuy
10 nasçido fasta agora, que sienpre me crié et visqué [53] en muy grandes guerras, a vezes con christianos et a vezes con moros, et lo de más, sienpre lo ove con rreys, mis sennores et mis vezinos. Et quando lo ove con christianos, commo quier que sienpre me guardé que
15 nunca se levantasse ninguna guerra a mi culpa, pero non se pudo escusar de tomar grand danno a muchos que lo non meresçieron. Et lo uno por esto, lo otro por muchos yerros que yo fiz contra Dios, et otrosí, porque veo que omne del mundo, por ninguna manera,
20 non puede ser seguro un día solo de la muerte; et so çierto que naturalmente, segund la mi edat, non puedo bevir luengamente; et sé que he de yr ante Dios que es tal juez de que non me puedo escusar por palabras,

---

6. *H:* ruégovos.
7. *P:* lo que vos agora diré.
8. *SG:* que yo non so ya muy m. (la palabra *ya* está tachada en *S*).
10. *P:* me crié en grandes guerras. *H:* desde que fui mançebo. *M:* desque muy mançebo... me crié e vsé [*sic*].
12. *P:* con rreyes sennores. *M:* lo ove rey mis sennor [*sic*].
15. *GA:* non se levantase. *H:* alguna guerra. *P:* n.g. de mí nin a mi culpa.
16. *M:* puede. *S:* pero non se podía e. de t. muy grant danno muchos.
17. *S:* lo u.p.e. et por otros yerros q.yo f.c. nuestro sennor Dios. *GA:* a nuestro sennor Dios.
19. *GHMS:* que por omne del mundo nin por ninguna manera non puedo un día solo (*G* un solo día) ser seguro de la muerte.
20. *A:* non puedo un solo día.
22. *SG:* vevir muy luengamente.
23. *P:* de que non puedo escapar nin me puedo escusar. *A:* y es tal juez de quien. *M:* que me non puedo.

---

[53] *visqué:* viví. R. Menéndez Pidal, *Cantar*, p. 279,36, acentúa *vísque.* Este pret. fuerte se halla en *Apol.* 569c, 639b; formas del subj. con este radical: *PMC* 173, 409, 925, 2542; *Apol.* 77d, 305b, 324b. No lo usa el Arcipreste de Hita.

nin por otra manera, nin puedo ser judgado sinon por
25 las buenas obras o malas que oviere fecho; et sé que si
por mi desaventura fuere fallado en cosa por que Dios
con derecho aya de ser contra mí, so çierto que en ninguna manera non puedo escusar de yr al ynfierno en
que sin fin avré de fincar, et cosa del mundo non me
30 terná aý pro. Et si Dios me fiziere tanta merçed por
que Él falle en mí tal meresçimiento, por que me deva a
mí escoger para ser conpannero de los sus siervos et
ganar el paraýso, so çierto, que a este plazer et a este
bien et a esta gloria, non se puede conparar otra gloria
35 nin otro plazer del mundo. Et pues este bien et este
mal non se cobra sinon por las obras, ruégovos que,
segund el estado que yo tengo, que cuydedes et me consejedes la mejor manera que entendiéredes, por que
pueda fazer emienda a Dios de los yerros que contra Él
40 fiz, et pueda aver la su graçia.

—Sennor conde Lucanor —dixo Patronio—, mucho
me plaze de todas estas razones que avedes dicho, et
sennaladamente porque me dixiestes que en todo esto
vos consejasse segund el estado que vos tenedes, ca si

---

24. *GA* omiten: *nin por otra m... buenas obras o.*
26. *M:* mi ventura. *M:* fallado en alguna cosa.
    G: en que he de ser juzgado por las obras que oviere fecho
    et sé que por mi desaventura.
28. *S:* non pudíe escusar et de yr a las penas del infierno.
    GA: non podré. *H:* non podía.
29. *S:* non me podía ý tener pro. *H:* non me podrá tener pro.
    M: non puede tener pro.
30. *GAH:* atanta m. p. q. Dios.
31. *S:* me deva escoger.
32. *A:* para su compañero. *H:* por ser.
33. *M:* e que gane. *SGA:* sé por çierto... comparar ningún
    otro plazer del mundo. *SG:* mal tan grande. *A:* este mal es
    tan grande. *M:* este mal mo [*sic*] se avrá.
38. *S:* conseiedes la manera mejor. *G* omite: *mejor. M* omite:
    la manera mejor.
43. *M* omite: *en todo esto.*
44. *H:* que teníades. *P:* ca si en otra manera. *A:* si de vuestra
    guisa. *S:* ca si otra guisa me lo dixiéredes bien cuydaría
    que lo dixiéredes por me provar. *M:* cuydara. Sigo el texto
    de *P: dixiérades* se halla también en *AHM* y *dezíades* en *GM.*

45   de otra guisa me lo dixiérades, bien cuydava que me
lo dezíades por me provar segund la prueva que fizo
el rey a su privado, lo qual vos dixe el otro día. Mas
plázeme mucho porque dezides que queredes fazer
emienda a Dios de los yerros que fiziestes, guardando
50   vuestro estado et vuestra onra; ca çiertamente, sennor
conde Lucanor, si vos quisiéredes dexar vuestro estado
et tomar vida de orden o de otro apartamiento, non
podríades escusar que non vos acaesçiessen dos cosas:
la primera, que seríades muy mal judgado de todas las
55   gentes, ca todos dirían que lo fazíades con mengua de
coraçón et vos despagávades de bevir entre los buenos;
et la otra es que sería muy grant marabilia si pudiésse-
des sofrir las asperezas de la orden, et si después la
oviéssedes a dexar o bevir en ella non la guardando,
60   servos ýa grant danno para el alma et grant vergüença
para el cuerpo, et denuesto para la fama. Mas pues este
bien queredes fazer, plazerme ýa que sopiéssedes lo que
mostró Dios a un hermitanno muy sancto de lo que
avía de conteçer a él et al rey Richalte de Inglaterra.

---

46.   *S:* que el rrey fezo a su privado, que vos conté el otro
día en el exienplo que vos dixe. *GA:* la mi prueva que
dixe quel rey fizo a (*A* aquel) su p. *M:* conté en el otro
enxenplo que vos dixe.

48.   *H:* pq. me dezíades.

49.   *P* omite: *que fiziestes.*

51.   *M:* queredes dexar.

52.   *H:* que non podedes. *M:* q. non podredes. *S:* que vos non.

53.   *M:* acaescan.

54.   *P:* seríades muy guardado de t.l.g. ca todos dirán. *M:* seredes... ca dirán.

57.   *PH:* si podríades.

58.   *SGA:* Et si la oviéssedes a d. o b. en e. non la guardando
commo devíades, seervos ýa muy (*GA* omiten *muy*) grant
danno paral alma et grant vergüença et grant denuesto
paral cuerpo et para el alma et para la fama. *H:* vergüença
para el cuerpo et para la fama. *M:* las oviéssedes a dexar
o bevir en ella non la guardando commo devía ser vos
sería muy g.d. Sigo el texto de *P* porque me parece el más
libre de elaboraciones de los copistas.

64.   *P* omite: *de lo que avía... de Inglaterra.*

65   El conde le rogó quel dixiesse cómmo fuera aquello.

—Sennor conde Lucanor —dixo Patronio—, un hermitanno era omne de muy buena vida, et fazía mucho bien et sufría grandes trabajos por ganar la graçia de Dios. Et por ende fízole Dios tanta merçed quel prometió
70   et le aseguró que avría la gloria de paraýso. Et el hermitanno gradesçió mucho esto a Dios. Et seyendo ya desto seguro, pidió a Dios por merçed quel mostrasse quién avíe de seer su conpannero en paraýso. Et commo quier que Nuestro Sennor le enbiasse dezir algunas vezes con
75   el ángel que non fazía bien en demandar tal cosa, pero tanto le afincó en su petiçión, que tovo por bien Nuestro Sennor del responder, et envióle dezir por su ángel que el rey Richalte de Inglaterra et él serían conpanneros en paraýso.
80   Desta razón non plogo mucho al hermitanno ca él nocosçía muy bien al rey et sabía que era omne muy guerrero et que avía muertos et robados et deseredados muchas gentes, et sienpre le viera fazer vida muy contralla de la suya et que paresçía muy alongado [54] de la

---

65.   *S:* El conde Lucanor. *Lucanor* falta en todos los mss.
67.   *P:* era muy santo et de buena vida. (Omite lo demás). *GA:* fazía mucho e. s. muy grandes t. p. g. la gloria de D. *H:* grant trabajo por ganar sofrir [*sic*] la graçia de D. *M:* f. m. por sofrir muchos travajos p. g. l. gracia de D. He seguido la lectura de *S.* Sin embargo, las variantes de los mss. y el error de *H* indican que el texto de *P* que no trata de especificar el «bien» de la vida del ermitaño es posiblemente el original.
69.   *GA:* merced e gracia.
76.   *SH:* tanto se afincó. *Afincar* como trans.: *LBA* 606*c*, 615*c*, 714*a*.
77.   *P* omite: *por su ángel.* Es muy posible que estas palabras sean en *S* un agregado del copista.
78.   *S:* conpannones.
80.   *P:* non plogo al hirmitanno. *G:* ca él conocía al rey. *A:* magüer el c. m. bien.
81.   *P:* omne guerrero.
84.   *S:* contralla de la suya et aun que.

---

[54] *alongado:* alejado. *Apol.* 453*d*; *LBA* 603*b*.

85 carrera de salvación. Et por esto estava el hermitanno
de muy mal talante.

Et desque Dios lo vido assí estar, enbiol dezir por
su ángel que non se quexasse nin se maravillasse de
lo quel dixiera, ca fuesse çierto que más serviçio fiziera
90 a Dios et más meresçiera el rey Richalte en un salto
que saltara, que el hermitanno en quantas buenas obras
fiziera en su vida. El hermitanno se maravilló mucho et
preguntol commo podía esto seer.

Et el ángel le dixo que sopiesse quel rey de Françia
95 et el rey de Inglaterra [et el rey de Navarra] pasaron
a Ultramar. Et el día que llegaron al puerto, yendo
todos armados para tomar tierra, vieron en la ribera
tanta muchedunbre de moros, que tomaron dubda si
podrían salir a tierra. Entonçe el rey de Françia envió
100 dezir al rey de Inglaterra que viniesse âquella [55] nave
do él estava et que acordarían cómmo avían de fazer.

---

85. *H:* vida de salvaçión. *M:* vida de la salvación. *P* omite: *el
hermitanno.*
87. *M:* Nuestro Sennor Jesu Christo. *GA:* Nuestro Sennor. *SH:*
Nuestro Sennor Dios. Las variantes muestran los retoques
de los copistas. No hay duda de que *P* representa aquí el
texto menos contaminado.
88. *P:* nin se maravillasse dello.
89. *S:* ca çierto fuesse. La lectura de *P* va confirmada por *GAHM.*
G: que más e más serviçio. *A:* q. no menos s.f. a Dios e no
menos meresçiera.
91. *G:* salto que saltava.
92. *SM:* se marabilló ende mucho.
93. *HM:* podría ser esto.
95. *P* omite: *et el rey de Navarra.* Más adelante, cuando ingleses y franceses socorren al rey Ricardo, no se menciona en
los mss. a los navarros; sólo Argote lo hace. Opino que
su aparición es obra de algún copista y sólo conservo esas
palabras en el texto por hallarse en *SGAHM.*
99. *GA:* podrían tomar la tierra. *P:* Entonçes enbió a dezir
el r. de F. al rey de Ynglaterra.
101. *G* omite: *do él estava.*

---

[55] Como lo anota Germán Orduna en su edición (p. 76), «se
debe suponer que la preposición *a* se ha fusionado con la inicial
del pronombre». *Vid. PMC* 1222, 3452.

Et el rey de Inglaterra que estava en su cavallo, quando
esto oyó, dixo al mandadero del rey de Françia quel
dixiesse de su parte que bien savía que él avía fecho a
105 Dios muchos enojos et muchos pesares en este mundo
et que sienpre le pidiera merçed quel traxiesse a tienpo
quel fiziesse emienda por el su cuerpo, et que, loado
Dios, que veýa el día que él cobdiçiava mucho, ca si
allí muriesse, pues que avía fecho la emienda que pu-
110 diera ante que de su tierra se partiesse, et estava en
verdadera penitençia, que era çierto quel avríe Dios
merçed al alma; et que si los moros fuessen vençidos,
que tomaría Dios mucho serviçio, et serían todos de
buena ventura.
115 Et de que esta razón ovo dicha, acomendó el cuerpo
et el alma a Dios et pidiól merçed quel acorriesse, et
signóse del signo de la cruz et mandó a los suyos quel
ayudassen. Et luego dio de las espuelas al cavallo et
saltó en la mar contra la ribera do estavan los moros.
120 Et commo quier que estavan çerca del puerto, non era
la mar tan vaxa quel rey et el cavallo non se metiessen
todos so el agua, en guisa que non paresçió dellos nin-

---

103. *GA:* oyó dezir al mandadero del r. de F. díxol.
104. *P:* que avía fecho muchos enojos et muchos pesares en
este mundo a Dios et a las gentes. *M:* de su p. que él
tenía fecho a Dios muchos enojos.
106. *P:* le pidía merçed a Dios quel truxiesse. *G:* le pedía. *M:* et
que le fiziera grant merçed que traxo a tienpo.
107. *H* omite: *por el su cuerpo.*
108. *S:* que él deseava. *P:* et que loado Dios que cobdiçiava. *GA:*
codiciava. *H:* cobdiçiaría. *M:* cudiciava.
109. *S:* pues avía la emienda q.p. *H:* p.a. fecho la encomienda
que avría.
110. *P* omite: *et estava en verdadera penitençia.*
116. *P:* et sinóse. *M:* e la synasse. *PM:* pidiól por merçed. *S:*
sancta Cruz. *M:* santa vera cruz.
118. *P:* al cavallo et el cavallo saltó en la m. c. la ribera de los
moros.
120. *S:* Et commo quiera. *H:* que estavan los moros. *M* omite:
et commo q. q. e. çerca del.
121. *P:* et el cavallo non se sumiessen.
122. *P:* que non paresçiesse dellos nada. *GA:* que no pareció nada.
H: dellos ninguna cosa.

guna cosa. Pero Dios, assí commo sennor piadoso et
de tan grant poder, et acordándose de lo que dixo en
125 el Evangelio: que non quiere la muerte del pecador
sinon que se convierta et viva, acorrió [56] estonçes al rey
de Inglaterra et libról de la muerte para este mundo
et diol vida perdurable, et escapól [57] de aquel peligro
del agua. Et enderesçó [58] a los moros.
130 Et quando los ingleses vieron fazer esto a su sennor, saltaron todos en la mar en pos dél et enderesçaron
contra los moros. Quando los françeses vieron esto,
tovieron que les era mengua grande, lo que ellos nunca
solían sofrir, et saltaron luego todos en la mar contra
135 los moros. Et desque los vieron venir contra sí, et vieron
que non dubdavan la muerte, et que vinían contra ellos
tan bravamente, non les osaron esperar, et dexáronles
el puerto de la mar et començaron a foyr. Et desque
los cristianos llegaron al puerto, mataron muchos de
140 los que pudieron alcançar et fueron bien andantes [59],

---

123. *M:* Pero Nuestro Sennor Dios. *GA:* sennor tan piadoso.
SH: sennor tan poderoso. *M:* commo gran sennor.
124. *P* omite: *de tan grant poder.*
125. *P:* «non quiero yo la m. d. p. mas quiero que se torne a mí
eçe [*sic*]».
126. *P:* acorriól.
128. *SH:* vida perdurable para sienpre. *M:* v.p. para sienpre
jamás.
129. *M:* endereçóle. *H:* con los moros.
130. *P:* Et desque los yngleses vieron esto fazer.
131. *M:* en pos de su sennor. *AH:* endereçaron todos a los moros.
132. *A:* los Navarros e Franceses.
133. *GA:* sería gran mengua. *MH:* era gran mengua. *P:* era gran
vergüenca et mengua. *M:* nunca ellos.
134. *H:* suelen. *HM:* saltaron en la mar luego todos.
135. *PH:* Et desque los moros vieron.
137. *S:* tan buenamente.
139. *H:* mataron muchos de los moros de los etc.
140. *SGA:* muy bien andantes.

---

[56] *acorrió:* socorrió. El verbo *acorrer* se halla en *PMC* 222, 708;
Apol. 94*b*, 383*c*, etc.; *LBA* 138*b*, 601*c*, 793*c*, etc.
[57] *escapól:* le libró.
[58] *enderesçó:* se dirigió. *Ali.* 4811*c*, 2599*b*; *Mil.* 288*d*.
[59] *bien andantes:* afortunados. *PMC* 2185.

et fizieron dese camino mucho serviçio a Dios. Et todo este vien vino por aquel salto que fizo el rey Richalte de Inglaterra.

145   Quando el hermanito esto oyó, plógol ende mucho et entendió quel fazía Dios muy grant merçed en querer que fuesse él conpannero en Paraýso de omne que tal serviçio fiziera a Dios, et tanto enxalçamiento en la fe cathólica.

150   Et vos, sennor conde Lucanor, si queredes servir a Dios et fazerle emienda de los enojos quel avedes fecho, guisad [60] que, antes que partades de vuestra tierra, emendedes lo que avedes fecho âquellos que entendedes que fezistes algún danno o tuerto. Et fazed penitençia de vuestros pecados, et non paredes mientes a la hufana [61]

155   del mundo sin pro, et que es toda vanidat, nin creades a muchos que vos dirán que fagades mucho por la valía [62] deste mundo. Et esta valía dizen ellos por mantener muchas gentes, et non catan si an de qué lo man-

---

141. *SGAH:* a Dios Nuestro Sennor. *H:* Et todo aqueste.
144. *P:* plógol mucho con él.
145. *M:* fiziera Dios. *P:* grand merçed. *GAH:* mucha merçed.
146. *P* omite: *en Paraýso.*
147. *A:* a la fe c. *M:* de la fe c.
149. *P:* Et vos, conde sennor.
151. *H:* partades de esta tierra. *M* omite: *guisad q.a. q. p. de v. tierra.*
153. *S:* feziestes algún danno. *GA:* tenedes fecho algún tuerto. *H:* lo que avedes fecho, algunos yerros et algunt tuerto. *M:* fazed emienda a aquellos que entendierdes que fezistes algunt tuerto.
155. *H* omite: *sin pro. P:* sienpre que es toda vanidat.
157. *P:* ufana. *S* omite: *deste mundo. Et esta valía.*
158. *SG:* si an de qué lo pueden conplir. *M:* si an de qué lo mantener o poder cunplir. *AH:* si han de qué lo puedan conplir. *P:* si lo an.

---

[60] *guisad:* disponed.
[61] *hufana:* vanidad, pompa. Esta palabra tiene en los manuscritos diversas formas: *hufanidad, ufanía, ufana. LBA* 1318*b. Vid.* nota de J. Joset.
[62] *valía:* poder; *LBA* 821*c,* 1684*c.* El significado más común es «precio».

tener et conplir; et non paran mientes cómmo acabaron
160 et quántos fincaron de los que non cataron si non por
esta que ellos llaman grant valía o cómmo son poblados
los sus solares [63]. Et vos, sennor conde Lucanor, pues
dezides que queredes servir a Dios et fazerle emienda
de los enojos quel feziestes, non querades seguir esta
165 carrera que es de ufanía et llena de vanidat. Mas, pues
Dios vos pobló [64] en tierra quel podades servir contra
los moros, tan bien por mar commo por tierra, fazed
vuestro poder por que seades seguro de lo que dexades
en vuestra tierra. Et esto fincando seguro, aviendo fecho
170 emienda a Dios de los yerros quel fezistes, por que estedes en verdadera penitençia, por que de los bienes que
fizierdes ayades de todos meresçimiento; et faziendo
esto, podedes dexar todo lo ál, et estar sienpre en serviçio de Dios, et acabar assí vuestra vida. Et faziendo
175 esto, tengo que ésta es la meior manera que vos podedes
tomar para salvar el alma, guardando vuestro estado
et vuestra onra. Et devedes crer que por estar en serviçio de Dios non morredes ante, nin vivredes más por

---

159. *M:* cómmo acaban.
160. *A:* quantos fincaron en mal. *MH:* sinon por esto.
161. *GA:* esta razón que ellos llamaron. *P* omite: *grant.*
162. *P:* Et vos, conde sennor. *H:* Et vos, sennor conde.
164. *P:* enojos deste mundo quel fiziestes.
165. *H:* carrera que es vana.
166. *M:* que le podedes.
168. *GA:* por que vos seades. *M:* dexardes.
169. *H:* Estando fincado seguro, et faziendo emienda. *M:* aviendo
a Dios fecho emienda.
170. *S:* que fiziestes. *H* omite: *por que estedes... b. q. fizierdes.*
172. *GA:* fezistes e fiziéredes.
173. *H:* podredes dexar. *P* omite: *esto podedes... et acabar.*
174. *G:* de Dios Nuestro Sennor.
175. *H:* la mejor carrera.
176. *H:* vuestra onrra et vuestro estado.
177. *P:* creer. *P:* Et devedes saber. *M: Et creed.*
178. *P:* beviredes. *M* omite: *non morredes ante... serviçio de Dios.*

---

[63] *poblar solares.* Blecua dice (p. 73, nota 165) que significa
establecer vasallos en alguna tierra con pleno dominio sobre ellos.
[64] *vos pobló:* os dio pueblos. Significado raro. *Vid.* R. Menéndez Pidal, *Cantar,* p. 799,7.

estar en vuestra tierra. Et si muriéredes en serviçio
180   de Dios, biviendo en la manera que vos he dicho, seredes
mártir et bien aventurado, aunque non murades por
armas; la buena voluntad et las buenas obras vos farán
mártir. Et aun los que mal quisieren dezir, non podrán,
ca ya todos veyen que non dexades nada de lo que
185   devedes fazer de cavallería, mas queredes seer cavallero
de Dios et dexades de ser cavallero del diablo et de la
ufana del mundo, que es fallesçedera.

Agora, sennor conde, vos he dicho el mio consejo
segund me lo pidiestes, de lo que yo entiendo cómmo
190   mejor salvar el alma segund el estado que tenedes. Et
semejaredes al rey Richalte de Inglaterra en el estado
et buen fecho que fizo.

Et al conde plogo mucho del consejo que Patronio
le dio, et rogó a Dios quel guiasse cómmo lo pudiesse
195   fazer commo él lo dezía et commo el conde lo tenía
en coraçón.

Et veyendo don Johan que este exemplo era bueno,
mandólo poner en este libro et fizo estos versos en
que se entiende abreviadamente todo el exemplo. Et los
200   versos dizen assí:

---

180.   *SH:* que vos yo he dicho.
181.   *SGA:* et muy b.a. *M:* et que non murades.
182.   *M:* vos farán morir.
183.   *P:* Aun l.q. mal quisieren bevir, dezir non podrán. *G:* qui-
siesen. *M:* quieren.
184.   *H:* que ya todos verán. *M:* todos veen.
186.   *M:* de Dios e dexar de ser.
187.   *P:* que fallesçerá.
188.   *P:* Agora, vos, conde sennor, yo vos é dicho mi consejo.
GAM: s.c. Lucanor.
189.   *M:* de lo que yo entendí de cómmo podedes salvar el alma.
190.   *H* omite: *Et semejaredes... que fizo.*
191.   *S:* en el sancto et bien fecho que fizo. *GA:* en el salto e
b.f. *M:* en el salto que saltó e b.f.
194.   *S:* quel guisasse que lo pueda f.
198.   *P* omite: *en que se entiende... libro.* Lo mismo hacen *GAM*
pero añaden: (estos versos) *que dizen assí.* Conservo el texto
de *S* pues tiene a su favor el testimonio de *H.*

Qui por cavallero se toviere
más debe desear este salto,
que si en la orden se metiere
o se ençerrare tras muro alto.

Exemplo IV
De lo que contesçió a un ginovés que fablava con su alma [65]

Un día fablava el conde Lucanor con Patronio, su consejero, et contával su fazienda en esta manera:

—Patronio, loado Dios, yo tengo mi fazienda assaz en buen estado et en paz, et he todo lo que me cunple, 5 segund [66] mis vezinos et mis eguales, et por aventura

---

203. *S:* que non si. *H:* que en la orden se meter. *G:* metiesse. *M:* o si en la orden.
204. *SG:* ençerrasse. *H:* o ençerrarse tras un m.a. *A:* Ganará de tal salto un omne el cielo — si a Dios obedesciere acá en el suelo. (He adoptado el texto de *P*).
   S: De lo que que dixo un genovés a su alma, quando se ovo de morir. *H:* De un ginovés que se razonava con su alma. *P:* burgués... ánima.
3. *SG:* loado a Dios. *H:* Patrono [*sic*], yo tengo, grado aya Dios.
5. *P* omite: *et por aventura más.*

---

[65] Existen tres variantes de este ejemplo en las colecciones de sermones y ejemplarios: En la primera (Jacobo de Vitry, *The Alphabet of Tales, Recull de Eximplis*), hay sólo dos tiempos o acciones: el ruego del prestamista al alma para que no se vaya y la maldición que entrega el alma a los demonios. En la segunda variante (Etienne de Bourbon, Bromyard), entre el ruego y la maldición se agrega el acto de hacerse traer las joyas. En el *Scala coeli* el ejemplo tiene estos tres tiempos, pero el relato se inicia con la traída de las joyas y la maldición va dirigida a las joyas, no al alma. En la tercera (Herolt), se vuelve a reducir el relato a dos acciones: traída de las joyas, y maldición. El ejemplo de Patronio se desarrolla con gran refinamiento artístico; *vid.* R. Ayerbe-Chaux (1975), pp. 32-35. Además, se cambia la moraleja tradicional. Sobre el refrán que cierra el *exemplo* y la moraleja, *vid.* D. Devoto (1972), pp. 368-369.

[66] *segund:* Blecua (p. 75, n. 173) le da el valor de «con arreglo a», «atendiendo a», lo cual se podría confirmar en algo con

más. Et algunos conséjanme que comiençe un fecho de
muy grant aventura, et yo he grant voluntat de lo fazer;
pero por la fiança que en vos he, non lo quise començar fasta que me concejasse convusco [67].

10   —Sennor conde Lucanor —dixo Patronio—, para que
vos fagades en este fecho lo que vos más cunple, plazerme ýa que sopiéssedes lo que contesçió a un ginovés.

El conde le rogó que le dixiesse cómmo fuera aquello.

Patronio le dixo:

15   —Sennor conde Lucanor: un ginovés era muy rico
et muy bien andante, segund sus vezinos. Et aquel
ginovés adolesçió muy mal, et de que entendió que non
podía escapar de la muerte, fizo llamar a sus parientes
et a sus amigos; et desque todos fueron con él, enbió
20   por su muger et por sus fijos; et assentóse en un

6. *P:* un fecho grande et de grand aventura.
7. *SGA:* v. de fazer aquello que me consejan. *H:* v. de fazer
lo que me aconsejaron. *M:* v. de lo fazer segunt me lo consejan.
9. *SH:* fasta que fablasse convusco et vos rogasse que me consejássedes lo que fiziesse en ello. *A:* fasta que fable. *GA:* consejássedes lo que en ello fiziesse. *M:* ruégovos que me
aconsejedes en este fecho como faga en ello. En las tres últimas líneas he seguido el texto más sobrio de *P.* Como se
explicó en la introducción, cuando en el texto más extenso
de la familia *S* existen vacilaciones, dichas vacilaciones indican muy probablemente una elaboración posterior del texto
primitivo.
11. *H:* lo que vos cunple fazer. *PH:* plazerme ýa mucho.
12. *H:* lo que acaesçió a unos ginoveses.
15. *S:* genués.
19. *P:* fueron juntados.
20. *S:* por su muger et sus fijos. *M:* por su muger que tenía
mucho fermosa e por todos sus fyjos.

uno o dos ejemplos que de esta palabra aduce Huerta Tejadas
(p. 124). Sin embargo, ¿por qué no darle sencillamente su significado propio? Ya lo tenía en las veintitrés veces que aparece
esta palabra en el *LBA,* y aun en el *Apol.* y el *Ali.* Significa, pues:
«según dicen mis vecinos e iguales».

[67] *convusco:* con vos. *PMC:* 75, 1520; *Ali.* 1741*c; Apol.* 272*b;
LBA* 703*a,* 811*d,* 828*b,* etc.

palaçio muy bueno donde paresçía la mar et la tierra;
et fizo traer ante sí todo su thesoro et todas sus joyas,
et desque todo lo tovo ante sí, començó en manera de
trebejo [68] a fablar con su alma en esta guisa:

25 —Alma, ya veo que tú te quieres partir de mí, et
non sé por qué lo fazes, ca si tú quieres muger et fijos,
bien los vees aquí delante tales de que te deves tener
por pagada; et si quieres parientes et amigos, vees aquí
muchos et muy buenos et mucho onrados; et si quieres
30 muy grand thesoro de oro et de plata et de piedras preçiosas et de joyas et de pannos et de mercadurías, tú
tienes aquí tanto dello que te non faze mengua aver
más; et si tú quieres naves et galeas [69] que te ganen
et te trayan grand aver et muy grand onra, véeslas
35 aquí, do están en la mar, que paresçen deste mi palaçio;

22. *H:* todo quanto thesoro tenía et començó a fablar en manera de trebejo. *Vid.* 14.8.
25. *PH* omiten: *tú.*
26. *P:* ca si muger quieres et fijos, cátalos aquí tales.
28. *S:* et si quisieres. *H:* vez [*sic*] aquí muy buenos et muy onrados.
29. *P:* et buenos et muy onrados. *M:* muchos e mucho buenos
e muy onrados. *GA:* et muy onrados.
30. *H:* mucho tesoro. *P* omite: *muy.*
31. *S:* merchandías. Sigo la lectura unánime de los otros manuscritos. La misma divergencia ocurre entre los mss. del
LBA 615*b*, verso en el cual el ms. de Salamanca tiene *mercaduría* y el de Gayoso *merchandía.*
32. *GAM:* aver mengua más. *H:* tanto de lo que non te faze
mengua más.
33. *P* omite: *más.*
34. *S:* muy grant aver. *P:* e te traygen aver. *PH:* grand onra.
35. *S:* ó están. *GAM:* donde. Es difícil determinar qué forma:
ó, do, donde sea mejor. Puedo anotar que *ó* ocurre en el
LBA, sobre todo en porciones líricas (29*d*, 1638*b*, 1639*h*). *Donde*
tenía en el siglo xiv la connotación etimológica *(de unde),*
lo que está muy claro en *Estados* 56.29 y 99.29 y 31. *S:* paresçe. *PM:* desde.

---

[68] *trebejo:* burla, juego. *Mil.* 525*d*, 893*b*; *FnGz.* 431*b*; *LBA* 688*b*,
754*b*, 1479*c*.
[69] *galeas:* galeras. *Apol.* 386*a*, 393*b*, 492*a*.

et si quieres muchas heredades et huertas et muy fermosas et muy deleytosas, véeslas do paresçen destas
finiestras [70]; et si quieres cavallos et mulas, et aves
et canes para caçar et tomar plazer, et joglares para te
40 fazer alegría et solaz, et muy buena posada mucho
apostada [71] de camas et de estrados [72] et de todas las
otras cosas que son ý menester; de todas estas cosas
a tí non te mengua nada. Et pues tú as tanto bien et
non te tienes ende por pagada nin puedes sofrir el bien
45 que tienes, pues con todo esto non quieres fincar et
quieres buscar lo que non sabes, de aquí adelante ve
con la yra de Dios, et será muy nesçio qui de ti se
doliere por mal que te venga.

Et vos, sennor conde Lucanor, pues, loado Dios, vos
50 estades en paz et con bien et con onra, tengo que non
faredes buen recabdo [73a] en aventurar esto et començar

---

37. *S:* delectosas.
38. *GA* omiten: *aves.* *H* omite: *aves et canes.*
40. *H:* posada de camas. *M:* posada bien apostada de armas e
de estados.
42. *P* omite: *que son ý menester; de todas estas cosas. G:* et de
otras muchas cosas.
44. *GAH* omiten: *ende.*
45. *P:* fincar comigo.
46. *A:* de aquí adelante vete con Dios. (Omite el resto.) *M:* vate
[*sic*] todos los diables e será buen neçio quien de ti se
doliere por mucho mal q. te vengua.
49. *H:* Et vos, sennor conde, pues estades en pades [*sic*]. *P:*
Et v. c. s. pues loado sea Dios. *M:* Et pues asý c. L. pues
que loado Dios nuestro sennor.
51. *P:* faríades. *S:* et començar esto lo que dezides.

---

[70] *finiestras:* ventanas. *PMC* 17; *LBA* 1413*b*.
[71] *apostada:* aparejada. *LBA* 635*a*.
[72] *estrado:* Para Huerta Tejadas es «conjunto de muebles y
aderezos de una habitación». Para Blecua (p. 76, n. 187) es «parte
de la sala, elevada del suelo, alfombrada, que servía para recibir
visitas». Esto es lo que significa en el *LBA* 910*b*, 1095*b*, 1264*c*, 1398*d*,
1405*d*.
[73a] *fazer buen recabdo:* hacer buena ganancia. *LBA* 229*d*: «quien
dexa lo que tiene faze grand mal recabdo». *Vid.* nota de J. Joset
a este verso.

lo que dezides que vos consejan; ca por aventura estos vuestros consejeros vos lo dizen porque saben que des- que en tal fecho vos ovieren metido, que por fuerça
55 avredes a fazer lo que ellos quisieren et que avredes a seguir su voluntad desque fuéredes en el grand menes- ter, assí commo siguen ellos la vuestra agora que esta- des en paz. Et por aventura cuydan que por el vuestro pleyto endereçarán ellos sus faziendas, lo que se les
60 non guisa en quanto vos vivierdes en asusiego, et con- teçervos ýa lo que dezía el ginovés a su alma; mas, por el mi consejo, en quanto pudierdes aver paz et sos- siego a vuestra onra et sin vuestra mengua, non vos metades en cosa que lo ayades todo de aventurar.
65 Al conde plogo mucho del consejo que Patronio le dio. Et fízolo assí et fallóse ende bien.

Et quando don Iohan falló este exemplo, tóvolo por bueno, et non quiso fazer versos de nuebo, sino que

54. *P:* vos ayan metido. *A:* que desque en el fecho vos vieren.
55. *P:* lo que ellos quieren et que vos avredes. *H:* et que avre- des su voluntad de seguir et desque. *M* omite: *et que avredes.*
57. *P:* assí commo siguen agora la vuestra que estades en paz. *H:* así commo fazen ellos, la avrán la guerra, agora que es- tades en paz. *M:* asý c. s. ellos a vos asý seguirés vos a ellos.
58. *PA:* por ventura. *H:* que por vuestra guerra.
59. *M:* endereçarán ellos el suyo. *P:* lo que ellos non guisan en quanto vos agora bevides en sosiego. El verbo *guisar* podía tener una forma refleja impersonal: *Ali.* 2548*d, Est.* 149.27. Tiene entonces el significado de «dársele a uno bien una cosa», «irle a uno bien».
60. *PGA:* sossiego. La forma *asusiego* se halla en *Est.* 130.29.
62. *P:* en quanto vos p. *H:* el mi consejo es en q. *M:* aved paz. *S:* assossiego. *M:* asosyego.
63. *H* omite: *et sin vuestra mengua.*
64. *SGA:* ayades todo aventurar. *HM:* a. t. a aventurar. *H,* des- pués de *aventurar,* continúa: que la guerra et el pleyto, dixo el sabidor, comiença en punta de aguja et acaba en quintal de fierro.
67. Este párrafo final varía en *P:* Et don Juan tovo este enxenplo por bueno et non quiso fazer versos; mas puso una fabla que dizen las viejas en Castilla, e dizen assí: Quien bien está posado non se levante.

puso ý una palabra que dizen las viejas en Castiella.
70 Et la palabra dize assí:

Quien bien se siede non se lieve [73b].

EXEMPLO V

De lo que contesçió a un cuervo con un raposo [74]

Otra vez fablava el conde Lucanor con Patronio, su consejero, et dixol assí:

—Patronio, un omne que da a entender que es mi amigo, me començó a loar mucho, dándome a entender

---

70. *H* omite: *Et la palabra dize assí.*
71. *G:* sede. *AH:* see. *M:* Quien bien se é.
   S: De lo que contesçió a un raposo con un cuervo que teníe un pedaço de queso en el pico. *H:* De lo que acaesçió a un raposo con un cuervo que lo enganno.
1. *P:* Un día fablava. *A:* Fablava otra vez.
3. *P:* un omne da a entender... et començóme a loar mucho. *H:* un omne me da a entender que es ya quanto mi amigo et me començó. *M:* un o. me da a e. q. es mucho e començó de me loar mucho.

[73b] *siede, lieve:* sienta, levante. El refrán aparece en el *Cavallero Zifar,* ed. de Charles P. Wagner, Ann Arbor, 1929, p. 35: «quien bien see non se lieve.»
[74] La fábula latina de Fedro, que era muy breve y sencilla, tuvo muchas versiones derivadas, entre las que resalta la de Walter el Inglés, fuente de la fábula en el *LBA* 1437-1443. En cambio, la versión griega de Babrio fue menos conocida y sólo la recoge la colección del *Romulus,* fuente de don Juan Manuel. *Vid.* Ramón *Menéndez Pidal,* «Nota sobre una fábula de don Juan Manuel y de Juan Ruiz», en *Poesía árabe y poesía europea,* Madrid, Austral, 1965⁵, pp. 150-157; D. Devoto (1972), pp. 369-372; R. Ayerbe-Chaux (1975), pp. 56-59 y 224-228. Para un estudio de las versiones de la fábula (y descartando, claro está, el autobiografismo simplista) *vid.* María Remedios Prieto, «Rasgos autobiográficos en el *exemplo* V de *El conde Lucanor* y estudio particular del apólogo», *RABM,* LXXVII, 1974, pp. 627-663.

5 que avía en mí muchos conplimientos [75] de onrra et
de poder et de muchas bondades. Et de que con estas
razones me falagó quanto pudo, movióme un pleyto [76],
que en la primera vista, segund lo que yo pude entender, que paresçe que es mi pro.

10   Et contó el conde a Patronio quál era el pleyto quel
movía; et commo quier que paresçía el pleyto aprovechoso, Patronio entendió el enganno que yazía ascondido
so las palabras fermosas. Et por ende dixo al conde:

    —Sennor conde Lucanor, sabet que este omne vos
15 quiere engannar dándovos a entender quel vuestro poder
et el vuestro estado es mayor de quanto es la verdat.
Et para que vos podades guardar deste enganno que
vos quiere fazer, plazerme ýa que sopiéssedes lo que
contesçió a un cuervo con un raposo.

20   Et el conde le preguntó cómmo fuera aquello.

    —Sennor conde Lucanor —dixo Patronio—, el cuervo
falló una vegada un pedaço de queso et subió en un
árbol por que pudiesse comer el queso más a su guisa

---

5. *H:* en mí muchos entendimientos. *M:* en mí muy muchos
cunplimientos.
8. *P:* vista que me semeja segund. *SA:* puedo.
9. *M:* me paresçía.
10. *P* omite: *quel movía.*
12. *P* omite: *ascondido.* Que yazía so las fermosas palabras.
S: fremosas. La metátesis de la *r* parece ser una característica del lenguaje del occidente de la Península. *Vid. Ali* 303*b*
y 355*c* y la introducción de Nelson, p. 109, 3.316.
14. *P* omite: *conde Lucanor. M:* sabet por çierto. *PM:* que este
omne que vos quiere.
16. *A:* de lo que es la verdad. *P* omite: *la verdat.*
17. *P:* Et por que v. p. g. de aquel enganno que este vos q. f.
22. *SM:* un grant pedaço de queso. *GAH:* un pedaço de queso
muy grande. *H:* et subióse a un árbol muy grande.
23. *P* omite: *por que... a su guisa.*

---

[75] *conplimientos:* perfecciones. *Vid.* nota 11.
[76] *mover un pleyto:* proponer un negocio. *PMC* 160; *Mil.* 835*bc*;
Apol. 98*c*, 550*a*; *LBA* 49*b*, 559*d*; *Estados* 139,23. *Vid.* Giménez Soler,
pp. 375,26, 685,14 y 697,4.

et sin reçelo et sin enbargo[77] de ninguno. Et en quanto
25 el cuervo assí estava, passó un raposo por el pie del
árbol, et desque vió el queso que el cuervo tenía, començó a cuydar en quál manera lo podría levar dél. Et
por ende començó a fablar con él en esta guisa:

—Don Cuervo, muy grand tienpo á que oý fablar de
30 vos et de la vuestra nobleza, et de la vuestra apostura[78].
Et commo quier que vos mucho busqué, non fue la voluntat de Dios nin la mi ventura que vos pudiesse fallar
fasta agora, et agora que vos veo, entiendo que á mucho
más bien en vos de quanto me dizían. Et por que veades
35 que non vos lo digo por lisonja, tan bien commo vos
diré las aposturas que en vos entiendo, tan bien vos diré
las cosas en que las gentes tienen que non sodes tan
apuesto. Todas las gentes tienen que la color de las vuestras pénnolas et de los ojos et del pico, et de los pies
40 et de las unnas, que todo es prieto[79], et porque la cosa
prieta non es tan apuesta commo la de otra color, et
vos sodes todo prieto, tienen las gentes que es mengua
de vuestra apostura, et non entienden cómmo yerran en
ello mucho; ca commo quier que las vuestras pénnolas

---

24. *P:* et sin enbargo alguno. Et assí estando el cuervo.
25. *S:* passó el r.
26. *P:* vido el queso. *H:* vió al cuervo que el que se temía. *M:*
vió el q. que tenía en la boca el cuervo.
29. *P* omite: *muy.*
32. *P:* pudiesse fablar.
33. *P:* que ay en vos más bien que quanto me dizen.
35. *A:* que vos lo non digo. *S:* lesonia. *PM:* lisonga. El *LBA* tiene
lisonja: 389*c*, 392*c*, 672*b*, 1478*c*. *H:* tanto commo vos diré
las aposturas, que vos entiendo dezir.
37. *P:* las cosas por que las gentes non vos tienen por tan
apuesto.
38. *P:* la color de vuestros pechos.
40. *S:* et que la cosa. *H* omite: *et porque la cosa... sodes todo
prieto.*
42. *H:* todas las gentes que os mengua la vuestra apostura.
44. *P* omite: *ca. GA:* las péndolas vuestras sean.

---

[77] *enbargo:* estorbo, obstáculo. *Estados* 17,11.
[78] *apostura:* buen porte, esbeltez. *Apol.* 269*b*; *Estados* 121,2.
[79] *prieto:* negro. *LBA* 386*b*, 929*d*, 1015*a*, 1241*a*, 1486*a*, 1500*b*, etc.

45 son prietas, tan prieta et tan luzia es aquella pretura,
que torna en yndia[80] commo pénnolas de pavón, que
es la más fermosa ave del mundo, et commo quier que
los vuestros ojos son prietos, quanto para ojos, mucho
son más fermosos que otros ojos ningunos, ca la pro-
50 piedat del ojo non es sinon ver, et porque toda cosa
prieta conorta el viso[81], para los ojos, los prietos son
los mejores, et por ende son más loados los ojos de
la ganzela[82] que son más prietos que de ninguna otra
animalia. Otrosí, el vuestro pico et las vuestras manos

---

45. *P:* tan luzia es la color.
47. *S:* fremosa ave del mundo.
49. *P:* más son fermosos que otros ningunos. *S:* fremosos.
51. *HA:* conoce a el viso. *G:* conosca el viso. *P:* conorta la vista.
Vista es la forma usada en el *LBA* 544*a*, 788*c*, 866*b;* conservo
viso porque está en todos los otros mss. *M:* conoce mejor
el viso de los ojos e por ende los prietos son los mejores.
52. *H:* son loados los ojos prietos de la donzella más que otros.
M: los ojos de la garça.
53. *G:* ganzela, así está en otro libro [*sic*], que son m. p. *M:* que
de otra animalia. *P:* que de otra animalia ninguna.
54. *P:* et las vuestras u. son más f. *H* inicia aquí una extensa
variante que va hasta el final del *exemplo:* E otrosí por
rrazón que los vuestros pies e vuestras unnas son prietas
e otrosí vos estranan las gentes en ello, yérranlo fuertemente, ca por ende son más fuertes e más rrezios. E por
ende el cavallo que ha las cannas prietas e las unnas es más
preçiado e mejor por ende. E de todas estas cosas non paran
mientes todas las gentes a ello. Mas yo todavía vos diré en
todas las partes do andudiere e lo diré esto que agora digo;
mas si una cosa sopiésedes vos, pues tantas buenas propiedades ay en vos, por tanto el mundo vos loara si vos viese
cantar, que es una cosa que cunple mucho para en todo
aquesto que he dicho que creería de vos todo lo que me
dixeron. Entonçe el neçio del cuervo tanto se glorificó en
la vana gloria quel rraposo dixo, que abrió la boca para
cantar e cayóssele el quesso afondón; e fue el rraposo pria-
do, e tomólo e fuese con ello. E así fincó el cuervo todo

---

[80] *yndia:* índigo, añil.
[81] *conortar:* animar, confortar. *PMC* 2804; *Apol.* 252*d* (conhor-
tar); *LBA* 649*a*, 797*c*, 861*a*, 1681*c*.
[82] *ganzela:* gacela.

55 et unnas son fuertes más que de ninguna ave tanmanna[83] commo vos. Otrossí, en el vuestro buelo avedes
tan grant ligereza, que vos non enbarga el viento de
yr contra él por rezio que sea, lo que otra ave non
puede fazer tan ligeramente commo vos. Et bien tengo,
60 que Dios que fizo todas las cosas con razón, que non
consentría que, pues en todo sodes tan conplido, que
oviesse en vos mengua de non cantar mejor que ninguna otra ave. Et pues Dios me fizo tanta merçet que
vos veo, et sé que á en vos más bien de quanto nunca
65 de vos oý, si yo pudiesse oyr de vos el vuestro canto,
para sienpre me ternía por de buena ventura.

Et sennor conde Lucanor, parat mientes que maguer
que[84] la entençión del raposo era para engannar al cuer-

---

prieto e sin el queso que tenía para que comiese. E vos,
sennor conde, sabed quel omne que tanto vos alaba, sed
çierto que vos quiere enganar e levar de vos alguna cosa;
e vos mesmo devedes entender si aquellas cosas de que él
vos loa si las ay en vos, e non querades fiar en él más que
de vos mesmo; e por ende podedes entender si vos dize
verdad o non. E por el mi consejo guardar vos hedes de
los tales omnes que son lisonjeros e non lo fazen sinon con
sotileza; e non vos contesca commo contesçió al cuervo.

55. *P:* que de otra animalia et ninguna tan grande commo vos.
GM: son más fuertes que. *A:* son muy fuertes más que.
56. *M:* en el v. cuello a. tanta lygereza.
59. *GA:* podría fazer.
60. *S:* que pues Dios todas las cosas faze con razón. *A:* que non
consienta. *M:* que pues Dios en t. las c. e con razón non
querría que en vos mengua oviese.
61. *P:* sodes más conplido.
62. *PM:* que otra ave ninguna. *G:* que otra ninguna ave.
64. *G:* más bien del que yo nunca oý. *M:* m. b. de quanto de
vos oý.
65. *P:* de vos oý dezir. *P:* si yo de vos pudiesse oyr. *GAM:* si yo
pudiesse de vos oyr.

---

[83] *tanmanna:* tan grande. *Mil.* 351*b*; *Sd.* 210*b*; *Ali.* 402*b* (0),
2524*c* (0); *Apol.* 56*a* (tamanya); *LBA* 1425*d*, 1686*f* (tamanna).
[84] *maguer que:* aunque, a pesar de que. *PMC* 1524, 3116; *Ali.*
14*a*, 554*d* (P), etc.; *Apol.* 10*c*, 145*a*, 217*a*, etc.; *LBA* 158*b*, 633*a*,
832*b*, etc.

vo, que sienpre las sus razones fueron con verdat. Et
70 sed çierto que los engannos et dannos mortales sienpre
son los que se dizen con verdat engannosa.

Et desque el cuervo vido en quantas razones el raposo le alabava, et cómmo le dezía verdat en todo,
creó que assil' dizía verdat en todo lo ál, et tovo que
75 era su amigo, et non sospechó que lo fazía por levar
dél el queso que tenía en el pico; et por las muchas
buenas razones quel avía oydo, et por los falagos et
ruegos que le fiziera por que cantasse, abrió el pico
para cantar. Et desque el pico fue abierto para cantar,
80 cayó el queso en tierra, et tomólo el raposo et fuese
con él; et assí fincó engannado el cuervo del raposo,
creyendo que avía en sí más apostura et más conplimiento de quanto era la verdat.

Et vos, sennor conde Lucanor, como quier que Dios
85 vos fizo assaz merçet en todo, pues vedes que aquel
ome vos quiere fazer entender que avedes mayor poder
et mayor onra et más bondades de quanto vos sabedes
que es la verdat, entendet que lo faze por vos engannar,
et guardat vos dél, et faredes commo omne de buen
90 recabdo.

Al conde plogo mucho de lo que Patronio le dixo

---

69. *M:* pero sienpre l. s. r. fueron con verdad engannosa.
72. *GA:* el c. oyó. *S:* en quantas maneras. Sigo el texto de *P*
ya que las variantes de *SGA* indican la mano de los copistas deseosos de corregir la expresión: «ver razones».
75. *P:* que lo avía [*sic*] por aver dél el queso.
76. *M:* por los muchos bienes e buenas razones que le avía dicho
e por los ruegos e falagos que le avía fecho por que cantase.
79. *P* omite: *Et desque... para cantar.*
80. *M* omite: *et tomolo el r. P:* et fuesse con ello.
81. *M:* con ello el raposo.
82. *P:* en sí apostura et más conplida de q. e. la v. *G:* más
aposturas e más conplimientos.
84. *P:* Et vos, sennor conde, c. q. q. D. v. faze. *M:* que vos D.
fizo. *M:* pues vos Dios fizo que aquel omne que vos q. f.
87. *GA:* e más bondad.
89. *GA:* faredes assí commo.
91. *M:* Patronio le dizía. *H:* E el conde tovo este por buen consejo e fízolo e guardose ende bien.

et fízolo assí. Et con su consejo fue guardado de yerro.

95 Et porque entendió don Johan que este exemplo era muy bueno, fízolo escrevir en este libro, et fizo estos versos, en que se entiende avreviadamente la entençión de todo el exemplo. Et los versos dizen assí:

> Quien te alaba de lo que non es en tí
> Sabe que quiere levar lo que ay en tí.

Exemplo VI
De lo que contesçió a la golondrina con las otras aves [85]

Un día fablava el conde Lucanor con Patronio, su consejero, et dixol:

---

92. *M:* f. a. e fallose ende bien. *P* omite: *de yerro. M:* deste yerro.
95. *P:* Et por que don Iuan entendió q. e. e. era bueno. *M:* era bueno. *H:* E quando don Johan falló este enxemplo fízolo poner en este libro e puso estos versos que dizen asy.
96. *P:* se entiende brevemente. *S:* entençión todo este exiemplo. *A:* estos versos que dizen assí, entiende abreviadamente. *M:* en que se contiene a. todo el enxenplo.
97. *P:* los quales dizen assí.
98. Sigo el texto de *P.* He aquí las variantes de los otros manuscritos: *S:* con lo que non es... lo que as en ti. *G:* de lo que non has en ti... levar que as de ti. *A:* Q. t. alabare con l. q. n. has en ti... relevar lo que as de ti. *M:* con lo que non es... lo que as de ti. *H:* El que te alaba más de quanto en ti oviere, sábete dél guardar, ca engannarte quiere.
S: las otras aves quando vio senbrar el lino. *P:* l. o. a. quando el omne senbrava el lino. *GA:* Del consejo que dio Patronio al conde Lucanor quando estava con recelo que algunos se ayuntassen para lo engañar o para le fazer algún danno. E el exemplo fue de lo que contesçió a la golondrina con las otras aves. *H:* a las golondrinas.
1. *P:* Estando el c. L. *A:* El c. L: fablava un día. *M:* Una vez fablava.

---

[85] Como ya lo expuso R. Menéndez Pidal, *Poesía árabe,* p. 154, la fuente de esta fábula, lo mismo que de la anterior, es el *Romu-*

—Patronio, a mí dizen que unos mis vezinos, que son
más poderosos que yo, se ayuntan et fazen muchas
5 maestrías et artes[86] con que me puedan engannar et
fazer mucho danno; et yo non lo creo, nin me reçelo
ende; pero, por el buen entendimiento que vos avedes,
quiérovos preguntar que me digades si devo fazer alguna cosa sobresto.

10 —Sennor conde Lucanor —dixo Patronio—, para que
en esto fagades lo que yo entiendo que vos cunple, plazerme ýa que sopiéssedes lo que contesçió a la golondrina con las otras aves.

El conde le preguntó cómmo fuera aquello.

15 —Sennor conde Lucanor —dixo Patronio—, la golondrina vido que un omne senbrava lino, et entendió por
el su buen entendimiento que si aquel lino nasçiesse,
podrían los omnes fazer redes et lazos para tomar las
aves. Et luego fuese para las aves et fízolas ayuntar,
20 et díxoles cómmo el omne senbrava aquel lino et que

---

4. *SA:* andan ayuntando et faziendo. *G:* andan aý juntando.
H: se han apoderado ayunt [*sic*] gente et faziendo. *M:* andan
ayuntados faziendo. Puede verse la vacilación de los manuscritos que revela muy probablemente la mano de los copistas. Por ello sigo el texto de *P.*
6. *GA:* recelo en ello. *HM:* recelo dende.
7. *M:* Et quiero vos preguntar, por el buen entendimiento que
vos avedes.
8. *SGA:* me digades si entendedes que devo. He seguido el texto
de *P* confirmado por *HM.*
11. *GA:* vos cunple fazer. *M:* vos cunple más fazer. *SGA:* plazerme ýa mucho.
14. *SG:* El c. Lucanor le dixo et preguntó. *A:* El c. Lucanor le p.
PH omiten: *Lucanor.*
16. *M:* vido a un ome que senbrava.
18. *P:* que los omnes podrían ende fazer lazos et redes. *M:* que
podrían los omnes ello [*sic*] fazer lazos et redes.
19. *H* omite: *Et luego f. p. l. aves. M:* Et la golondrina fuesse.
20. *SGA:* díxoles en cómmo.

---

lus. Vid. R. Ayerbe-Chaux (1975), pp. 59-62 y 228-231; D. Devoto
(1972), pp. 372-375.
[86] *maestrías et artes:* engaños y artimañas; *LBA* 616*c*, 617*b.*

fuessen çiertas que si aquel lino nasçiesse, que se les
siguiría ende grant danno, et que les consejava que
ante quel lino nasçiesse que fuessen allá et que lo
arrancassen. Ca las cosas son ligeras de se desfazer en
25 el comienço et después son muy más graves de se desfazer. Et las aves tovieron esto en poco et non lo quisieron fazer. Et la golondrina les afincó[87] desto muchas veces, fasta que vido que las aves non se sintían[88] desto nin
davan por ello nada; et el lino era ya tan cresçido,
30 que las aves non lo podían arrancar con las manos
nin con los picos. Et desque esto vieron las aves que
el lino era cresçido, et que non podían poner conse-

---

21. *M:* sy aquel lyno nasçía. *SGA:* muy grant d. *S:* dampno. Este
cultismo aparece varias veces en *S. Vid. LBA* 216*b*, 1070*c*
(dapnno); 1146*d*, 1442*b (dapno)* y 529*b*, 637*b*, etc. *(danno)*;
esta última es la forma más común en el Arcipreste; de aquí
en adelante transcribo siempre *danno*.
23. *P:* que lo fuessen arrancar et comer. *S:* arincassen. *M:* arran-
carían.
24. *H:* cosas son ligeras de fazér desque se fazen en el comienço.
25. *P:* que después son más graves. *A:* son muy peores e muy
más graves. *H:* son muy graves. *M:* son graves de fazer.
26. *P:* tomaron esto. En el *LBA* 130*c* explica Corominas que había expresiones astrológicas con «tomar». ¿No querría don
Juan Manuel subrayar la predicción del mal omen, al usar
«tomar en poco» en vez del común «tener en poco»?
27. *P:* afincava dello mucho. *HM:* desto muchas vegadas.
28. *S:* vio. La forma *vido* era más usada. En el *LBA vio* se usa
sólo cinco veces (63*c*, 332*d*, 768*b*, 1400*c*, 1558*a*), en tanto que
vido aparece 26 veces (139*a*, 243*c*, 272*b*, etc.). *Vid. A Concordance to Juan Ruiz,* p. 306.
29. *M:* davan ninguna cosa por ello. *P:* Et el lino creçió fasta
que las aves non lo podían arrancar con los picos nin con
las manos.
30. *H:* podrían arrancar. *A:* con las alas nin con los picos. *M:*
con las unnas nin con los picos.
31. *P* omite: *que el lino... se les seguía.*
32. *H:* non podían con ello p. c. *M:* non podían al danno les
seguía [*sic*] poner cobro.

---

[87] *afincó:* apremió. *Afincar, vid.* exemplo 3.76. Además: *PMC*
3221; *Apol.* 472*a; Estados* 23,21.
[88] *se sintían:* se dolían; *PMC* 2740; *Du.* 69; *LBA* 1128*c*, 1368*b*.

jo[89] al danno que se les seguía, arrepintiéronse ende mucho, porque ante non avían ý puesto consejo; pero el
35 arrepentimiento fue al tienpo que non podía tener pro.

Et ante desto, quando la golondrina vido que non querían poner las aves recabdo[90] en aquel danno que les vinía, fuese paral omne et metióse en su poder[91] et ganó dél segurança[92] para sí et para su linaje. Et
40 después acá biven las golondrinas en poder de los omnes et son seguras dellos. Et las otras aves que se non quisieron guardar, tómanlas cada día con redes et con lazos.

Et vos, sennor conde Lucanor, si queredes ser guar-
45 dado deste danno que dezides que vos puede venir, aperçebitvos et ponet ý recabdo, ante quel danno vos pueda acaesçer. Ca non es cuerdo el que vee la cosa desque

---

33. *S:* seguiría.
34. *P:* porque non avían ante puesto ý consejo. *H:* non avía ý consejo. *M:* ante que pudieran allý aver puesto consejo no lo pusieron. *S:* repintimiento. En el *LBA,* 1607*d* Corominas corrige *repienden,* porque duda que en el siglo XIV existiera la forma leonesa en Castilla. *G:* p. e. a. non avían y fue a tienpo q. n. podían t. p.
35. *S:* tener ya pro. *H:* n. p. ý. poner pro. *M:* non pudo tener allí provecho.
37. *P:* n. q. las aves poner ý recabdo. *M:* poner recabdo en aquel d.
38. *P:* fuesse para aquel omne. *M:* para casa de aquel ome.
41. *H:* quisieron guardarse.
42. *M:* tomávalas. *P:* seguras dellos. Et seyendo aquel omne caçador, madrugava al chirrear de la golondrina e yva a tomar las aves de manera con las redes e lazos de aquel lino. Et assí las tomava por quanto non pusieron ý recabdo en el comienço; e assí las rebtava la golondrina quando el caçador las traýa a casa.
44. *P:* Et vos, conde sennor. *H:* Et vos, sennor conde. *GAH:* si quisiéredes.
46. *H:* poned consejo et recabdo. *H:* a. q. d. vos puede conosçer.
47. *GA:* después que e. a.

---

[89] *consejo:* remedio; *PMC* 273, 382; *LBA* 594*c,* 839*d,* 888*c.*
[90] *poner recabdo:* dar solución; *Apol.* 90*a*; *LBA* 998*g.*
[91] *poder:* protección, amparo, custodia; *PMC* 486.
[92] *segurança:* salvoconducto; *LBA,* 900*d.*

es acaesçida, mas es cuerdo el que por una sennaleja o
por un movimiento qualquier entiende el danno quel
50 puede venir et pone ý consejo por que nol acaezca.

Al conde plogo esto mucho, et fízolo segund Patronio
le consejó et fallóse ende bien.

Et porque entendió don Johan que este exemplo era
muy bueno fízolo poner en este libro et fizo estos versos
55 que dizen assí:

> En el comienço deve omne partir
> El danno, quel non pueda venir.

EXEMPLO VII
De lo que contesçió a donna Truhana [93]

Otra vez fablava el conde Lucanor con Patronio, su
consejero, en esta guisa:

---

48. *M:* la cosa que acaesçida. *A:* assaz es cuerdo.
49. *P:* por un movimiento vee el danno.
50. *M:* consejo luego por que non le acaezca ansý como a las
aves.
51. *P:* Al c. p. deste consejo et fízolo. *GA:* Al c. p. mucho desto.
53. *GA:* Y p. don Joan entendió que este exenplo era bueno.
54. *P* omite: *muy.*
P: et fizo poner ende estos versos q. d. a. *M:* mandólo escrevir.
56. *M:* Et en comienço se deve el ome del danno partir.
57. *SH:* que non le pueda venir. *M:* Por que después danno non
le p. v.
S: c. a. una muger quel dizien d. Truhanna. *GA:* c. a una
muger que se llamava d. Truana.
1. *P:* Fablava el c. L. *A:* Fablava otra vez. *S* omite: *su consejero. H:* carece aquí de un folio y el texto comienza en la
línea 17.
2. *M:* en esta manera.

---

[93] «El cuento en su viaje por países y épocas es rico en variantes y detalles y, sin embargo, la versión manuelina, a la cual
no se puede adjudicar fuente inmediata precisa, constituye una
creación literaria feliz por el vigor y originalidad de doña Truha-

—Patronio, un omne me dixo una razón et amostró-
me la manera cómmo podría seer. Et bien vos digo que
5 tantas maneras de aprovechamiento ha en ella que, si
Dios quisiere que se faga assí commo él dixo, que sería
mucha mi pro: ca tantas cosas son que nasçen las unas
de las otras, que al cabo es muy grant fecho además.
Et contó a Patronio la manera cómmo podría seer.
10 Et desque Patronio entendió aquellas razones, respondió al conde en esta manera:

—Sennor conde Lucanor, sienpre oý dezir que era
buen seso atenerse omne a las cosas çiertas et non a
las fiuzas [94]: ca muchas vezes a los que se atienen a
15 las fiuzas, contésçeles lo quel contesçió a donna Truhana.
El conde le preguntó cómmo fuera aquello.

—Sennor conde —dixo Patronio—, una muger fue
que avíe nonbre donna Truhana et era assaz más pobre

---

3. *P:* me dixo esta razón. *MGAP:* mostróme.
4. *P:* podía ser.
5. *P* omite: *ha en ella.*
6. *S:* D. quiere. *S:* me él dixo. *A:* él me dixo.
7. *SGA:* mucho mi pro. *M:* mucho mi provecho. Sigo la forma
fem. de *P* lo mismo que en *Estados* 119, 26 y 27.
8. *P* omite: *muy. M* omite: *además.*
9. *M* omite: *et contó. P:* a P. lo que p. s. *GA:* la manera a P.
que p. s.
10. *M:* todas aquellas rrazones. *P:* rrespondió Patronio e. e. m.
12. *M:* dezir era bien e buen entendimiento.
13. *P:* tenerse.
14. *GA:* fiuzias e vanas. *M:* vanas fiuzas. *S:* fuzas. La palabra
fiuza tiene varias formas en los textos medievales: «fuzia»
LBA, 818*a*; «feuza» «fiuza» *Ali*, 308*a*, 2041*b*; «fiuzia» *Fn. Gz.*,
576*c*. Adopto la forma de *P.*
15. *GA:* contescerles ýa. *M:* acontécenles.
17. *P* omite: *dixo P. P:* una muger que dixieron. El texto de *H*
comienza en las palabras: *una muger.*
18. *P:* e era más pobre que non rica. *GAM:* la cual era. *G:* mui
pobre.

---

na»; R. Ayerbe-Chaux (1975), p. 25; *vid.* pp. 25-29 y 231-238. *Vid.*
Max Müler, «On the Migration of Tales», *The Contemporary Re-
view*, XIV, 1870, pp. 572-596; D. Devoto (1972), pp. 375-378.
  [94] *fiuzas:* esperanzas.

que rica; et un día yva al mercado et levava una olla
20 de miel en la cabeça. Et yendo por el camino, començó
a cuydar que vendría aquella olla de miel et que conpraría una partida de huevos, et que de aquellos huevos
nasçerían gallinas et capones, et que de los dineros que
valdrían, que conpraría ovejas; et assí fue conprando
25 de las ganançias que fazía, fasta que se falló más rica
que ninguna de sus vezinas.

Et con aquella riqueza que ella cuydava que avía,
asmó [95] cómmo casaría sus fijos et sus fijas, et cómmo
yría aguardada [96] por la calle con yernos et con nueras
30 · et cómmo dizían por ella cómmo fuera de buena ventura en llegar a tan grant riqueza, seyendo tan pobre
commo solía seer.

Et pensando en esto, començó a reyr con grand pla-

---

20. *M* omite: *en la cabeça... começó a cuydar.*
21. *M:* e pensaba que la vendería. (Omite lo demás.) *H:* mer-
caría p. d. h.
23. *S:* nazcirían. *SGAH* omiten: *et capones. S:* et después de
aquellos dineros. *H:* et que las vendería e que de aquellos
dineros que conpraría ovejas. *G:* lo mismo que *H* omitiendo
el segundo y el tercer *que. A:* lo mismo que *G* omitiendo
también el primer *que. M:* et que las vendería e que los
dineros que valesen las gallinas e los capones que conpraría
ovejas.
25. *S:* que faría. *H:* que avía. *M:* e de las gallinas e de las ga-
nancias que fazía. *S:* que fallóse por más rica. *M:* fallava
que se falló por m. r.
27. *P:* E que c. a. r. que casaría sus fijos et fijas ricamente.
28. *GAH:* a sus fijos e fijas. *M:* como casase sus fijas et sus
fijos.
29. *P:* yríe guardaba. *AM:* yva aguardada.
30. *P:* et commo yríen por ella. *H:* e. c. dirían p. e. *G:* a tan
gran ventura e riqueza.
31. *P:* a tanta riqueza.
33. *P:* Et p. e. esto con grand plazer començóse a rreyr de tanta
buena andança. *GA:* a reir con plazer.

---

[95] *asmó:* pensó; *PMC* 524; *Apol.* 310*d*, 450*a*, 482*a*, etc.; *LBA*
196*c*, 809*a*.
[96] *aguardada:* El verbo «guardar» en el *LBA*, 577*c*, tiene el significado de «respetar». Creo que aquí significa «escoltar» como
en el *PMC*, 1449, 1547, 2930, 3122.

zer que avía de la su buena andança, et en riendo, dio con
35 la mano en su fruente, et entonçe cayól la olla de la miel
en tierra, et quebróse. Quando vio la olla quebrada, co-
menço a fazer muy grant duelo, teniendo que avía perdido todo lo que cuydava que avría si la olla non se
quebrara. Et porque puso todo su pensamiento por
40 fiuza vana, non se fizo al cabo nada de lo que ella
cuydava.

Et vos, sennor conde, si queredes que lo que vos
dixieren et lo que vos cuydáredes sea todo cosa çierta,
creed et cuydat sienpre tales cosas que sean guisadas [97]
45 et non fiuzas dubdosas et vanas. Et si las quisierdes
provar, guardatvos que non aventuredes, nin pongades
de lo vuestro cosa de que vos sintades, por fiuza de la
pro de lo que non sodes çierto.

---

34. *M:* su buena andança que avía avido. *P:* et seyendo assí
d. c. l. m. en la frente. *M:* et riéndose tanto, dio la mano en
su cabeça e en su frente.
35. *GAH:* en la su cabeça e en su frente. *P:* et cayó la olla en
tierra et derramóse la miel. *H* omite: *en tierra.*
36. *P:* Et desque vio la o. q. fizo sobre ella gran duelo. *H* omite:
quando vio la olla. A: e q. fue la olla de la miel. *M:* et q. la
olla vio quebrada.
37. *S:* toviendo que. *P:* t. q. non perdiera lo que avía pensado.
38. *H:* lo que avía cuidado. *M:* que avría o que oviera si ella
non la quebrara.
40. *P* omite: *al cabo. H:* et non se fazía nada de lo que ella
cuidara. *M:* e al cabo non se fiziera dello l. q. e. c.
41. *A:* cuidara. *P:* pensava.
42. *P:* conde sennor. *GA:* s. c. Lucanor. *H:* si quisierdes.
43. *GA:* dixeron e que vos cuydaredes. *H:* que sea todo çierto.
M: que sea asý.
44. *S:* todas cosas tales q. s. aguisadas. *H:* sean guisadas por
çiertas. En el *LBA* «aguisado» es sustantivo (236*b*, 403*c*, 702*a*)
en tanto que «guisado» es adjetivo (88*b*, 738*c*, 988*f*). *M:* tra-
bajad por cuydar e creer syenpre las cosas que sean guisadas e razonables e non fiuzas vanas. Et aun sy queredes
cuydad syenpre tales cosas que sean buenas.
45. *M* omite: *et si l. q. provar.*
46. *P* omite: *guardatvos. P:* nin pongades nada.
47. *P:* nin cosa que vos sintades, por fazer della pro, que non

---

[97] *guisadas:* preparadas, bien pensadas. *Vid.* nota 19.

Al conde plogo mucho de lo que Patronio le dixo,
50   et fízolo assí et fallóse ende bien.

Et porque don Johan se pagó deste exemplo, fízolo
poner en este libro et fizo estos versos que dizen assí:

A las cosas çiertas vos *a*comendat
Et las fiuzas vanas dexat.

EXEMPLO VIII

De lo que contesçió a un omne que era mal doliente [98]

Otra vez fablava el conde Lucanor con Patronio, su
consejero, et díxole assí:

—Patronio, sabet que commo quier que Dios me fizo
mucha merçed en muchas cosas, que estó agora mucho

---

sodes çierto della. *M:* cosa de lo que vos syntades por fyuza
de la cosa que non sodes cierto. Aunque *P* es más claro no
se puede cambiar *SGAH.*
49.   *SH* omiten: *mucho.*
51.   *H* omite: *Et porque... deste exemplo. H:* fízolo escrevir e. e. l.
53.   *PGM:* encomendat. *S:* comendat. *A:* acomodad. *H:* Quien da
de lo suyo do le non conviene.
54.   *G:* fiuzias unas. *A:* fiuzias y vanas. *M:* et de las fyuzas vanas
vos dexad. *H:* Aya paçiençia por el dapno que le viene.
S: a un omne que avían de alinpiar el fígado. *P:* a un omne
que le lavavan el fígado et pidíale otro omne dél para su
gato. *H:* acaesçió.
1.   *P* omite: *otra vez. A:* Otra vegada.
3.   *P:* Patronio, commo quier que Dios me fizo tanta merçed
en muchas cosas, sabed que estó agora muy afincado de
mengua de dineros.

---

[98] D. Devoto (1972), p. 378, demostró la escasísima relación que
existe entre este *exemplo* y el de los dos médicos del *Gesta romanorum,* cap. 76. Que yo sepa, no existe ni fuente conocida ni
relato paralelo al de don Juan Manuel. Espero que, al incluir en
esta edición el sabio juicio de Devoto, no se siga perpetuando el
error de Knust, que se ha trasmitido hasta ahora de edición en
edición.

5   afincado de mengua de dineros [99]. Et commo quiera que
me es tan grave de lo fazer commo la muerte, tengo
que avré a vender una de las heredades que tengo, de
que he más duelo, o fazer otra cosa que me será grand
danno commo esto. Et aún [100], lo he de fazer por salir
10   agora desta lazeria et desta cuyta en que estó. Et faziendo yo esto, que es tan grant mi danno, vienen a
mí muchos omnes, que sé que lo pueden muy bien
escusar, et demándanme que les dé estos dineros que
me cuestan tan caros. Et por el buen entendimiento
15   que Dios en vos puso, ruégovos que me digades lo que
vos paresçe que devo fazer en esto.

—Sennor conde Lucanor —dixo Patronio—, paresçe
a mí que vos contesçe con estos omnes commo contesçió
a un omne que era mal doliente.

---

6.   *P* omite: *de lo fazer. M:* tan grave cosa de fazer.
7.   *SGA:* una de las heredades del mundo. *H:* una de las heredades que he en este mundo. *H* muestra el deseo de clarificar un añadido oscuro de la línea textual de *SG.*
8.   *P:* et é más duelo de fazer otra cosa que me será tan grand
danno commo ésta. *GA:* sería tan grand d. *H:* sería más
dapnno que esto. *M:* sea tan grant danno para mí como este.
9.   *S:* aún lo he por salir. *P:* et aún lo que he de fazer por salir.
GA: E averlo é agora a fazer. *M:* Et averlo é de fazer agora.
H omite: *Et a. l. h. d. fazer.* Para restaurar el texto, he usado
las piezas deshilvanadas de *SP.* La lectura de *GA,* que han
seguido hasta ahora los editores, es un arreglo tardío. El
copista de *H* no tuvo escrúpulos en omitir la frase.
11.   *P:* que es gran mi danno. *M:* Et é de fazer esto que es tanto
grave mi danno por cunplir con algunos omnes que vienen
a mí que lo pueden b*ien* escusar. *S:* mio d.
12.   *H:* muchos que sé muy bien que lo pueden escusar.
13.   *M:* dineros los quales m. c.
15.   *P:* digades que es lo que devo.
16.   *H:* paresçe en este fecho.
17.   *PH* omiten: *Lucanor. GAHM:* parésçeme a mí.
18.   *P* omite: *a mí.*
19.   *S:* muy mal doliente. *M:* muy doliente. *P:* doliente del fígado.

---

[99] *estó agora mucho afincado de mengua de dineros:* estoy ahora
muy apremiado por falta de dinero.
[100] *aún:* además; *LBA, 7a.*

20   Et el conde le rogó quel dixiesse cómmo fuera aquello.

—Sennor conde —dixo Patronio—, un omne era muy mal doliente, assí quel dixieron los físicos que en ninguna guisa non podía guaresçer [101] si non le fiziessen
25 una avertura por el costado, et quel sacassen el fígado et que lo lavassen con unas melezinas que avía menester, et quel alinpiassen de aquellas cosas por que el fígado estava maltrecho. Et estando sufriendo este dolor et teniendo el físico el fígado en la mano, otro omne
30 que estava ý çerca dél, començó de rogarle quel diesse de aquel fígado para un su gato.

Et vos, sennor conde Lucanor, si queredes fazer muy grand vuestro danno por aver dineros et darlos do se deven escusar, dígovos que lo podedes fazer por vuestra
35 voluntad, mas nunca lo faredes por el mi consejo.

---

22. *P:* estava muy doliente. *GA:* era muy doliente. *H* omite: *muy.*
24. *M:* podría guarescer.
25. *PHM:* en el costado. *SA:* el fígado por él. *H:* el f. por ella. *G:* el f. por el costado. Aunque siempre es posible que el escriba de *P* simplemente omitiera una lectura difícil, las variantes de los otros mss. revelan, en mi opinión, las adiciones de los copistas.
26. *S:* mester.
27. *P:* aquellas cosas por las quales el fígado estava mal. *H:* para lavarse de aquellas cosas.
28. *H:* Et estando él en este dolor.
29. *M* omite: *el físico.*
30. *P:* començó a rogarle. «Començar de» es preferible. *Vid. LBA,* 1352*d,* 134*c,* 772*a,* 1467*a. M:* que estava cabe él.
31. *P:* aquel fígado para su gato. *H:* para un gato. *M:* para un su gato que tenía en su casa.
32. *PHM* omiten: *Lucanor. GA:* Y vos, conde Lucanor. *P:* fazer grand danno vuestro.
33. *G:* gran danno vuestro. *H:* vuestro grant dapnno. *P:* et darse do se devían dar [*sic*].
34. *H:* pueden escusar. *M:* non deven e se pueden escusar. *S:* podiedes. *P:* fazer vuestra voluntad, mas nunca por mi consejo. *H:* d. q. lo non devedes fazer nin faredes por mi consejo. *M:* d. q. lo fagades por vuestra voluntad, mas non por el mi consejo.

---

[101] *guaresçer:* sanar; *Estados,* 201,33; *LBA,* 1682*c.*

Al conde plogo mucho de aquello que Patronio le dixo, et guardóse ende dallí adelante, et fallóse ende bien.

40   Et porque entendió don Johan que este exemplo era bueno, mandólo escrevir en este libro et fizo estos versos que dizen assí:

Si non sabedes qué devedes dar,
a grand danno se vos podría tornar.

Exemplo IX

De lo que contesçió en Túnez a dos cavalleros que bivían con el infante don Enrique [102]

Un día fablava el conde Lucanor con Patronio, su consejero, en esta guisa:

---

36. *S* omite: *mucho* y *le. P:* plogo mucho deste consejo.
37. *H:* dixo, et fízolo asý et fallóse ende bien. *M:* e guardóse dende allý delante.
42. *P:* que avedes dar. *M:* lo que avedes a dar. *H:* de que vos devedes guardar.
43. *P:* podrá. *H:* podría guardar. *M:* A muy grant d. s. v. puede tornar.
     S: D. l. q. c. a los dos cavallos con el león. *P:* D. l. q. c. a dos cavalleros [*sic*] bravos que bivían con dos sennores que se querían bien. *H:* D. l. q. acaesçió e. T. a d. c. que se querían bien et sus cavallos queríanse mal.
1. *P* omite: *Un día. A:* Fablava un día. *H:* Otra vez fablava.

---

[102] Adolphe de Puybusque (*Le Comte Lucanor. Apologues et fabliaux du XIVe siècle*, Paris, 1854, p. 213) fue quien llamó la atención sobre el pasaje de la crónica de Alfonso X relativo a la estancia del infante don Enrique en Túnez (*Crónicas de los Reyes de Castilla*, ed. Cayetano Rosell y López, Madrid, 1875 [BAE vol. LXVI], p. 7). Hay que notar que los relatos paralelos de Bromyard (Pars 3, art. 9-29) y de *Gesta romanorum* (núm. 133), señalados por Knust (p. 321), son posteriores al *Patronio* y, por lo tanto, indican solamente la existencia del motivo del cuento. Es imposible averiguar si existía una versión en que, en vez de perros, se tratara de caballos. Todo parece indicar que don Juan Manuel,

—Patronio, grand tienpo ha que yo he un enemigo
de que me vino mucho mal, et esso mismo ha él de
5 mí, en guisa que, por las obras et por las voluntades,
estamos muy mal en uno [103]. Et agora acaesçió assí:
que otro omne muy más poderoso que nós entramos,
va començando algunas cosas de que cada uno de nós
rreçela quel puede venir muy grand danno. Et agora
10 aquel mi enemigo envióme dezir que nos aviniéssemos
en uno [104], para nos defender de aquel otro que quiere
ser contra nós; ca si amos fuéremos ayuntados, es
çierto que nos podremos defender; et si el uno de nós
se desviare del otro, es çierto que qualquier de nós que

3. *H:* g. t. ha que yo tengo u. e.
4. *P:* de que me viene. *H:* muy grand mal. Omite: *ha* y *por
las obras.*
6. *P:* estamos mal en uno. Omite: *assí. H:* Et a. a. otrosí.
M: E mucho más agora desque acaesçió lo que vistes. Et
agora otro omne muy más poderoso que nós.
7. *G:* que nosotros entramos. *A:* que non entrambos. *H:* muy
más poderoso que nos éramos.
8. *P:* se rreçela quel verná gran danno. *H:* cada uno se rreçela que non verná m. grannd danno. *M* omite: *muy.* En
el texto no he seguido la forma reflexiva «reçelarse» que
no se usa, por ej. en el *LBA, 984d,* como eufemismo por
«tener miedo».
10. *S:* mio enemigo. *G:* nos aiuntássemos. *H:* envíame dezir
que nos avisemos en uno.
11. *M:* de aquel o de otro qualquier que sea contra nos.
12. *P:* ca quando amos.
13. *H:* çierto es que nos podríamos defender. *P:* el uno de
nosotros.
14. *SGA:* se desvaría del otro. *H:* el uno del otro nos desviáre-
mos. *M* omite: *que el uno... nos rresçelamos.* El verbo *des-
viar:* apartarse, se encuentra en *Ali,* 1705*d; LBA,* 1665*j* y 169*b.*
En cambio, *desvariar* sólo aparece en el ms. *G* del *LBA,*
360*a* con el significado de «cambiar». *H:* çierto es.

con un sentido muy sutil del humor, tomó el motivo del *exemplo*
y transformó en ficción el lance histórico de su tío. *Vid.* R. Ayerbe-Chaux (1975), pp. 72-76 y 238; D. Devoto (1972), p. 379.
[103] *muy mal en uno:* muy enemistados.
[104] *que nos aviniéssemos en uno:* que nos pusiésemos de acuerdo; *PMC.* 3166; *Apol.* 207*b; LBA.* 1480*b; Estados* 170,23.

15   quiera destroyr aquel de quien nos rresçelamos, que lo puede fazer ligeramente. Et desque el uno de nós fuere destroýdo, qualquier de nós que fincare, será muy ligero de destroyr. Et yo agora estó en muy grand dubda de este fecho: ca de una parte me temo mucho que aquel

20   mi enemigo me querría engannar, et si él una vez en su poder me toviesse, non sería yo bien seguro de la vida; et si grant amor pusiéremos en uno, non se puede escusar de fiar yo en él, et él en mí. Et esto me faze estar en grand rreçelo. De la otra parte, entiendo que

25   si non fuéremos amigos assí commo me lo enbía rrogar, que nos puede venir grand danno por la manera que vos ya dixe. Et por la grant fiança que yo en vos he et en el vuestro buen entendimiento, rruégovos que me conseiedes lo que faga en este fecho.

30   —Sennor conde Lucanor —dixo Patronio—, este fecho es muy grande et muy peligroso, et para que mejor entendades lo que vos cunple de fazer, plazerme ýa que

---

15. *H:* quisiere destruyrá aquel de que n. r. *S:* estroyr. Aunque ambas formas: *estroyr* y *destruir* aparecen en *Estados,* 50,18 y 138,13, respectivamente, sigo *destroyr* con la mayoría de los mss. *M:* nos rreçelamos que puede rreçebir grant danno lijeramente. *H:* que lo podría fazer de ligeramente.

17. *S:* sería muy ligero.

18. *P:* Et agora estó. *M:* Et agora yo estó.

19. *P* omite: *ca de una p. m. t. mucho.*

20. *H:* enemigo quería. *M:* mi enemigo que me quiere.

21. *P:* me tuviere.

22. *P:* pusiéssemos. *GA:* gran amor e amistad pusiésemos.

23. *M:* fiar él en mí e yo en él.

25. *PH:* enbía a rrogar. *M:* él me envió rrogar.

26. *P* omite: *nos. S:* venir muy grand danno. *H:* que me puede venir grand danno. *P:* que yo vos dixe. *GA:* que vos ya he dicho. *HM:* que vos dixe.

27. *A:* confianza. *M:* fyuza. *SG:* que yo he en vos.

29. *P:* aconsejedes lo que entendedes en este fecho. *GA:* c. que faga en este fecho.

30. *H* omite desde *Sennor conde Lucanor* hasta *cómmo fuera aquello* (línea 35).

31. *P* omite: *muy PM:* et por que.

32. *P:* entendades que es lo mejor q. *S:* vos cunplía de fazer. *GA:* vos cunpla. *M:* de fazer en ello.

sopiéssedes lo que contesçió en Túnez a dos cavalleros
que bivían con el infante don Enrique.

35   Et el conde le preguntó cómmo fuera aquello.

—Sennor conde —dixo Patronio—, dos cavalleros que
bivían con el infante don Enrique en Túnez eran entramos muy amigos et posavan sienpre en una posada. Et
estos dos cavalleros non avían más de sendos cavallos,
40   et assí commo los cavalleros se querían muy grant bien,
assí los cavallos se querían muy grand mal. Et los cavalleros non eran tan rricos que pudiessen mantener dos posadas, et por la malquerençia de los cavallos non podían
posar en una posada, et por esto avían a bevir vida
45   muy enojosa. Et de que esto les duró un tienpo et
vieron que non lo podían más sofrir, contaron su fazienda [105] a don Enrique et pidiéronle por merçed que echasse
aquellos cavallos a un león que el rrey de Túnez tenía.

Don Enrique les gradesçió mucho lo que dezían et

---

34. *P:* que bivían en casa del ynfante don Enrrique con sus
cavallos. *M:* que yvan c. e. ynfante d. E. en Túnez.
35. *M* omite esta línea.
36. *H:* que venían. *GA:* S. c. Lucanor. *M* omite: *Sennor... en
Túnez.*
37. *P* omite: *infante. S* omite: *en Túnez.*
38. *H* omite: *muy. M:* Et estos eran entre amos mucho amigos.
39. *S:* non tenían más.
40. *H* omite: *et assí c. l. cavalleros. PM* omiten: *muy. GA:* et
a. c. se querían los cavalleros.
41. *PH:* se querían muy mal.
42. *P:* non eran rricos para que. *A:* non eran ricos que.
44. *M:* avían de bivir vida muy enojada.
45. *PH* omiten: *muy. P:* un grand tienpo. *GAHM* omiten: *de
que;* pero reaparece en *A:* un tienpo e desque.
46. *M:* et viendo que esto ya non podían. *P:* podían más sostener.
47. *GAM:* que mandase echar.
48. *P:* aquellos dos cavallos a u. l. que estava en Túnez que
lo tenía el rrey allý.
49. *P:* agradesçióles. *GA:* les agradeció. *S:* l. g. lo que dezían
muy mucho.

---

[105] *fazienda:* asunto, situación; *Apol.* 643c; *LBA.* 716c. *Vid.* nota 51.

50   fabló con el rrey de Túnez. Et fueron los cavallos muy
      bien pechados [106] a los cavalleros, et metiéronlos en el
      corral do estava el león. Quando los cavallos se vieron
      en el corral, ante que el león saliesse de la casa do
      yazía ençerrado, començáronse a matar lo más brava-
55   mente del mundo. Et estando ellos en su pelea, abrieron
      la puerta de la casa en que estava el león, et desque
      salió al corral, et los cavallos lo vieron, começaron a
      tremer [107] muy fieramente, et poco a poco fuéronse lle-
      gando el uno al otro. Et desque fueron entramos ayun-
60   tados en uno, estovieron assí una pieça, et endereçaron
      entramos al león et paráronlo [108] tal a muessos [109] et a

50. P omite: de Túnez. P: con el rrey. Et f. l. c. muy muy [sic]
    bien pagados a l. c.
51. S: en un corral. GA: en el c. donde. M: en el c. a do.
52. P: E los cavallos non vieron al león do estava ençerrado.
53. M: casa donde estava ençerrado.
54. S: lo más buenamente. A pesar de que en el cap. XXIII
    del Libro del cavallero et del escudero hay una expresión
    semejante: «Entonces se despidieron llorando mucho con
    placer» (D. Devoto [1972], p. 380), esta lectura de S es única
    y por ello sigo la de todos los otros mss.
55. S: pellea. P: abrieron al león de do estava ençerrado. M:
    abrieron la puerta a do estava el león.
56. GA: la p. d. l. c. do estava el león. H: et salió al corral et
    commo los cavallos le vieron.
57. P: començaron a gemir.
58. H: fuertemente. M: tan fuertemente que era maravilla.
59. P: fueron entramos a dos ayuntados en uno. GA: fueron
    ayuntados en uno entrambos. HM: fueron ayuntados en uno.
    S: juntados. «juntar» se usaba también en el siglo XIV (LBA,
    54c, 1691c, 1696a), pero sigo la forma de todos los otros
    manuscritos.
61. PM: entramos a dos al león. H: entramos contra el león.

[106] pechados: pagados; PMC. 3235; Mil. 273d; Ali. 1655d; LBA.
256b.
[107] tremer: temblar; Apol. 234d; Ali. 786c; LBA. 785a; Estados
143,12.
[108] paráronlo: dejáronlo. «Parar» tiene este significado en
PMC. 936.
[109] muessos: mordiscos; Mil. 622d. Significa «bocado» en PMC.
1032, y Ali. 1371d.

coçes que por fuerça se ovo aençerrar en la casa donde
saliera. Et fincaron los cavallos sanos, que les non fizo
ningún mal el león. Et después fueron aquellos cavallos
65 tan bien avenidos en uno que comíen muy de grado en
un pesebre, et estavan en uno en casa muy pequenna.
Et esta avenençia ovieron entre sí por el grant rreçelo
que tomaron del león.

Et vos, sennor conde Lucanor, si entendedes que
70 aquel vuestro enemigo á tan grand rreçelo de aquel otro
que se rreçela, et á tan grand menester a vos por que
forçadamente aya de olvidar quanto mal passó entre
vos et él, et entiende que sin vos non se puede bien
defender, tengo que assí commo los cavallos se fueron
75 poco a poco ayuntando en uno fasta que perdieron el
rreçelo, et fueron bien seguros el uno del otro, que assí
devedes vos, poco a poco, tomar por fuerça afazimien-

P: et pegávanle tales mueses. *H:* et paráronle mal a muesos
et a bocados et a coçes q. p. f. se ovo el león.

62. *M:* se ovo a entrar. *GA:* donde salió.

64. *P:* fueron los c. t. b. abenidos que en uno comíen.

65. *A* omite: *muy de grado.*

66. *PM:* e estavan en una casa.

67. *GAHM:* E esta avencia tomaron. *S:* rreçelo que ovieron
del león.

69. *P:* Et vos, conde sennor. *H* omite: *Lucanor. M:* creed que
a. v. enemigo.

70. *P:* aquel vuestro contendor. *M:* enemigo que a tan g. r. á
de aquel contra quien se rreçela.

71. *S:* mester. *M:* menester vos ha que forçadamente avrá de
olvidar.

73. *P:* entiende que si vos et él non se puede. *H:* et entiendo.
M: entendiendo. *GAMH* omiten: *bien.*

74. *PH:* los cavallos poco a poco se fueron. *M:* poco a poco
allegando.

76. *M:* el rreçelo el uno del otro. *H:* fueron a tan seguros.

77. *S:* tomar fiança et afazimiento. *G:* tomar fiança e afiuzia-
miento. *A:* t. fiança e fiuziamente. *H:* t. fiança e fazimiento.
A pesar de que *tomar fiança* está en *SGAH* sigo el texto
de *P* que me parece más lógico. *M:* Así devedes vos fazer
llegarvos poco a poco teniendo poca fyuza en 'l vuestro
enemigo. *P:* fazimiento.

to [110] con el vuestro enemigo. Et si falláredes en él siempre buena obra et leal, en tal manera que seades bien
80 çierto que en ningún tiempo, por bien quel vaya, que
nunca vos verná dél danno, estonçe faredes bien et será
vuestra pro de vos ayudar por que otro omne estranno
non vos conquiera nin vos estruya [111]. Ca mucho deven
los omnes fazer et sofrir a sus parientes et a sus vezinos
85 por que non sean maltraýdos [112] de los otros estrannos.
Pero si vierdes que aquel vuestro enemigo es tal o de
tal manera, que desque lo oviéssedes ayudado en guisa
que saliesse por vos de aquel peligro, que después que
lo suyo fuesse en salvo, que sería contra vos et non
90 podríades dél ser seguro; si él tal fuere, faredes mal
seso en le ayudar; ante tengo quel devedes estrannar [113]
quanto pudierdes, ca pues viestes que, seyendo él en
tan grand quexa, non quiso olvidar el mal talante [114]
que vos avía, et entendistes que vos lo tenía guardado
95 para quando viesse su tienpo que vos lo podría fazer,

---

79. *GA:* buena obra y leal por siempre. *M:* en tal manera que
estedes bien çierto.
80. *GA:* tiempo que por bien que le venga, nunca vos. *H:* por
bien que le venga.
83. *H:* conquiera et vos estruya. *M:* conqueste nin vos destruya.
86. *M:* que aquel vuestro amigo.
87. *GA:* que desque lo oviéredes.
88. *H:* que saliere por vos.
89. *H:* lo suyo fenesçe [*sic*] en salvo. *M:* e que non podedes.
90. *S:* podades. *SGA:* faríades mal seso.
91. *P:* quel devedes estorvar. *H:* que le devedes destruyr.
93. *P:* tan grand fecho et quexa. *A:* tan gran quexa, e siendo
de vos socorrido no quiso olvidar.
94. *H:* vos lo teníades guardado.
95. *HM:* para quando viniese su tienpo. *M:* que lo pudiese fazer.

---

[110] *afazimiento:* familiaridad, intimidad; *Estados* 37,17 y 160,28.
[111] *vos conquiera nin vos estruya:* os conquiste ni os destruya.
[112] *maltraýdos:* maltratados; *FnGz.* 421a.
[113] *estrannar:* rehuir, esquivar; *Estados* 139,16. Pero en *LBA.*
372b y *Estados* 161,13 tiene el significado de «reprochar».
[114] *mal talante:* mala voluntad; *LBA.* 664c, 838b, 842c. Otras
veces tiene *talente: LBA.* 189c, 268b, 1178a.

bien entendedes vos que non vos dexa logar para fazer
ninguna cosa por que salga por vos de aquel grand peligro en que está.

Al conde plogo desto que Patronio le dixo, et tovo
100   quel dava muy buen consejo.

Et porque entendió don Johan que este exemplo era
bueno, mandólo escrevir en este libro et fizo estos versos
que dizen assí:

Guardatvos de seer conquerido del estranno.
105   seyendo dél vuestro bien guardado de danno

Exemplo X
De lo que contesçió a dos omnes que fueron muy ricos [115]

Otro día fablava el conde Lucanor con Patronio en
esta manera:

—Patronio, bien conosco a Dios que me á fecho
muchas merçedes, más quel yo podría servir, et en todas

---

96. *G:* bien entendíades. *A:* bien entendredes. *M:* bien devedes
entender. *P:* que non vos dexó. *M:* dexa agora de fazer.

97. *M:* n. cosa salvo quel salga una vez de aquel p. e. q. e.
P: por que salga de vos. *H:* de aquel mal peligro.

99. *SGA:* que Patronio dixo. *G:* muy gran consejo. *M* omite:
muy. PAM: era muy bueno.

102. *S:* libro et dizen [*sic*] estos viessos que dizen assí.

105. *A:* siendo del vuestro guarido de todo daño. *G:* siendo.
S: c. a un omne que por pobreza et mengua de otra vianda
comía atramuzes. *P:* c. al omne que comía los atramuzes e
a otros que comían las cortezas que él echaba en pos de sý.
H: De los dos omnes rricos que vinieron a gran pobreza
et comía el uno atarmuçes et el otro las cáscaras.

1. *P:* Otra vez fablava. *A:* El conde L. fabló otrọ día. *PHM:*
con P. su consejero.

3. *M:* b. c. que me ha hecho Dios mucha merçed.

4. *P:* más que yo le p. s. *H:* más que le podría yo servir en
todas las cosas otras. *M:* en todas las cosas.

---

[115] La fuente de este cuento de don Juan Manuel fue identificada
por F. de la Granja, «Origen árabe de un famoso cuento espa-
ñol», *Al-Andalus*, XXIV, 1959, pp. 319-332. El texto está en la página 326 y lo reproduce D. Devoto (1972), p. 381.

5   las ótras cosas entiendo que está la mi fazienda assaz
con bien et con onrra. Pero algunas vegadas me contesçe de estar tan afincado de pobreza que me paresçe
que quería tanto la muerte commo la vida. Et rruégovos que algún conorte [116] me dedes para esto.

10   —Sennor conde —dixo Patronio—, para que vos co-
nortedes quando tal cosa vos acaesçiere, sería muy bien
que sopiéssedes lo que acaesçió a dos omnes que fueron
muy rricos.

   El conde le rrogó quel dixiesse cómmo fuera aquello.

15   —Sennor conde Lucanor —dixo Patronio—, destos
dos omnes, el uno dellos llegó a tan grand pobreza quel
non fincó en el mundo cosa que pudiesse comer. Et
desque fizo mucho por buscar alguna cosa que comiesse
non pudo aver cosa si non una escudiella de atramuzes.

---

5. *P:* la mi fazienda en bien e con onrra. *H:* está bien mi fazienda a mi onrra.
7. *H:* estar afincado de pobreza, espeçialmente de manera que quería.
8. *GAM:* q. querría t. l. m. No creo justo corregir el imperf. que se halla en los dos mss. de mayor autoridad *SP* y en un tercero: *H.*
9. *PHM:* que me dedes algún conorte.
10. *SGM:* s. c. Lucanor. *H:* p. q. v. entendades et vos conorte- des. *M:* p. que vos vos [*sic*] consolásedes.
11. *M:* vos acaesçiese.
12. *GAM:* lo que acontesció. *H:* a dos omnes muy rricos que fueron.
14. *M:* le preguntó.
15. *AH* omiten: *Lucanor. H* omite: *destos.*
16. *P:* a tanta pobreza q. n. f. e. e. mundo cosa que comiesse.
17. *P* omite: *Et desque fizo... que comiesse.*
18. *H:* por buscar que comiese.
19. *SG:* aver cosa del mundo. *M:* aver ninguna cosa en el mundo. «Del mundo» es muy probablemente del copista, pues falta en *PAH* y cambia en *M.* Conservo la forma «escudiella» de *S* ya que formas similares (castiello, Catiella) aparecen en *Es-*

---

[116] *conorte:* consuelo. Se encuentra en numerosos textos: *Apol.* 200*c*; *FnGz.* 106*d*; *LBA.* 592*d*, 605*d*, 678*d*, 800*c*, 815*a*, 1544*b*. En nin- guno de estos textos se puede determinar su género. En *Apol.* 458*d*, está el sust. *conuerto,* masculino. Los manuscritos del *Patronio* no dudan en este caso, como ocurrirá más adelante.

20 Et acordándose de quán rrico solíe ser et que agora
con fanbre et con mengua avíe de comer los atramuzes
que son tan amargos et de tan mal sabor, començó a
llorar muy fieramente; pero con la grand fanbre començó a comer de los atramuzes, et en comiéndolos estava
25 llorando et echava las cortezas de los atramuzes en
pos sí. Et él estando en este pesar et en esta coyta,
sintió que estava otro omne en pos dél et bolbió la
cabeça et vio un omne cabo dél, que estava comiendo
las cortezas de los atramuzes que él echava en pos de
30 sí, et era aquel de que vos fablé de suso [117].
     Et quando aquello vio el que comíe los atramuzes,

---

tados 93,20 y en la colección diplomática de Giménez Soler.
También he regularizado la forma *atramuzes* con *PM. S:* atra-
mizes. *GA:* altramuces. *H:* atarmuçes.
20. *S:* de quando rrico era et solía ser que agora.
21. *H:* con mengua comía de aquellos atarmuçes. *M:* con po-
     breza e con m. comía los a.
22. *H* omite: *et de tan mal sabor. A:* y tan de mal sabor.
23. *P:* muy fuertemente. *H:* tan fuertemente. *SH:* començó de
     comer.
24. *H:* comer dellos. *M* omite: *de los atramuzes. PH* omiten:
     estava llorando.
25. *P:* las cortezas trassí. *H:* las cáscaras dellos detrás de sí.
     E. e. e. en esta cosa et en esta manera.
26. *M:* E. e. e. en esta cuyta pensando. *P:* cueyta. *G:* cuita.
     AM: cuyta. Significa: desventura, pobreza y presenta di-
     versas grafías. *Cueta* en *PMC.* 1178 y 1189; *cuyta* en más
     de 35 casos en el *Apol.* En el *LBA* la forma *cuyta* sólo apa-
     rece en 593*d* y 691*c* del ms. *G* en tanto que *S* en 24 casos
     lee *coyta. Estados* tiene: *coita* (18,6) y *cuita* (44,20) y *Armas:*
     coita (683,31). Para el texto regularizado adoptando *coyta.*
28. *P* omite: *un omne cabo dél. GA:* cabe sí. *M:* e vio que aquel
     omne que estava tras él comía.
29. *H:* las cortezas que él desechava.
30. *M:* e era aquel ome el de que vos fablara de suso.
31. *GA:* e quando él vio aquel que comía las cortezas de los al-
     tramuzes. *H* lo mismo que *GA* y agrega: *atarmuçes quél*
     desechava. M lo mismo que *GA* y omite: *altramuzes.*

---

     [117] *de suso:* arriba, anteriormente; *LBA.* Pról. línea 5 ed. de
J. Joset, 363*d*, 472*a*.

preguntó a aquel que comíe las cortezas que por qué
fazíe aquello. Et él dixo que sopiesse que fuera muy
más rrico que él, et que agora que avíe llegado a tan grand
35 pobreza et a tan grand fanbre quel plazíe mucho quando
fallava aquellas cortezas quel dexava. Et quando esto
vio el que comíe los atramuzes, conortóse, pues entendió
que otro avía más pobre quél, et que avía menos rrazón
por que lo devíe seer. Et con este conorte, esfórcóse et
40 ayudól Dios et cató manera en cómmo saliesse de aquella pobreza, et salió della et fue muy bien andante.

Et vos, sennor conde Lucanor, devedes saber quel
mundo es tal, et aún [118] que nuestro sennor Dios lo tiene
por bien, que ningún omne non aya conplidamente
45 todas las cosas. Mas, pues en todo lo ál vos faze Dios
merçed et estades con bien et con onrra, si alguna vez
vos menguare dineros o estuviéredes en algún afincamiento [119], non desmayedes por ello, et creed por çierto
que otros más onrrados et más rricos que vos, están

32. *GAM:* dixo que por qué fazía aquello.
33. *H:* Et el omne dixo, que por que sopiese que avía seydo
muy más rrico que non él. *M:* que supiese que avía seydo
más rrico que él.
34. *S:* avía llegado a tan gran et en tan grand fanbre [*sic*]. *M:*
que era llegado a t. g. p. e. a t. g. mengua e fanbre.
35. *H:* que le fazía mucho.
36. *S:* esto oyó aquel que.
37. *GA:* pues entendía. *H:* pues que entendía que avía otro más
pobre que non él. *M:* pues entendía que avía otros más pobres que él.
39. *S:* esta conorte. *Vid.* nota 116.
42. *S:* Et señor c. L. *M:* Et asý vos s. c. L. *H* omite: *Lucanor*.
43. *P:* que aún n. s. D. *GA:* e a un Dios n. s.
45. *P:* todas las cosas assaz. Omite: *Mas. M:* vos fyzo Dios.
46. *M:* merçed e que estedes con bien. *H:* si alguna vegada vos
menguáredes.
47. *M:* vos menguaren. *SPGA:* tienen *menguare* y por ello conservo esta forma singular del verbo. *S:* esturdierdes en affin-
camiento. *M:* en grant afyncamiento.
49. *P:* que otros omnes onrrados. *S:* estarán afincados.

[118] *aún:* además. *Vid.* nota 100.
[119] *afincamiento:* apremio, aflicción; *LBA.* 865*a*, 1700*b*. Giménez
Soler, p. 318.

50   tan afincados, que se terníen por pagados si pudiessen
      dar a sus gentes, et les diessen, aun muy menos de
      quanto vos les dades a las vuestras.
          Al conde plogo mucho desto que Patronio dixo, et
      conortóse et ayudóse, et ayudól Dios, et salió muy bien
55   de aquella quexa en que estava.
          Et entendiendo don Johan que este exemplo era muy
      bueno, fízolo poner en este libro et fizo estos versos que
      dizen assí:

              Por pobreza nunca desmayedes,
60   pues otros más pobres que vos veedes.

Exemplo XI

De lo que contesçió a un deán de Sanctiago con don Yllán el grand maestro que morava en Toledo [120]

          Otro día fablava el conde Lucanor con Patronio, su
      consejero, et contával su fazienda en esta guisa:

---

50. *GAH* omiten: *tan. M:* más afincados.
51. *H:* dar a sus gentes muy menos que vos dades a los vues-
    tros. *M* omite: *muy.*
53. *H* plogo mucho deste consejo que Patronio le dio.
54. *S:* et ayudóse él et ayudól Dios.
56. *PHM:* Et entendió d. J.
57. *M:* fýzolo escrevir.
59. *A:* Por la pobreza. *G:* Por probez [*sic*]. *H:* desmayaredes.
    M: non d.
60. *A:* pues que otro más pobre. *H:* Pues otro más pobre q. v.
    veedes. *M:* pues que otros más pobres.
    A: con don Illán el mágico. *S:* el grand maestro de Toledo.
    P omite: *el grand... en Toledo.*
 2. *S* omite: *su consejero. GAHM:* e contóle. *H:* toda su fazien-
    da. *M:* en esta manera.

---

[120] *Vid.* D. Devoto (1972), pp. 382-392, para la copiosa bibliografía referente a este cuento, el más famoso de la colección. D. Devoto señaló dos temas: ingratitud del discípulo e ilusión mágica,
que se entretejen en el cuento. Para los textos de los relatos paralelos de estos dos temas, lo mismo que sobre la fama de Toledo

—Patronio, un omne vino a me rogar quel ayudasse
en un fecho que avía menester mi ayuda, et prome-
5   tióme que faría por mí todas las cosas que fuessen
mi pro et mi onrra. Et yo començél a ayudar quanto
pude en aquel fecho. Et ante quel pleito fuesse acabado,
teniendo él que ya el su pleito era librado [121], acaesçió
una cosa en que cunplía que la fiziesse por mí, et rro-
10 guél que la fiziesse et él púsome escusa. Et después
acaesçió otra cosa que pudiera fazer por mí, et púsome
otrossí escusa; et esto me fizo en todo lo que yo le
rrogué que fiziesse por mí. Et aquel fecho por que él
me rrogó, non es aún librado, nin se librará si yo non
15 quisiere. Et por la fiuza que yo é en vos et en el vuestro

---

3.   *P:* vino a mí a me r. *GA:* me vino a rogar. *H:* vino a rogarme. *M:* vino a mí a rogarme.
4.   *S:* que avía mester. *M:* que avía mucho menester. *H:* et
prometió.
5.   *M:* cosas en que fuesse mi provecho e mi onrra.
6.   *S:* quanto puedo.
7.   *GA* omiten: *en aquel fecho. M:* en aquel fecho quanto pude.
H: Et aunque el fecho f. a.
8.   *GA:* entendió él que ya. *H:* teniendo ya que el su p. *P:* teniendo él ya quel su p. *P:* acaesçióme a mí.
9.   *H:* que él fiziesse por mí. *HM* omiten: *et rroguél que la
fiziesse. GA:* la fiziesse por mí.
10. *P:* et púsome. *M:* escusa commo a la otra.
11. *SG:* púsome escusa commo a la otra.
12. *A:* escusa c. la otra vez. *H:* et él eso mesmo me p. otra
escusa. *M* omite: *Et después... escusa.* Las variantes indican las elaboraciones que ha sufrido el texto; sigo el de *P*
que me parece menos contaminado. *S:* lo quel rogué quél f.
GA: lo que le yo rogué. Conservo el *yo* de *P,* que aparece
en *GA;* el último *él* de *S* falta en todos los mss.
15. *H* omite: *et por la fiuza... faga en esto.*

---

como centro de la magia y nigromancia en la Edad Media, *vid.*
R. Ayerbe-Chaux (1975), pp. 239-246. Un excelente análisis de este
cuento ha sido hecho por Pedro L. Barcia, *Análisis de «El conde
Lucanor»,* Buenos Aires, Centro editor de América Latina, 1968,
pp. 50-57. *Vid.* Francisco Rico, ed. *Historia y crítica de la literatura
española,* vol. I, Alan Deyermond, *Edad Media,* Barcelona, Editorial Crítica, 1980, pp. 202-206.

[121] *librado:* resuelto; *LBA 346d.*

entendimiento, rruégovos que me consejedes lo que faga
en esto.

—Sennor conde —dixo Patronio—, para que vos fagades en esto lo que vos devedes, mucho querría que
20 sopiéssedes lo que contesçió a un deán de Sanctiago con
don Yllán el grand maestro que morava en Toledo.

Et el conde le preguntó cómmo fuera aquello.

—Sennor conde —dixo Patronio—, en Sanctiago avía
un deán que avía muy grant talante de saber el arte de
25 la nigromançia, et oyó dezir que don Yllán de Toledo
sabía ende más que ninguno que fuesse en aquella
sazón [122]. Et por ende vínose para Toledo para aprender
de aquella sçiençia. Et el día que llegó a Toledo, enderesçó luego a casa de don Yllán et fallólo que estava
30 leyendo en una cámara muy apartada; et luego que llegó
a él reçibiólo muy bien et díxol que non quería quel
dixiesse ninguna cosa de lo por qué venía fasta que

---

16. *P:* c. qué es lo que faga en esto.
18. *GAM* añaden: *Lucanor. P:* p. q. v. fagades lo que devedes
fazer en esto.
20. *H:* acaesçió.
21. *P* omite: *el grand m. q. morava en. M:* de S. de Galizia.
A: el gran mágico. *H:* don Y. de Toledo que era grand
maestro.
23. *G:* avía un deán muy gran voluntad de saber. *H:* un deán
et era sobrino del arçobispo et avía gran sabor. *M:* en S. de
Galizia. *P* omite: *muy. M:* muy grant sabor.
26. *P:* más que otro omne que fuesse en el mundo estonçe.
H: m. q. otro alguno.
27. *P* omite: *para Toledo.*
28. *P:* de a. çiençia a Toledo. Et desque allý llegó enderesçió.
M: e. e fuesse para casa de don Yllán el grant maestro que
morava en Toledo. *S:* adereçó. He corregido *S* ya que *enderesçar* se usa ya en el siglo XIII: *Mil.* 288*d*; *Ali.* 480*a*,
481*c*, 665*b*.
31. *P* omite: *muy* y *quería que.*
32. *GA:* porque viniera.

---

[122] *en aquella sazón:* en aquel tiempo; *Ali.* 2179*c*; *Apol.* 213*c*,
269*a*, 296*a*; *LBA* 1462*b*.

oviessen comido. Et pensó [123] muy bien dél et fízol dar muy buenas posadas, et todo lo que ovo menester et
35 diól a entender quel plazía mucho con su venida.

Et después que ovieron comido, apartóse con él et contól la rrazón por que allí viniera, et rrogól muy afincadamente quel mostrasse aquella çiençia, quél avía muy grant talante de la aprender. Et don Yllán díxol que él
40 era deán et omne de grand guisa [124] et que podría llegar a grand estado et los omnes que grant estado tienen, de que todo lo suyo an librado a su voluntad, olvidan mucho aýna [125] lo que otrie á fecho por ellos; et él, que se reçelava que de que él oviesse aprendido dél aquello
45 que él quería saber, que non le faría tanto bien commo él le prometía. Et el deán le prometió et le asseguró que de qualquier bien que él oviesse, que nunca faría sinon lo que él mandasse.

Et en estas fablas estudieron desque ovieron yanta-

---

33. *SM:* oviesse comido. *P* omite los dos *muy* y *H* omite el segundo *muy.*
35. *P* omite: *mucho. GAH:* plazía mucho con él.
37. *H:* contóle toda la rrazón. *M:* contóle toda la manera. *P:* díxol la rr. *PM:* p. q. era allý (*P* allý era) venido. *GA:* e rogóle mucho.
38. *P* omite: *muy.*
39. *S:* de aprender.
40. *P:* él era omne de grand guisa. *SM:* podía llegar. *P:* llegar a grand lugar.
41. *GA:* y los hombres que tienen gran estado. *H:* q. g. estado tenían.
42. *H:* an librado a toda su voluntad.
44. *P:* oviesse venido aprendido... q. le no sería tanto bien. *M:* oviesse lybrado todo lo suyo e aprendido aquello que él más quería saber.
47. *P:* que non faría ál. *M:* nunca ál faría.
48. *PHM:* lo que él le mandasse.
49. *PH:* Et en e. palabras. *HM:* desde que ovieron comido. *G:*

---

[123] *pensó:* cuidó; *PMC* 1383; *Apol.* 322a.
[124] *guisa:* rango. Este sentido es peculiar de don Juan Manuel, quien lo usa también en *Estados* 66,25 y 102,31.
[125] *mucho aýna:* muy aprisa; *PMC* 214, 1676, 2059; *Ali.* 194b (O); *Apol.* 36b, 54c, 102c, etc.; *LBA* 136a, 551a, 745b, 820a, etc.

50 do [126] fasta que fue ora de çena. Et desque su pleito fue
bien assossegado [127] entrellos, dixo don Yllán al deán que
aquella sçiençia non se podía aprender sinon en lugar
mucho apartado et que luego essa noche le quería amostrar do avían de estar fasta que oviesse aprendido aque-
55 llo quél quería saber. Et tomól por la mano et levól a
una cámara. Et en apartándose de la otra gente, llamó a
una moça de su casa et díxol que toviesse perdizes para
que çenassen esa noche, mas que non las pusiessen a
assar fasta que él gelo mandasse.

60   Et desque esto ovo dicho, llamó al deán; et entraron
amos por una escalera de piedra muy bien labrada et
fueron desçendiendo por ella muy grand pieça en guisa
que paresçía que estavan tan baxos que passava el rrío

---

dende que ovieron fasta [sic]. P omite: *desque ovieron
yantado.*
51. *H:* muy bien a.
52. *P:* non se podría. *H:* non se podía saber nin aprender. *P:*
en lugar apartado mucho. *H:* lugar muy apartado et q. luego
esta n.
54. *M:* avía de estar para aprender. *A:* avían estar. *G:* avien
a estar.
55. *M:* levólo a una escalera de una cámara.
56. *P:* partiéndose de la otra conpanna.
57. *SG:* una mançeba. *H:* mançebia. *Mançeba* significa «con-
cubina» en *Estados* 280.16, lo mismo que en el *LBA* 338*a,*
1694*c;* para referirse a la joven en edad, Juan Ruiz usa
moça 582*b,* 478*a,* 671*d,* etc.; *mançebo,* aunque significa «joven en edad», casi siempre describe al amante: 730*b,* 1489*a.*
En el *Apol.* 374*a,* 211*c* se usa sólo el masculino y para el
femenino sólo usa *moça* 370*a* y *moçuela* 350*a,* 642*d. P:* tomasse perdizes que çenassen. *M:* perdizes para çenar para
esa n.
58. *P:* que las non pusiessen. *M:* q. las non pusyesse.
60. *P:* Et esto dicho. *S:* entraron entramos.
61. *M:* amos a dos. *P:* escalera ayuso de piedra m. b. l. et des-
çendieron por ella gran pieça.
62. *M:* et fueron por ella desçendiendo.
63. *P:* tan baxos estavan. *S:* tan vaxos. *M:* en g. que eran tan

---

[126] *yantado:* almorzado; «A ora de mediodía quando yanta la
gente», *LBA* 871*b.*
[127] *assossegado:* convenido, ajustado; *LBA* 1260*b.*

de Tajo sobre ellos. Et desque fueron en cabo del esca-
65 lera, fallaron una possada muy buena, et una cámara
mucho apuesta [128] que ý avía, ó estavan los libros et el
estudio en que avía de leer. De que se assentaron, estavan parando mientes en quáles libros avían de començar. Et estando ellos en esto, entraron dos omnes por
70 la puerta et diéronle una carta quel enviava el arçobispo, su tío, en quel fazía saber que estava muy mal
doliente et quel enviava rogar que sil quería veer vivo,
que se fuesse luego para él. Al deán pesó mucho con
estas nuebas; lo uno por la dolençia de su tío, et lo ál
75 porque reçeló que avía de dexar su estudio que avía
començado. Pero puso en su coraçón de non dexar aquel
estudio tan aýna et fizo sus cartas de rrespuesta et en-
biólas al arçobispo su tío.

Et dende a unos tres días llegaron otros omnes de
80 pie que traýan otras cartas al deán en quel fazían saber
quel arçobispo era finado, et que estavan todos los de

---

lexos. *S:* el rr. de T. por çima dellos; «sobre ellos» está en
PGAHM.
64. *P:* en el cabo. *Apol.* usa «en el cabo» 355*d* y «en cabo» 460*a.*
65. *P:* c. muy apuesta que ý a. en que. *H:* et una cama muy
apuesta que avían do estavan.
67. *GAH:* avían de leer. *M:* do avían de aprender. *P:* se a. pararon mientes. *M:* yvan parando mientes.
72. *P:* et quel enviava dezir. *M:* et que le rrogava.
73. *P:* el d. pensó mucho en estas nuevas. *M:* p. mucho de
estas n.
74. *P:* lo otro por quanto él avía de dexar su estudio (omite:
que avía començado). *M:* lo uno por lo de su tío e lo ál
por el rreçelo. *GA:* lo ál por recelo que avrían a dexar su
estudio tan ayna (omiten: *que avía començado... en su
coraçón de non dexar.*
76. *H:* et puso su entençión de non dexar el estudio. *PM:* el
estudio.
78. *P:* a su tío el arçobispo.
79. *S:* d. a tres o quatro días. *GAHM:* dende a quatro días.
M: otros quatro omnes. Sigo el texto de *P* ya que *quatro,*
como lo indican las variantes, es una posible añadidura.

---

[128] *apuesta:* lujosa; *Apol.* 566*b*; adornada: *LBA* 549*b.*

la eglesia en su eslecçión et que fiavan por la merçed
de Dios que esleerían a él, et por esta rrazón que non
se aquexasse de yr a la eglesia, ca mejor era para él
85 quel esleyessen seyendo en otra parte que non estando
en la eglesia.

Et dende a cabo de siete o de ocho días, vinieron dos
escuderos muy bien vestidos et muy bien aparejados,
et quando llegaron a él besáronle la mano et mostrá-
90 ronle las cartas en cómmo le avían esleýdo por arçobispo. Et quando don Yllán esto oyó, fue al electo et díxol
cómmo gradesçía mucho a Dios porque estas buenas
nuebas le llegaran a su casa; et pues Dios tanto bien
le fiziera, quel pedía por merçed que el deanadgo que

---

82. *P:* esleçión. *A:* elecçión. *G:* exleción. *H:* elecçión. *M:* ele-
çión. Esta misma inseguridad se manifiesta en *Estados*
84-29-32, en donde en tres líneas se lee: *esleiçión* y *eslecçión.*
Conservo la forma de *S.*
83. esleyerían por arçobispo a él. *S:* eslerían. *GA:* esleyrían.
H: esleería. *M:* elegirían. Adopto la corrección de Orduna
(p. 104, nota 21); en *Estados* 52.1 se encuentra *esleen.*
84. *SGA:* quexasse; lo corrijo con *HM* porque *aquexar* con el
sentido de «dar prisa» «apurar», está en el *LBA* 390c. *P:* por
e. rr. non se fue tan aýna a la eglesia. *H:* que se aquexasse
en yr luego. *G:* por e. rr. non se está bien quexasse (aunque en otra dize *tardasse*) de yr; este texto de *G* indica que
tenía delante otro u otros mss. Al comparar *P* con el grupo *S* queda la posibilidad de que ya que existía una confusión, el copista del Puñonrostro la dejase de lado y resu-
miera. *S:* para él en quel eslecyessen.
85. *H:* que esleyesse que seyendo. *M:* eligiessen estando en o. p.
que non con ellos en la yglesia.
87. *P:* Et dende a ocho días. *A:* de ocho o siete días. *H:* vinié-
ronle.
88. *P:* et muy aparejados.
89. *P:* et diéronle las cartas.
90. *GA:* cartas e como le avían. *M:* elegido.
91. *PM:* eleto. *G:* eleyto; lo mismo que para el condicional, el
participio de *esleer* presenta vacilaciones. *Estados* tiene *electo* (85.9) y *eleito* (95.28); adopto el cultismo de *S.*
92. *P:* en que estas buenas nuevas. *GAHM:* por estas buenas
nuevas.
94. *P* omite: *quel pedía por merçed. GA:* deanazgo. *H:* deanao.

95 fincava vacado que lo diesse a un su fijo. El electo díxol
quel rogava quel quisiesse consentir que aquel deanadgo
que lo oviesse un su hermano; mas que él le faría bien
en guisa que él fuesse pagado, et quel rogava que se
fuesse con él para Sanctiago et que levasse con él aquel
100 su fijo. Don Yllán dixo que lo faría.

Et fuéronse para Sanctiago; et quando ý llegaron
fueron muy bien resçebidos et mucho onradamente. Et
desque moraron ý un tienpo, un día llegaron al arçobispo mandaderos del Papa con sus cartas en cómmo
105 le dava el obispado de Tolosa, et quel fazía graçia que
pudiesse dar el arçobispado a qui quisiesse. Quando
don Yllán esto oyó, retrayéndol mucho afincadamente lo
que con él avía passado, pidiól merçed quel diesse a su
fijo; et el arçobispo le rrogó que consentiesse que lo
110 oviesse un su tío, hermano de su padre. Et don Yllán
dixo que bien entendíe quel fazía grand tuerto [129], pero
que esto que lo consentía en tal que fuesse seguro que

95. S: vagado. P: le dixo que quisiesse consentir.
97. P: pero que le faría tanto bien quél f. p. GA: bien en la
yglesia en guisa que. M: bien en la yglesia donde él fuesse·
(omite: pagado).
98. S: que fuesse con él. G omite: et quel r. que se f. H omite:
et quel r... Sanctiago. S omite: con él.
100. P: dixo quel plazía.
102. P omite: mucho.
103. M: desque llegaron moraron ay un día e fyncaron muy
bien r. P: y moraron un t. H: moraron y un día. M: Et a
cabo de otro día.
104. P: mensajeros del Papa.
105. S: et quel dava graçia. MH: el arçobispado de Tolosa.
106. P omite: pudiesse dar. M: dar el otro arçobispado. El problema que ha preocupado a algunos, de bajar al deán de
arzobispado a obispado, ya había sido solucionado sin más
por HM.
107. HS: oyó esto.
108. GA: e pidiéndole merced.
111. GAHM: muy gran tuerto. A: pero que lo c.
112. M omite: esto que lo c... El arçobispo le prometió. H: en
tal manera que fuesse çierto.

[129] tuerto: agravio, injusticia; PMC 3138, 3549, 3576, 3600; Mil.
89d; Ali. 1431a; Apol. 264d; LBA 880b, 1683a; Estados 88,21 y 104,15.

gelo emendaría adelante. El arçobispo le prometió en
toda guisa que lo faría assí et rrogól que fuesse con
115 él a Tolosa.

Et desque llegaron a Tolosa, fueron muy bien reçe-
bidos de condes et de quantos omnes buenos avía en
la tierra. Et desque ovieron ý morado fasta dos annos
llegáronle mandaderos del Papa con sus cartas en cóm-
120 mo le fazía el Papa cardenal et quel fazía graçia que
diesse el obispado de Tolosa a qui quisiesse. Estonçe
fue a él don Yllán et díxol que, pues tantas vezes le
avía fallesçido [130] de lo que con él pusiera [131], que ya aquí
non avía logar del poner escusa ninguna que non diesse
125 alguna de aquellas dignidades a su fijo. Et el cardenal
rogól quel consentiesse que oviesse aquel obispado un
su tío, hermano de su madre que era omne bueno

---

113. *S:* et el obispo.
114. *S:* fuessen.
115. *H:* a Tolosa e que levasse su fijo. *M:* a Tolosa e que levasse su fyjo con sygo.
116. *P* omite: *Et desque llegaron a T. P:* rresçebidos de quantos buenos omnes ý eran. Et desque moraron ý.
118. *H:* ý ovieron morado.
119. *S:* llegaron los mandaderos. *P:* mensajeros. *M:* llegaron al arçobispo mandaderos.
120. *P* omite: *el Papa.*
121. *H:* el arçobispado de Tolosa. *M:* el arçobispado. *PM* omiten: *de Tolosa.*
122. *H:* E. don Yllán fue arçobispo [*sic*].
123. *S:* que ya que.
124. *P:* escusa que non diesse. *H:* escusa alguna que diesse alguna de las d.
125. *P:* alguna dinidat de aquellas. *S:* algunas.
126. *P:* le rrogó q. consintiesse. *H:* consintiesse que diesse arçobispado a un su tío. *M:* que lo oviesse. *P:* oviesse el obispado.
127. *PGMH:* h. de su padre.

---

[130] *fallesçido:* faltado; *PMC* 258; fallado: *Ali.* 1723*d* y *LBA* 1121*a*, 1137*c*; defraudar: *Estados* 176,11: «dévegelo conplir et non falle-çer en ello».
[131] *pusiera:* acordara; *PMC* 2111; *Apol.* 91*c*, 20*c*; *LBA* 49*b*, 50*a*, 412*a*; *Estados* 175,9. *Vid.* Giménez Soler, p. 696,6.

ançiano; mas que, pues él cardenal era, que se fuesse
con él para la corte, que assaz avía en qué le fazer bien.
130 Et don Yllán quexóse ende mucho, pero consintió en
lo quel cardenal quiso, et fuese con él para la corte.
Et desque ý llegaron, fueron muy bien resçebidos
de los cardenales et de quantos ý eran en la corte, et
moraron ý muy grand tienpo. Et don Yllán affincando
135 cada día al cardenal quel fiziesse alguna graçia a su
fijo, et él poníal sus escusas.
Et estando assí en la corte, finó el Papa; et todos
los cardenales esleyeron aquel cardenal por Papa. Estonçe fue a él don Yllán et díxole que ya non podía
140 poner escusa de non conplir lo quel avía prometido.
Et el Papa le dixo que non lo afincasse tanto, que sienpre avría lugar en quel fiziesse merçed segund fuesse
rrazón. Et don Yllán se començó a quexar mucho, retrayéndol [132] quantas cosas le prometiera et que nunca le
145 avía conplido ninguna, et diziéndol que aquello reçelava
él la primera vegada que con él fablara, et pues que

---

129. *M:* para la corte del Papa. *P:* en quel faría bien. *GA:* en
que le fiziesse bien. *H:* en que le fazer merçed.
130. *GA:* aquexóse. *H:* consintió en ello et en lo que el cardenal
quería.
131. *M:* el cardenal dezía.
132. *S* omite: *muy.*
133. *M:* e de quantos buenos aý eran.
134. *P:* moraron ý grand tienpo del anno. *P:* afincando al cardenal fuertemente. *H:* afincándole de cada día. *M:* afon-
tando cada día.
136. *M:* e el cardenal poniendo cada día sus escusas.
137. *H:* vino el Papa [*sic*].
139. *P:* non le podía escusa poner de lo quel avía prometido
sienpre. *M:* non le podría poner escusa.
141. *H:* q. n. se afincasse tanto.
142. *H* omite: *lugar.*
143. *P:* retrayéndol muchas cosas quel avía prometido. *M:* r. muchas vezes.
144. *M:* e nunca le avía dado ninguna cosa. *H:* n. le oviera que-
rido dar ninguna cosa.
145. *S:* reçelava en la primera.

---

[132] *retrayéndol:* echándole en cara *PMC* 2548; *LBA* 322*b*, 372*a*,
1421*c*.

âquel estado era llegado et non le cunplía lo quel prometiera, que ya non le fincava logar en que atendiesse [133]
dél bien ninguno. Deste quexamiento se quexó mucho
150 el Papa et començol a maltraer diziéndol que si más le
afincasse quel faría echar en una cárçel, que era ereje
et encantador, que bien sabía él que non avía otra vida
nin otro offiçio en Toledo do él morava, sinon vivir por
aquella arte de nigromançia.
155   Et desque don Yllán vido quánto mal le gualardonava el Papa lo que por él avía fecho, espedióse dél
et solamente non le quiso dar el Papa qué comiesse por
el camino. Estonçe don Yllán dixo al Papa que pues ál
non tenía de comer, que se avría de tornar a las perdizes
160 que mandara assar aquella noche, et llamó a la muger
et díxol que assasse las perdizes.

---

147. *M:* e non le toviera lo q. le p.
148. *P:* logar en q. entendiesse bien ninguno. *M:* f. dél lugar
      a que a.
149. *GAHM:* E deste afincamiento. *S:* aquexamiento. A pesar de
      que en el s. xiv *quexar* y *aquexar* eran sinónimos (*vid. LBA*
      387*a*, nota de Corominas), en la obra del Arcipreste sólo
      aparece *quexamiento* (887*b*).
150. *H:* que si más se afincasse. *P:* que si lo más afincasse.
151. *M:* cárçel donde nunca saliesse.
152. *P:* bien sabía él que en Toledo non avía otra vida nin otro
      ofiçio do él morava.
153. *M* omite: *do él morava.*
155. *P:* qué tan mal. *GA:* quán mal. *H:* aquel mal gualardón
      que le dava el Papa por lo q. avía fecho por él.
156. *M:* p. él a. f. e de tanto trabajo commo con él avía tomado.
      GAHPM: despidióse.
157. *M:* non le quiso mandar dar ningunt dynero para que co-
      miesse p. el c. *P:* non le q. dar el P. para el camino para
      despender.
158. *H:* d. al P. que pues él tenía que comer q. se a.
159. *P* omite: *q. se avría de tornar.*
160. *P:* mandara de conprar. *GA:* mandara traer. *H:* aquella
      noche que llamó la muger que dixo q. a.

---

[133] *atendiesse:* esperase. En los ejemplos que he encontrado
siempre se refiere a esperar a una persona: *PMC* 3537; *Ali.* 916*b*;
Apol. 253*a*; *LBA* 1523*d*, 1530*d*.

Quando esto dixo don Yllán, fallóse el Papa en Toledo, deán de Sanctiago, commo lo era quando ý vino, et tan grand fue la vergüença que ovo, que non sopo
165 quel dezir. Et don Yllán díxol que fuesse en buena ventura et que assaz avía provado lo que tenía en él, et que ternía por muy mal enpleado si comiesse su parte de las perdizes.

Et vos, sennor conde Lucanor, pues veedes que tanto
170 fazedes por aquel omne que vos demanda ayuda et non vos da ende mejores graçias, tengo que non avedes por que travajar nin aventurarvos mucho por llegarlo a logar que vos dé tal gualardón commo el deán dio a don Yllán.

175 El conde tovo esto por buen consejo, et fízolo assí et fallóse ende bien.

Et porque entendió don Johan que este exemplo era muy bueno, fízolo escrevir en este libro et fizo ende estos versos que dizen assí:

180 Al qui mucho ayudares
et non te lo conosçiere,

---

163. *P:* d. de Santiago commo era ante.
164. *H:* t. g. era la vergüença. *PH* omiten: *que ovo.*
165. *G:* le que dezir.
166. *H:* tenía provado lo que temía en él.
167. *PH:* tenía por mal e. *M* omite: *muy. A:* que se tuviera por malaventurado si le uviera dado parte de las perdizes.
169. *P:* conde sennor, pues tanto fazedes por aquel omne que dezides que demanda vuestra ayuda. *H:* vedes que tan fazedes.
171. *M:* mejores sabores.
172. *P* omite: *aventurarvos. H:* nin aventurar. *M:* nin aventurar mucho de lo vuestro.
173. *SGAM:* galardón. *Galardón* sólo ocurre una vez en el *LBA* 1476c, en tanto que *gualardón* se encuentra cinco veces: 315d, 835c, 933d, 1423d, 1633c. Además, se ha usado *gualardonava* en 155.
175. *GA:* por buen exemplo e por buen consejo. *H* omite: *et fízolo... bien. M:* éste por muy buen enxenplo.
177. *S:* que era éste muy buen exienplo fízolo poner. (Sigo la lectura de *PA.*)
180. Para los versos he adoptado el texto de *P* del cual *S* omite *dél; dél* aparece desplazado en *GHM* y en el verso siguiente

menos ayuda avrás dél,
desque en grand onrra subiere.

EXEMPLO XII

De lo que contesçió a un gallo con un rraposo [134]

El conde Lucanor fablava con Patronio, su consejero,
una vez en esta guisa:

—Patronio, vos sabedes que, loado Dios, la mi tierra
es muy grande et non es toda ayuntada en uno. Et com-
5 mo quier que yo he muchos lugares que son muy fuertes, he algunos que lo non son tanto, et otrosí otros
lugares que son yaquanto apartados de la mi tierra en
que yo he mayor poder. Et quando he contienda con
mis sennores et con mis vezinos que an mayor poder

---

en *A.* He aquí las variantes: *G:* ayudades e non te lo gradesçiere, m. a. dél avrás. *A:* te lo gradesçiere, atiende menos
dél aun quando más oviere. *H:* Los versos 2, 3 y 4 son
como *G. M:* menos ayuda dél avrás.
H: acaesçió. *S:* a un rraposo con un gallo. *GA:* al gallo con
el raposo.
1. *A:* Una vez fablava. *M:* fablava una vegada con.
2. *G* omite: *una vez.*
3. *S:* loado a Dios. *H:* loado sea Dios.
5. *HM* omiten: *que son muy fuertes... et otrosí otros lugares.*
6. *GA:* e algunos que no lo son tanto.
7. *A* omite: *yaquanto.*
8. *GA:* Y quando yo he.
9. *S:* mios s. et con mios vezinos.

---

[134] La versión manuelina de esta fábula es única en la Edad
Media. Sólo la versión de Raimundo Lulio se puede relacionar en
algo con ella: *vid.* R. Ayerbe-Chaux (1975), pp. 64-66. D. Devoto
(1972), p. 394, llamó la atención sobre la amplia elaboración que
en este *exemplo* tiene el marco: se insiste al principio en la difícil
tarea de dar consejos, y en la moraleja (los desastrosos efectos
del miedo) está presente «la rica experiencia estratégica del autor».
Por razones inexplicables, el códice de Puñonrostro no tiene este
exemplo.

10 que yo, muchos omnes que se me dan por amigos, et
otros que se me fazen conseieros, métenme grandes miedos et grandes espantos et conséianme que en ninguna
guisa non esté en aquellos mis lugares apartados, sinon
que me acoja et esté en los lugares más fuertes et que
15 son bien dentro en mi poder. Et porque yo sé que vos
sodes muy leal et sabedes mucho de tales cosas commo
éstas, rruégovos que me conseiedes lo que vos semeia
que me cunple de fazer en esto.

—Sennor conde Lucanor —dixo Patronio—, en los
20 grandes fechos et muy dubdosos, son muy peligrosos
los consejos ca en los más de los consejos non puede
omne fablar çiertamente, ca non es omne çierto a qué
podrán recudir [135] las cosas; ca muchas vezes vemos que
cuyda omne una cosa et recude después otra, ca lo que
25 cuyda omne que es mal, rrecude a las vegadas a bien,

---

10. *GA:* omiten: *omnes.*
13. *S:* a. mios lugares a. *H* omite: *apartados... en los lugares más.*
14. *GAH:* muy fuertes.
15. *A:* dentro de mi p. *M:* dentro en mi tierra en mi p.
16. *H:* sodes leal. *A:* sabedes muy mucho.
17. *M* omite: *vos semeia. H:* consejedes en esto lo que vos
cunple fazer.
20. *M:* g. f. e muy deleytosos, son muy peligrosos. *S:* periglosos. La forma *periglo,* sin la metátesis, aparece en el siglo xiii: *Ali.* 353*b*; *Apol.* 410*a*; pero ya la forma *peligro* era
común: *Apol.* 251*d*, 253*d*, 274*b*. En el *LBA* la metátesis es
la regla: 589*b*, 593*c*, 497*b*, 1505*c*, etc.
22. *S:* seguro a qué pueden recodir.
23. *H:* puedan las cosas rrecodir. *Recodir* se halla en *Ali.* 799*a*,
1651*d* y *Apol.* 86*a*; sin embargo, *recudir* es la forma normal en el *Apol.* en donde se usa 15 veces (*vid.* ed. de Manuel Alvar, vol. III, p. 374). *S:* viemos.
24. *H:* ca lo que omne cuyda.
25. *GAH:* a las vezes.

---

[135] *recudir:* responder; *PMC* 3213, 3269; *Mil.* 90*a*, 167*d*, 760
(715)*a*; *Ali.* 1858*a*; *Apol.* 85*a*, 182*a*, etc.; *LBA* 516*d*. Pero en esta
página tiene el significado de «acudir», «resultar», «venir a parar»
como en el *LBA* 1110*a* y 803*a*, respectivamente.

et lo que cuyda omne que es bien rrecude a las vegadas
a mal; et por ende, el que á a dar consejo, si es omne
leal et de buena entençión, es en muy grand quexa
quando ha de conseiar, ca si el consejo que da recude a
30 bien, non ha otras graçias sinon que dizen que fizo su
debdo en dar buen conseio; et si el conseio a bien non
recude, finca sienpre el consejero con danno et con vergüença. Et por ende, este conseio, en que ay muchas
dubdas et muchos peligros, plazerme ýa de coraçón si
35 pudiesse escusar de non lo dar. Mas pues queredes que
vos conseie, et non lo puedo escusar, dígovos que querría
mucho que sopiéssedes cómmo contesçió a un gallo con
un rraposo.

El conde le preguntó cómmo fuera aquello.

40   —Sennor conde —dixo Patronio—, un omne bueno
avía una casa en la montanna, et entre las otras cosas
que criava en su casa, criava muchas gallinas et muchos
gallos. Et acaesçió que uno de aquellos gallos andava
un día alongado de la casa por un canpo; et andando
45 él muy sin reçelo, violo el rraposo et vino muy ascon-

---

26. *GA* omiten: *omne. G:* que es bien, a las vegadas a mal.
     A: a las vezes. *H* omite: *et lo q. cuyda... vegadas a mal.*
27. *S* omite: *es.*
28. *H:* leal e de buen entendimiento. *M:* esle grant quexa q.
     le ha de c. que el consejo a de rrecodir al bien.
29. *M* omite: *ca si el consejo... recude a bien.*
30. *A* omite: *que dizen. H:* sinon dize que faze bien.
31. *M* omite: *et si el conseio... et con vergüença.*
32. *S:* sienpre finca.
34. *GAM:* plazerme ýa mucho de coraçón.
35. *H:* supiesse escusar.
37. *HM:* lo que contesçió.
40. *A* añade: *Lucanor.*
41. *S:* las otras casas [*sic*]... criava sienpre m. g. *Sienpre*
     falta en todos los otros mss.
43. *G* omite: *Et acaesçió... aquellos gallos.*
44. *H:* muy alongado de la su casa. *S:* allongado *Allongar:*
     Apol. 655*a*; *Ali.* 2424 (O); *vid.* introd. de Nelson, p. 108, 3.314.
     Alongar también se usa en el siglo XIII: *Apol.* 263*c*, 453*d*,
     611*a*; *Ali.* 2244*a*; es la forma que tiene el *LBA* 603*b*, 1709*a*.
45. *M:* s. rreçelo vyno don rraposo commo escondidamente.

didamente cuydándolo tomar. Et el gallo sintiólo et subióse en un árbol que estaba yaquanto alongado de los
otros. Quando el rraposo entendió que el gallo estava
en salvo, pesól mucho porque nol pudiera tomar et pensó
50 en quál manera podría guisar quel tomasse. Et entonçe
endereçó al árbol et començól a rogar et a falagar et
assegurar que desçendiesse a andar por el canpo commo
solía. Et el gallo non lo quiso fazer. Et desque el rraposo entendió que por ningún falago non le podía en-
55 gannar, començól a amenaçar diziéndol que pues dél non
fiava, que él guisaría cómmo se fallasse ende mal. Et el
gallo entendiendo que estava en salvo, non dava nada
por sus amenazas nin por sus seguranças.

Et desque el rraposo entendió que por todas estas
60 maneras non le podía engannar, endereçó al árbol et
començó a roer en él con los dientes et dar en él muy
grandes golpes con la cola. Et el cativo [136] del gallo tomó

---

46. *S:* et subió. *H:* sintiéndolo subióse en un álamo que estava
ya alongado quanto de los otros. *M:* subióse ençima de un
a. q. e. alongado yaquanto de los otros.
48. *GA:* q. estava en salvo el gallo. *H:* q. estava el gallo en
salvo. *M:* vio e entendió q. el g.
49. *M:* pesóle ende mucho de coraçón pq. lo non podría tomar.
Omite: *et pensó... tomasse.*
51. *HM:* Et endereçó contra el árbol. *M* omite: *et assegurar.*
54. *M:* vio e entendió que por n.f. *GA:* no lo pudiera engañar.
55. *S:* menaçar. Es arcaísmo de *S* (*Apol.* 466*a*); en cambio, en
el *LBA* se encuentra *amenaçar* o *amenazar* y sus derivados:
452*b*, 63*a*, 632*d*, 982*d*, 964*b*.
56. *A:* guisaría de manera como se le allegase ende mal.
GAMH: el g. entendió.
57. *S:* en su salvo. *En su salvo* está en *PMC* 1576 y *en salvo*
en *Apol.* 75*a*; *LBA* 898*d*, 1459*d*.
58. *GA:* figuranças. *M:* aseguramientos. *H* omite: *nin p. s. seguranças... por todas estas maneras.*
59. *M:* el r. vio que. *S:* Et de el rr.
60. *GA:* n. lo pudiera engañar.
61. *H:* començóle a rroer en él. *AM* omiten: *en él.*
62. *S:* colpes. Arcaísmo de *S:* en el *LBA* sólo se halla *golpe:*

---

[136] *cativo:* infeliz, desgraciado; *Apol.* 308*d*, 393*d*; *Mil.* 92*b*; *LBA*
1198*c*; *Estados* 101,14 y 245,4.

miedo sin rrazón, non parando mientes cómmo aquel
miedo que el rraposo le ponía non le podía enpeçer [137],
65 et espantóse de valde et quiso foyr a los otros árboles
en que cuydava estar más seguro, et non pudo llegar
al monte, mas llegó a otro árbol. Et de que el rraposo
entendió que tomava miedo sin rrazón, fue en pos él;
et assí lo levó de árbol en árbol fasta que lo sacó del
70 monte et lo tomó et lo comió.

Et vos, sennor conde Lucanor, á menester que pues
tan grandes fechos avedes a pasar et vos avedes a parar
a ello, que nunca tomedes miedo sin rrazón, nin vos
espantedes de valde por amenazas nin por dichos de
75 ningunos, nin fiedes en cosa de que vos pueda venir
grand danno ni grand peligro; et punad sienpre en defender et en anparar los lugares más postrimeros de la

---

86*b*, 187*a*, 200*c*, 794*b*, 978*b*. G: tomó mucho [*sic*] (en vez de
miedo).

63. *GAH:* a sin razón: *sin razón* es la forma que se encuentra
en el *LBA* 209*b*, 840*a*.

65. *H:* espantóle.

67. *M:* Et d. el rraposo vio.

68. *A:* miedo a sin razón. *GAHM:* en pos dél. *En pos él* de
S está en el *LBA* 1473*c*, 1474*d* y en *Ali.* 739*a*, 1089*a*, en donde
la o se diptonga en *ue (enpues)* y sin *de*.

70. *H:* omite: *et lo comió. M:* et lo tomó e lo mató e lo comió.

71. *A:* avedes menester. En verdad que *á menester:* «es necesario» es raro; en *Estados* 20.26 y 35.11 se lee: *haya menester.*

72. *S:* et vos avedes de partir a ello. *Partir* de S no tiene sentido pues sólo significa: «compartir» (*LBA* 250*d*), «separar,
alejar» (*LBA* 824*d*, 1702*d*, 1672*c*, 567*d*), «marchar» (*LBA*
1195*b*). Aquí *parar:* preparar.

73. *GAHM:* mucho miedo.

75. *GA:* cosa que vos pueda. *M:* cosa donde vos puede.

76. *H:* danno grande nin grand peligro. *S:* periglo; et punnad.
G: punat. *A:* pugnad. A pesar de que en *Estados* 38.9 y 133.10
el verbo es *punnar:* esforzarse, ocurre también *punar* (134.8),
forma que parece haber sido más común: *LBA* 91*b*, 153*b*,
154*b*, 435*c*.

77. *AM* omiten: *et en anparar.*

---

[137] *enpecer:* dañar, perjudicar *LBA* 559*d*, 667*b*, 707*d*, 722*b*; *Estados* 21,18.

vuestra tierra; et non creades que tal omne commo vos,
teniendo gentes et vianda, que por non seer el lugar
80 muy fuerte, podríedes tomar peligro ninguno. Et si con
miedo o con reçelo valdío [138] dexades los lugares de cabo
de vuestra tierra, seguro sed que assý vos yrán levando
de logar en logar fasta que vos saquen de todo; ca quanto
vos et los vuestros mayor miedo et mayor desmayo
85 mostráredes en dexar los vuestros logares, tanto más
se esforçarán vuestros contrarios para vos tomar lo
vuestro. Et quando vos et los vuestros viéredes a los
vuestros contrarios más esforçados tanto desmayaredes
más, et assí yrá yendo el pleyto fasta que non vos finque
90 cosa en el mundo. Mas si bien porfiáredes sobre lo primero, seredes seguro, commo fuera el gallo si estudiera
en el primero árbol; et aun tengo que cunpliría a todos
los que tienen fortalezas, si sopiessen este exemplo, ca
non se espantarían sin rrazón quando les metiessen
95 miedo con engannos, o con cavas, o con castiellos de
madera, o con otras tales cosas que nunca las fazen
sinon para espantar a los çercados. Et mayor cosa vos

79. *GA:* non ser en lugar.
81. *G:* e con recelos val dios [*sic*]. *G:* de cave vuestra tierra. *M:* de en cabo (*vid.* 11.64).
83. *S:* vos sacassen de todo. *H* omite: *ca quanto vos... para vos tomar lo vuestro.*
84. *G:* miedo e mayor descuido.
85. *G:* mostrades. *M:* tomardes. *S:* mostrássedes en dexando.
86. *GA:* esforçaríen.
89. *HM:* asý yrá (*M:* yría) el pleyto yendo.
90. *S:* porfidiardes. *GH:* porfiades. En *Ali.* 1066*a*, se encuentran *porfía* (O) y *porfidia* (P); en *Apol.* 173*a*, 399*a*, 466*d*, se lee *porfiar*; no es de extrañar que sólo *porfiar* y sus derivados se encuentren en el *LBA* 189*d*, 283*a*, 782*c*, 1307*a*.
91. *S:* sodes.
92. *G:* en algún árbol. *GA:* cumplía a todos.
93. *A* omite: *tienen fortalezas... se espantarían.*
94. *GAHM:* a sin razón.
95. *M* omite: *o con cavas.* *H:* con engannos o con cassas de madera et con cavas et con o. t. cosas.
96. *S:* n. las farían.
97. *MH:* sinon por meterles (*H:* meter) miedo a los çercados.

---

[138] *valdío:* inútil; *LBA* 179*a*, 428*c*.

diré por que veades que vos digo verdat. Nunca logar
se puede tomar sinon subiendo por el muro con esca-
100 leras o cavando el muro; pues el muro es alto, non
podrán llegar allá las escaleras. Et para cavarlo, bien
cred que an menester grand vagar [139] los que lo an de
cavar. Et assí, todos los lugares que se toman o es con
miedo o por alguna mengua que an los çercados, et
105 lo demás es por miedo sin rrazón. Et çiertamente, sennor conde, los tales commo vos, et aun los otros que
non son de tan grand estado commo vos, ante que començedes la cosa, la devedes catar et yr a ella con grand
acuerdo, et non lo pudiendo nin deviendo escusar. Mas
110 desque en el pleyto fuéredes, non á menester que por
cosa del mundo tomedes espanto nin miedo sin rrazón;
siquier devédeslo fazer, porque es çierto que de los que
son en los peligros, que muchos más escapan de los
que se defienden, que non de los que fuyen. Siquier
115 parat mientes, que si un perriello quel quiera matar
un grand alano, está quedo et reganna los dientes, que

---

98. *H:* que vos veades que digo. *M:* que veades sy vos digo.
    H: nunca se pudo ganar.
99. *M:* se puede ganar.
100. *S* omite: *pues el muro. H:* Pero si el muro.
101. *G:* podríen. *G* omite: *allá las escaleras... grand vagar.*
    M: E para cavar el muro.
104. *H:* mengua que ha en los ç.
105. *GA:* miedo e sin razón. *M:* e los más son por miedo syn
    razón.
106. *G* omite: *et aun... commo vos.*
108. *GAM:* devédesla catar.
110. *S:* á mester. *GA:* por cosa ninguna.
111. *S* omite: *espanto.*
112. *GA:* cierto es que los que son en los peligros.
114. *S:* et non de los q. f.
115. *GA:* si a un perrillo qualquier quisiere matar. *H:* si un
    perrillo a quien quiere matar un grand perro. *M:* si un pe-
    rrillo quiere matar un grant alano.
116. *A:* se está quedo. *H:* ganna los dientes escapa muchas ve-
    zes et por grant pero fuerte q. sea [*sic*].

---

[139] *vagar:* tiempo disponible; *LBA* 867c; *Estados* 143,10.

muchas vezes escapa, et por grand perro que sea, si
fuye, luego es tomado et muerto.

Al conde plogo mucho de todo esto que Patronio le
120 dixo, et fízolo assí et fallóse ende bien.

Et porque don Johan tovo este por buen exemplo,
fízolo poner en este libro, et fizo estos versos que dizen
assí:

Non te espantes por cosa sin rrazón
125   mas defiéndete bien commo varón.

Exemplo XIII

De lo que contesçió a un omne que tomava perdizes [140]

Fablava otra vez el conde Lucanor con Patronio, su
consejero, et díxole:

—Patronio, algunos omnes de grand guisa, et otros
que lo non son tanto, me fazen a las vegadas enojos

---

118. *GA:* luego es muerto. *H:* luego es comido et muerto. *M:*
luego que fuye es comido e muerto.
119. *A:* plugo mucho desto.
120. *M:* dixo, e provólo e fallóse. *H* omite: *et fízolo assí. S:* et
fallósse dello muy bien.
121. *A:* Y porque don Joan entendió que este exemplo era muy
bueno.
125. *A:* mas defiente. *M:* commo fuerte varón.

S: Exemplo treseno. *P:* a uno que tomava p. *M:* acaesçió
a un omne con la [*sic*] perdizes porque las tomava.
1. *P* omite: *otra vez.*
2. *M:* consejero en esta manera.
3. *P:* P. algunas presonas [*sic*]. *H:* et aun otros.
4. *GA:* que lo non son fázenme. *H:* a las vezes. *S:* a las vegadas enojan [*sic*] et dannos.

---

[140] Lo que se sabe de cierto es que la versión del predicador
inglés Odo de Cheriton, quien ejerció su ministerio en Francia
en el siglo XIII, es la posible fuente de don Juan Manuel. La fábula
tuvo varias versiones latinas en la Edad Media, pero ninguna
subraya la estupidez de las perdices tan bien como ésta. *Vid.*
R. Ayerbe-Chaux (1975), pp. 63-64 y 246-248.

5   et dannos en mi fazienda et en mis gentes, et quando
    son ante mí, dan a entender que les pessa mucho por-
    que lo ovieron a fazer, et que lo non fizieron sinon con
    muy grand menester et con muy grant coyta et non lo
    pudiendo escusar. Et porque yo querría saber lo que
10 devo fazer quando tales cosas me fizieren, rruégovos
    que me digades lo que entendedes en ello.
        —Sennor conde Lucanor —dixo Patronio—, esto que
    vos dezides que a vos contesçe, sobre que me deman-
    dades consejo, paresçe mucho a lo que contesçió a un
15 omne que tomava perdizes.
        El conde le rogó quel dixiesse cómmo fuera aquello.
        —Sennor conde —dixo Patronio—, un omne paró [141]
    sus rredes a las perdizes; et desque las perdizes fueron
    caýdas en la rret, aquel que las caçava llegó a la rret
20 en que yazían las perdizes; et assí commo las yva to-
    mando, matávalas et sacávalas de la rret; et en matando
    las perdizes, dával el viento en los ojos tan reçio quel

---

6. *M:* danme a e. *GA:* que les pesó.
7. *H:* lo oviera a f. *M:* lo ovieron de fazer. *GA:* e que lo fi-
    zieron siempre. *HM:* que lo non fiziera (*M:* fizieran).
8. *PM* omiten: *muy. M* omite: *et con muy g. coyta et. P:* et
    con grand cueyta. *S:* cuyta. *H:* et non lo pudieron escusar.
9. *P:* quería saber lo que é de fazer. *H:* Et porque quando las
    tales cosas me fizieren, yo sepa lo que tengo de fazer.
10. *M:* tales cosas me acaesçieren.
    G: ruege [*sic*] vos que me consejedes e digades.
11. *A:* me consejedes lo que entendeys. *HM:* digades en ello lo
    que entendierdes. *P:* lo que faré en ello.
12. *PA* omiten: *Lucanor.*
13. *P* que vos acaesçe. *M:* que a vos acaesçe. *GA:* que a vos
    contesçió. *H:* que vos contesçió.
16. *H:* Et el conte le rrogó cómmo f. a.
17. *H* añade: *Lucanor.*
19. *H:* c. en la rred en que yazía, aquel que las caçava llegó
    a la rred [*sic*].
20. *M:* en q. yazías [*sic*] sus perdizes; e asý commo fueron
    caydas en la rred ývalas tomando.
21. *P:* et faziendo esto dával. *H:* et matándolas dávale.
22. *P:* muy rrezio, tanto quel fazía llorar. *H:* atan rrezio.

---

[141] *paró:* colocó; *PMC* 608, 3689; *Apol.* 155*d*; *LBA* 774*c*, 883 *b*;
Estados 185,9.

fazía llorar. Et una de las perdizes que estava biva en la rret començó a dezir a las otras:

25   —¡Vet, amigas, lo que faze este omne! ¡Commo quiera que nos mata, sabet que á grant duelo de nós, et por ende está llorando!

Et otra perdiz que estava ý, más sabidora que ella, et que con su sabiduría se guardara de caer en la rret, 30 respondiól assí:

—Amiga, mucho gradesco yo a Dios que me guardó, et rruego a Dios que me guarde a mí et a todas mis amigas del que me quiere matar et fazer mal, et me da a entender quel pesa del mio danno.

35   Et vos, sennor conde Lucanor, sienpre vos guardat del que viéredes que vos faze enojo et da a entender quel pessa porque lo faze. Pero si alguno vos fiziere enojo, non por vos fazer danno nin desonrra, et el enojo non fuere cosa que vos mucho enpesca, et el omne fuere 40 tal de qui ayades tomado serviçio o ayuda, et lo fiziere

---

23. *GA:* q. estavan en la red bivas.
24. *P:* en la rred, dixo assí a las otras.
25. *P* omite: *Vet. amigas. M:* Vos, amigas, vedes.
26. *GAH:* muy gran duelo. *P:* nos mata, grand duelo á de nos. *GAM:* por esso está ll. *H:* por esto e.ll. *A* añade: *e non vedes aý qué buen hombre que llora quando nos mata?*
28. *P:* aý mas sabidora que aquella. *A* omite: *que ella.*
29. *PM:* se guardava de caer. *H:* se guardava de la rred, rrespondióla et dixo.
31. *S:* gradesco a Dios. *GA:* pq. me guardó de caer en la red. *M:* pq. me guardó que non caý en la rred.
34. *P:* quel pessa dello. *GA:* que le peso o pesa de mi daño. *HM:* de mi danno.
35. *P:* conde sennor. *H* omite: *Lucanor, sienpre... que lo faze. Pero.*
36. *M:* de los que vierdes.
37. *S:* quel pesa por ello porque lo faze. *M:* que les pessa de lo que fizieron.
38. *S* añade: nin desonrra, *et el enojo non por vos fazer danno nin desonrra.*
39. *P:* non seyendo cosa q. mucho vos enpezca.
40. *P:* fiziera.

con quexa et con menester, en tales logares [142] conséjovos yo que çerredes el ojo en ello, pero en guisa que
lo non faga tantas vezes, de que se vos siga danno et
vergüença; mas, si de otra manera lo fiziere contra vos,
45 estrannadlo en tal manera por que vuestra fazienda et
vuestra onrra sienpre finque guardada.

El conde tovo por buen consejo éste que Patronio le
dava, et fízolo assí, et fallóse ende bien.

Et entendiendo don Johan que este exemplo era muy
50 bueno, mandólo poner en este libro, et fizo estos versos
que dizen assí:

Quien te mal faz mostrando grand pesar,
guisa cómmo te puedas dél guardar

Et sobre esta rrazón fizo otro verso Suer Alfonso,
55 frayle de Sanctiago, que dize assí:

---

42. *P:* que non tengades ojo en ello. La expresión *tener ojo* de
P es quizás una variante de *aver ojo* que se encuentra en
PMC 1614; *Ali.* 67a. No la adopto pues falta en todos los
otros mss. *M:* que syenpre tiredes el enojo.

43. *S:* vezes, dende se vos siga d. *H:* do vos sigua. *M:* de q. se
vos fagua grant d. nin v.

44. *SH:* fiziesse. Adopto *fiziere* de *PGAM;* como en otras ocasiones, rechazo el imp. de subj. en la cláusula de *si,* cuando
en la siguiente no hay condicional.

45. *PM:* estrannaldo.

47. *HM;* tovo éste por buen enxenplo. *P:* q. P. le dio. *M:* q. P.
le dizía.

49. *PG:* Et entendió. *M:* Et porque entendió. *PM:* este e. era
bueno.

50. *P:* fízolo escrevir. *M:* mandólo escrevir.

52. *P:* Quien te faze mal. *H:* Quien mal dize. *G:* mostrando
pesar.

53. *G:* guisa presto como. *P:* cata commo puedas de ty arre-
drar. *H:* te puedas dél quitar. *M:* dél mucho guardar.

54 y 55. faltan en *A.*

---

[142] *logares:* ocasiones; *LBA* 625a, 629a, 823b, 844d, 867d; Giménez Soler 297,25.

Non pares mientes a ojos que lloran
mas a manos que laboran.

EXEMPLO XIV

De lo que contesçió a un lonbardo en Bolonia [143]

Un día fablava el conde Lucanor con Patronio, su
consejero, en su fazienda et díxole:

—Patronio, algunos omnes me consejan que ayunte
el mayor thesoro que pudiere et que esto me cunple
5 más que otra cosa para que quier que me contesca. Et
rruégovos que me digades lo que vos paresçe en ello.

—Sennor conde —dixo Patronio—, commo quier que

---

56. *A:* Non pares mientes los ojos que lloran.
57. *A:* mas deves catar las manos que obran. *G:* mas mira a las
     manos que obran.
     S: Del miraglo que fizo Sancto Domingo quando predicó sobre
     el logrero. *P:* al lonbardo que ayuntó tesoro de mala parte.
     H: lonbardo de Bavilonia.
1.   *P:* Estando el c. L. con P. su c. díxol assý. *A:* El c. L. fa-
     blava un día. *S* omite: *su consejero.*
2.   *M:* e contóle de su fazienda.
4.   *SPM:* tesoro. *Thesoro* es la grafía de la palabra en el *LBA*
     177*b*, 247*d*, 249*d*, 251*b*, 1638*d*, etc.
5.   *G:* para qualquier cosa que. *A:* por qualquier cosa q. *M:*
     que me acaesca.
6.   *GA:* digades qué es lo que vos p. *H:* en este fecho.

---

[143] Don Juan Manuel combina dos *exemplos* de Etienne de
Bourbon: *a)* El cadáver de un rico que ha de ser trasladado aparece sin corazón y hallan éste ensangrentado en el arca del dinero
(n. 413). *b)* Santo Domingo es engañado por la falsa penitencia
de un lombardo, quien, al recibir indignamente el viático, muere
sintiendo en la boca y en el cuerpo el ardor del infierno (n. 421).
El *exemplo* de don Juan Manuel es una recreación originalísima
del tema tan común del corazón del usurero, que, «al ser adjudi-
cado a Santo Domingo, gana en credibilidad para los lectores de
la época». R. Ayerbe-Chaux (1975), p. 46. *Vid.* pp. 249-252, y D. Devoto (1972), pp. 395-396.

a los grandes sennores vos cunple de aver algún thesoro
para muchas cosas, sennaladamente que non dexedes,
10 por mengua de aver, de fazer lo que vos cunpliere;
pero non entendades que este thesoro devedes ayuntar
en guisa que pongades tanto el talante en ayuntarlo por
que dexedes de fazer lo que devedes a vuestras gentes
et para guarda de vuestra onrra et de vuestro estado,
15 ca si lo fiziéssedes podervos ýa acaesçer lo que contesçió a un lonbardo en Bolonia.

El conde le preguntó cómmo fuera aquello.

—Sennor conde —dixo Patronio—, en Bolonia avía
un lonbardo que ayuntó muy grand thesoro et non ca-
20 tava si era de buena parte o non, sinon ayuntarlo en
qualquier manera que pudiesse. El lonbardo adolesçió
de dolençia mortal, et un su amigo que avía, desque
lo vio en la muerte, consejól que se confessasse con
Sancto Domingo que era estonçe en Bolonia. Et el lon-
25 bardo quísolo fazer.

---

8. *A:* vos cunple aver.
9. *H:* para algunas cosas. *S:* et sennadadamente. *M:* sennaladamente que por mengua de aver non dexedes de fazer.
10. *P:* lo que vos cunple.
12. *SM:* en ayuntar gran tesoro. *A:* en a. el thesoro. *H:* en a. el grand th. *G:* pero no entendades que este thesoro devedes ayuntar gran thesoro. Esta vacilación de los mss. en el agregado de *S.* me ha hecho preferir la lectura más sencilla de *P.*
13. *H:* dexedes de fazer vuestras gentes et para guarda de vuestra gente [*sic*] et de v. estado.
14. *M:* para guardar v. estado e vuestra onrra.
15. *PHM:* ca si lo fiziéredes poder vos ýa contesçer. *M:* lo que acaesçió a un lonbardo en Bavilonia.
16. *PH:* Bolonna. He adoptado *Bolonia;* el ms. *P* del *Ali.* trae *Babilonia* (990*b*), que Nelson corrige a causa de la rima; la forma *Babilonia* está en el *LBA* 305*b;* por analogía he adoptado la grafía de *SGA.*
17. *A:* El conde le preguntó le dixesse.
19. *GAH:* que avía muy gran th. *M:* que tenía grant tesoro.
20. *P:* b. parte nin mala.
21. *P:* Et aquel lonbardo.
22. *A:* quando lo vio.

Et quando fueron por Sancto Domingo entendió
Sancto Domingo que non era voluntad de Dios que
aquel mal omne non sufriesse la pena por el mal que
avía fecho, et non quiso yr allá, mas mandó a un frayle
30 suyo que fuesse allá. Quando los fijos del lonbardo sopieron que avía enbiado por Sancto Domingo, pesóles
ende mucho, teniendo que Sancto Domingo faría a su
padre que diesse lo que avía por su alma, et que non
fincaría nada a ellos. Et quando el frayle vino, dixié-
35 ronle que sudava su padre, mas quando cunpliesse, que
ellos enbiarían por él.

A poco rrato perdió el lonbardo la fabla, et murió,
en guisa que non fizo nada de lo que avía menester
para su alma. Otro día quando lo levaron a enterrar,
40 rogaron a Sancto Domingo que pedricasse sobre él. Et
Sancto Domingo fízolo. Et quando en la pedricación
ovo de fablar daquel omne, dixo una palabra que dize

---

26. *P:* entendió que non era. *A* omite por escrúpulo teológico:
entendió S. Domingo... non quiso yr allá, mas.
28. *PM:* aquel omne non s.
29. *P:* enbió. *S:* frayre. *G:* flayre. *Frayre* es una forma arcai-
zante que ocurre en *Mill.* 176*b* y que Nelson adopta en su
ed. de *Ali.* 1049*c*, 2481*a*, 2494*a*. En el *LBA* el arcaísmo ocurre
sólo una vez (441*b*) en tanto que la forma común es *frayle:*
1128*a*, 1161*a*, 1251*b*, 1399*bd*, 1466*a*, etc. En *Estados* se encuentra *fraire* (281.10), *freire* (19.8) y *freile* (249.25).
30. *P* omite: *que fuesse allá. M:* vieron que avía e.
32. *M:* teniendo que su padre que le faría S. D. que le dexasse
lo que avía por amor de Dios e por su alma.
34. *P:* fincaría a ellos nada. Et q. vino el frayle.
35. *S:* suava. *Sudava* se halla en el *LBA* 1291*b*. *PHM:* mas que
quando.
37. *P:* Et partido de aý el frayle. *M:* e murió en manera.
40. *GA:* predicasse de aquel. *H:* pedricasse de aquel lonbardo.
S: predigasse sobre aquel lonbardo. *M:* predicasse al enterramiento de aquel lonbardo. He adoptado *pedricasse* de
PH porque, como apunta Corominas en su nota al verso
1128*b* del *LBA* (p. 434), era la forma predominante en la
época. He adoptado el texto de *P.*
41. *P:* et quando subió a pedricar ovo de fablar en pedricación
de aquel omne.
42. *S:* que dixe el E. *G* omite: *que dize el E.*

el Evangelio, que dize assí: «Ubi est thesaurus tuus ibi
est cor tuum» [144]. Que quiere dezir: «Do es el tu thesoro
45 ý es el tu coraçón.» Et quando esto dixo, tornóse a
las gentes et dixoles:

—Amigos, por que veades que la palabra del Evangelio es verdadera, fazet catar el coraçón a este omne:
et yo vos digo que non lo fallarán en su cuerpo, et
50 fallarlo an en el arca do tiene el thesoro.

Estonçe fueron catar el coraçón en el cuerpo et non
lo fallaron ý, et falláronlo en el arca commo Sancto
Domingo dixo. Et estava lleno de gusanos et olía peor
que ninguna cosa por mala nin por podrida que fuesse.
55 Et vos, sennor conde Lucanor, commo quier que el
thesoro, commo de suso es dicho, es bueno, guardad
dos cosas: la una, que el thesoro que ayuntáredes, que
sea de buena parte; la otra, que non pongades tanto el
coraçón en el thesoro por que non fagades ninguna cosa

---

43. *M:* el E., conviene a saber.
44. *P:* Do está el tu tesoro ý está el tu coraçón. *H:* do el tu t.
et do es el tu coraçón.
45. *H:* Et quando dixo, tornó a las g. *M:* Et q. dixo esto.
48. *H:* fazed sacar el c. *P:* el coraçón deste omne, ca dígovos.
49. *HM:* lo non fallaredes. *S:* en el cuerpo suyo et f. an en
el arca que tenía el su t.
50. *GA:* arca do tenía el th. suyo. *H:* arca do tenía el th.
51. *P:* E. fueron a catar el cuerpo. *GA:* en el cuerpo del lonbardo. *M:* fuéronlo a catar.
52. *P:* commo S. D. dixiera.
53. *S:* gujanos. Adopto *gusanos* de los otros mss. y que está
también en el *LBA* 1524a. *P:* et fedíe peor que si fuesse otra
cosa por mala que fuesse. *G:* por mala ni perdida que fuesse. *M* omite: *et estava lleno... podrida que fuesse.*
56. *P* omite: *commo de suso es dicho. G:* commo de suso es
dicho alleguedes. *A:* c. de suso dicho alleguedes. *H:* que de
suso es dicho. *M:* c. de suso dixe.
57. *M:* es que el t. commo de suso dixe que ayuntardes. *S:* la
una en que el t. *P* omite: *que ayuntáredes.*
58. *P:* tanto el c. en ello por que fagades alguna cosa que vos
non cunpla fazer.
59. *M:* por que ayades de fazer cosa que non vos esté bien de
fazer.

---

[144] San Mateo 6.21 y San Lucas 12.34.

60 que vos non caya de fazer [145]; nin dexedes nada de vuestra onrra, nin de lo que devedes fazer, por ayuntar grand
thesoro de buenas obras, por que ayades la graçia de
Dios et buena fama de las gentes.

Al conde plogo mucho deste consejo que Patronio le
65 dio, et fízolo assí, et fallóse ende bien.

Et teniendo don Johan que este exemplo era muy
bueno, fízolo escrevir en este libro, et fizo ende estos
versos que dizen assí:

Gana el thesoro verdadero
70   et guárdate del falleçedero.

EXEMPLO XV
De lo que contesçió a un muy buen cavallero [146]

Otra vez fablava el conde Lucanor con Patronio, su
consejero, en esta guisa:

60. *A* omite: *de vuestra onrra nin.*
61. *GAHM:* grand th., mas ayuntad thesoro de buenas obras.
63. *H:* fama de las buenas gentes.
64. *P:* q. P. le dixo. *A:* que le dio P.
65. *H* omite: *et fízolo assí.*
69. *P:* Gana el tesoro de que non ayades cuydado. *H:* th. duradero.
70. *P:* Guárdate del otro con que el omne es mas lazrado. *A:*
Guarte.
    S: contesçió a don Lorenço Suárez sobre la çerca de Sevilla.
P: Del exemplo de la bondat que fizieron tres cavalleros
del rrey don Ferrando, quando tenía çercada a Sevilla.
A: De don Lorenço Suárez Gallinato y don Garcí Pérez
de Vargas y otro cavallero. *H:* acontesçió a don L. S. G.
et a otros dos cavalleros con el rrey don Fernando.
1. *A:* Acaesció una vez que estando el conde Lucanor fablando
con P. su c. en poridad le dixo en esta guisa.

[145] *caya de fazer:* convenga hacer; *Estados* 84,18; Giménez Soler
p. 696,5.
[146] Adolphe de Puibusque (*Le Comte Lucanor. Apologues et
fabliaux du XIVe siècle,* Paris, 1854, pp. 250-251) y Hermann Knust
(*Juan Manuel. El libro de los enxiemplos del Conde Lucanor et*

—Patronio, a mí acaesçió que ove un rrey muy poderoso por enemigo; et desque mucho duró la contienda
5 entre nós, fallamos entramos por nuestra pro de nos
avenir. Et commo quier que agora estamos por avenidos et non ayamos guerra, sienpre estamos a sospecha
el uno del otro. Et algunos, tan bien de los suyos commo
de los míos, métenme muchos miedos, et dízenme que

3. *M:* Patronio, amigo... mucho poderoso. *H:* un rrey pode-
    roso.
4. *P:* et desque duró mucho entre nós la contienda. *M:* duró
    la enemistad, fallamos entre nós. *H:* mucho tuvo la ene-
    mistad entre nós. *G:* mucho me duró la enemistad, entre
    nós fablamos. *A:* duró la renzilla entre nós, fablamos. (No
    creo prudente corregir *fallamos* de *SP*).
7. *HM:* et non avemos guerra. *A:* estamos sospechosos. *H:* e.
    a sospechar.
8. *P:* e atan bien algunos de los suyos... et métenme grand
    miedo.
9. *H:* pónenme muchos miedos. *M:* me dan muchos miedos.
    A: del otro e asaz cuydosos; e de más ende algunos de los
    sus cavalleros e otros de la mi mesnada métenme muchos
    omezillos e miedos.

de Patronio. Text und Anmerkungen aus dem nachlasse von Hermann Knust herausgegeben von Adolf Birch-Hirschfeld, Leipzig,
1900, pp. 338-340, relacionaron con este *exemplo* los capítulos 1.107
y 1.084 de la *Primera crónica general de España que mandó componer Alfonso el Sabio y se continuaba bajo Sancho IV en 1289,*
ed. Ramón Menéndez Pidal, Madrid, Seminario Menéndez Pidal
y Gredos, 1955[2]. Don Juan Manuel, valiéndose de las anécdotas de
la *Crónica,* crea con admirable libertad esta seudohistoria de un
perfecto balance narrativo: «Entre la porfía o contienda de los
tres caballeros y la solución que da a la misma ese jurado que
nombra el rey compuesto por "quantos buenos omnes eran con
él", coloca don Juan Manuel la acción de los tres valientes que
desencadena no sólo la rabia ofendida de los moros, sino la cólera
indignada del rey. Son cuatro fuerzas las que mueven la narra-
ción: dos disputas: una particular y otra colectiva; dos sentimientos de indignación: uno colectivo y otro personal del rey. Y todo
se soluciona en la lección ejemplarizante "ca sienpre vençe quien
sabe sofrir"»; R. Ayerbe-Chaux (1975), p. 95; *vid.* pp. 91-95 y 252-
256. Sobre los inútiles e innecesarios esfuerzos para identificar el
tercer caballero sin nombre de la anécdota, *vid.* D. Devoto (1972),
pp. 397-398.

10 quiere buscar achaque para seer contra mí; et por el
buen entendimiento que avedes, rruégovos que me consejedes lo que faga en esta rrazón.

—Sennor conde Lucanor —dixo Patronio—, éste es
muy grave consejo de dar por muchas rrazones: lo pri-
15 mero, que todo omne que vos quiera meter en contienda
á muy grand aparejamiento [147] para lo fazer, ca dando
a entender que quiere vuestro serviçio et vos desenganna
et vos aperçibe, et se duele de vuestro danno, vos dirá
sienpre cosas para vos meter en sospecha; et por la
20 sospecha, avredes a fazer tales aperçebimientos que
serán comienço de contienda, et omne del mundo non
podrá dezir contra ellos; ca el que dixiere que non guardedes vuestro cuerpo, davos a entender que non quiere
vuestra vida; et el que dixiere que non labredes [148] et

---

10. *PGAH:* que quieren buscar. *A:* achaque contra mí; e maguer yo he cuydado en mi fazienda, por el buen seso que
avedes, ruégos que me consejedes lo que devo fazer en esta
razón.
15. *PHM:* que vos quiere. *A:* que vos querría.
16. *GA:* ha menester muy g. a. *H:* ha menester aparejamiento.
M: ha menester muy buen a. (Mantengo el texto de *SP*).
17. *S:* a entender que quiero [*sic*].
18. *SM:* vos dará [*sic*] sienpre cosas.
20. *P:* avredes de fazer. *SGA:* aperçibimientos. A pesar de que
esta grafía se encuentra en *Estados* 143.19, adopto la de
PHM; en el *LBA* se hallan las formas: *aperçebid* (1533c) y
aperçebido (240a, 329b, 630a).
22. *S:* contra ellas. *P:* contra ello. *S:* ca el q. dixieren [*sic*].
H: que non guardardes. *P:* ca el q. dixiere: «non guardedes
v. c.», da a e.
24. *P:* que non guardedes et labrades et baztestades. *G:* que lo
g. e labredes e bastestades. *A:* que lo g. e l. e fortalezcades.

---

[147] *aparejamiento:* preparación; *LBA* 537d. La palabra está llena
de significado, pues, como dice Corominas en su nota al verso
del Arcipreste, «era en particular la preparación de la construcción
de una casa, el acopio de materiales para la misma, y probablemente también la construcción de la base y el andamiaje de la
obra» (p. 218); *Estados* 202,3 y 30.
[148] *labredes:* edifiquéis, construyáis; *Apol.* 60a, 96b. Reparéis:
Infinido, p. 58.

25 guardedes et bastescades [149] vuestras fortalezas, da a en-
    tender que non quiere guardar vuestra heredat; et el
    que dixiere que non ayades muchos amigos et vassallos
    et les dedes mucho por los aver et los guardar, da a
    entender que non quiere vuestra onrra, nin vuestro de-
30 fendimiento; et todas estas cosas non se faziendo, seríe-
    des en grand peligro, et puédese fazer en guisa que seríe
    gran comienço de rroýdo [150]; pero pues queredes que
    vos conseje lo que entiendo en esto, dígovos que querría
    que sopiéssedes lo que contesçió a un muy buen ca-
35 vallero.
        El conde le rrogó quel dixiesse cómmo fuera aquello.
        —Sennor conde —dixo Patronio—, el sancto et bien-
    aventurado rrey don Ferrando tenía çercada a Sevi-
    lla; et entre muchos buenos que ý eran con él, avía
40 ý tres cavalleros que tenían por los mejores tres
    cavalleros d'armas que entonçe avía en el mundo:
    et dezían al uno don Lorenço Suárez Gallinato, al otro
    don Garçí Pérez de Vargas, et del otro non me acuerdo

---

25. *HM:* davos a e.
28. *M:* por los aver por amigos e por los guardar... q. n. q.
    vuestro defendimiento nin vuestra onrra.
30. *H* omite: *seríedes en grand peligro.*
32. *S:* sería comienço. *GA:* muy g. c. *P:* P. queredes q. vos conseje
    en esto lo que entiendo.
33. *GA:* c. lo que en esto entiendo. *HM:* lo que acaesçió. *PS:*
    a un buen cavallero.
36. *A* omite esta línea. *M:* Et el c. le preguntó.
37. *A* omite: *Sennor... Patronio. P* omite: *sancto et bienaven-
    turado.*
38. *M:* teniendo çercada a S.
39. *S:* que eran ý con él. *GA:* que ende eran.
40. *P:* los quales se tenían por mejores de armas. *H:* que avían
    por mejores tres omnes de armas de entençes [*sic*] avía
    en el m.
41. *M:* et al otro dezían don García P. de V.
42. *S:* García Periz. *GA:* non me a. como avie nombre.

---

[149] *bastescades:* abastezcáis; *Estados* 133,3.
[150] *rroýdo:* alboroto; *Apol.* 100a; *LBA* 1210c, 1245d. Los ejemplos
que aduzco implican la idea de comentarios de las gentes. *Vid.*
nota de J. Joset al verso 1210c.

el nonbre. Et estos tres cavalleros ovieron un día porfía
45 entre sí quál era el mejor cavallero d'armas. Et porque
non se pudieron avenir en otra manera, acordaron todos
tres que se armassen muy bien, et que llegassen fasta
la puerta de Sevilla, en guisa que diessen con las lanças
a la puerta.
50 Otro día mannana, armáronse todos tres et endereс-
çaron a la villa; et los moros que estavan por el muro
et por las torres, desque vieron que non eran más de
tres cavalleros, cuydaron que venían por mandaderos,
et non salió ninguno a ellos, et los tres cavalleros pas-
55 saron la cava et la barvacana [151], et llegaron a la puerta
de la villa, et dieron de los cuentos [152] de las lanças en
ella; et desque lo ovieron fecho volvieron las riendas
a los cavallos et tornáronse a la hueste.
Et desque los moros vieron que non les dizían nin-
60 guna cosa, toviéronse por escarnidos [153] dellos et començaron a yr en pos ellos; et quando ellos ovieron avierto

---

44. *H* omite: *el nonbre*. *P:* Estos tres ovieron una vez grand
porfía. *H:* ovieron porfía un día. *M:* o. un día entre sý muy
grant contyenda.
47. *P* omite: *muy bien*. *M:* q. se armassen todos tres muy bien.
50. *PGAHM:* Otro día de mannana. Mantengo la lectura de *S*;
la expresión *otro día mannana* está en *Apol.* 140a; *LBA*
1313a. *GA:* fuéronse a armar. *M:* adereçáronse et armáronse.
51. *GA:* a la ciudad.
52. *A:* más que tres c.
53. *P:* por mensajeros.
54. *H:* passavan la cava.
55. *GA:* a la puerta de la ciudad. *P:* a la puerta et dieron sendos conterazos; (omite: *en ella*).
57. *GAH:* E desque esto. *M:* Et dq. uvieron fecho esto.
59. *P:* non dezían nada. *A:* non dezían alguna cosa. *M:* Et dq.
los moros que non dezían ninguna cosa [*sic*].
61. *P:* et q. ellos vieron abierta. *H:* vieron la p. de la villa abierta. *GA:* o. la puerta de la ciudad abierta. *M:* o. las puertas
de la v. abiertas.

---

[151] *la cava et la barvacana:* los fosos y las primeras fortificaciones; *Estados* 138,27 y 149,13.
[152] *cuentos:* regatón o casquillo o punta de la lanza.
[153] *escarnidos:* escarnecidos, injuriados; *PMC* 2715; *Apol.* 33b,
518c, 654d; *LBA* 767d, 895d, etc.

la puerta de la villa, los tres cavalleros que se tornavan
su passo [154], eran yaquanto alongados; et salieron en
pos ellos más de mil et quinientos omnes a cavallo, et
65 más de veinte mil a pie. Et desque los tres cavalleros
vieron que venían çerca dellos, bolvieron las riendas de
los cavallos contra ellos et esperáronlos. Et quando los
moros fueron çerca dellos, aquel cavallero de que olbidé
el nonbre, endereçó a ellos et fuelos ferir. Et don Lo-
70 renço Suárez et don Garçí Pérez estudieron quedos; et
desque los moros fueron más çerca, don Garçí Pérez
de Vargas fuelos ferir; et don Lorenço Suárez estudo
quedo, et nunca fue a ellos fasta que los moros le fueron
ferir; et desque le començaron a ferir, metióse entrellos
75 et començó a fazer cosas marabillosas darmas.

Et quando los del rreal vieron âquellos cavalleros
entre los moros fuéronles acorrer. Et commo quier que
ellos estavan en muy grand priessa et ellos fueron feri-

---

63. *P:* eran ya algún tanto alongados. *P:* salieron en pos ellos
mill et quinientos de cavallo et fasta mill a pie.
64. *H* omite: *et m. de v. mil a pie.*
65. *M:* v. mill omnes de pie. Con muy poco entusiasmo adopto
aquí el texto de *SGAM.* ¿Llevaría don Juan Manuel a tal
extremo su ficción que aun añadiera esta exageración
épica? El texto de *P* es mucho más sobrio y *H* omite en
un todo los inverosímiles «veinte mil». No es imposible
que el *fasta* original hubiera degenerado en *veinte* en la
transmisión.
66. *GA:* vieron bien q. venían. *P* omite: *volvieron las riendas...*
fueron çerca dellos.
69. *AH* omiten: *endereçó a ellos et. H:* Et d. L. S. estudo
quedo et nunca fue contra ellos él nin Garçí Pérez.
71. *G:* l. m. estuvieron más cerca. *M:* l. m. fueron çerca de don
García Péres fuele ferir.
73. *P:* l. m. lo firieron: et desque començó a feryr, metióse.
74. *H:* metióse entre los moros. *M:* metióse contra ellos.
75. *P* omite: *marabillosas. M:* c. maravillosas además.
76. *P:* Et q. l. cavalleros del rreal v. a. tres cavalleros. *H:* vieron que los cavalleros eran entre los moros.
77. *G:* fueron a acorrer.
78. *PH* omiten: *muy. M:* estavan por sý.

---

[154] *tornavan su passo:* volvían despacio; *LBA* 1092a.

dos, fue la merçed de Dios que non murió ninguno dellos.
80 Et la pelea fue tan grande entre los christianos et los
moros, que ovo de llegar ý el rrey don Ferrando. Et
fueron los christianos esse día muy bien andantes. Et
desque el rrey se fue para su tienda, mandólos prender,
diziendo que meresçían la muerte, pues que se aventu-
85 raron a fazer tan grant locura, lo uno en meter la hueste
en rrebato [155] sin mandado del rrey, et lo ál en fazer perder tan buenos tres cavalleros. Et desque los grandes
omnes de la hueste pidieron merçed al rrey por ellos,
mandólos soltar.
90   Et desque el rrey sopo que por la contienda [156] que
entrellos oviera, fueron a fazer aquel fecho, mandó
llamar quantos buenos omnes eran con él para judgar
quál dellos lo fiziera mejor. Et desque fueron ayunta-

---

79. *M:* ninguno dellos en la pelea. Et fue tan grande la lid.
80. *H:* f. muy g. *GPA:* entre los moros et los christianos fasta
que ovo (*P:* ý) de llegar.
81. *M:* q. o. allí de allegar.
82. *GM:* f. esse día los chr. b. a. (*M:* muy b.a.). *A:* esse día f.
los chr. b. a. *H* omite: *ese día. P* omite: *Et fueron... b.
andantes.*
83. *P:* para su casa.
84. *SG:* se aventuravan. *M:* se aventuraron a tal aventura. *H:*
porque se atrevían.
86. *GAMH:* en tan grand rrebato.
87. *P:* tales tres cavalleros. *P:* Et después los g. o.
88. *A* omite: *omnes. M:* o. esto vieron pidiéronle al rrey merçed. *H:* por ellos, soltólos.
90. *P:* Et desque sopo que por porfía que entre ellos avía,
porfiaron a fazer aquel fecho. *H:* sopo que la contienda
era entre ellos et que por eso fizieron.
91. *M:* fuéronlos llamar e mando ll. a q. omnes buenos allí
eran con él.
92. *PH:* omnes buenos.
93. *M* omite: *Et desque... grand contienda.*

---

[155] *rrebato:* asalto repentino. En *PMC* 468: *rebata; Ali.* 1385*b.*
Éste es el significado aquí. *Rebato, rebata, rebate* quiere decir
también «sobresalto», «susto»: *PMC* 2295; *FnGz.* 640*b; LBA* 952*a.*
[156] *contienda:* disputa; *Ali.* 2278*c; Apol.* 84*b,* 115*a; LBA* 755*a,*
864*c,* 980*c.*

dos, ovo entrellos grand contienda: ca los unos dezían
95 que fiziera mayor esfuerço el que primero les fue ferir,
et los otros dezían quel segundo, et los otros dezían
quel terçero. Et cada uno dezía tantas buenas rrazones
que paresçían que dezían rrazón derecha. Et en verdat,
tan bueno era el fecho en sí, que qualquier podría aver
100 muchas buenas rrazones para lo alabar; pero, a la fin
del pleyto, el acuerdo fue éste: que si los moros que
venían a ellos fueran tantos que se pudiessen vençer
por esfuerço et por bondat que en aquellos tres cavalleros oviesse, que el primero que los fuesse ferir, era
105 el mejor cavallero pues començaba cosa que se podía
acabar; mas, pues los moros eran tantos que por ninguna guisa non los podrían vençer, que el que yva a ellos
non lo fazía por vençerlos, mas la vergüença le fazía
que non fuyesse; et pues non avía de foyr, la quexa
110 del coraçón, porque non podía soffir el miedo, le fizo

---

95. *SGA:* q. fuera mayor esfuerço. *M:* Et el primero que les
fuera ferir o qual de los otros. Et los unos dezían que el
primero; e los o. d.
96. *SH:* et los otros que el segundo.
97. *S:* et c. u. dizían.
98. *PGHM:* rr. et derecho. *A* omite: *que paresçían... rr. derecha.*
Mantengo la lectura de *S* en contra de los demás mss.
porque la expresión *rrazón derecha* se encuentra en el *LBA*
370a. *A* omite: *Et en verdat... buenas rrazones.*
99. *P:* el fecho assí. *GHM:* el fecho entre sí. *PG:* podía aver.
100. *PHM:* para lo acabar.
102. *PAM:* q. se pudieran v. *H:* q. se podrían v. *M:* vençer por
bondad de aquellos tres cavalleros.
104. *H:* primero de los tres era q. l. f. f. *M:* avía quel primer
cavallero q. les fuera f. *S:* fuesse a ferir.
105. *SM:* se podría acabar. *GA:* se pudiera a.
106. *P:* por ninguna cosa non los podría vençer.
107. *GA:* non los pudieran v. *H:* no lo podía v. *M:* no se podrían v. *P:* que ya quel uno lo fiziera por vençer los moros.
G omite: *que el que yva... vençerlos.*
108. *M:* no lo fyziera por vençer. *H:* mas por la vergüença que
non fuyesse.
109. *P:* que non fuesse.
110. *P:* podíe fazer el miedo. *A:* podría sufrir el m. les fizo q.
los f. *H:* les fizo que les f.

que los fuesse ferir. Et el segundo que los fue ferir, que
esperó más quel primero, toviéronlo por mejor, porque
pudo sofrir más el miedo. Mas don Lorenço Suárez que
sufrió todo el miedo et esperó fasta que los moros le

115   ferieron, aquél judgaron que fuera mejor cavallero.

Et vos, sennor conde Lucanor, pues veedes que estos
son miedos et espantos, et es contienda que, aunque la
començedes, non la podedes acabar, quanto más sufrié-
redes estos miedos et estos espantos, tanto seredes más

120   esforçado, et demás, faredes mejor seso: ca pues vos
tenedes rrecabdo en lo vuestro et non vos pueden fazer
cosa arrebatadamente de que grand danno vos venga,
conséjovos yo que non vos fuerçe la quexa del coraçón.
Et pues grand golpe non podedes rresçebir, esperad ante

125   que vos fieran et por aventura veredes que estos miedos
et espantos que vos ponen, que non son con verdat,
sinon que los que esto vos dizen, que lo fazen porque
cunple a ellos, que non an bien sinon con el mal. Et bien
creed que estos tales, tan bien de vuestra parte commo

---

114. *P:* et esperó fasta quel firieron.
115. *PM:* judgaron por mejor cavallero. *GA:* que era el mejor
       cavallero.
116. *S* omite: *pues. GA:* que todos estos son miedos.
117. *P* omite: *et es contienda. GA:* espantos e contienda. *M:* es-
       pantos e contyendas.
118. *PH:* podredes acabar. *M:* podríades acabar. *S:* suffriéredes.
       HGA: sofriéredes.
119. *P:* estos miedos et espantos. *GA:* tanto más seredes esfor-
       çado.
120. *M:* e de más seredes más de mejor seso.
121. *G* omite: *tenedes rrecabdo en lo vuestro et non vos. SH:*
       puede. *P:* puedan.
122. *M:* rrebatosamente de que vos pueda venir danno.
123. *A:* que non vos quexe la fuerça del coraçón.
125. *P:* que vos fiera.
126. *P* omite: *et espantos. PHM:* que vos ponen non son con
       verdat.
127. *S:* sinon lo que estos vos dizen porque cunple a ellos. *GA:*
       e sinon lo que estos dizen.
128. *P:* que non ay bien sinon con mal. *M:* s. con mal.
129. *M:* estos atales tan bien de la una parte commo de la otra
       non querrán.

130 de la otra, non querríen grand guerra nin grand paz,
ca non son para se parar [157] a la guerra, nin querrían
paz conplida; mas lo que ellos querrían, sería un alboroço con que pudiessen ellos tomar et fazer mal en la
tierra, et tener a vos et a la vuestra parte en premia [158]
135 para levar de vos lo que avedes et non avedes, et non
aver reçelo que los castigaredes por cosa que fagan.
Et por ende, aunque alguna cosa fagan contra vos, pues
non vos pueden mucho enpeçer en soffrir que se mueva
del otro la culpa, venirvos á ende mucho bien: lo uno,
140 que avredes a Dios por vos, que es una ayuda que cunple
mucho para tales cosas; et lo ál, que todas las gentes
ternán que fazedes derecho en lo que fizierdes. Et por
aventura, non moviéndovos a fazer lo que non devedes,
non se moverá el otro contra vos; et avredes paz et
145 faredes serviçio a Dios et pro de los buenos, et non

---

130. *H:* non querrán. *SA:* non querrían guerra.
131. *H:* se poder parar a la guerra nin a grand paz conplida.
A: nin querrán paz cumplida.
132. *G:* será un alboroto. *M:* será un alboroço. *A:* querrán, será
un a.
134. *P:* tierra et aun a vos et a la otra parte. *GAH:* a vos e a la
otra parte. *P* omite: *en premia para* y *et non avedes.*
136. *M:* c. q. fagan contra vos. *H:* que los castiguedes. A pesar
de que esta lectura de *H* es mejor, no se puede dejar la
lectura de *SPGA.*
137. *M* omite: *Et por ende... fagan contra vos.*
138. *GAM:* puede m. enpeçer. *H:* puedan m. e. *GA* omiten:
en soffrir. H: en s. el bien que se mueva será por el otro
la culpa et venir vos ende bien. *A:* verná vos.
140. *H:* que es una cosa et ayuda. *GA:* a Dios que es un ayuda.
141. *P:* mucho a estas cosas.
142. *P:* en lo que fezistes. *AM:* en lo que fazedes.
143. *A:* que non vos moviendo. *S:* que si non vos movierdes.
M: q. vos non vos moviendo. *H:* a. vos moviendo a lo fazer.
144. *S:* non se movrá (*movrá* está en *Apol.* 100c). *G:* non se mo-
viera. *P:* et assí avredes paz. *G* omite: *paz et faredes.*
145. *M:* e provecho de los buenos. *A* omite: *et non faredes...
por esta rrazón.*

---

[157] *parar:* preparar.
[158] *premia:* apremio; *PMC* 1193; *Ali.* 46d, 207c; *Mil.* 297c; *FnGz.*
189d; *LBA* 205d, 206c.

faredes vuestro danno por fazer plazer a los que querrían guaresçer [159] faziendo mal et se sentirían poco de
vuestro danno que vos viniesse por esta rrazón.

150 Al conde plogo mucho deste consejo que Patronio
le dio, et fízolo assí et fallóse ende bien.

Et porque don Johan tovo que este exemplo era muy
bueno, mandólo escrevir en este libro et fizo estos versos que dizen assí:

Por quexa nos vos fagan ferir,
155   ca sienpre vençe quien sabe sofrir.

Exemplo XVI
De lo que dixo una vez el conde Ferrant González
a Nunno Laýnez [160]

El conde Lucanor fablava un día con Patronio, su
consejero, en esta guisa:

---

146. *M:* por fazer bien a los que q. g. faziendo danno e mal.
     GH: a los que quieren.
147. *G:* e se sentían poco. *H:* et se sienten muy p. *S:* et se pintan
     poco.
149. *A* omite: *Al conde... ende bien. S:* plogo deste c. q. P. le
     dava.
150. *GH:* le dixo.
154. *P:* Por quexa que vos venga. *A:* Nunca vos fagan por quexa
     ferir. *H:* vos faga ferir. *M:* vos fagan fuyr.
155. *H:* que s. v. el que s.s. *P:* el que sabe sofryr. *G:* sabe fuir.
     M: quien bien sabe s. *A:* venciera quien sopo sofrir.

A omite: *una vez. S:* De la respuesta que dio el conde F. G.
a Munno L. su pariente. *H:* De lo que contesçió al c. F. G.
con N. L. *P:* De lo que contesçió al rrey don Ferrando que
dio rrespuesta a sus cavalleros quel dizían que folgasse.
1. *P* omite: *un día. SG* omiten: *su consejero. H:* fabló un día.
   A: Fablava el c. L. un día.

---

[159] *guarescer:* ampararse, salvarse: «Et éstas *(las animalias)*
escaparon et guaresçieron en un arca»; *Estados* 50,22. Hay un
cruce semántico con el verbo *guarir; vid.* R. Menéndez Pidal, *Cantar,* p. 711,40.
[160] El *exemplo* está basado bien en el *Poema de Fernán Gonzá-*

— Patronio, bien entendedes que yo non soy ya muy
mançebo, et sabedes que passé muchos trabajos fasta
5 aquí. Et bien vos digo que querría de aquí adelante
folgar et caçar, et escusar los trabajos et afanes. Et
porque yo sé que sienpre me consejaredes lo mejor,
ruégovos que me consejedes lo que vierdes que me cae [161]
más de fazer.

10 —Sennor conde —dixo Patronio—, commo quier que
vos dezides bien et rrazón, plazerme ẏa que sopiéssedes lo que dixo una vez el conde Ferrant González a
Nunno Laẏnez.

El conde Lucanor le rrogó quel dixiesse cómmo fuera
15 aquello.

— Sennor conde —dixo Patronio—, el conde Ferrant

---

3. *P:* q. ya non so mucho m. *M:* sabedes q. non soy muy m.
   H: non so yo muy m.
4. *M:* que he pasados m. t. *H:* que paso.
5. *PH:* q. querría (*H:* quería) folgar de aquí adelante.
6. *M:* los afanes e los trabajos.
7. *SG:* porque sé. *S:* me consejastes. *G:* me consejássedes.
8. *P:* me c. lo mejor q. v. *M* omite: *que vierdes. P:* vierdes
   que cunple fazer en esto. *A:* q. me cale más. *H:* que me conviene más.
11. *GAH:* d. buena razón. *M:* dezides rrazón. *S:* pero plazer-
    me ẏa.
12. *P:* lo que contesçió.
14. *PMH* omiten: *Lucanor. A:* le dixo. *H:* le dixo cómmo f. a.
    M: le preguntó cómmo f. a.

---

lez (ed. Alonso Zamora Vicente, Madrid, Espasa-Calpe, Clásicos
Castellanos, 1954²), coplas 332-356, bien en el cap. 696 de la *Primera
crónica general.* Dice María Rosa Lida de Malkiel: «A pesar de
hallarse frente a un personaje histórico en una anécdota tradicional, don Juan Manuel procede con entera libertad, y los toques
más concretos que con mágica convicción evocan un ambiente
determinado... son totalmente imaginarios»; «Tres notas sobre
Don Juan Manuel», *RPh,* IV, 1950-1951, pp. 164-165; reimpreso en
Estudios de literatura española y comparada, Buenos Aires, Eudeba, 1966, pp. 92-133. *Vid.* D. Devoto (1972), pp. 398-399, y R. Ayerbe-Chaux (1975), pp. 88-91 y 257-259.
[161] *caer:* convenir; *vid.* nota 145.

González era en Burgos et avía passados muchos trabajos por defender su tierra. Et una vez que estava ya commo más en assossiego et en paz, díxole Nunno
20 Laínez que sería bien que dallí adelante que non se metiesse en tantos rroýdos, et que folgasse él et dexasse folgar a sus gentes.

Et el conde respondiól que a omne del mundo non plazdría más que a él folgar et estar viçioso si pudiesse;
25 mas que bien sabía que avía guerra con los moros et con los leoneses et con los navarros, et si quisiessen mucho folgar, que los sus contrarios que luego serían contra ellos; et que si quisiessen andar a caça con buenas aves por Arlançón arriba et ayuso[162], et en bue-
30 nas mulas gordas, et dexar de defender la tierra, que bien lo podrían fazer, mas que les contesçería commo la

17. *PM:* estaba en Burgos. *P:* avía passado. Adopto el participio adjetivado de los demás mss.
18. *P:* q. estava ya más con sosiego.
19. *H:* commo que estaba en más a. *M:* commo e. mas en sosyego. *A:* sosiego. La forma *sosiego* de *PAM* está en el *LBA* 58c y 876b; pero adopto *assossiego* con *SGH* porque se halla en una carta de don Juan Manuel: Giménez Soler, p. 375.13; en *Estados* 130.29 se lee: *asusiego.*
20. *M:* de allí adelante que sería bien que.
21. *HM:* en grandes ruidos.
22. *PH:* folgar sus gentes.
23. *P:* Et él r. que non plazería más a omne del mundo que folgasse que a él.
24. *M:* plazía más folgar que a él. *M:* si ser pudiesse.
25. *P:* pero que. *GAHM* omiten: *bien. S:* a. grand guerra.
26. *P:* con leoneses et con navarros, et si mucho quisiesse folgar. *HM:* quisiesse. *A:* e que si quisiessen.
27. *P:* contrallos. (*Vid.* 2.23). *HM:* serían con él.
28. *P:* andar a caçar. *M:* andar a tomar aves por Arrlançón.
29. *P:* por Almançor. *A:* por Arlança. *AHMG:* ayuso e arriba.
31. *PM:* lo podían fazer. *S:* commo dezía el verbo antigo. *GH:* c. dize el verbo antiguo. *M:* acaesçería c. dezía el verbo (omite: *antiguo*). *A:* c. dize el proverbio a. Para adoptar la lectura de *P* he tenido en cuenta la nota de Corominas al verso 1089a del *LBA* (p. 420), en que interpreta *verbo* como

[162] *ayuso:* abajo; *PMC* 426, 501, 546; *Ali.* 2630d; *LBA* 967b, 975a, 978a, 990b, 1007b; *Estados* 52,17.

palabra antigua dize: «murió el onbre et murió su nonbre»; mas si quisiéremos olvidar los viçios [163] et fazer
mucho por nos defender et levar nuestra onrra ade-
35 lante, dirán por nós después que muriéremos: «murió
el onbre, mas non murió el su nonbre». Et pues viçiosos
et lazrados [164] todos avemos a morir, non me semeja
que sería bien si por viçio nin por folgura dexássemos
de fazer de guisa que después que nós muriéremos, que
40 nunca muera la buena fama de los nuestros fechos.

Et vos, sennor conde, pues que sabedes que avedes
a morir, por el mi consejo, nunca por viçio ni por folgura dexaredes de fazer tales cosas, por que aun desque
vos murierdes, sienpre finque buena fama de los vues-
45 tros fechos.

Al conde plogo mucho desto que Patronio le dixo,
et fízolo assí, et fallóse ende bien.

---

palabra jactanciosa; lo mismo pasa en el verso 960*d*. En
cambio, *palabra* significa «proverbio» en *LBA* 44*a*, 542*b*,
1299*b* y quizás en 64*b*.
32. *S:* et murió el su nonbre.
33. *M:* quisyerdes más. *P:* et fiziéremos mucho por. *H* omite:
mas si quisiéremos... non murió el su nonbre.
36. *A:* mas non su nombre. *H:* Et después v.
37. *PSGA:* lazdrados. Esta forma se encuentra trece veces en el
Apol. en tanto que *lazrado* sólo está en 335*a*, 457*b* y 519*b*;
sin embargo, *PMC* 1045 y *LBA* 1570*d*, 1169*c*, 221*d* sólo usan
lazrar sin epéntesis de la *d*; Nelson en su ed. del *Ali.* prefiere *lazrar* en 367*c*, 254*c* y 2273*d*. *M:* non me semeja bien.
38. *S:* que sería bueno. *P:* si por el viçio. *GA:* el viçio de la
folgura. *H:* que por el viçio. *SGA:* dexáremos. *M:* dexemos.
(Adopto el impf. de subj. de *PH*).
39. *P:* que muriéremos. *H:* que muramos.
40. *P:* muera la fama. *M:* la buena fama muera de nos.
43. *PHM:* después que.
44. *SG:* sienpre viva. *M:* s. finque e biva la b. f. de los vuestros fechos buenos. *H:* la vuestra b. f. de l. v. buenos f.
46. *SG:* q. Patronio le consejó. *H:* de este consejo q. P. le dio.
porque me cunple m.
47. *S:* et fallósse dello muy bien.

---

[163] *viçios:* deleites, comodidades; *Ali.* 2184*c*; *Apol.* 350*a*; *LBA*
394*c*, 620*c*, 1339*c*, etc.
[164] *lazrados:* afligidos, desgraciados, miserables.

Et porque don Johan tovo este exemplo por muy
bueno, fízolo escrevir en este libro et fizo estos versos
50 que dizen assí:

> Si por viçio et por folgura
> la buena fama perdemos,
> la vida muy poco dura,
> denostados fincaremos.

EXEMPLO XVII

De lo que contesçió a un omne con otro
que le convidó a comer

Otra vez fablava el conde Lucanor con Patronio, su
consejero, et díxole assí:

—Patronio, un omne vino a mí et díxome que faría por
mí una cosa que me cunplía a mí mucho; et commo
5 quier que me lo dixo, entendí en él que me lo dezía
tan floxamente quel plazerié mucho si escusasse de

---

48. *P* omite: *Et porque d. J... en este libro.*
49. *P:* et fizo ende e .v.
51. *GM:* La buena fama perdemos si por viçio e folgura. *A:* si
    por el vicio e folgura. *P:* Por viçio et folgura.
53. *H:* Si buena vida perdemos por la vida que poco dura d.
    fincaremos. *P:* la vida dura poco.
54. *G:* denostados quedaremos.
    H: acaesçió. *S:* a un que [*sic*] avía muy grant fanbre, quel
    convidaron otros muy floxamente a comer. *P:* a un omne que
    fue rrico; después pobre; un su amigo conbidól a comer floxa-
    mente cuydando que lo non tomaría. El sentóse a comer a
    la mesa.
3. *SH:* P. un omne un omne [*sic*] (Ambos tienen el mismo error).
4. *A:* que cumplía mucho. *GHM:* q. cunplía a mí mucho. *P:*
    porque me cunple m.
5. *GA:* que me la dixo q. en él q. me la dixo. *M:* me lo dio a en-
    tender en que me lo dixo.
6. *P:* quel plazía: (omite: *mucho*). *S: plazdríe.* (*Vid. Estados*
    190.12 y la introd. de Tate, Macpherson p. lxxxvi). *H:* si yo
    escusasse. *M:* sy me escusasse. *S:* mucho escusasse de tomar
    de aquella ayuda. *Si* que omite *S* está en todos los mss.;

tomar dél aquella ayuda. Et yo, de una parte, entiendo
que me conpliríe mucho de fazer aquello que me él
ruega, et de otra parte, he muy grand enbargo de tomar
10 dél aquel ayuda pues veo que me lo dize tan floxamente. Et por el buen entendimiento que vos avedes ruégovos que me digades lo que vos paresçe que devo fazer
en esta rrazón.

—Sennor conde Lucanor —dixo Patronio—, para que
15 vos fagades en esto lo que me semeja que es vuestra
pro, plazerme ýa mucho que sopiéssedes lo que contesçió a un omne con otro quel convidó a comer.

El conde le rrogó quel dixiesse cómmo fuera aquello.

—Sennor conde Lucanor —dixo Patronio—, un omne
20 bueno era que avía seýdo muy rrico et era llegado a
muy grand pobreza et fazíasele muy grand vergüença de
demandar nin envergonçarse a ninguno por lo que avía
de comer; et por esta rrazón sufría muchas vezes grand

---

con respecto a la variante *de* en *SH, dél* en *PM* que omiten
GA, sigo el texto que me parece más lógico.
7. *S:* entendiendo. *M:* entendí.
8. *AH:* que él me ruega.
9. *P:* et de la otra parte. *SA:* de tomar de aquel ayuda.
10. *H:* aquella ayuda. *H:* floxamiente.
11. *S:* porque vos fagades.
12. *P:* lo que me paresçe.
15. *S:* que esta es v. pro. *M:* que es más v. pro.
16. *H:* lo que acaesçió... que le convidava a comer.
19. *PHM* omiten: *Lucanor. P:* era un omne bueno que fuera.
    H: un buen omne que avía seýdo m. rrico era llegado.
21. *GA:* fazíale. *H:* fazíase de muy *M:* muy de grave de de-
    mandar. *P:* et fazíase grand vergüença de pedir nin demandar.
22. *HM:* nin avergonçarse. *S:* envergonarse. La forma anticuada
    del verbo en *S* se puede descartar, pues el sust. en la misma
    línea tiene en todos los mss. la forma más moderna; (*vid.*
    Corominas, p. 134, nota al verso del *LBA* 265*a*). *Envergonçar*
    aparece en *PMC* 2298; *Mil.* 566*a*; *Ali.* 1680*c*; *Apol.* 8*a*, 206*d*;
    LBA 762*b*.
23 *S:* muy grand fanbre et muy grand lazeria. *G:* m. g. lazeria
   e m. g. fambre. *A:* m. g. l. e muy gran vergüença de demandar
   y muy gran fame. *H:* grand fanbre et muy grand lazeria. *M:*
   m. g. f. e mucho lazerio. Sigo el texto más sobrio de *P;* las
   variantes indican muy posiblemente la mano de los co-

fanbre et grand lazeria. Et un día, yendo él muy cuytado,
25 porque non podía aver ninguna cosa que comiesse, passó por una casa de un su conosçiente que estava comiendo; et quando le vio passar por la puerta, preguntól
muy floxamente si quería comer; et él, por el grand menester que avía, començó a lavar las manos et díxol:
30 —En buena fe, don Fulano, pues tanto me conjurastes et me afincastes que comiesse convusco non me
paresçe que faría aguisado en contradezir tanto vuestra
voluntad nin fazervos quebrantar vuestra jura.
Et assentóse a comer et perdió aquella fanbre et
35 aquella quexa en que estava. Et ende adelante, acorrió
Dios, et diol manera cómmo salió de aquella lazeria.
Et vos, sennor conde Lucanor, pues entendedes
que aquello que aquel omne vos ruega es grand vuestra
pro, dalde a entender que lo fazedes por conplir su rue-
40 go, et non paredes mientes a quan floxamente lo él

pistas. Confieso que siempre es posible que el escriba de *P*,
ante tanta confusión, haya simplificado el texto.
25. *P*: aver cosa. *H*: non fallava ninguna cosa de comer.
26. *P*: una puerta de un su amigo. *H*: una puerta. *M*: su cono-
çiente e su amigo. Vid. *LBA* 710a.
27. *P*: passar por la calle.
28. *M*: tan floxamente.
29. *GA*: comiença a lavarse.
30. *A*: En buena ora. *G*: don fuelano p. t. me conjurades e me
afincades. *H*: tanto me lo conjurastes que c. *P*: tanto me
aquexades e me conjurastes.
32. *GAM*: semeja que sería guisado. *H*: non me sería guisado. *P*:
guisado. *Aguisado*: lo justo, lo razonable. *LBA* 236*b*, 403*c*, 702*a*:
guisado se usa como adj.: *LBA* 88*b*, 738*c*, 988*f*.
33. *GA*: nin vos fazer q.
34. *P*: aquella fanbre et la quexa en q. e.
36. *S*: lazeria tan grande. *A*: lazeria en que estava. *G*: l. tan grande commo estava. *HM*: l. tan grande en que estava.
37. *P*: pues vedes que aquello.
38. *S*: que aquel omne que aquello v. r. *P*: vos dize et rruega.
GA: vos rogó. *GAM*: es vuestra pro. *H*: es grand pro vuestra.
39. *PGAHM*: dadle. He conservado la forma con metátesis de *S*,
que se halla también en el *LBA* 1197*b*, 1450*d*. *M*: lo fazedes
por su rruego, non tardedes de lo fazer.
40. *S*: a quanto floxamente. *H*: a tan floxamente que vos lo r.
M: a quien floxamente vos lo r.

ruega et non esperedes a que vos affinque más por ello,
sinon por aventura non vos fablará en ello más, et servos ýa más vergüença si vos lo oviéssedes a rogar lo
que él ruega a vos.

45   El conde tovo este exemplo por buen consejo et fízolo
assí et fallóse ende bien.

Et entendiendo don Johan que este exemplo era muy
bueno, fízolo escrevir en este libro et fizo estos versos
que dizen assí:

50   En lo que tu pro pudieres fallar,
                nunca te fagas mucho por rogar.

Exemplo XVIII
De lo que contesçió a don Pero Meléndez de Valdés [165]

Fablava el conde Lucanor con Patronio, su consejero, un día et díxole assí:

---

41. *H:* vos lo afinque más sobre ello. *M:* a que él vos afynque.
42. *P:* más en ello.
43. *P:* grand vergüença. *GAM:* oviéssedes (*GA:* ubiéssedes) a rogar
     (*M:* de rrogar) a él. *H:* si le oviéssedes a r. lo que él agora r.
     a vos.
45. *S:* tovo esto por bien et por buen consejo. *GA:* éste por
     buen exemplo et por buen consejo. *H:* éste por buen e.
     M: éste por buen consejo.
47. *A:* Y porque don Joan entendió.
50. *G:* pudiéredes. *M:* provecho pudieres fallar.
51. *GA:* n. te dexes m. rogar. *H:* n. mucho te quieras r. *M:* de
     rrogar. *P* aduce unos versos bien distintos y mucho más ar-
     mónicos:
                Por tomar lo que es tu pro
                non te fagas de rrogar
                ca querer lo as después
                et non lo podrás cobrar.
     A: don Rodrigo. *S:* de Valdés quando se le quebró la pierna.
     P: P. Meléndez que se le quebró la pierna et porque ben-
     dixo a Dios escapó de la muerte. *H:* P. M. que quando se
     veýa en peligro loava mucho a Dios.

---

[165] Dos motivos tradicionales se combinan en esta anécdota y

—Patronio, vos bien sabedes que yo he contienda con un mi vezino que es omne muy poderoso et muy onra-
5 do; et avemos entre nós postura [166] de yr a una villa, et qualquier de nós que allá vaya cobrará la villa, et per-derla ha el otro; et vos sabedes cómmo tengo ya toda mi gente ayuntada; et bien fío, por la merçed de Dios, que si yo fuesse, que fincaría ende con grand onra et
10 con grand pro. Et agora estó enbargado que lo non puedo fazer por esta ocasión [167] que me contesçió, que non estó bien sano. Et commo quier que me es grand pér-dida en lo de la villa, bien vos digo que me tengo por

---

3. *SHM* omiten: *bien. P:* P. bien sabedes cómmo. Sigo el texto de *GA.*
4. *M:* un mi sobryno. *P:* poderoso et onrrado.
5. *GA:* entrambos. *HM:* entre amos. *P:* en nós amos. *H* omite: *et qualquier... la villa.*
6. *M:* que vaya primero. *S:* cobraría. *H:* et perderla el otro que fuere más tarde.
8. *G:* mi gente toda. *P:* la mi gente ayuntada.
9. *P:* si yo allá fuesse. *M:* que sy mía fuere la villa, q. fyncaría. *GA:* e con pro. *P:* e gran pro. *M:* e con muy grant pro.
10. *H:* con grand pro et con grand onrra. *M:* e agora non lo puedo fazer.
11. *GAHM:* que me acaesçió.
13. *H:* por más menoscabado. *M:* por desdichado en poder ago-ra cunplir este fecho porque me es grant pérdida e aun por la onrra.

---

la ambientan seudohistóricamente: 1) Dios libra de la muerte a su devoto, falsamente acusado por sus enemigos ante el rey. (Con este primer motivo se puede relacionar la anécdota recogida en la *Primera crónica general,* cap. 729.) 2) El mal providencial menor que libra de un mal mayor. *Vid.* R. Ayerbe-Chaux (1975), pp. 96-98 y 259-262. Don Juan Manuel cambia lo anecdótico en actitud aní-mica del personaje, actitud que tan felizmente captó Azorín en *Los valores literarios,* vol. XI de las *Obras completas,* Madrid, 1921, p. 135. *Vid.* D. Devoto (1972), pp. 400-402.

[166] *postura:* acuerdo; *LBA* 412a; *Estados* 91,32.

[167] *ocasión:* desgracia, daño grave; *PMC* 1365, 3460; *Mil.* 163b; *Apol.* 175d, 467a; *LBA* 804a, 1670g; *Estados* 22,1, 28,1; *Rimado* 537d (aunque J. Joset le da allí el significado de «peligro»).

más ocasionado [168] por la mengua que tomo et por la
15 onrra que a él ende viene, que aun por la pérdida. Et
por la fiança que yo en vos é, ruégovos que me digades
lo que entendedes que en esto se puede fazer.

—Sennor conde —dixo Patronio—, commo quier que
vos fazedes rrazón de vos quexar, para que en tales
20 cosas commo éstas fiziéssedes lo mejor sienpre, plazerme ýa que sopiéssedes lo que contesçió a don Pero
Meléndez de Valdés.

El conde le rogó quel dixiesse cómmo fuera aquello.

—Sennor conde Lucanor —dixo Patronio—, don Pe-
25 ro Meléndez de Valdés era un cavallero mucho onrado
del rreyno de León, et avíe por costunbre que cada que
le acaesçiesse algún enbargo, sienpre dezía: «¡Bendicho
sea Dios, ca pues Él lo faze, esto es lo mejor!»

Et este don Pero Meléndez era consejero et muy

---

14. *H:* que temo [*sic*] que por la pérdida, por la onrra que
al otro viene.
15. *GAM* omiten: *ende.*
16. *H:* por la fiuzia. *M:* por la fyuza. *P:* que yo é en vos. *H:* q. yo
he en el vuestro entendimiento. *P* omite: *ruégovos.*
17. *S:* lo que entendes. *M:* entendierdes. *H:* digades lo que en
esto. *GA:* en esto podría fazer.
18. *S* añade: *Lucanor.*
19. *P:* fagades rrazón. *M:* pareçe que non podedes más fazer,
con grant rrazón avedes de vos quexar. *H:* en tales cosas
fiziedes.
20. *M:* fyziéredes. *PM:* sienpre lo mejor.
21. *A:* don Rodrigo. *H:* acaesçió. *M:* P. M. de Valderas que
era un cavallero muy onrrado.
23. *M:* le preguntó cómmo fuera a. *H:* le rogó que le dixera.
25. *H:* un c. muy bueno et onrrado del regno de L. (*Vid.* P. 42).
27. *S:* acaesçíe. *M:* algún peligro. *H:* acaesçía alguna cosa o
algún peligro. *PGAM:* Bendito. Esta forma aparece en *Apol.*
143*a,* 300*b;* en *Estados* se leen *bendicto* 284.9 y *bendicho*
242.16; en el *LBA* aparecen *bendicho, benedito* y *bendito.*
Vid. nota de Corominas al verso 171*a,* p. 114, lo mismo que
en *Ali.* la nota de Nelson 3.3141, p. 108; *bendicho* presenta
la evolución normal de la palabra.
29. *P:* grand privado et consejero.

---

[168] *ocasionado:* perjudicado, desgraciado; *Mil.* 765 (720)*a; Estados* 27,25.

30   privado del rrey de León; et otros sus contrarios, por
     grand envidia quel ovieron, assacáronle[169] muy grant
     falsedat et buscáronle tanto mal con el rrey, que acor-
     dó de lo mandar matar.
        Et seyendo don Pero Meléndez en su casa, llegól
35   mandado del rrey que enviava por él. Et los quel avían
     a matar estávanle esperando a media legua de aquella
     su casa. Et queriendo cavalgar don Pero Meléndez para
     se yr para el rrey, cayó de una escalera et quebról la
     pierna. Et quando sus gentes que avían de yr con él
40   vieron aquesta ocasión quel acaesçiera, pesóles ende
     mucho, et començáronle a maltraer diziéndol a don
     Pero Meléndez:

        —Vos que dezides sienpre que lo que Dios faze,
     esto es lo mejor, tened vos agora este bien que Dios
45   vos ha fecho.

---

31. *P* omite: *grand. M:* que le avían. *H:* asináronle una grand f.
     et volviéronle tanto con el r. q. a. de lo matar. *M:* levantá-
     ronle grand f... mal con su sennor el rrey. *P:* asacáronle
     et buscáronle grand falsedat et tanto mal con el rrey que
     acordó de lo matar.
34. *P* omite: *llegól.*
35. *P:* el mandadero. *H:* en cómmo enviava.
36. *P:* media legua de su casa. *H:* a una legua de su casa.
37. *P:* por se yr... et quebróse la pierna.
38. *GA:* quebrósele. *Quebrar* en *PMC* 1141, 2401 significa «rom-
     perse», pero en contraste con los verbos *arrancarse, acos-
     tarse,* carece del reflexivo; en el verso 1660: «e quierel que-
     brar el coraçón» se usa el dativo de la persona que sufre
     el daño, como aquí en el texto de S.
39. *P:* la conpanna suya que avíe. *H:* su conpanna que avía.
     S: sus gentes que avía [*sic*] a yr con él, vieron esta o.
     que a. *GAM* confirman *quel* de *P* y *H* tiene *aquesta*; partes
     de *P* en los otros mss. ponen en tela de juicio la lectura
     de S.
41. *S:* diziéndol: Ea, don P.M. *H:* diziendo: Ya, don P.M. *M:*
     diziendol: Don P. M.
43. S omite: *sienpre.*
44. *P:* eso es lo mejor. *P:* tened vos este bien que Dios vos
     agora fecho. *M:* que vos Dios dio e ha hecho. *H:* vos ha

---

[169] *assacáronle:* achacáronle, imputáronle. Blecua (p. 117, no·
ta 379) cita: *Castigos,* pp. 69 y 134.

Et díxoles que çiertos fuessen que, commo quier
que ellos tomavan grand pesar desta ocasión quel contesçiera, que ellos verían que, pues Dios lo fiziera, que
aquello era lo mejor. Et por cosa que fizieron, nunca
50 desta entençión le pudieron sacar.

Et los quel estavan esperando por le matar por mandado del rrey, desque vieron que non venía, et sopieron
lo que le avía acaesçido, tornáronse paral rrey et contáronle la rrazón por que non pudieran conplir su man-
55 dado.

Et don Pero Meléndez estudo grand tienpo que non
pudo cavalgar; et en quanto [170] él assí estava maltrecho,
sopo el rrey que aquello quel avían assacado a don
Pero Meléndez que era muy grant falsedat, et prendió
60 a aquellos que gelo avían dicho. Et fue veer a don Pero
Meléndez, et contóle la falsedat que dél le dixieron,

---

fecho agora quel rrey enviava por vos para vos fazer merçed, averedes de fincar.
46. *GAH:* que fuessen çiertos.
47. *P:* tomaron. *M:* tomavan pesar desto que le acaesçiera.
48. *GA:* que ellos dirían. *P:* q. e. verían, pues Dios lo fazía. *M:*
lo fazía. *H:* gelo fiziera, que aquello era lo mejor et que si
buena ventura avía de aver que aquello non gelo estornaría.
49. *P:* et p. c. quel fizieron, desta entençión nunca lo p. s.
50. *A:* lo pudieron sacar desta intençión.
51. *H:* estovieron esperando. *P:* los q. estavan para lo matar.
53. *GAM:* contesçido. *H:* lo que le contesçiera. *H:* tornáronse
el rrey [*sic*] et contáronle su sazón por que.
54. *GA:* pudieron cunplir.
56. *SM:* estando grand t. *H:* grand tienpo maltrecho. *PH:* estuvo. Adopto el pretérito de *GA* (*vid. Estados,* introd. de
Tate y Macpherson, p. LXXXV). *M:* tienpo que non podía
sanar.
57. *S:* matrecho. *P:* él estava assí mal. *M:* estava assý maltrecho. *H* omite: *et en quanto... maltrecho.*
58. *S:* aquello que. *M:* que le avían dicho de. *P* omite: *a don
P.M.*
59. *S:* que fuera m.g.f. *M:* et mandó prender... Et fue el rrey
a ver. Para los verbos de movimiento que hoy exigen preposición, *vid.* R. Menéndez Pidal, *Cantar,* p. 341.35.
61. *GA:* le dixeran. *HM:* avían dicho.

---

[170] *en quanto:* mientras; *LBA* 1429*d*, 1503*d*, 1576*b*, 1660*a*.

et cómmo le mandara él matar, et pidióle perdón por el
yerro que contra él oviera de fazer, et fízol mucho bien
et mucha onrra por le fazer emienda. Et mandó luego
65   fazer muy grand justiçia antél daquellos que aquella
falsedat le assacaron.

Et assí libró Dios a don Pero Meléndez porque era
sin culpa, et fue verdadera la palabra que él sienpre
solía dezir, que todo lo que Dios faze, que aquello es
70   lo mejor.

Et vos, sennor conde Lucanor, por este enbargo que
vos agora vino, non vos quexedes, et tenet por çierto en
vuestro coraçón que todo lo que Dios faze, que aquello
es lo mejor; et si lo assí pensáredes Él voslo sacará
75   todo a bien. Pero devedes entender que las cosas que
acaesçen son en dos maneras: la una es, si viene al
omne algún enbargo en que se puede poner algún consejo; la otra es, si viene algún enbargo en que non se
puede poner ningún consejo. Et en los enbargos en

---

62. *H:* Et demandólo el rrey perdón por el yerro que le oviera
     a fazer.
63. *M:* le avía de fazer. *GA:* E él fízole mucha honrra e mucho
     bien.
64. *H:* mucha onrra et mucha merçed. *M:* mucha onrra e mu-
     cho bien e mucha merçed.
65. *P:* fazer luego ante él grand justiçia. *HM:* justiçia de aque-
     llos q. a. f. le levantaron.
68. *P* omite: *sienpre. H:* la palabra sola quel sienpre solía
     dezir que todo lo Dios [*sic*] fazía, q. a. era lo mejor, et
     çiertamente creed que es assí.
72. *P:* vos agora viene. *H:* tened firme en vuestro coraçón.
73. *M:* que aquello que Dios faze. *H:* faze que todo es bien
     fecho.
74. *M:* Et sy ansý lo fyserdes. *S:* lo assí pensáredes et [*sic*]
     voslo. *P:* Él voslo fará todo bien. Pero entender podedes.
75. *H:* Pero devedes saber.
76. *SM:* la una es que viene. *G:* la una es que si viene.
77. *H:* en que puede poner consejo alguno. *M:* se pueda poner
     consejo alguno.
78. *S:* la otra es que viene.
79. *P:* algún consejo. *A:* consejo alguno. *GMH:* pueda. *G:* co-
     nejo [*sic*] ninguno. *M:* consejo ninguno. *H:* consejo alguno.
     P omite: *Et en los enbargos... algún consejo.*

80 que se puede poner algún consejo, deve fazer omne
quanto pudiere por lo poner ý et non lo deve dexar por
atender que por voluntad de Dios o por aventura se
endereçará, ca esto sería tentar a Dios. Mas, pues el
omne á entendimiento et rrazón, todas las cosas que
85 fazer pudiere por poner ý consejo en las cosas quel
acaesçieren, dévelo fazer. Mas en las cosas que se non
puede poner ý consejo ninguno, aquéllas deve omne
tener que se fazen por voluntad de Dios, et que aquello
es lo mejor. Et pues esto que a vos acaesçió es de las
90 cosas que vienen por voluntad de Dios, en que non se
puede poner consejo, poned vuestro talante que, pues
Dios lo faze, que es lo mejor; et Dios lo guisará assí,
commo vos lo tenedes en vuestro coraçón.

El conde tovo que Patronio le dezía la verdat, et le
95 dava buen consejo, et fízolo assí, et fallóse ende bien.

Et porque don Johan tovo éste por buen exemplo,

---

80. *G:* consejo alguno. *H:* consejo ninguno. *PM:* deve omne
fazer.
81. *P:* deve dexar diziendo. *M:* deve omne dudar por dar a
entender. *GAH:* dexar por dar a entender.
83. *S:* endeçará. *P:* adobará (*adobar:* componer, arreglar, aco-
modar. *Vid.* Huerta Tejadas, *Vocabulario*).
85. *M* omite: *en las c. quel acaesçieren.* *P:* quel acaesçe.
86. *GA:* non se podría.
87. *H:* poner consejo. *S:* ningún consejo. *M:* Et de los enbargos en que se non puede poner consejo ninguno en estos
tales. *HM* omiten: *aquellas deve omne... poner consejo.* Es
muy posible que estas omisiones de *HM* se deban a escrúpulos doctrinales.
91. *P:* poned ende vuestro t. *GA:* que pues Dios lo faze, que es
lo mejor; e ponedlo assí en vuestro talante.
92. *S:* et Dios lo guisará que se faga assí commo vos lo tenedes
en coraçón. *M:* aguisará cómmo se faga. *GAH* tiene casi
lo mismo que *S.* A pesar de *que se faga* está en *SGAH* y
con variante en *M,* es un posible añadido poco feliz, ya que
no se trata de una acción que se quiere hacer, sino de una
actitud personal de fe en la Providencia. Esta sutileza parece haber escapado a los copistas y por ello conservo la
lectura de *P.*
94. *P:* El conde tovo que lo que P. dizía que era la verdat.
96. *A:* por buen consejo e buen exemplo.

fízolo escrevir en este libro, et fizo ende estos versos
que dizen assí:

100
Non te quexes por lo que Dios fiziere,
ca por tu bien será, quando Él quisiere.

EXEMPLO XIX
De lo que contesçió a los buhos et a los cuervos [171]

Fablava un día el conde Lucanor con Patronio, su
consejero, et díxol:

—Patronio, yo é contienda con un omne muy poderoso; et aquel mi enemigo avía en su casa un su pa-

99. *H:* Dios quisiere.
100. *SH:* bien sería. *H:* quanto Él fiziere. *G:* q. Dios quisiere.
M: q. a Él pluguiere. *P:* ca todo lo faze por bien si el omne
lo entendiere.
H: acaesçió. *S:* a los cuervos con los buhos. *P:* a los buhos
con los cuervos, por que se entiende que non fíe omne de
su enemigo.
1. *P:* Departiendo el conde L. *A:* Un día fablava.
4. *S:* mío enemigo. *A:* un pariente.

[171] La fuente inmediata de este *exemplo* se halla en el cap. VI
de *El libro de Calila e Digna,* ed. John E. Keller y Robert White
Linker, Madrid, CSIC, 1967, p. 197. El valor literario de la versión
manuelina ha sido diversamente juzgado por la crítica: D. Devoto
(1972), p. 403, alaba su poder de síntesis. R. Ayerbe-Chaux (1975),
p. 43, subraya la libertad con que el autor transforma la circuns-
tancia anecdótica. En el exemplo XXII, también procedente del
Calila e Digna, la crisis individual del cuento se amplía en una
crisis colectiva y social. En el XIX se hace todo lo contrario: el
cuadro colectivo de los grupos de consejeros queda reducido en
dos individuos: el cuervo, espía; y el búho, viejo y sabio. John
E. Keller, por el contrario, considera que don Juan Manuel, no
sólo no superó el original, sino que su versión es literariamente
más pobre; *vid.* «From Masterpiece to Résumé: Don Juan Manuel's Misuse of a Source», en *Estudios literarios de hispanistas
norteamericanos dedicados a Helmut Hatzfeld con motivo de su
80 aniversario,* Barcelona, 1974, pp. 41-50.

5 riente et su criado, et omne a quien avía fecho mucho
bien. Et un día, por cosas que acaesçieron entre ellos,
aquel mi enemigo fizo mucho mal et muchas desonrras
âquel [172] omne con quien avía tantos debdos [173]. Et veyendo el mal que avía reçebido et queriendo catar ma-
10 nera cómmo se vengasse, vínose para mí, et yo tengo
que es muy grand mi pro, ca éste me puede desengannar et aperçebir cómmo pueda más ligeramente fazer
danno âquel mi enemigo. Pero, por la grand fiuza que
yo he en vos et en el vuestro entendimiento, ruégovos
15 que me consejedes lo que faga en este fecho.

—Sennor conde —dixo Patronio—, lo primero, vos
digo que este omne non vino a vos sinon por vos engannar; et para que sepades la manera del su enganno,
plazerme ýa que sopiéssedes lo que contesçió a los
20 buhos et a los cuervos.

El conde le rrogó quel dixiesse cómmo fuera aquello.

—Sennor conde Lucanor —dixo Patronio—, los cuervos et los buhos avían entre sí grand contienda, pero

---

5. *H:* et un su criado. *M:* un su criado e su pariente.
6. *P:* por cosas que entre ellos acaesçieron.
7. *S:* mío enemigo. *M:* mi enemigo fízole. *GA:* fízole m. mal.
Omiten: *et muchas desonrras. H:* fízoles m. m. et muchas
desonrras aquel mi enemigo fízole muchas desonrras [*sic*].
9. *S:* que queriendo catar. *P:* et queriendo que catar.
11. *P:* es mi pro. *GA:* mi gran pro. *M:* mi grant provecho.
12. *Aperçebir* se halla en *Estados* 78.25: «nunca fuestes aperçebido cómmo pudiésedes venir a la carrera derecha». *SH:* en
cómmo pueda.
13. *G:* fiucia que yo é en el vuestro entendimiento.
14. *A:* quiero que me consegedes.
17. *P:* que non vino sinon por egannar. *A:* non v. sinon p. v. engañar.
18. *H:* deste enganno.
19. *H:* que sopiéssedes lo que sopiéssedes lo que acaesçió [*sic*].
M: acaesçió. *P:* a los cuervos con los buhos.
22. *PH* omiten: *Lucanor.*
23. *GAM:* entre sí muy gran contienda.

---

[172] *Vid.* nota 55.
[173] *debdo:* obligación, deber; *PMC* 708 («deber de vasallaje»);
Apol. 296c; *FnGz.* 261c *(depdo)*; *LBA* 695d, 1522a, 1588b; *Estados* 140,17.

los cuervos eran en mayor quexa. Et los buhos, porque
25   es su costunbre de andar de noche, et de día están
escondidos en cuevas muy malas de fallar, venían de
noche a los árboles do los cuervos albergavan et ma-
tavan muchos dellos, et fazíanles mucho mal. Et passando los cuervos tanto danno, un cuervo que avía
30   entrellos muy sabidor, et que se dolíe mucho del mal
que avía reçebido de los buhos sus enemigos, fabló con
los cuervos sus parientes, et cató esta manera para se
poder vengar.

Et la manera fue ésta: que los cuervos le messaron
35   todo, salvo ende un poco de las alas, con que volava muy
mal et muy poco. Et desque fue assí maltrecho, fuese
para los buhos et contóles el mal et el danno que los
cuervos le fizieran, sennaladamente porque les dizía
que non quisiessen seer contra ellos; mas, pues tan

---

24. *PM:* eran en m. quexa que los buhos. *GAH:* e. en m. q. ca
los buhos. *M:* Et esto era porque los buhos an costunbre.
25. *P:* es su costunbre andar. *M:* estavan ençerrados. *S:* están
ascondidos. Este cultismo de *S* aparece en *PMC* 30; *Apol.*
139*c*; *FnGz.* 93*d*; *LBA* 588*b*, 951*c*, 1198*c*, 1523*a*, 1574*a*. En
cambio *esconder* está en *Apol.* 518*b*; *Ali.* 619*d*(P), 389*c* (aunque Nelson en su edición prefiere el cultismo como más propio de Berceo); *LBA* 90*a*, 595*a*, 1073*b*, 1446*b* y 1447*c*; *Estados*
63.7 trae: *escondiéronse*. Sigo la forma de *PGA*. *H:* et de
día estar en cuevas et son muy malos de fallar.
26. *GA:* en cuevas que son muy malos de fallar.
27. *H:* árboles de los cuervos con gana. *GA:* árboles de los cuervos donde albergavan. *M:* árboles a donde los c.
28. *M:* Et passavan los cuervos tanto danno que non era cosa
de dezir.
30. *M:* que era muy sabidor.
31. *GAHM:* que avían reçebido. *S:* de los buyos.
32. *H:* et tovo esta manera.
33. *M:* vengar de los buhos.
34. *GAH:* la manera fue que.
35. *P:* sinon un poco.
36. *GAH:* E desque assí fue tan m. *M:* Et desque ansy fue
atan m.
37. *M* omite: *et el danno.*
38. *PH:* le fizieron. *M:* le avían fecho.
39. *P:* mas pues el mal avían fecho. *M:* tanto mal ellos le
avían f.

40   mal lo avían fecho contra él, que si ellos quisiessen,
que él les mostraría muchas maneras cómmo se podían vengar de los cuervos et fazerles mucho danno.
Quando los buhos esto oyeron, plógoles mucho, et
tovieron que por este cuervo que era con ellos era
45   todo su fecho endereçado, et començaron a fazer mucho bien al cuervo et fiar en él todas sus faziendas
et sus poridades.
Entre los otros buhos, avía ý uno que era muy
viejo et avía passado por muchas cosas, et desque
50   vio este fecho del cuervo, entendió el enganno con
que el cuervo andava, et fuese para el mayoral [174] de
los buhos et díxol que fuesse çierto que aquel cuervo
non viniera a ellos sinon por su danno et por saber
sus faziendas, et que lo echasse de su conpanna. Mas
55   este buho non fue creýdo de los otros buhos; et desque vio que lo non querían creer, partióse dellos e

41.   *H:* les mostraría muchas rrazones. *GA:* como se pudiessen.
H: c. se podrían. *M:* para que se podiessen.
44.   *G* omite: *era con ellos. H:* que yva con ellos que era.
45.   *P:* et començaron de fazer todo bien al cuervo.
46.   *GA:* e fiaron. *G* omite: *faziendas.*
47.   *M:* e sus propiedades.
48.   *H:* Entre los buhos. Esta lectura de *H* es mejor, pero *otros*
se encuentra en todos los mss.
50.   *H* omite: *del cuervo. M:* fecho deste cuervo. *P:* el enganno
con que venía. *H:* en que aquel cuervo. *M:* con que andava.
52.   *S:* quél fuesse ç. *M:* díxole: sed çierto que aquel cuervo
non viniera a vosotros.
53.   *P:* sinon por los engannar et por su danno. *H:* et por fazer
sus faziendas.
54.   *M:* e que era bien que era bien [*sic*] que lo e. *GAM:* de su
conpañía.
55.   *GA:* non fue cierto de los otros buhos nin creýdo. *M:* non
fue rreçebido nin creýdo. *P* omite: *buhos.*
56.   *S:* que non le querían c. *H:* et desque non le quisieron c.
M: que lo non creýan. *P:* partióse de los buos et fuese a
otra parte do los cuervos non lo fallassen.

[174] *mayorales:* jefes; *Ali.* 319a; *Estados* 259,33; 61,30; 80,29; *Armas* 680, n.° 18.

fue buscar tierra do los cuervos non lo pudiessen fallar.

Et los otros buhos pensaron bien del cuervo. Et
60 desque las pénnolas fueron eguadas, dixo a los buhos que pues podía volar, que quería saber do estavan los cuervos et que vernía dezírgelo por que pudiessen ayuntarse et yr a los destroyr todos. A los buhos plogo mucho desto.

65 Et desque el cuervo fue con los otros cuervos, ayuntáronse muchos dellos, et sabiendo toda la fazienda de los buhos, fueron a ellos de día quando ellos non vuelan et estavan segurados et sin reçelo. Et mataron et destruyeron dellos tantos por que fincaron vençe-
70 dores los cuervos de toda su guerra.

Et todo este mal vino a los buhos porque fiaron en el cuervo que naturalmente era su enemigo.

---

57. *A:* fuesse buscar. *HM:* buscar otra tierra. *M:* non le pudiessen enpeçer.
59. *P* omite: *buhos. M:* pensaron mucho bien.
60. *P:* péndolas. *M:* péllolas. En 5.44, *GA* (no *P*) tienen la forma *péndolas* que se halla en el *LBA* 270c, 271b, 272b, 286b, 1229d; *pénnola* se encuentra en el verso 753b. *P:* fueron bien ygualando. *GH:* ygualadas. *A:* yguales. Estas formas de *PGHA* son tardías; *eguado:* crecido, está en *PMC* 3290 y *LBA* 480a; la forma *egual* se halla en *Apol.* 147d, 188c y *LBA* 306a, 358b, 843b.
61. *H:* podía ya volar. *M:* podría bien bolar. *S:* que yría saber. *H:* que quería yr saber. *M:* que yr quería saber.
62. *P:* vernía dezir porque p. *M:* vernía luego a dezírgelo. *H:* porque sopiessen juntar.
63. *M:* Et desque esto oyeron los buhos plógoles mucho desto que el cuervo les dixo.
65. *P:* aquel c. fue ayuntado con los otros (omite: *cuervos*).
67. *HM:* fueron de día a ellos.
68. *S:* vuellan. *P:* seguros. *H:* asegurados. *A:* guardados. Adopto *segurados* de *SGM* que está en *Ali.* 723c, 1978c; *Apol.* 37b, 102d, 559a. *LBA* 609c, 646d, 1435b. La forma *seguro* es también muy común: *Ali.* 951b, *Apol.* 127d, 214c, *LBA* 209d, 595c, y trece versos más. *P:* et mataron dellos tantos que fueron vençidos.
69. *H:* muchos dellos et tantos. *M:* dellos en guisa que f.
70. *H* omite: *los cuervos de t. su guerra.*
71. *P:* por fiar del c. naturalmente es su enemigo [*sic*].

Et vos, sennor conde Lucanor, pues sabedes que
este omne que a vos vino es muy adebdado con aquel
75 vuestro enemigo et naturalmente él et todo su linaje
son vuestros enemigos, conséjovos yo que en ninguna
manera non lo trayades en vuestra conpanna, ca çierto
sed que non vino a vos sinon por vos engannar et por
vos fazer algún danno. Pero si él vos quisiere servir
80 seyendo alongado de vos, en guisa que vos non pueda
enpeçer, nin saber nada de vuestra fazienda, et de fecho
fiziere tanto mal et tales manzellamientos [175] a aquel
vuestro enemigo con quien él ha algunos debdos,
que veades vos quel non finca lugar para se po-
85 der nunca avenir con él, estonçe podredes vos fiar

---

73. *P:* Et vos, conde sennor. *GH* omiten: *Lucanor. M:* pues que
    vos sabedes.
74. *GA:* adeudado. *M:* adelantado.
76. *P:* que en ninguna guisa.
77. *PGA:* non lo traygades en vuestra conpañía. El pres. de subj.
    de *traer* en el *LBA* es *trayas* (550d). Para *conpanna* y *con-
    pannía*, vid. *Ali.* 1622a e introd. dè Nelson, p. 109, núm. 3.315.
    Conpanna: PMC 291, 296, etc.; *FnGz.* 120b. Ambas formas se
    encuentran en *Apol.* 147b, 526c, etc., y en *LBA* 683a, 341a,
    1101c, 1484c; pero el Arcipreste usa más comúnmente *con-
    panna.*
78. *S:* sinon por engannar. *P:* et fazer a. danno. *H* después de
    sinon por falta un folio, el 35r, 35v.
80. *P:* seyendo bien alongado de vos. *S:* de guisa. *En guisa* y
    de guisa son intercambiables con el significado «de forma»
    «de suerte». Don Juan Manuel usa *en guisa* en *Estados* 29.24.
    Vid. F. Huerta Tejadas, *Vocabulario. P:* non pueda ende
    enpeçer nin saber algo de. *M* añade a «vuestra fazienda»:
    es bien que lo tengays e onrrés. Luego omite: *et de fecho...
    podredes vos fiar en él* (línea 85).
82. *P:* tanto mal a aquel su enemigo con quien á tantos debdos.
83. *GA:* aquellos deudos.
84. *S:* que non le finca logar. *P:* para nunca abenirse con él.
85. *GA:* con él avenir. *P:* podrés fiar en él. *GA:* de él.
86. *M:* Pero sienpre fazed dél tanto que dél vos non pueda.

---

[175] *manzellamientos:* daños, deshonras. Esta palabra sólo ocurre
aquí. En el *LBA* se encuentra otro derivado: *manzellero:* carnicero,
destructor: 178a, 202a, 561d, 841b.

en él; pero sienpre fiat en él tanto que vos non
pueda venir danno.

El conde tovo éste por buen consejo, et fízolo assí
et fallóse dello muy bien.

90   Et porque don Johan entendió que este exemplo
era muy bueno, fízolo escrevir en este libro et fizo
estos versos que dizen assí:

Al que tu enemigo suele seer,
nunca quieras en él mucho creer.

Exemplo XX

De lo que contesçió a un rrey con un omne quel dizía que sabía fazer alquimia [176]

Un día, fablava el conde Lucanor con Patronio, su
consejero, en esta guisa:

—Patronio, un omne vino a mí et díxome que me
faría cobrar muy grand pro et grand onrra, et para

---

86. *S:* tanto de que.
93. *GM:* El que tu enemigo. *A:* Del que tu e.
94. *G:* mucho en él creer. *A:* mucho dél creer. *M:* dél mucho
     creer. *P:* Nunca fies mucho del que es tu enemigo, nin que
     por muchos dichos que se te faga tu amigo, ca naturalmente
     allá va, donde vino.

P: con un golfín que. *S:* quel dixo quel faría alquimia.
2.   *SGM:* en esta manera.
3.   *S:* et dixo.
4.   *GA:* m. grande pro e muy mucha honra. *M:* m. grant pro-
     vecho.

---

[176] Marcelino Menéndez y Pelayo, *Orígenes de la novela*, Madrid,
1905-1915, vol. I, p. 311, relacionó un cuento de Ramón de Llull en
el cap. 36 del *Félix o Maravillas del mundo* con este *exemplo* de
don Juan Manuel y con la versión del mismo que se encuentra
en el *Libro del cavallero Zifar*, ed. Charles P. Wagner, Ann Arbor,
1929, p. 446. *Vid.* D. Devoto (1972), p. 404, y el comentario del
cuento que hace R. Ayerbe-Chaux (1975), pp. 20-25.

5 esto, que avía menester que catasse [177] alguna cosa de
lo mío con que se començasse aquel fecho; ca desque
fuesse acabado, por un dinero avría diez. Et por el
buen entendimiento que Dios en vos puso, ruégovos
que me digades lo que vierdes que me cunple de fazer
10 en ello.

—Sennor conde —dixo Patronio—, para que fagades
en esto lo que fuere más vuestra pro, plazerme ýa que
sopiéssedes lo que contesçió a un rrey con un omne
quel dizía que sabía fazer alquimia.

15 El conde le preguntó cómmo fuera aquello.

—Sennor conde Lucanor —dixo Patronio—, un omne
era muy grand golhín et avía muy grand savor [178] de
enriquesçer et de salir de aquella mala vida que pas-

---

5. *GA* omiten: *que avía menester. M:* que gastasse.
6. *P:* ca después que.
7. *M:* fuesse començado díxome que por un d. q. cobraría
    tres.
9. *P:* me digades lo que más me cunple. *A:* vierdes que más
    me c.
11. *SG* omiten: *dixo Patronio. A:* para que en esto fagades.
    P: para que vos fiziéredes en ello lo que más cunple. *M:*
    fagades en ello lo que fuesse.
12. *G:* lo que vos fuesse más.
13. *M:* lo que acaesçió. *P:* con un golfín que dixo.
15. *A:* le preguntó le dixesse. *PM:* le rrogó quel dixiesse.
16. *PM* omiten: *Lucanor. P* (variante especial): era un rrey en
    una tierra et vino a él un golfín et díxol que sabía fazer
    alquimia.
17. *SG:* golfín. *M:* golonquín. La forma de *A: golhín:* «malean-
    te», «malhechor», adoptada aquí en contra de *SPG*, se halla
    en el *LBA* 374*a* (G), 393*a* (G) y 1051*c* (S); lo hago, cons-
    ciente del apunte de Margherita Morreale en *BRAE*, 1968,
    p. 231, quien corrige el verso del Arcipreste. Sobre la posi-
    ble etimología de esta palabra, *vid.* James Burke, «Juan
    Manuel's *tabardie* and *golfín*», *HR*, XLIV, 1976, pp. 175-178.
    S: eriequesçer.
18. *GMA:* aquella vida en que estava.

---

[177] *catasse: Vid.* nota 25.
[178] *savor:* deseo; *PMC* 2372; *FnGz.* 606*d*; *Apol.* 56*d*, 65*a*, 171*d*,
etcétera.

sava. Èt aquel omne sopo que un rrey, que non era
20 de muy buen recabdo [179], se trabaiava de fazer alquimia.
Et aquel golhín tomó çient doblas et limólas et de
aquellas limaduras fizo con otras cosas que puso con
ellas çient pellas [180], et cada una de aquellas pellas
pesava una dobla, et demás las otras cosas que él mez-
25 cló con las limaduras de las doblas. Et fuese para
una villa do era el rrey, et vistióse de pannos muy assossegados et levó aquellas pellas et vendiólas a un
espeçiero. Et el espeçiero preguntó que para qué eran
aquellas pellas et el golhín díxol que para muchas
30 cosas, et sennaladamente, que sin aquella cosa, que
se non podía fazer el alquimia, et vendiól todas las çient

---

19. *G:* El qual hombre.
20. *S:* recado. *GA:* recaudo.
21. *P:* tomó treynta doblas.
22. *PM:* con otras cosas çiento pellas. Aunque en el *PMC* la
apócope de *çiento* es rara (*vid.* R. Menéndez Pidal, *Cantar*,
p. 205.26), al examinar el *LBA* se puede decir que ocurre
en *çient mill* (182*d*), *çient vegadas* (525*b*), *çient sueldos*
(973*d*), en tanto que permanece la *o* en *más de çiento*
(765*b*, 1153*a*), *maestrías çiento* (185*c*).
24. *S:* él mezeló. *G:* él metía. *A:* él metió. Sigo *mezcló* de *M;*
mezclar o *mesclar* está en *PMC* 699; *Ali.* 1003*a*; *Apol.* 312*b*;
FnGz. 484*c*; *LBA* 10*c*, 93*d*. *M:* a menos de las otros [*sic*]
cosas que él mezcló. *P* omite: *et demás... de las doblas.*
26. *S:* assessegados. *PA:* sossegados. *M* añade: *e muy onestos.*
Assossegados: «convenientes», «apropiados»; a pesar de que
en el *LBA* se encuentran: *sosegado, sossegado, zosegado*
(55*a*, 463*b*, 563*b*, 1486*c*, 1609*c*), el verbo y sus derivados
tienen en don Juan Manuel las formas con *a* inicial: *aso-*
segar, asosegado, asosiego. Vid. Huerta Tejadas, *Vocabu-*
lario.
28. *P:* el qual preguntó para qué eran.
29. *M:* que para muchas cosas eran.
30. *P:* que sin aquello non se podía f. a.
31. *P:* todas las çiento pellas por dos o tres doblas.

---

[179] *recabdo:* buen sentido, cordura; *PMC* 1713, 3376; *Mil.* 506*b*;
Ali. 1811*a*; *Apol.* 303*c*; *LBA* 663*b*; 1398*a*.
[180] *pellas:* bolas, pelotas; *Mil.* 86*a*, 256*c*; *Ali.* 2189*d*; *Apol.* 148*b*;
LBA 861*c*, 867*b*, 939*d*, 1629*d*.

pellas por quantía de dos o tres doblas. Et el espeçiero preguntól que cómmo avían nonbre aquellas pellas, et el golhin díxole que avían nonbre tabardíe.

35 Et aquel golhín moró un tienpo en aquella villa en
manera de omne muy assossegado et fue diziendo a
unos et a otros en manera de poridat, que sabía fazer
alquimia.

Estas nuevas llegaron al rrey, et enbió por él et
40 preguntól si sabía fazer alquimia. Et el golhín, commo
quier quel fizo muestra que se quería encobrir et
que lo non sabía, al cabo diol a entender que lo sabía
fazer, pero dixo al rrey que consejava que deste fecho
non fiasse de omne del mundo nin aventurasse mu-
45 cho de su aver, pero que si quisiesse que provaría antél un poco et quel mostraría lo que ende sabía. Esto
le gradesçió el rrey mucho, et paresçiól que segund
estas palabras que non podía aver ý ningún enganno.
Estonçe fizo traer ý las cosas que quiso, et eran cosas
50 que se podían fallar, et entre las otras cosas mandó
traer una pella de tabardíe. Et todas las cosas que

---

32. *G:* por contía.

33. *S:* preguntól cómmo avían n. *P:* avía nonbre.

34. *S:* nobre [*sic*]. *P:* tabardic. *GAM:* tabardit. Adopto la forma *tabardie* (*vid.* J. Burke, *art. cit.*, pp. 171-175).

36. *P* omite: *manera de.*

39. *GAM:* e el rey enbió.

41. *P:* fizo muestra commo que se quiso. *M:* commo que se le quería. *H* (fol. 36r) comienza: *cobrir que lo non sabía.*

43. *H* omite: *deste fecho.*

44. *SH:* non fiasse del mundo [*sic*].

45. *S:* pero si q. *P:* que provasse. *M:* ante él alguna cosa.

46. *S:* amostraría. *Mostrar* y *amostrar* se encuentran en las obras de don Juan Manuel (*vid.* Huerta Tejadas, *Vocabulario*), pero *amostrar* es menos común. En el *LBA* esta forma con *a* inicial no aparece a pesar de que usa el verbo y sus derivados 21 veces.

47. *PH:* agradesçió. *M:* agradeçió mucho el rrey.

48. *M:* estas rrazones. *GA:* non podía ende aver danno ninguno. *H:* enganno alguno.

50. *M:* mandó traer. *H:* las cosas que fizo... que se podrían fallar. *SG* omiten: *cosas.*

51. *P:* fizo traer de aquellas pellas de tabardic las que entendió, et t. l. otras cosas que fizo traer.

mandó·traer non costavan más de dos o tres dineros. Desque las traxieron et las fundieron antel rrey salió peso de una dobla de oro fino. Desquel rrey vio, que
55 de cosa que costava dos o tres dineros, salía una dobla, fue muy alegre et tóvose por el más bien andante del mundo, et dixo al golhin que esto fazía, que cuydava el rrey que era muy buen omne, et que fiziesse más.

60 Et el golhín respondiól, commo si non sopiesse más de aquello:

—Sennor, quanto yo desto sabía, todo vos lo he mostrado, et de aquí adelante vos lo faredes tan bien commo yo; pero conviene que sepades una cosa: que
65 qualquier destas cosas que mengüe [181], non se podría fazer este oro.

Et desque esto ovo dicho, espedióse del rrey et fuesse para su casa.

---

52. *M:* non costaron. *GHM:* más de dos dineros o tres.
53. *SH* omiten: *salió peso... desquel rrey.*
54. *P:* peso de una corona. *M:* vio que de tan pequenna cosa.
55. *P:* q. c. pocos dineros. *A:* q. c. tan poco precio. *P:* salíe una corona. *H:* valía una dobla [*sic*].
56. *P:* tóvose por bien andante. *M:* m. b. a. que podía ser en todo el mundo.
57. *S:* de que esto fazía. *P:* que pues esto f. *M:* que segunt que él cuydava que él era el mejor omne del mundo e que le rrogava mucho que fyziesse ende más.
58. *P* omite: *el rrey. H:* buen omne et mandóle fazer más.
62. *P* omite: *yo desto. H:* quanto desto que yo sé. *M:* todo quanto desto sabía.
63. *S:* et dallí. *P:* vos lo sabredes fazer.
64. *P:* que sepades que por cual destas cosas que mengüe [*sic*], non se puede.
65. *S:* non se podía.
67. *S:* Et desque ovo dicho. *P:* Et esto dicho despidióse. *GA:* E desque le ovo dicho despidióse. *Espedir* es la forma común en *PMC* 226, 1307, 1384, 1448; *Ali.* 2673a (*Vid.* Nelson, p. 123, número 3.481); *Apol.* 104c; *FnGz.* 416c. He visto *espedidos*

---

[181] *mengüe:* falte; *PMC* 258; *Ali.* 247d; *LBA* 392b, 418a, 757d, 920d; *Testamento*, Giménez Soler, p. 696,4.

El rrey provó sin aquel maestro de fazer el oro, et
70 dobló la reçepta, et salió peso de dos doblas de oro.
Otra vez dobló la reçepta et salió peso de quatro doblas; et assí commo fue cresçiendo la reçepta assí salió pesso de doblas. Et desque el rrey vio que él podía
fazer quanto oro quisiesse, mandó traer tanto de aque-
75 llas cosas para que pudiesse fazer mill doblas. Et fallaron todas las otras cosas, mas non fallaron el
tabardíe. Desque el rrey vio que, pues menguava el
tabardíe et que se non podía fazer el oro, enbió por
aquél que gelo mostrara fazer, et díxol que non podía
80 fazer el oro commo solía. Et preguntóle si tenía todas
las cosas que él le diera por escripto. Et el rrey díxol
que sí, mas quel menguava el tabardíe.

Entonçe le dixo el golhín que por qualquier cosa
que menguasse que non se podía fazer el oro, et que
85 assí lo avía él dicho el primero día.

Estonçe preguntó el rrey que si sabía él do era el

---

en una de las cartas de don Juàn Manuel (Giménez Soler,
p. 623.31).
69. *P* omite: *sin aquel maestro de. P:* et provó la rreçebta. *M:*
Et el rr. provó a fazer aquella cosa de aquel oro et dobló
la rreçebta.
70. *P* omite: *de oro. H:* peso de quatro doblas. Omite: *Otra
vez... quatro doblas.*
71. *M:* Et después dobló. *P:* et otra vez la más dobló.
72. *PM:* et assí commo creçía la rreçebta assí salía p. de d.
73. *GAH:* E desque él vio. *M:* vio esto que podía f.
74. *S* omite: *traer. P* omite: *tanto.*
75. *P:* cosas que pudiesse.
77. *P* omite: *Desque el rrey... el tabardíe.*
78. *M:* el oro como solía. *P:* fazer el oro sin él. *M:* e. por aquel
maestro que je [*sic*] lo mostró fazer.
79. *A:* mostrava fazer. *P* omite: *fazer.*
80. *GA:* E él preguntó. *M:* Et el golonquín le preguntó... que
le avía dado por escryto.
82. *P:* mas que non tenía el tabardiz [*sic*].
83. *G:* E el galfim le dixo que por quier cosa. *A:* Y el holguín
le dixera q. p. q. c. q. le fallesciesse. *M:* cosa que les menguasse.
84. *PM:* non se podría.
86. *S:* el rr. si sabía él do avía este tabardíe. *M:* donde fallaría.

tabardíe; et el golhín le dixo que sí. Entonçe le mandó
el rrey que pues él sabía do era, que fuesse por ello
et que troxiesse tanto dello que pudiesse fazer quanto
90 oro el rrey quisiesse. El golhín le dixo que commo quier
que esto podría fazer otro tan bien o mejor que él,
que si el rrey lo fallava por su serviçio, quél yría por
ello: que en su tierra fallaría assaz. Estonçe contó el
rrey lo que podría costar la conpra et la despensa [182]
95 et montó muy grand aver.

Et desque el golhín lo tovo en su poder, fuesse su
carrera [183] et nunca tornó al rrey. Et assí fincó el rrey
engannado por su mal rrecabdo. Et desque vio que
tardava más de quanto devía, envió el rrey a su casa
100 por saber si sabían dél algunas nuebas. Et non fallaron
en su casa cosa del mundo, sinon una arca çerrada;

---

87. *M* omite: *et el g. le dixo que sí. P:* Estonçes mandó el rr.
88. *S:* que fuesse él por ello. *M:* que le rrogava mucho que
fuesse p. e.
89. *SGA:* tanto por que pudiesse. *H:* atanto por que p. *M:* tanto
dello por que podiessen f. quanto oro quisyessen. *S:* tanto
quanto oro q. *GA:* quanto oro quisiesse. Ante la vacilación
de los mss., he seguido *P.*
91. *P:* que otrie lo podríe tan bien fazer e mejor q. él. *H:* que
esto podiesse fazer otro et que bien o mejor. *M:* c. q. que
él perdía farto de su fazienda en esto.
92. *S:* lo fallasse por su s. *H:* gelo mandase, que por. *M* omite:
que si el el rrey lo fallava; tiene: *pero que por su serviçio.*
93. *S:* fallaría ende assaz. *M:* assaz dello. *H:* Et contó al rrey.
94. *M:* despensa para el camino, en lo quel montó m.g.a.
95. *GA* omiten: *muy.*
96. *PM:* lo tovo todo.
97. *M:* e nunca más. *G:* tornó recaudo. *PH:* Et assí quedó.
G omite: *et assí... mal rrecabdo.*
98. *P:* Et desquel rrey vido. *M:* Et desque vido el rrey.
99. *P:* enbió a su casa. *GA:* el rey enbió. *H:* el rr. le envió.
100. *S:* saber que sabían. *M:* nuevas de golonquín.

---

[182] *despensa:* gasto, provisión de dinero *PMC* 258; *LBA* 249c;
Testamento, Giménez Soler, p. 698,22.
[183] *carrera:* viaje, camino; *PMC* 2547, 2767; *Sd.* 709c; *Ali.* 410c;
Apol. 233c; *LBA* 1494d.

et desque la abrieron, fallaron ý un escripto que dezía
assí:

«Bien creed que non á en el mundo tabardíe; mas
105 sabet que vos he engannado, et quando yo vos dizía que
vos faría rrico, deviéradesme dezir que lo feziesse primero a mí et que me creeríedes.»

A cabo de algunos días, unos omnes estavan rriendo
et trebeiando [184] et escrevían todos los omnes que ellos
110 conosçían, cada uno de quál manera era et dizían: los
ardides [185] son fulano et fulano; et los rricos, fulano et
fulano; et los cuerdos, fulano et fulano. Et assí de
todas las otras cosas buenas o contrarias. Et quando
ovieron de escrevir los omnes de mal rrecabdo, escre-
115 vieron ý al rrey. Et quando el rrey lo sopo, enbió por
ellos et asseguróles que les non faría mal por ello, et
díxoles que por qué lo escrivieran por omne de mal
rrecabdo. Et ellos dixiéronle, que por rrazón que die-

---

102. *H:* Et desque la vieron [*sic*]. *M:* fallaron dentro.
104. *AH:* Bien creo. *M:* Bien devedes creer. *H:* mas sabe que
vos ha e.
105. *P:* quando yo dixe. *H:* dezía que vos fazía rrico.
106. *H:* que lo fiziera.
107. *P:* creyérades.
108. *P:* de unos días estavan unos omnes rriendo et jugando.
109. *M:* et escrevían de los omnes. *H:* et escriviendo todas las
cosas q.e.c.
110. *PM:* cada uno de que m. *A:* manera que era. *H:* natura
era et d.
111. *GHM:* ardidos. *G* omite: *et fulano. P* añade: *et los escar-
nidores, fulán et fulán. PGAH* omiten: *et los rricos fulano
et fulano.*
112. *PH* omiten: *et los cuerdos, fulano et fulano. M:* et ansý
dezían de.
113. *H:* todas buenas cosas et c. *P:* t. las otras cosas contrarias.
M: e contrarias dellas.
114. *S:* ovieron a escrivir l. o. del mal recado.
115. *H:* e. por ellos luego.
116. *SM:* non faría ningún mal por ello.
118. *GAH:* ellos dixeron (*H:* dixieron).

---

[184] *trebeiando:* burlándose, jugando; *Ali.* 715*b*, 721*a*; *Apol.* 94*d*.
[185] *ardides:* valientes, esforzados; *PMC* 79, 3359; *Ali.* 6*b*, 325*d*,
839*b*, 878*c*; *FnGz.* 30*b*, 722*a*; *LBA* 487*b*, 627*b*.

ra tan grand aver a omne estranno et de quien non tenía
120 ningún recabdo. Et el rrey les dixo que avían errado,
et que si viniesse aquel que avía levado el aver que
non fincaría él por omne de mal rrecabdo. Et ellos
dixieron que non perderíen nada de su cuenta, ca si
el otro viniesse, que sacarían al rrey del escripto et
125 que pornían a él.

Et vos, sennor conde Lucanor, si queredes que non
vos tengan por omne de mal rrecabdo, non aventuredes por cosa que non sea çierta tanto de lo vuestro,
que vos arrepintades si lo perdierdes por fiuza de aver
130 grand pro seyendo en dubda.

Al conde plogo mucho deste consejo, et fízolo assí,
et fallóse ende bien.

Et veyendo don Johan que este exemplo era bueno,
fízolo escrevir en este libro, et fizo estos versos que
135 dizen assí:

>   Non aventures mucho la tu rriqueza,
>   por consejo del que ha grand pobreza.

---

119. *P:* et de que non tenía rrecabdo ninguno. Et él les dixo
q. lo avía errado.
120. *SH:* avía errado.
121. *G:* que si viviese. *P:* aquel que lo levó. *GM:* que le levara
el aver. *A:* que levara el aver. *H:* q. llevava el a.
122. *G:* hombre de más recaudo. *S:* Et ellos le dixieron que ellos
non perdían.
123. *AM:* dixeronle. *H:* le dixieron que non perdería. *M:* que
quando por aquello non perdían nada de su cuento. *G:* que
si viniesse el otro que sacarían a él.
125. *PM:* et pornían al otro.
126. *A:* si quisiéredes. *PHM:* que vos non tengan.
128. *H:* por cosa que non sea (omite: *çierta*). *H:* tanto de lo que
vos a.
129. *P:* si lo perdiéredes por rrazón deve [*sic*]. *GA:* fiuzia de
aver grande algo (*Vid.* 7.14).
130. *M:* grant provecho.
131. *SH* omiten: *mucho.*
132. *S:* fallóse dello bien.
133. *A:* E porque don Ioan tuvo éste por buen e. *M:* Et porque
entendió.
136. *S:* Non aventuredes. *PM:* mucho de tu. *A:* muncho tu.
137. *P:* Por dicho de omne que aya g.p. *S:* consejo de que ha.
A: del omne que á p.

EXEMPLO XXI

De lo que contesçió a un grand philósopho con un rrey moço, su criado [186]

Otra vez fablava el conde Lucanor con Patronio, su consejero, en esta guisa:

—Patronio, assí acaesçió que yo avía un pariente a qui amava mucho, et aquel mi pariente finó et dexó
5 un fijo muy pequennuelo, et este moço criélo yo. Et por el gran debdo et grand amor que avía a su padre, et otrosí, por la grand ayuda que yo atiendo dél desque sea en tienpo para me la fazer, sabe Dios quel amo commo si fuesse mi fijo. Et commo quier que el moço

---

H: a un rrey moço con un filósofo. *P:* a un rrey moço con un filósofo que dizíe que sabíe catar agüeros. *S:* a un rr. m. con un muy grant philósopho a qui lo acomendara su padre.
1. *P:* Apartóse a fablar el conde... et díxol. *A:* Hablava el c.L. otra vez. *HM:* en esta manera.
3. *H:* que yo tenía un p. a quien.
4. *M:* que yo amava. *PGA:* que amava. *PH:* murió.
5. *P:* un fijuelo muy pequenno. *SH:* críolo yo. *M:* e e. m. amo yo tanto e críolo.
7. *P:* yo entiendo dél aver. Como se explicó en la nota 133, *atender* significa «esperar la llegada de una persona»; sin embargo, el sentido se extiende a «esperar algo», como en *LBA* 425b, 856c. *P:* después que sea.
8. *M:* quando a Dios pluguiere que sea de tyenpo. *A:* sea tienpo.
9. *M:* como sy mi fyjo propio fuesse.

---

[186] Los datos bibliográficos referentes a este *exemplo* se encuentran en D. Devoto (1972), pp. 406-408. Falta un estudio reciente sobre la ciencia de los agüeros y la interpretación del lenguaje y vuelo de las aves en la España medieval. Irónicamente, el filósofo pretende ser agorero, así como el golhín del *exemplo* XX pretende ser alquimista. Además, hay en el cuento una triple dimensión: el apólogo de las cornejas sirve de amonestación al rey y el *exemplo* del filósofo enseña al conde Lucanor la conducta a seguir con el joven que no hace todo lo que le «cunple».

10 á buen entendimiento, fío por Dios que será muy buen
omne. Pero, porque la moçedat enganna muchas vezes
a los moços et non les dexa fazer todo lo que les cunple más, plazerme ýa si la moçedat non engannasse
tanto a este moço. Et por el buen entendimiento que
15 vos avedes, rruégovos que me digades en qué manera
podría yo guisar que este moço fiziesse lo que fuesse
más provechoso para el cuerpo et para la su fazienda.

—Sennor conde —dixo Patronio—, para que vos
fiziéssedes en fazienda deste moço lo que al mío cuy-
20 dar sería mejor, mucho querría que sopiéssedes lo
que contesçió a un muy grand philósopho con un rrey
moço, su criado.

El conde le preguntó cómmo fuera aquello.

—Sennor conde —dixo Patronio—, un rrey avía un
25 fijo et diolo a criar a un philósopho en que fiava mucho; et quando el rrey finó, fincó el rrey, su fijo, moço
pequenno. Et criólo aquel philósopho fasta que passó

---

10. *S:* sería. *P:* omite: *muy.*
11. *M:* ome bueno. *S* omite: *pero.*
12. *P:* fazer lo que más les c. *S:* les cunplía.
13. *HM* omiten: *más. P:* que la moçedat non le engannasse
    tanto a este.
14. *H* omite: *tanto.*
16. *GA:* yo pueda guisar. *H:* puedo yo que e. moço. *GA:* le
    fuesse provecho. *H:* le f. más provecho.
17. *S:* aprovechoso (*vid.* P. 58). *A:* para el c. e para el alma
    e para la su f.
18. *SG* añaden: *Lucanor. S* omite: *vos f. en f. deste moço
    lo que.*
19. *P:* fiziéredes. *P:* a mi cuydar mejor paresçe. *H:* lo que a mí
    cuyda, et sería mejor. *M:* al mi cuydar vos más cunple e
    será mejor.
21. *MH:* que acaesçió a un filósofo. *GA:* a un hombre muy gran.
 • *P* omite: *grand.*
23. *P:* El c. le rrogó quel dixiesse c. f. a.
24. *SG* añaden: *Lucanor. M:* un fyjo moço pequenno.
25. *H:* en quien él fiava.
26. *M:* Et a cabo de poco tienpo fynó el rrey. *H:* e q. el rr. et
    fincó [*sic*] su fijo pequenno et criólo. *M:* fyncó por rrey
    su fyjo moço pequenno. *P* omite: *moço.*
27. *M:* que llegó a edad de quinze annos. *SGA:* passó por XV an-
    nos. Los ejemplos que he podido encontrar parecen indicar

de quinze annos. Mas, luego que entró en la mançebía [187], començó a despreçiar el consejo daquel que lo
30 criara et allegóse a otros consejeros de los mançebos
et de los que non avían tan grand debdo con él por
que mucho fiziessen por le guardar de danno. Et trayendo su fazienda desta guisa, ante de poco tienpo
llegó su fecho a logar que tan bien las maneras et
35 costunbres del su cuerpo commo la su fazienda era
todo enpeorado. Et fablavan las gentes muy mal de
cómmo perdía aquel moço el cuerpo et la fazienda.
Et yendo aquel pleyto tan mal, el philósopho quel criara et se sintía et le pessava ende mucho, non sabía
40 qué se fazer; ca muchas vezes provara de lo castigar

---

que la preposición *de (PHM)* es preferible: *PMC* 40: «una
niña de nuef años»; *Apol.* 350*b*: «quando fue de siet anyos»;
LBA 661*b*: «tienpo es ya pasado, de los años más de dos».
28. *P:* M. l. que començó a entender en la mançebía.
29. *PM:* que lo criava. *H)* que le cría.
30. *M:* de los galanes mançebos, e de los que non tenían.
32. *S:* por guardar de danno. *A* omite: *de danno. H:* dapno.
33. *M:* ansy su fazienda. *S:* en esta guisa. Aunque, como se dijo
    más arriba (19.80), las preposiciones son intercambiables,
    cuando el sust. *guisa* va precedido del demostrativo, la for-
    ma más común es «de esta guisa»: *LBA* 266*d*, 357*d*, 918*a*,
    978*d*, 1208*a*, 1457*c*; «en esta guisa» sólo se encuentra una
    vez, en el verso 415*b*. *P:* ante de mucho tienpo.
34. *M:* llegó su fazienda a logar. *H* omite: *logar. H:* las cos-
    tunbres et las maneras de.
35. *PH:* commo de su. *M:* fue todo.
36. *P:* todo era enpoderado. *S:* muy enpeorado. *SM:* todas
    las gentes. *GAH:* las gentes todas. Sigo el texto de *P*,
    ya que *todas* con variante es lectura dudosa.
37. *SM:* rrey moço. *H:* perdiera.
38. *GA:* Y veyendo. *H:* aquel tienpo tan mal. *M:* atan mal, el
    f. q. criara el rr. moço sentýase dél e pessávale mucho
    dello. *S:* que criara al rrey... et le passaba [*sic*]. *H:* que
    lo criava syntióse et pessavale.
40. *SGM:* qué fazer. *SH:* ca ya. *M:* ca ya muchas vegadas. *GA:*
    provava.

---

[187] *mançebía:* juventud, mocedad; *LBA* 245*d*, 626*a*, 643*c*, 673*b*,
726*a*, 1363*d*.

con rruego et con falago et aun maltrayéndolo, et nunca pudo fazer ý nada, ca la moçedat lo estorvava todo.
Et desque el philósopho vio que por otra manera non
podía dar consejo en aquel fecho, pensó aquesta ma-
45　nera que agora oyredes.

El philósopho començó poco a poco a dezir en casa
del rrey que él era el mayor agorero del mundo. Et
tantos omnes oyeron esto que lo ovo de saber el rrey
moço; et desque lo sopo, preguntó el rrey al philó-
50　sopho si era verdat que sabía catar agüeros tan bien
commo lo dezían. Et el philósopho, commo quier quel
dio a entender que lo quería negar, pero al cabo díxol
que era verdat, mas que non era menester que omne
del mundo lo sopiesse. Et commo los moços son que-
55　xosos [188] para saber et para fazer todas las cosas, el

---

41. *P* omite: *aun. H:* maltrayéndolo algunas vezes.
42. *S:* nada en la moçedat. *GA:* nada que la m. *M:* nada con
la m. *H* omite: *ca la m. lo estorvava todo.*
43. *P:* Et después.
44. *S:* pensó esta manera. *GAM:* p. en esta manera.
46. *P:* començó a dezir el philósopho en casa del rrey poco a
poco. *GA:* començó a dezir poco a poco. *H* omite: *el philósopho.*
47. *PM:* el mejor agorero.
48. *P:* lo ovieron de oyr esto. *M:* lo ovieron de saber. *H:* le
oyeron.
49. *P:* Et desque el rrey lo sopo. *GA:* lo supo el rrey. *P:* preguntó al ph.
50. *H* omite: *si era verdat... commo lo dezían. S:* catar agüero.
P: catar en agüeros. *Ali.* 405a: «cataron por agüeros»; sigo
GA, y significa: predecir el futuro valiéndose del canto o
del vuelo de las aves. *M:* verdat lo que le avían dicho que
le dixeran que sabía mucho catar en agüeros assí commo
lo dezían.
52. *M:* dio a entender al rrey. *H:* que gelo quería negar.
53. *P:* mas que era menester que lo non sopiesse omne del
mundo. *M:* mas que era menester q. o. del m. non lo s.
A: lo entendiesse.
55. *H:* para querer saber et fazer.

---

[188] *quexosos:* impacientes; *LBA* 789a, 852c.

rrey, que era moço, quexávase mucho por ver cómmo
catava los agüeros el philósopho; et quanto el philósopho más lo alongava, tanto avía el rrey moço mayor
quexa por lo saber, et tanto afincó al philósopho, que
60 puso con él de yr un día de grand mannana[189] a los
catar, en manera que non lo sopiesse ninguno.

Et madrugaron mucho; et el philósopho enderesçó
por un valle en que avía pieça de aldeas yermas; et
desque passaron por muchas, vieron una corneja que
65 estava dando bozes en un árbol. Et el rrey móstróla
al philósopho, et él fizo contenente que la entendía.

Et otra corneja començó a dar bozes en otro árbol et
amas las cornejas estudieron assí dando bozes, a vezes la una et a vezes la otra. Et desquel philósopho

---

56. *H:* catava en agüeros. *PH* omiten: *el philósopho. H:* et q.
más el filósofo lo a. *M:* que era mucho moço.
58. *GA:* más alongava. *P:* más gelo alongava. *H:* quanto él avía
el mayor sabor de lo ver. *P:* avía el rrey mayor quexa.
59. *S:* de lo saber. *M:* para lo saber. *H:* et tan et tanto lo
afincó.
60. *P:* ovo de yr con él un día de mannana. *S:* de g. m. con él.
61. *GAM:* que lo non s. *H:* q. non vido nin sopo.
62. *S:* madurgaron. En *Apol.* 375*b*, 426*a* se encuentran *madurgó,*
madurgava; sin embargo, la metátesis es la regla para *ma-*
drugar (lat. *maturicare*) y sus derivados en el *LBA* 751*d,*
1022*d,* 1370*a,* 1410*a. H:* Et madrugó el fylósofo; omite: *en-*
deresçó. M omite: *el philósopho.*
64. *PM:* por muchas dellas. *H:* passaron muchas dellas.
65. *P:* que dava. *M:* grandes bozesençima de un árbol.
66. *P:* fizo estonçe que la e. *GA:* fizo señal. *H:* fízele entender.
M: fyzo commo que la e. He adoptado *S; contenente*=sem-
blante, se halla con variantes en *Apol.* 170*c* (*continente*) y
149*a* (*continiente*); significa «señal» en *Estados* 145.24.
67. *M:* Et desque vieron otra corneja que dava bozes sobre
otro árbol. *P* añade: en otro árbol, *et el rrey móstróla al*
philósopho et él fizo estonçe que la entendía tanbién.
68. *P:* estudieron dando bozes la una a la otra. *H:* mas las c.
estovieron a dar vozes. *M:* e comenzaron a dar muy grandes bozes e amas estudieron ansý grant rrato dando bozes
la una una vez e la otra otra vez.

---

[189] *de grand mannana:* muy de mañana; *Apol.* 376*a.*

70 escuchó esto una pieça, començó a llorar muy fieramente et ronpió sus pannos, et fazía el mayor duelo del
mundo.

Quando el rrey moço esto vio, fue muy espantado
et preguntó al philósopho que por qué fazía aquello.
75 Et el philósopho diol a entender que gelo quería negar.
Et desque lo afincó mucho díxol que más quería seer
muerto que bivo, ca non tan solamente los omnes,
mas aun las aves, entendían cómmo, por su mal rrecabdo, era perdida toda su tierra et toda su fazienda et su
80 cuerpo despreçiado. Et el rrey moço preguntól cómmo
era aquello.

Et él díxol que aquellas dos cornejas avían puesto
de casar el fijo de la una con la fija de la otra; et que
aquella corneja que començara a fablar primero, que
85 dezía a la otra que pues tanto avía que era puesto
aquel casamiento, que era bien que los casassen. Et la
otra corneja díxol que verdat era que fuera puesto,
mas que agora era ella más rrica que la otra, que,
loado Dios, después que este rrey rreynara, que eran

70. *GAH:* escuchó, estuvo una pieça. *M:* estudo ansý una grant
pieça. *P:* a ll. fuertemente et rronper s. p. et fazer duelo el
mayor del mundo. *M:* a ll. muy fuertemente e a fazer el mayor duelo del mundo e rronpió sus pannos que traýa vestidos.
73. *GAHM:* muy mal espantado.
76. *M:* el rrey le afyncó mucho; omite: *díxol. GM:* querrie ser.
78. *SH:* mas que aun.
79. *SGH:* et su fazienda. *M:* era perdido su rreyno, e toda su
tierra e su fazienda e más su c.d. Et el rr. preguntó al
filósofo.
81. *HM:* commo fuera aquello.
82. *P:* Et el philósopho dixol. *M:* et el filósofo le dixo. *GA:* le
dixo. *A:* q. aquellas aves. *G* omite: *dos. H:* avían de casar
el f. de la una con el fijo [*sic*].
83. *P* omite: *et que aquella c... a la otra.*
84. *A:* que començó. *H:* que començava.
85. *M:* dixera a la otra.
86. *P:* este casamiento. *PM:* que era bueno. *P:* et la otra que
començó a postre dixo.
87. *GA:* dixo. *H:* que verdat era puesto.
88. *S:* ella era. *P:* muy rrica. *HG:* muy más rica.
89. *S:* loado a Dios. *GA:* loado sea Dios.

90 yermas todas las aldeas de aquel valle, et que fallava
ella en las casas yermas muchas culebras et lagartos
et sapos et otras tales cosas que se crían en los lugares
yermos, por que avían muy mejor de comer que solía,
et por ende que non era estonçe el casamiento egual. Et
95 quando la otra corneja esto oyó començó a rreyr et
rrespondiól que dezía poco seso [190] si por esta rrazón
quería alongar el casamiento, que sól que Dios diesse
vida a este rrey, que muy aýna sería ella más rrica que
ella ca muy aýna sería yermo aquel otro valle do ella
100 morava en que avíe diez tantas aldeas que en el suyo,
et que por esto non avía por qué alongar el casamiento.
Et por esto otorgaron amas las cornejas de ayuntar luego
el casamiento.

---

90. *P:* fallavan en ellas. *GA:* fallava en las c. *H:* fallavan en
las c. *H* omite: *et sapos.* *S:* culuebras. El ms. *P* del *Ali.* 10c
trae *culebro,* pero Nelson lo corrige en *culuebro; FnGz.* 468b
tiene *culuebra;* en los mss. del *LBA* la forma es *culebra* con
una sola variante de *G* en *cueluebra* (868c, 1347d, 1348d, 1350c)
y, sin embargo, los editores usan la forma arcaica; en *Estados* se leen *culuebra* (62.10) y *culebra* tres veces (p. 65,
líneas 14, 20, 24).
93. *M:* por lo qual avía mucho mejor que comer que la otra.
94. *PM:* non era agora ygual el c. *G:* que no entonçe quando
era el c. ygual. *A:* q. entonçe non era el c. ygual.
95. *P* omite: *otra. GA:* començóse. *H:* a ffoyr et rrespondió.
PM: díxole.
96. *GAH:* que poco seso dezía. *M:* q. p. seso tenía. Et dezía
ansy. *P:* que si por esta rrazón lo quería alongar.
97. *P:* que dando Dios vida. *H* omite: *que sol.*
98. *M:* q. ayna sería muy más rr. *P:* más rrica et dos tanto.
A: que la otra. *H:* que non ella.
99. *S:* aquel valle otro.
100. *P:* que avía dos tantas. *H:* oy que avía Dios [*sic*] tantas a.
102. *M:* e por esta rrazón otorgaron luego el c. amas las cornejas. *P:* et assí ayuntaron luego su c.
103. *A:* casamiento de entre sus fijos.

---

[190] *seso:* Palabra de muchas acepciones: «discreción», «pruden-
cia»: *PMC* 1511, 2688; *Ali.* 120b, 1596d. «Pensamiento»: *Ali.* 214c.
«Inteligencia»: *Apol.* 277d. Aquí, *poco seso* significa «algo insensato» como en *FnGz.* 354d.

Quando el rrey moço esto oyó, pesól ende mucho,
105 et començó a cuydar cómmo era su mengua en yermar assí lo suyo. Et desque el philósopho vio el pesar
et el cuydar que el rrey moço tomava, et que avía sabor de cuydar en su fazienda, diol muchos buenos
consejos en guisa que en poco tienpo fue su fazienda
110 toda enderesçada, tan bien del su cuerpo commo del
su rreyno.

Et vos, sennor conde, pues criades este moço et
querríades que se enderesçasse su fazienda, catad alguna manera que por exemplos o por palabras maes-
115 tradas [191] et falagueras le fagades entender su fazienda,
mas por cosa del mundo non derrangedes con él castigándolo nin maltrayéndolo, cuydándolo enderesçar;

---

104. *P:* esto vido et oyó.
105. *H:* en hermana [*sic*]. *M:* en yermarse. *S:* en ermar. En
el *LBA* el verbo es *yermar:* «Tú yermas los pobrados»
(1554*a*) «por su muerte fue yermada» (1560*d*).
106. *P:* vido el cuydar et pesar del rrey.
107. *HM:* et el cuydado. *P:* et quel paresçió que a. sabor. *S:* et
que sabe de cuydar [*sic*].
108. *P:* b. exemplos.
110. *M:* muy bien endereçada e muy conplidamente e tan bien.
112. *S:* criastes.
113. *H:* queríades que endereçasse tan bien de su cuerpo commo de su rreyno; et vos, sennor conde Lucanor, pues criades este moço et queríades que endereçasse su fazienda.
114. *M:* palabras falagueras e mesuradas.
115. *P:* et falagos.
116. *P:* mas en guisa ninguna non derronpades contra él. *GA:*
non derranchedes. *H:* non derraguedes. *M:* non rrengades.
El verbo es *derranchar* en *PMC* 703 («non deranche ninguno») y *deranjar* («nin derrange ninguno») en la *PCG*,
p. 528*b*.8; la primera forma se encuentra en *Ali.* 580*d*, y
la segunda en *Estados* 150.23; en todos estos casos significa
«salir de filas»; aquí quiere decir «atacar», «acometer rom-
piendo filas»; la imagen guerrera tiene una gran fuerza.
117. *M:* maltrayéndole por que cuydándolo endereçar lo danna-
ríades.

---

[191] *maestradas:* estudiadas, artificiosas; *Estados* 24,16.

ca la manera de los más moços es tal, que luego aborres-
çen al que los castiga, et mayormente si es omne de
120 grand guisa, ca liévanlo a manera de menosprecio, non
entendiendo quándo yerran; ca non ay tan buen amigo
en el mundo commo el que castiga el moço porque non
faga su danno; mas ellos non lo toman assí, sinon por
la peor manera. Et por aventura caería tal desamor
125 entre vos et él que ternía danno a entramos para adelante.

Al conde plogo mucho deste consejo que Patronio
le dio, et fízolo assí.

Et porque don Johan se pagó mucho deste exemplo,
130 fízolo poner en este libro, et fizo estos versos que
dizen assí:

> Non castigues al moço maltrayendo
> mas dilo commol vaya plaziendo.

---

118. *S:* de lo más de los moços. *HM:* de los moços. *P:* es abo-
rresçer luego al que los castiga.

119. *A:* a los que los castigan. *P:* si algo que an en poder.

120. *S:* ca liévalo.

121. *P:* cómmo lo yerra. *S:* q. lo yerra. *HM:* quánto lo yerran.
S: ca non an. *H:* ca non tan buen amigo ha en el m. *M:* ca
non á ome atan b. a. en el m. commo aquel que a ome
castiga pq. non faga su danno.

123. *H:* sinon por la mayor mentira. *M:* mas los moços e de
poco seso non lo toman.

124. *GA:* cabría tal desaventura. *H:* caería atal desavenençia entre vos. *M:* caerá tal desabenençia.

125. *P:* que vernía danno entre amos a dos p. a. *H:* et que avería dapnno entre vos adelante. *M:* que terná danno a amos
a dos.

132. *S:* Non castigues moço. *GAH:* maltrayéndole. *P:* firiendo
o maltrayendo.

133. *P:* mas sabe la manera: conosçe su yerro. *G:* mas dile. *A:*
mas dile como vayas aplaziéndole. *H:* mas dile c. le v. pla-
ziéndole. *M:* mas dile palabras con que le vayan plaziendo.

Exemplo XXII
De lo que contesçió al león et al toro [192]

Fablava otra vez el conde Lucanor con Patronio, su consejero, et díxole assí:

—Patronio, yo he un amigo muy poderoso et muy onrrado, et commo quier que fasta aquí nunca fallé
5 en él sinon buenas obras, agora dízenme que me non ama tan derechamente commo suele, et aún que anda buscando maneras cómmo sea contra mí. Et yo estó agora en grandes dos cuydados: el uno es, porque yo me rreçelo que, si por aventura, contra mí él quisiere

---

P: Del exemplo de lo q.c. al toro et al león que los bolvieron las otras animalias.
3. *GA:* un mi amigo. *HM:* et mucho onrrado.
4. *H:* nunca fallo en él sy me non aman tan derechamente commo suelen.
5. *P:* non me ama. *GA:* que non ama.
6. *P* omite: *commo suele. M:* nin como solía.
7. *S:* por que sea. *GA:* por donde sea.
8. *P:* pq. sy me rr. *S:* me he rr. *H:* me yo rr. Las variantes: *sy* de *P, he* de *S* y *yo* de *H* indican que había allí una palabra. En *Estados* 145.19 se lee: «los que non an ende muy grant reçelo» (sin el reflexivo de *S*).
9. *M:* paresçe que sy por aventura el otro quisiere ser contra mí. *S:* él contra mí.

---

[192] Lo mismo que el exemplo XIX, procede éste de *El libro de Calila e Digna,* cap. 3, p. 41. En la fuente, el chacal siembra la discordia porque ya no es él el confidente del rey, quien lo ha sustituido por el toro. Don Juan Manuel cambia esa crisis individual en crisis de dimensión politicosocial. La intriga es llevada a cabo por pares de intrigantes que van subiendo jerárquicamente hasta los poderosos. Los razonamientos del original quedan esfumados en sentimientos nebulosos de desconfianza que, finalmente, estallan en violencia. La moraleja no se refiere a los falsos consejeros, sino a la necesidad de defender la amistad siempre que ésta sea aprovechable y de tipo utilitario. *Vid.* R. Ayerbe-Chaux (1975), pp. 39-43; Celia Wallhead Munuera, «Three Tales from *El conde Lucanor* and their Arabic Counterparts», en *Juan Manuel Studies,* pp. 101-108.

10 ser, que me puede venir grand danno; el otro es que
me rreçelo que si él entiende que yo tomo dél esta sospecha et que me vo guardando dél, que él, otrosí, fará
esso mismo, et que assí yrá cresçiendo la sospecha et
el desamor poco a poco fasta que nos avremos a desa-
15 benir. Et por la grand fiuza que yo en vos he, rruégovos
que me consejedes lo que viéredes que más me cunple
de fazer en esto.

—Sennor conde —dixo Patronio—, para que desto
vos podades guardar, plazerme ýa mucho que sopiésse-
20 des lo que contesçió al león et al toro.

El conde le rrogó quel dixiesse cómmo fuera aquello.

—Sennor conde Lucanor —dixo Patronio—, el león
et el toro eran mucho amigos, et porque ellos son
animalias muy fuertes et muy rreçias, apoderávanse et
25 ensennoreávanse de todas las otras animalias: ca el
león, con el ayuda del toro, apremiava a todas las animalias que comen carne; et el toro, con el ayuda del

10. *S:* que me pueda. *H:* que vos pueda.
11. *SH:* me he reçelo. *M:* que si él entendiere. *H:* tomo sospecha dél.
12. *H:* que me va guardando. *M:* q. me voy aguardando dél.
S: otrosí que fará. *H:* que me fará.
13. *G:* yría.
14. *S:* aviemos a desabenir. *G:* avríamos a descobrir. *AM:* ayamos. *H:* non a. a d.
15. *SH:* fiança. *P:* que yo he en vos.
16. *M:* aquello que vos vierdes. *S:* vierdes.
17. *H* omite: *en esto. M:* en este fecho.
18. *SM:* s. c. Lucanor. *P:* por que desto. *GA:* vos desto vos p.g.
19. *M:* vos p. g. desto. *H:* vos guardedes. *GAHM* omiten: *mucho.*
20. *M:* acaesçió. *P* añade: *con otras animalias.*
23. *A:* muy amigos. *GAHM:* ellos son dos animalias.
24. *PH:* rrezias. *GA:* rezias. *M:* rrezios. Conservo la grafía de *S:*
Apol. 360*b* *(reçio), LBA* 187*c,* 193*c (rreçio). H:* apoderáronse, ensennoreáronse sobre. *S:* ensenorgavan. Orduna
(p. 143) aquí corrige esta forma de *S;* el verbo en *Ali.*
949*c,* 1565*d* varía: *sennorear* (P) y *sennorar* (O); la *PCG,*
p. 15*b.*10 dice: «e segund aquesto fueron quatro los empe-
rios que sennorearon el mundo».
26. *P:* con el poder... a las otras animalias. *GA:* a todas las
otras a.
27. *GAHM:* que comían.

león, apremiava todas las animalias que paçen la yerva. Et desque todas las animalias entendieron que el león
30 et el toro las apremiavan por las ayudas que fazía el uno al otro, et vieron que por esto les vinía grand premia et grant danno, fablaron todas entre sí en qué manera podrían catar para salir desta premia. Et entendieron que si fiziessen desabenir al león et al toro, que
35 serían ellos fuera de la premia de que los trayan apremiados el león et el toro. Et porquel rraposo et el carnero eran más allegados a la privança del león et del toro que las otras animalias, rrogáronles todas las animalias que trabajassen quanto pudiessen de meter
40 desabenençia entrellos. Et el rraposo et el carnero dixieron que trabajarían quanto pudiessen por fazer esto que las animalias querían.

---

28. *P:* apremiava a las animalias que paçen yervas. *GAHM:* que paçían.
30. *SH:* les a. *PGM:* los a. *HS:* el ayuda que fazían. *GAM:* que se fazían. Aunque sólo *P* trae *fazía*, en sing., conservo esa lectura pues en los seis versos del *LBA* (158*c*, 264*a*, 458*c*, 695*c*, 1270*d*, 1278*b*) en que «uno... otro» van acompañados de un verbo, éste siempre está en sing.; además, el plural *ayudas* puede haber sido la causa de que los copistas escribieran *fazían.*
31. *P:* que por éstos. *H:* que por ellos.
32. *S:* fablaron todo. *GA:* f. todos. *M:* entre sí e dixeron las unas a las otras que qué manera podrían tener para salir.
33. *H:* podría traer commo saliessen de aquella premia.
33. *H* omite: *Et entendieron... de la premia.*
34. *M:* et al toro, que para sienpre serían seguros.
35. *M* omite: *que serían ellos... et el toro. H:* de que los tenían a.
36. *P* añade: *el rraposo del león et el carnero del toro.*
38. *GA:* dixéronles que se trabajassen. *M:* todas las otras a. *H:* todas que se trabajassen.
39. *SA* omiten: *de meter d. entrellos. G:* desabenimiento.
40. *SAM* omiten: *Et el rraposo... que pudiessen.*
41. *GH:* se trabajarían. *Trabajarse* aparece sólo una vez en el *LBA* 1504*d*; las demás veces no es reflexivo; en *Estados* 31.22, 149.3 y 106.6 aparecen las dos formas. *M* omite: *por fazer... a. querían.*
42. *H:* que las animalias le rrogavan.

Et el rraposo que era consejero del león, dixo al
osso, que es el más esforçado et más fuerte de todas
45 las vestias que comen carne en pos el león, quel dixiesse
que se rreçelava que el toro andava catando manera
para le traer quanto danno pudiesse, et que días avíe
que gelo avía dicho esto, et commo quier que por aventura esto non era verdat pero que parasse mientes
50 por ello.

Et esto mismo dixo el carnero, que era consejero
del toro, al cavallo, que es la más fuerte animalia que
á en esta tierra de las bestias que paçen yerva.

Et el osso et el cavallo cada uno dellos dixo esta
55 rrazón al león et al toro. Et commo quier que el león
et el toro non creyeron esto del todo, aun tomaron alguna sospecha que aquellos que eran los más onrrados
de su linaje et de su conpanna, que gelo dezían por
meter mal entrellos; pero con todo esso, ya cayeron

---

43. *G:* dixo a las vestias que comen carne en pos del león,
    dixo al oso que es más esforçado e más fuerte.
44. *M:* e mucho más fuerte. *H* omite: *et más fuerte. H:* de
    todas las animalias que comen c. *M:* que todas las otras
    bestias.
45. *H:* fuera del león. *M* omite: *en pos el león. H:* que le di-
    xiesse al león que se rreçelava el toro dél et que andava
    catando m.
48. *SH:* avían dicho. *M:* avía esto dicho. *H* omite: *et com-
    mo quier... era verdat.*
49. *GA:* empero que parasse. *H:* mientes en ello.
51. *H:* el carnero al toro que era su consejero.
52. *S:* el más fuerte animal. *M:* la más fyera animalia.
53. *H:* de las que paçen yerva fuera del toro que dixiesse al
    toro quel león se rreçelava dél. Et tanto dixeron que al uno
    et al otro [*sic*].
55. *H:* commo quier que lo non creyeron del todo.
56. *GA:* no creyeron del todo. *M:* non creyeron ninguna cosa
    desto. *PMH:* pero tomaron.
57. *H:* quanta s. el uno del otro. *P:* q. a. eran m. o. *A:* q. a. eran
    los m. o. *H:* pues aquellos que gelo dezían eran más hon-
    rrados de sus linajes.
58. *S:* del su linage. *H:* pero pensaron aun que gelo dezían. *M:*
    por poner mal.
59. *P:* pero ya catando en esto. *M:* con t. esto ovieron a. s.

60 en alguna sospecha. Et cada uno dellos fablaron con el
rraposo et con el carnero, sus privados.

Et ellos dixiéronles que commo quier que por aventura quel osso et el cavallo les dezían esto por alguna
maestría engannosa, que con todo esso, que era bien
65 que fuessen parando mientes en los dichos et en las
obras que farían dallí adelante el león et el toro, et segund que viessen, que assí podrían fazer.

Et ya con esto cayó mayor sospecha entre el león
et el toro. Et desque las animalias entendieron que el
70 león et el toro tomaron sospecha el uno del otro, co-
mençáronles a dar a entender más descubiertamente
que cada uno dellos se rresçelava del otro, et que esto
non podía ser sinon por las malas voluntades que tenían
escondidas en los coraçones.

75 Et el rraposo et el carnero, commo falsos consejeros, catando su pro et olvidando la lealtad que avíen
de tener a sus sennores, en logar de los desengannar,
engannáronlos; et tanto fizieron, fasta quel amor que
solía seer entre el león et el toro tornó en muy grand

H: con t. esto non quedaron de aver sospecha el uno del
otro. *A:* ya creyeron en a. s.
60. *P* omite: *fablaron. H:* Et fablaron el león et el toro... que
eran s. p.
62. *P:* que por aventura, commo quier.
64. *P:* con todo era bien que parasse mientes. *H:* que era muy
bien que se fuessen p. m.
66. *P:* que fazían de allý adelante. *H:* de allí en adelante el uno
al otro que s. viessen que se podría entender.
68. *H:* sospecha entrellos. Et el león et el toro, desque las a.
entendieron que eran caýdos en sospecha.
70. *M:* tomavan s.
71. *H:* a entender más abiertamente. *M:* e. abiertamente.
73. *SH:* non podría ser. *H:* tenían asentadas. *M:* tenían encubiertas.
75. *H:* malos consejeros.
76. *P:* o. la voluntad. *S:* leatad [*sic*].
77. *A* omite: *en logar.*
78. *A:* e atanto fizieron. *M:* que el grande amor. *H:* que el amor.
79. *H:* tenían que solían aver. *M:* entre ellos, conviene a saber
entre el león et el toro. *GA:* que tornaron en muy g. d.
H: que se tornó.

80 desamor; Et desque las animalias esto vieron, començaron a esforçar aquellos sus mayorales fasta que les
fizieron començar la contienda, et dando a entender
cada uno dellos a su mayoral quel guardava, et guardá-
vanse los unos et los otros, et fazían tornar todo el danno
85 sobre el león et el toro.

Et la fin del pleyto vino a esto: que commo quier
que el león fizo más danno et más mal al toro et abaxó
mucho el su poder et la su onrra, pero sienpre el león
fincó tan desapoderado de allý adelante que nunca pudo
90 ensennorear las otras bestias nin apoderarse dellas commo solía tan bien de las de su linaje commo de las
otras. Et assí, porque el león et el toro non entendieron
que por el amor et el ayuda que el uno tomava del otro,
eran ellos onrrados et apoderados de todas las otras
95 animalias, et non guardaron el amor provechoso que
avían entre sí, et non se sopieron guardar de los malos

---

80. *A:* alimanias esto vieron.
81. *M:* a esforçarse e aquellos.
82. *P:* fizieron contender et començaron contienda.
83. *P:* quel cuydava. *GA:* que le ayudavan. *H:* q. los ayudaría.
    M: q. los ayudarían. *P:* gradávanselos unos et los otros...
    el danno todo.
84. *H:* mal et el dapnno el león et el toro.
85. *S:* et sobre el toro.
86. *PSGM:* Et a la fin. *AH:* al fin. He omitido *a* de todos los
    manuscritos y he conservado el femenino de *fin* como en
    el *LBA* 721*c*, 803*a*, 1184*d*. H: del puerto [*sic*] vino a estado.
87. *P* omite: *et más mal. A* omite: *al toro. HM:* más mal et más
    danno. *P:* et abaxó su poder et su onrra.
88. *M:* a. enpero mucho de la su propia onrra e del su poder
    para synenpre et assý el león fyncó tan desanparado. *H:* el
    león quedó desanparado.
90. *P:* ensennorearse contra. *MGAH:* ensennorearse de.
92. *P:* Et assí commo el león. *M:* non entendiendo.
93. *P:* por el ayuda et el amor.
94. *P:* eran onrrados. *GA:* ellos heran hon. *M:* apoderados e
    onrrados.
95. *H:* guardaron en amor et provecho. *SGA:* aprovechoso
    (*vid.* P.58).
96. *PHM:* malos consejeros.

consejos que les dieron para salir de su premia et apremiar a ellos, fincaron el león et el toro tan mal de
aquel pleyto, que assí commo ellos eran ante apoderados
100 de todos, assí fueron después todos apoderados dellos.

Et vos, sennor conde Lucanor, guardatvos que estos
que estas sospechas vos ponen contra aquel vuestro
amigo, que vos lo non fagan por vos traer ãquello que
troxieron las animalias al león et al toro. Et por ende,
105 conséjovos yo que si aquel vuestro amigo es omne leal
et fallastes en él sienpre buenas obras et leales, et
fiades en él commo deve omne fiar de buen fijo o de
buen hermano, que non creades cosa que vos digan
contra él. Ante vos consejo quel digades lo que vos di-
110 xieren dél, et él luego vos dirá otrossí lo quel dixieren
a él de vos. Et fazed tan grant escarmiento en los que
esta falsedat cuydaron ordir, por que nunca otros se
atrevan a lo començar otra vegada. Pero si el amigo
non fuere desta manera que es dicha, et fuere de los

97. *H:* dieron el consejo. *M:* dieron malos consejos. *H* omite: *et apremiar a ellos.*
98. *P:* et assí fincaron mal deste pleyto el león y el toro.
99. *H:* eran antes ellos. *P:* eran ellos. *S:* a. dellos.
100. *S* omite: *assí fueron... a. dellos. A:* de todas las animalias. *P:* apoderados de todas, assí fueron apoderados dellos. *H:* assí fueron todos después.
102. *SA:* que en esta sospecha. *GHM:* que esta sospecha.
103. *P:* lo non faga. *H:* traygan por fazer. *S:* fagan por traer.
104. *P:* e león y al toro [*sic*].
105. *M:* vos consejo yo. *H* omite: *yo. M:* es tan bueno e muy leal.
106. *H* omite: *sienpre. P:* et fiastes. *M:* e fiastes dél c. d. fiar omne.
107. *S:* c. omne deve fiar. *H* omite: *omne.*
108. *H:* q. n. creades que vos digan cosa. *M:* que vos digan dél. *PHM:* que vos dixieron.
109. *M:* que le enbiedes dezir.
110. *P:* Et otrossí dezir vos á él luego. *PAHM:* lo que le dixieron. *M:* vos dirá él a vos.
112. *P* añade: *et esta maldat. S:* cuydaren. *H:* pensaron urdir. *M:* cuydaron andar. *GA* omiten: *ordir. GAH:* p.q. otros nunca se a. *M:* otros algunos non se a.
113. *P:* trabajen nin se a. lo acometer.
114. *S:* si el amigo fuere. *P:* que es dicho. *H:* que he dicho.

115 amigos que se aman por el tienpo, o por la ventura, o
por el menester, a tal amigo commo éste, sienpre guardat que nunca digades nin fagades cosa por que él pueda entender que de vos se mueve mala sospecha nin
mala obra contra él, et dat passada [193] a algunos de sus
120 yerros; ca por ninguna manera non puede seer que
tan grant danno vos venga a desora de que ante non
veades alguna sennal çierta, commo sería el danno que
vos vernía si vos desabiniéssedes por tal enganno et
maestría commo de suso es dicho; pero, al tal amigo,
125 sienpre le dat a entender en buena manera que, assí
commo cumple a vos la su ayuda, que assí cunple a él
la vuestra. Lo uno faziéndol buenas obras et mostrándol
buen talante, et non tomando sospecha dél sin rrazón,
nin creyendo dichos de malos omnes et dando alguna
130 passada a sus yerros; et lo ál, mostrándol que assí commo cunple a vos la su ayuda que assí cunple a él la
vuestra. Por estas manera durará el amor entre vos, et
seredes guardados de non caer en el yerro que cayeron
el león et el toro.

---

116. *GA:* aquel amigo c. éste.
120. *M:* porque en inguna m.
122. *P:* alguna cosa çierta. *H:* commo sea el dapnno que vos
venía.
123. *H:* si vos desviássedes. *M:* detoviérades.
124. *P:* suso dicho es. *AH:* es dicha. *P:* pero, el tal amigo.
126. *M:* q. a. commo a él cunple vuestra ayuda. *A:* assí cunpla
a él. *M:* cunple a vós la suya.
127. *PGA:* faziendo. *GA:* obras demostrando b. t.
128. *PH:* non tomando dél sospecha. *GAH:* a sin rrazón. *M:* de
la sin rrazón.
129. *GS:* dicho de malos o. *H:* dicho de malos. *M:* et dando
passada.
130. *PM:* a algunos de sus yerros. *P:* et lo otro. *M* omite: *et lo
ál... a él la vuestra. A:* e mostrando casi como. *S:* que assí
cunple... que cunple a él.
132. *M:* durará para syenpre el amor entre amos. *PH:* entre vós
y él.
133. *H:* yerro en que cayeron. *M:* en yerros por esta manera
commo cayeron. *A:* que cayó el León y el Toro.

---

[193] *dat passada:* tolerad; *Estados* 16,33.

135   Al conde plogo mucho deste consejo que Patronio le dio, et fízolo assí et fallóse ende bien.

Et entendiendo don Johan que este exemplo era bueno, fízolo escrevir en este libro, et fizo estos versos que dizen assí:

140   Por falso dicho de omne mintroso
            no pierdas amigo provechoso.

EXEMPLO XXIII
De lo que faze la formiga para su mantenimiento [194]

Otra vez fablava el conde Lucanor con Patronio, su consejero, en esta manera:

—Patronio, loado Dios, yo so assaz rrico, et algunos conséjanme que, pues lo puedo fazer, que non tome otro
5   cuydado, sinon tomar plazer et comer et bever et fol-

---

137. *S:* era muy bueno.
138. *P* omite: *versos.*
140. *P:* de algún omne mintroso. *GAM:* ome mentiroso.
141. *P:* tu amigo que es provechoso. *S:* aprovechoso. *A:* al amigo p. *H:* amigo que es p. *M:* buen amigo e provechoso.
    S: fazem [*sic*] las f. p. se mantener. *H:* las f. quando cojen pan. *GA:* Del consejo que dio Patronio al conde Lucanor quando dixo que quería folgar e tomar plazer y (*G:* e es) el exemplo (*A:* fue) de lo que contesçió a la formiga.
1. *P:* Assí fue que el c. L. f. *A:* fablava otra vez.
3. *S:* loado a Dios. *P:* l. sea D. *M:* Patronio, amigo, loado e enxalçado sea el nonbre de nuestro sennor Dios que yo soy assaz rrico.
5. *M:* tomar mucho plazer e bien comer e bien b. e mucho folgar; pues que assas tengo para en t.m.v.

---

[194] El breve texto de Plinio, fuente del *exemplo*, dice: las hormigas «roen cada grano antes de meterlo al hormiguero, por miedo de que eche tallo bajo tierra; también dividen aquellos granos que son demasiado grandes a la entrada de sus agujeros y sacan a secar los que se han empapado con la lluvia»; *Historia natural,* libro XI, cap. 36. *Vid.* D. Devoto (1972), pp. 408-411, y R. Ayerbe-Chaux (1975), pp. 54-55.

gar; que assaz he para mi vida, et aún que dexe a mis fijos bien eredados. Et por el buen entendimiento que vos avedes, rruégovos que me consejedes lo que vos paresçe que devo fazer.

10 —Sennor conde Lucanor —dixo Patronio—, commo quier que el folgar et tomar plazer es bueno, para que vos fagades en esto lo que es más provechoso, plazerme ýa que sopiéssedes lo que faze la formiga para mantenimiento de su vida.

15 Et el conde le rrogó quel dixiesse cómmo fuera aquello, et Patronio le dixo:

—Sennor conde Lucanor, ya vos vedes quán pequenna cosa es la formiga, et según rrazón devía aver apercebimiento [195], pero fallaredes que cada anno, al
20 tienpo que los omnes cogen el pan, salen ellas de sus formigueros et van a las eras et traen quanto pan pueden para su mantenimiento, et métenlo en sus casas. Et a la primera agua que viene, sácanlo fuera; et las

---

6. *P:* a para mi vida. *S:* a míos fijos. *H:* para mis fijos.
7. *M:* eredados con assaz de lo mío graçias a Dios pues lo tengo.
8. *A:* que me digades... devo fazer en esto. *M:* consejedes lo que devo f. *H:* consejedes lo que faga en esto.
10. *PAH* omiten: *Lucanor.*
12. *A:* en esto fagades lo que. *M:* lo que vos es. *SA:* aprovechoso. *G:* plázeme.
13. *S:* fizo la f. *A:* la formiga faze.
15. *SHM:* le preguntó cómmo. *G:* le rogó e proguntó. *S:* era aquello. *P:* commo lo faze.
16. *PM* omiten: *et P. le dixo.* (Lo tienen en la línea 17.)
17. *S:* quánto pequenna.
18. *GA* omiten: *cosa. M:* tener muy grant fuerça.
19. *S:* muy grand a. *GAH:* grand a. *P:* fallares. *H:* fallaredes cada a. *GA* omiten: *anno.*
21. *H:* et vanse. *M:* van a las tyerras senbradas. *M:* quanto pueden.
22. *P:* para se mantener.
23. *HM:* sácanlo al sol.

---

[195] *apercebimiento:* preparación, prevención; *Estados* 143,19. *Perçebido* quiere decir «preparado» en *Ali.* 803*a*, 1029*c*, 1324*a*. Este mismo sentido tiene el verbo las quince veces que se usa (sobre todo el participio pasado) en el *LBA:* 329*b*, 240*a*, etc.

gentes dizen que lo sacan a enxugar et non saben lo
25 que dizen, ca non es assí la verdat; ca bien sabedes vos
que quando las formigas sacan la primera vez el pan
fuera de sus formigueros, que estonçe es la primera
agua et comiença el invierno, et pues si ellas, cada que
lloviesse, oviessen de sacar el pan para lo enxugar, luen-
30 ga lavor ternían, et demás que non podrían aver sol
para lo enxugar, ca en el invierno non faze tantas vegadas sol que lo pudiessen enxugar.

Mas la verdat por que ellas lo sacan la primera vez
que llueve es ésta: ellas meten quanto pan pueden aver
35 en sus casas, et non catan por ál [196], sinon por traer
quanto pueden. Et desque lo tienen ya en salvo, cuydan
que tienen ya rrecabdo para su vida para esse anno.
Et quando viene la lluvia et se moja el pan, comiença
de nasçer; et ellas veen que si el pan nasçe en los for-

24. *G:* enjugar.
25. *HM:* que non es a. la v. *A:* assí verdad.
26. *M:* la primera vez que llueve el pan. *H:* que la formiga.
    Omite: *sacan la primera vez... de sus formigueros.*
27. *P:* de sus casas. *GA:* formigueras.
28. *M:* cada vez que ll.
29. *P:* oviessen de sacar el pan cada que cada que llueve p. lo e.
    H: oviessen, cada que lloviesse. *H:* omite: *luenga lavor...*
    para lo enxugar.
30. *M:* aver cosa de sol para ello cada que lloviesse.
31. *P:* yvierno. *Yvierno* se encuentra en *Mil.* 306*d*; *Ali.* 936*d*;
    Apol. 99*c*, 260*c*; *Estados* 134.7. La *n* epentética populari-
    zante (*invierno*) se encuentra en el ms. O del *Ali.* 1173*c* y
    en las dos veces que la palabra es usada en el *LBA* 1279*d*,
    1297*d*. *P:* tantas vezes.
34. *S:* a ver en sus casas una vez. *GH:* aver una vez en sus
    casas. *M:* e. m. una vez quanto pan p. meter en sus formi-
    gueros. *A* tiene el mismo texto de *P* y sólo omite la palabra
    pan; las variantes que *una vez* tiene en *SGHM* dan pie para
    dudar de su autenticidad.
35. *M* omite: *et non catan por ál... comiença de nasçer.*
36. *GAH:* quanto fallan. *H:* et piensan q. t. rr. para su anno.
38. *G:* comiençan de nacer.
39. *H:* veen et entienden por natura. *PGM:* formigueras. *H:* for-
    migales.

[196] *et non catan por ál:* y no miran otra cosa.

40 migueros, que en lugar de se governar [197] dello, quel
su pan mismo las mataría, et serían ellas ocasión de su
danno. Et estonçe sácanlo fuera et comen aquel coraçón
que á en cada grano de que sale la simiente, et dexan
todo el grano entero. Et después, por lluvia que faga,
45 non puede nasçer, et goviérnanse dél todo el anno. Et
aún fallaredes que, maguer que tengan quanto pan les
cunple, que cada que buen tienpo faze, non dexan de
acarrear quales quier ervezuelas que fallen. Et esto fazen rresçelando que les cunplirá aquello que tienen; et
50 mientre an tienpo, non quieren estar de valde nin perder el tienpo que Dios les da, pues se pueden aprovechar dél.

Et vos, sennor conde, pues la formiga, que es tan
mesquina cosa, á tal entendimiento et faze tanto por
55 se mantener, bien devedes cuydar que non es buena

40. *S:* que su pan mismo.
42. *H:* et rróenle a. c. del grano que comiença a naçer et desque sale la simiente. *M:* sácanle la symiente. Omite: *fuera
et comen... todo el anno.*
44. *H:* por aguas que faga.
45. *PH:* goviérnanse dello.
46. *P:* aunque tengan quanto les cunple. *S:* les conplía. *H:* tengan tanto que les pueda abondar para todo el anno. *M:* después fallaredes q. m. q. t. todo el pan que les cunplía.
47. *M* omite: *que cada q. b. t. f. P:* b. t. les faga. *H:* cada
que faze bueno. *P:* non d. de traer. *M:* d. d. arrancar. *H:* acarrear más de lo que fallan et traen q.q. yervas q. fallan.
48. *S:* erbizuelas. *M:* yervezuelas.
49. *P:* que les non cunplía lo q. t. et quando an tienpo.
50. *H:* mientre Dios les da non q. e. de valde pues les muestra
por do vivan. *H* omite: *nin perder... aprovechar dél. GA:*
nin perder lo que Dios les da.
51. *M:* les dio.
54. *P:* pequenna cosa. *H:* captiva cosa. *S:* con tal entendimiento. *H* omite: *por se mantener, bien.*
55. *PH:* devedes entender. *GA:* d. vos c. *M:* cuydar que non
á mayor muerte. Omite: *que non es b. rr. p. n. o, mayormente.*

---

[197] *governar:* alimentar, mantener. Este significado es común
en las obras de don Juan Manuel; *vid.* Huerta Tejadas, *Vocabulario.*

rrazón para ningún omne, et mayormente para los que
an de mantener grand estado et governar a muchos, en
querer sienpre comer de lo ganado; ca çierto sed que
por grant aver que sea, onde sacan cada día et non po-
60 nen ý nada, que non puede durar mucho, et demás paresçe muy grand amortiguamiento [198] et grand mengua
del coraçón. Mas el mi consejo es éste: que si queredes
comer et folgar, que lo fagades sienpre manteniendo
vuestro estado et guardando vuestra onrra, et catando et
65 aviendo cuydado cómmo avredes de qué lo cunplades,
ca si mucho oviéredes et bueno quisiéredes ser, assaz
avredes logares en que lo despendades [199] a vuestra onrra.

---

56. *H:* primeramente para l. q. tienen grant estado et han de
governar a m.
57. *GA:* muy grande estado. *M:* tienen grant estado e de [*sic*]
governar e mantener a muchos. *P:* en comer sienpre.
58. *M:* querer comer syenpre.
59. *GAHM:* donde. *M:* d. tiran e non ponen.
61. *H:* mortiguamiento. *P:* aborresçimiento. *H* añade: *mengua
de coraçón, ca Dios Nuestro Sennor sienpre tiene que dar
et mostrar a todo omne, assý commo a todas las cosas
por do vivan.*
62. *S:* el mío consejo. *HM:* que sy quisyerdes.
64. *M:* vuestro estado e vuestra onrra. *H:* vuestra onrra et v.
estado. *H:* et catando et cuydando cómmo. *G* omite: *et catando... a vuestra onrra.*
65. *P:* lo avredes de que lo conplir. *A:* donde lo cunplades. *M:*
dende con que c.
66. *SM:* ovierdes... quisierdes. Como lo notan Tate y Macpherson en *Estados* (Introd. p. lxxxvi), en su texto «there is only
one example of the western trend towards loss of the post-
tonic *e* in the second person plural of the future subjunc-
tive: *quisierdes* 174.30, against *quisiéredes* 189.23, and *pas-
sim*».
67. *P:* assaz de lugares avredes en que lo despender a v. o.
H añade: onrra *et a serviçio de Dios que es lo más.*

---

[198] *amortiguamiento:* apocamiento, negligencia (Orduna); debilidad (Blecua). Sólo encuentro esta palabra aquí; en *Ali.* 2000*d*,
500*a*, 672*c*, se halla *mortiguado, amortiguado*; en *Mil.* 621*c* y
Apol. 43*d*, 271*a*, se lee *amortido* y el sentido de estas palabras es:
«como muerto».
[199] *despendades:* gastéis; *PMC* 260, 1557, 2542; *Apol.* 323*d*, 564*c*.

Et al conde plogo mucho deste consejo que Patronio
le dio, et fízolo assí et fallóse ende bien.

70   Et porque don Johan se pagó deste exemplo, fízolo
poner en este libro, et fizo estos versos que dizen assí:

Non comas sienpre lo que as ganado;
vive tal vida que mueras onrrado.

EXEMPLO XXIV

De lo que fizo un rrey moro con tres fijos que avía por saber quál dellos era mejor omne [200]

Un día fablava el conde Lucanor con Patronio, su
consejero, et díxole assí:

—Patronio, en mi casa se crían muchos moços, dellos

---

69. *SH* omiten: *et fallóse ende bien.*
72. *P:* Non comas toda vía lo que tienes ganado.
73. *P:* mas sienpre bive tal vida que mueras abastado. *M:* porque mueras.

S: De lo que contesçió a un rrey que quería provar a tres sus fijos. *H:* De lo que contesçió a un rey moro a [*sic*] tres fijos que avía. *P:* De cómmo provó un rrey tres fijos que tenía, quál sería para tener el regno después dél.

3. *H:* P. muchos fijos de muchos buenos et omnes de grant guisa et otros que non son de tanto.

---

[200] El cuento llega a don Juan Manuel a través de los ejemplarios. *Vid.* R. Ayerbe-Chaux (1975), pp. 150-154 y 271-276. Aunque los hijos son tres, el cuento se estructura a base del paralelismo antitético y establece el contrapunto artístico entre la conducta del hermano mayor y el sabio comportamiento del hermano menor. Debo advertir que es demasiado tenue la relación de este *exemplo* con el relato oriental de las *Mil y una noches* y del *Syntipas* (Victor Charles Chauvin, *Bibliographie des ouvrages arabes ou relatifs aux arabes publiés dans l'Europe chrétienne de 1810 à 1885*, Liège, H. Vaillant-Carmanne, 1892-1922, vol. VII, p. 162), que señalara Ángel González Palencia en su edición, Zaragoza, Ebro, 1940, página 54. Una de esas opiniones que se perpetúan sin discernimiento de edición en edición.

omnes de grand guisa et dellos [201] que lo non son tanto,
5 et veo en ellos muchas maneras estrannas. Et por el
grand entendimiento que vos avedes, rruégovos que me
digades, quanto vos entendedes, en qué manera pueda
yo conosçer quál moço recurra [202] a seer mejor omne.

—Sennor conde —dixo Patronio—, esto que me vos
10 dezides es muy fuerte cosa de voslo dezir çiertamente,
ca non se puede saber çiertamente ninguna cosa de lo
que es por venir; et esta cosa que vos preguntades es
por venir; et por ende, non se puede saber çiertamente;
mas lo que desto se puede saber es por sennales que
15 paresçen en los moços, tan bien de dentro commo de
fuera; et las que paresçen de dentro son las figuras de
la cara et el donayre et la color et el talle del cuerpo,

---

4. *P:* de grand guisa et de pequenna. *M:* dellos que son fyjos
de omnes de grant guisa e dellos que non son tanto.
5. *GAM:* mucho estrannas. *S:* m. maneras et muy estrannas.
7. *HM* omiten: *quanto vos entendedes. P:* en manera que yo
pueda. *SM:* puedo. *H:* podría.
8. *P:* rrecuerda. *G:* reducirá. *M:* rrecordasse para ser mejor.
H: rrecuda.
11. *P:* que non puede ninguno saber de lo que es por venir.
H: se puede dezir cosa. *M:* ca ninguna cosa de lo q. es
p. v., a solo Dios perteneçe de lo conoçer.
12. *S:* que es de venir *Por venir* está en todos los otros mss.
y también en *Apol.* 144a; *LBA* 803d. *GA:* y esto que vos p.
SHM omiten: *et esta cosa... por venir.*
13. *P:* et por tanto. *M:* et por esto n. se p. saber cosa çierta.
G: añade: çiertamente *ninguna cosa de la ques por venir
e por ende non se puede saber ciertamente.*
14. *M:* por çiertas sennales.
15. *GA:* paresce en ellos. *M:* p. en ellos. *H:* paresçe en esto.
GA: tan por dentro como por de fuera. *HM:* tan de d. c.
de f.
16. *H* omite: *et l. q. p. de dentro. GAM:* parescen de fuera.
Sigo la lectura de *SP* que se justifica al terminar esta larga
disquisición (l.40); Blecua y Orduna han corregido aquí
lo mismo que erróneamente lo hicieron *GM* y Argote. *P*
omite: *son las f. de la cara. H:* las seguranças de la cara.
17. *M:* et la talla del vestir e del calçar e el talle.

---

[201] *dellos... dellos:* unos... otros.
[202] *recudrá:* resultará; *LBA* 803a.

et de los mienbros, ca por estas cosas paresçe la sennal
de la conplisión [203] et de mienbros prençipales, que son
20 el coraçón et el meollo et el fígado; commo quier que
estas son sennales, non se puede saber lo çierto; ca
pocas vezes se acuerdan [204] todas las sennales a una
cosa: ca si las unas sennales muestran lo uno, muestran
las otras el contrario; pero a lo más, segund son estas
25 sennales, assí recuden las obras.

Et las más çiertas sennales son las de la cara, et
sennaladamente las de los ojos et otrosí el donayre; ca
muy pocas vezes fallesçen éstas. Et non tengades quel
donayre se dize por seer omne fermoso en la cara nin
30 feo, ca muchos omnes son pintados [205] et fermosos et

---

18. *GA:* de los buenos mienbros. *M:* Et por estas cosas se co-
noçen muchas vezes los mançebos quales serán después
et sennaladamente e la conclusyón.
19. *M:* que es el meollo e el c. e el fýgado.
21. *P:* que se non pueden saber çierto. *GA:* estas sennales son
que non se pueden por esto. *M:* estas sennales, e pues digo
sennales, digo cosa non çierta e por esto non se puede
s. lo ç. *H:* estas sennales son que non se pueden ver por
cosa lo çierto.
22. *M:* en pocas vezes son todas las sennales en uno. *H:* pocas
vegadas. *A* omite: *las sennales a una cosa.*
23. *P:* lo uno et las otras lo otro. *H:* omite: *ca si las unas s.*
M: demuestran el contrario las otras.
24. *M:* pero a lo más de estas sennales a do es la mayor parte
allí acuerdan las otras.
27. *P:* sennaladamente los ojos e del donayre.
28. *P:* et non entendades.
29. *S:* donarie. Esta forma de *S* es latinizante; aparece en
Ali 1285*d*, 2335*b* (O), 1957*d*; la forma romance *donayre*
está en el ms. *P* de *Ali*. 2335*b* y es la única que usa el Arcipreste de Hita, *LBA* 596*b*, 653*b*, 739*d*, 1613*d*. *P:* dize por
omne fermoso nin feo en la cara. *S:* omite: *cara.*
30. *S:* m. o. son preciados.

---

[203] *conplisión:* «El temperamento y conmensuración de humores que cada uno tiene, de donde resulta ser de buena salud, ú de
delicada, frágil y enfermiza»; *Aut.*
[204] *se acuerdan:* concuerdan, se ponen de acuerdo; *PMC* 2066,
3218, 3351; *Mil.* 307*b*; *Estados* 57,22.
[205] *pintados:* elegantes, hermoseados. Vale la pena ver las diver-

noñ an donayre; ay otros que paresçen feos, et an buen donayre.

Et el talle del cuerpo et de los mienbros muestran sennal de la conplisión et paresçe si á de ser valiente
35 o ligero, o sotil o destas cosas. Mas el talle del cuerpo et de los mienbros non muestra çiertamente quáles deven ser las obras. Et con todo esto, éstas son sennales; et pues digo sennales, digo cosa non çierta, ca la sennal sienpre es cosa que paresçe por ella lo que deve
40 seer; mas non es cosa forçada que sea assí en toda guisa. Et éstas son las sennales de dentro que sienpre son muy dubdosas para conosçer lo que vos me preguntades. Mas para conosçer los moços por las sennales de fuera que son yaquanto más çiertas, plazerme ýa que

---

31. *H:* non ay d. *S:* donarie de omne. *MGA:* donayre de hombres. *H:* donayre de omne apuesto. *AS:* Et otros paresçen f. *G:* Et o. p. bien. *M:* E o. aunque non son tan fermosos paresçen bien e estos an donayre para ser omnes apuestos. *GA:* para ser hombres apuestos. *S:* para seer omne sinple. En las líneas 29-32 he seguido el texto de *P* porque los agregados de *S* no me parecen legítimos, dadas las variantes de los otros mss. *H* omite: *ay otros q... buen donayre.*

34. *M:* sennal e conclusyón. Hasta la línea 40 tomo como base el ms. *P* ya que la lectura de *S* carece en muchos puntos del respaldo de los otros mss. y tiene trazas de ser un arreglo de copista. *SGAM:* si deve ser v.

35. *GA:* ligero en las tales cosas. *H:* ligero et las tales cosas. *M:* l. e de tales cosas. *S:* ligero, et las tales cosas muestran el talle.

36. *SPGAM:* muestran çiertamente.

37. *S:* deven seer los omes. *P:* son las sennales. *M:* con todas estas sennales. *H:* con todo esto, éstas que digo sennales que digo cosas non çiertas.

38. *S:* et pues da sennales. *M:* ca aunque las sennales.

39. *P* omite: *sienpre.*

42. *PH* omiten: *muy. P:* me demandades.

43. *M* omite: *de fuera que son.*

44. *H* omite: *yaquanto. S* omite: *q.s.yaquanto más çiertas.*

---

sas acepciones de esta palabra en el *LBA,* en donde el Arcipreste la usa como una docena de veces. *Vid.,* por ej., 69*b,* 79*d,* 287*b,* 433*a,* 501*b,* etc., y las notas de J. Joset a estos versos.

45   sopiéssedes cómmo provó una vez un rrey moro a tres
      fijos que avía, por saber quál dellos sería mejor omne.
      El conde le rrogó quel dixiesse cómmo fuera aquello.
      Sennor conde —dixo Patronio—, un rrey moro avía
      tres fijos, et porque el padre puede fazer que rreyne
50   qual fijo de los suyos él quisiere, después quel rrey
      llegó a la vejez los omnes buenos de su tierra pidié-
      ronle por merçed que les sennalasse quál daquellos sus
      fijos quería que rreynasse en pos él. Et el rrey díxoles
      que dende a un mes que gelo diría.
55   Et quando vino a ocho o a diez días, una tarde dixo
      al fijo mayor que otro día de grand mannana quería
      cavalgar et que fuesse con él. Otro día vino el infante
      mayor al rrey, pero non tan mannana commo el rrey
      su padre dixiera. Et desque llegó, díxol el rrey que se
60   quería vestir, et quel fiziesse traer los pannos. El in-
      fante dixo al camarero que troxiesse los pannos; et
      el camarero preguntó que quáles pannos quería. Et el
      infante tornó al rrey et preguntól que quáles pannos

---

45. *H:* provava. *PH* omiten: *una vez.*
46. *P* omite: *dellos. H:* saber dellos quál era.
48. *SM* añaden: *Lucanor.*
50. *P:* qualquier fijo de los suyos. *GAH:* qual fijo dellos qui-
     siere. *M:* qual fijo más quisyere.
53. *GAHM:* en pos dél. (*vid.* 12.68). *P:* después dél. *P:* díxo-
     los. *H* omite: *Et el rrey... gelo diría.*
54. *P:* que lo diría.
55. *M:* Et a cabo de ocho días. *P:* vino un día a diez días en la
     tarde, dixo a su fijo el mayor. *M:* dixo el rrey una tarde.
56. *P:* de mannana.
57. *M:* Et el fyjo otro día vino al rr. *GAH:* el fijo infante.
58. *H* omite: *mayor. P:* non tan de mannana. *S:* pero que non
     t.m.
59. *HP* omiten: *su padre. M:* gelo mandara. *M:* llegó a la cá-
     mara.
60. *M:* e díxole que le fiziesse t. l. p. Et el infante fue e
     dixo al c. q. le troxesse las rropas que se avía de vestir.
     M es un buen ejemplo de la manera como se iba relabo-
     rando el cuento.
62. *H:* preguntóle quáles p. q. el rrey. *M:* le preguntó que qué
     ropas q.
63. *HGM* omiten: *et preguntól q.q.p. quería.*

quería. El rrey díxole que el aljuva [206], et él tornó al
65 camarero et díxol quel aljuva quería el rrey. Et el camarero le preguntó que quál aljuva quería, et el infante
tornó al rrey a gelo preguntar. Et assí fizo por cada
vestidura, que sienpre yva et venía con cada pregunta,
fasta que el rrey tovo todos los pannos. Et vino el
70 camarero, et lo vistió et lo calçó.

Et desque fue vestido et calçado, mandó el rrey al
infante que fiziesse traer el cavallo, et él dixo al que
guardava los cavallos del rrey quel troxiesse el cavallo;
et el que los guardava díxole que quál cavallo traería;
75 et el infante tornó con esto al rrey, et assí fizo por la
siella et por el freno et por el espada et por las espuelas; et por todo lo que avía menester para cavalgar,
por cada cosa fue preguntar al rrey.

Desque todo fue guisado, dixo el rrey al infante que
80 non podía cavalgar, et que fuesse él andar por la villa,

---

64. *P:* et díxol. *M:* Et el infante tornó. *S:* tornó al c. et díxole
que qual aljuva.
65. *P:* le dixo que qué a.
66. *S:* que quál almexía quería. (*almexía:* manto pequeño).
GA omiten: *quería.*
67. *M:* e assý fizo por cada cosa. *H:* fizo cada vegada q. sienpre.
68. *M* omite: *que sienpre... cada pregunta. H* omite: *con cada
pregunta.*
69. *P:* fasta quél tovo los pannos todos.
72. *P:* al que pensava los c. *M:* fue el cavallerizo e díxole que
troxiesse el cavallo al rrey. *GAH* omiten: *et él dixo... t. el
cavallo.*
73. *P:* que le levasse el c.
74. *M:* et el cavallerizo le dixo. *P* omite: *que los guardava.*
P: quál cavallo levaría. *H:* q. c. quería el rrey.
75. *H* omite: *et el infante... al rrey.*
76. *M* omite: *et por el espada. H:* silla et por el f. et p. el
e. et por el freno [*sic*] et p. las espuelas.
78. *M:* p. al rr. más de diez veces.
79. *GA:* D. todo esto f. *M:* fue aguisado.
80. *P:* et que fuesse él cavalgar. *M:* non quería cavalgar mas

---

[206] *aljuva.* Dice Blecua (nota 477): «Gabán con mangas cortas
y estrechas que usaban los moros y también los cristianos (del
árabe al-gubbah).»

et que parasse mientes a las cosas que vería por que
lo sopiesse retraer al rrey. Et el ynfante cavalgó et
fueron con él todos los omnes onrrados del rrey et
del rreyno, et yvan ý muchas tronpas et atabales et otros
85 estrumentos. El infante andudo una pieça por la villa,
et desque tornó al rrey preguntól quél paresçía de lo
que viera. Et el infante díxole que bien le paresçía,
sinon quel fazían grand rroydo aquellos estrumentes.

Et a cabo de otros días, mandó el rrey al fijo me-
90 diano que viniesse a él otro día mannana. El infante
fízolo assí et el rrey fízol todas las preguntas et prue-

---

que cavalgasse él et que se fuesse andar p. la v. (recoge las
dos variantes).

81. *M:* et que catasse lo que viesse. *H:* que veýa.
82. *P:* s. contar. *GA:* pudiesse contar. *H:* pudiesse traer. *M:*
pudiesse rrecontar. *Retraer* parece uno de esos arcaísmos
tan característicos de *S;* con el significado de «*contar*» está
en *Ali.* 3c; *Apol.* 55a, 57a; en el *LBA* la acepción más cercana es «citar un proverbio» 1622a (*vid.* nota de Corominas
al verso 170c); lo conservo porque don Juan Manuel lo
usa con el significado de «contar» en el *Libro de las ar-*
mas: «que vos diesse por scripto tres cosas que me avíades
oýdo, por tal que si [*sic*] vos non olvidassen et las pudiés-
sedes retraer quando cumpliesse». Giménez Soler p. 673.3.
83. *H:* todos los onrrados del reyno. *S:* los onrados omnes.
(*Apol.* 203d; *LBA* 1095c).
84. *P:* et levava ý m. tronpetas (*vid. LBA* 1234a). *G:* trompetas.
S: tabales (*vid. LBA* 1234a).
85. *P:* esturmentos. *G:* estormentos. *M:* instrumentos (*vid.* nota
de J. Joset al *LBA* 515a y la de Corominas al verso 1227d).
P: andando. *S:* andido. *GA:* anduvo. Tate y Macpherson
dizen en su introd. a *Estados:* «In the-*ar* conjugation, *an-*
dar and *estar* have only preterite and preterite-based stems
of the -*udo* type: anduddo 37.22, *andudieron* 19.5, *andu-*
diese 21.29» p. lxxxv.
86. *HP:* que quél p. *M:* que qué le paresçiera. *A:* lo que le paresçiera. *G:* le que le pareçía.
87. *GP:* le dixo. *AH:* dixo. *M:* le paresçiera.
89. *M:* de algunos días enbió e mandó. *H* omite: *el rrey.*
90. *PH:* viniesse otro día de m. *M:* Et el infante mediano f.
91. *S:* fizo todas las pruevas.

bas que fiziera al infante mayor su hermano; et el infante fízolo, et dixo bien commo el hermano mayor.

95 Et a cabo de otros días mandó al infante menor, su fijo, que fuesse con él de grand mannana. Et el infante madrugó ante quel rrey despertasse, et esperó fasta que despertó el rrey; et luego que fue despierto, entró el infante et omillósele con la reverençia que devía. Et el rrey mandól quel fiziesse traer de vestir.

100 Et el infante preguntól qué pannos quería; et una vez le preguntó por todo lo que avía de vestir et de calçar, et fue por ello et tráxogelo. Et non quiso que otro camarero le vistiesse nin lo calçasse, sinon él, dando a entender que se tenía por de buena ventura si el rrey,

105 su padre, tomasse plazer o serviçio de lo que él pudiesse fazer; et que pues su padre era, que rrazón et aguisado [207] era del fazer quantos serviçios et omildades [208] pudiesse.

---

92. *P:* que fizo al ynfante m. *P* omite: *et el infante... h. mayor.*
93. *GAHM* omiten: *infante. H:* et díxolo.
94. *P:* de otros diez días. *M:* a cabo de diez días.
96. *S:* madurgó (*vid.* 21.62). *H* omite: *et esperó f. q. d. el rrey: et luego que.*
97. *M:* el rrey despertó. *P:* despertó entró él con gran rreverençia. *H:* despertó, e. el y. con la r. q. devía.
98. *M:* infante pequenno e omillósele e fýzole muy grant r. assý commo devía.
99. *P:* Et mandó el rr. *G:* E él mandóle que. *A:* Y él mandó que le. *H:* él mandó que f.
100. *M:* et de qué color e de qué guisa. *P:* que qué p. q. e quáles. *S:* et en una vez. *AM:* de una vez.
102. *M:* e luego en punto fue. *SHM:* tráxogelo todo. *GA:* trúxolo.
104. *P:* que era de buena v.
105. *PM:* plazer del serviçio. *A* omite: *o serviçio.*
106. *M:* et que rrazón era e derecho, pues que su p. era. *PGAH:* guisado (7.44).
107. *G:* homildanças. *A:* humildanças. *H:* humildades. *M* omite: *omildades.*

---

[207] *aguisado:* justicia, lo que es justo. *Vid.* 7.44.
[208] *omildades:* acatamientos. *PMC* 2024: «así sabe dar omildança a Alfonsso so señor»; *Estados* 29,31.

Et desque el rrey fue vestido et calçado, mandó al
110 infante quel fiziesse traer el cavallo. Et él preguntóle
que quál cavallo quería, et con quál siella et con quál
freno, et quál espada, et por todas las cosas que eran
menester para cavalgar, et quién quería que cavalgasse
con él, et assí por todo quanto cunplía. Et desque todo
115 lo fizo, non preguntó por ello más de una vez, et tráxolo
et aguisólo commo el rrey lo avía mandado.

Et desque todo fue fecho, dixo el rrey que non quería cavalgar, mas que cavalgasse él et quel contasse lo
que viesse. Et el infante cavalgó et fueron con él todos
120 commo fizieran con los otros sus hermanos. Mas él
nin ninguno de sus hermanos, nin omne del mundo,
non sabíe nada de la rrazón por que el rrey fazía esto.

Et desquel infante cavalgó, mandó quel mostrassen
toda la villa de dentro et las calles et do tenía el rrey
125 sus thesoros, et quántos podían seer, et las mezquitas

---

109. *P* omite: *el rrey. M:* e calçado de mano del ynfante, mandó
el rrey.
110. *H:* que le mandasse traer. *P:* Et el ynfante preguntó que
quál cavallo. *M:* et el ynfante le preguntó luego qué c.q.
111. *P* omite: *quería.*
113. *M* omite: *para cavalgar. M:* e que quién mandava q. c. c.
él et ansý preguntó en buen proviso todo lo que cunplía.
114. *GA:* como cunplía. *H:* por todo cunplido. *M:* Et desque t.
lo ovo fecho n. p. más de una vez por ello, e tráxogelo e
guisólo todo muy bien a.c. el rr. le mandó.
116. *P:* el rrey mandara.
117. *H:* que non podía cavalgar.
118. *GA:* q. él cavalgasse e catasse lo que viesse e gelo dixesse.
M: e que catasse bien lo que viesse.
119. *P:* con él todos commo con el primero et el segundo.
120. *GA:* commo fizieron. *HM:* commo fueron. *P* omite: *mas
él... hermanos.*
121. *P:* e ningún omne non sabía por qué rrazón fazía esto el
rrey. *GA:* de sus hermanos non sabían nada nin hombre
del mundo, de aquella cosa por que. *M:* hermanos non sabían la rrazón por quel rrey fazía esto.
124. *AM* omiten: *toda. PH* omiten: *de dentro. A:* y dónde. *M:*
e a dónde. Todos los mss. tienen *tesoro*; pero *vid.* 14.4.
125. *PH:* et quántas podían ser las mezquitas. *M:* e todo quanto
podía ser.

et toda la nobleza [209] de la villa de dentro et las gentes que ý moravan. Et después salió fuera et mandó que saliessen allá todos los omnes de armas, et de cavallo et de pie, et mandóles que trebejassen [210] et le mostras-
130 sen todos los juegos de armas et de trebejos, et vio los muros et las torres et las fortalezas de la villa. Et desque lo ovo visto, tornóse paral rrey, su padre.

Et quando tornó era ya muy tarde. Et el rrey le preguntó de las cosas que avía visto. Et el infante le
135 dixo que si a él non pesasse, quél le diría lo quel pa-resçía de lo que avía visto. Et el rrey le mandó,, so pena de la su bendiçión, quel dixiesse lo quel paresçía. Et el infante le dixo que commo quier que él era muy buen rrey, quel paresçía que non era tan bueno commo
140 devía, ca si lo fuesse, pues avía tan buena gente et

---

126. *M* omite: *toda. P* omite: *de dentro. M:* de dentro e las calles e las gentes que allý m. Et después que salió fuera.
127. *M* omite: *et mandó... et de pie.*
128. *H:* saliessen con él t. l. o. de cavallo et pie et de armas. *P:* salir allá t. l. o. armados.
129. *P:* mandó q. t. todos los j. de a. *GH:* que trabaxasen. *M:* et mandó que jugassen e trebejassen de todos los jue-gos e mandó que saliessen allá todos los o. de a. de c. e de pie e mandó que trebejassen e que le mostrassen todos los j. de a. e de torneos e de todos los otros trebejos que pertenesçían para saber qualquier cavallero.
130. *P:* et vido los moros [*sic*].
131. *M:* muros e las casas. *M:* de toda la villa.
133. *P* omite: *muy. M:* tornó e fue al palaçio del rrey e. m. t. e non avía comido. *P:* el rr. preguntóle.
134. *P:* et díxol el ynfante. *M:* le rrespondió que sy a su merçed non p.
135. *G:* que él le daría. *H:* lo que le avía paresçido. *M:* pares-çía de todo lo.
137. *P:* p. de la su merçed et de la su bendiçión. *H:* pena de su muerte que gelo dixiesse lo que paresçía de lo que avía visto.
138. *S:* muy leal rrey. *P* omite: *muy.*
140. *G:* atan buena g. *M:* pues tenía tan b. g. e tanto e tan grande poder.

---

[209] *nobleza:* obra notable; *LBA* 79*a*, 814*c.*
[210] *trebejassen:* torneasen; *Estados* 31,18 y 102,23.

tanta, et tan grand poder et tan grand aver, que si por
él non fincasse, que todo el mundo devía ser suyo.

Al rrey plogo mucho deste denuesto [211] que el infante le dixo. Et quando vino el plazo a que avía de
145   dar rrespuesta a los de la tierra, díxoles que aquel fijo
les dava por rrey.

Et esto fizo por las sennales que vio en los otros
et por las que vio en éste. Et commo quier que más
quisiera qualquier de los otros para rrey, non tovo
150   por aguisado de lo fazer por lo que vio en los unos et
en el otro.

Et vos, sennor conde, si queredes saber quál moço
será mejor, parat mientes a estas tales cosas, et assí
podredes entender algo, et por aventura lo más de lo
155   que á de ser de los moços.

Al conde plogo mucho de lo que Patronio le dixo.

Et porque don Johan tovo éste por buen exemplo,

---

143. *M:* mucho desto e desde denuesto.
144. *GAHM:* le dava. *P:* Et desque. *H:* Et quando vido [*sic*].
145. *M:* rrespuesta a los del rreyno. *S:* repuesta. El verbo *res-
      ponder* es usado veinte veces en *PMC* y siempre conserva la
      s; lo mismo ocurre en *Apol.* (16 veces) en donde se en-
      cuentra también el sust. *respuesta* (76*a*, 205*d*, 566*a*); en el
      LBA el verbo tiene la *s* y, aunque el sust. la pierde cuatro
      veces (80*d*, 679*c*, 1395*c*, 1498*b*), la forma común es *respuesta*
      que aparece catorce veces; como dice Corominas (p. 262, nota
      al verso 679*c*) repuesta es un arcaísmo. *M:* fyjo menor.
147. *P:* que vido en los otros et vido en éste. *M:* vido en este
      su fyjo e por las sennales que vio en l.o.
148. *A:* e por las que en éste vio.
149. *P:* quisiera que regnara qualquier de los otros. *GA:* uvo por
      guisado. *H:* ovo guisado. *M:* non lo ovo por bien de lo
      fazer synon a aquel menor.
150. *M* omite: *por lo q. vio... el otro.*
152. *GA:* si quisiéredes.
153. *S:* sería mejor. *M:* e en esto podredes.
154. *S:* lo más dello q. *H:* lo más que ha.
155. *M:* á de ser en adelante de los moços.

---

[211] *denuesto:* tacha, reparo; *LBA* 404*d* (citado por Blecua, nota 492).

fízolo escrevir en este libro, et fizo estos versos que
dizen assí:

160   Por obras et maneras podrás conosçer
           a los moços quáles deven los más seer.

EXEMPLO XXV

De lo que contesçió al conde de Provençia con Saladín que era Soldán de Babilonia [212]

El conde Lucanor fablava una vez con Patronio,
su consejero, en esta manera:

—Patronio, un mi vasallo me dixo el otro día que
quería casar una su parienta, et que assí commo él

---

160. *A:* maneras e obras. *M:* Por las obras e por las maneras po-
      dredes c. *P:* bien podrás entender.
161. *A:* quáles los moços han mejores ser. *G:* los mejores ser.
      M: quál deve mejor seer. *H:* quáles deven ser. *P:* quáles
      deven ser los moços o qué puede dellos ser.
      GA: de Pronvinçia. *H:* de Proençia con el Soldán de Bavilonia.
      S: de Provençia cómmo fue librado de la prisión por el
      consejo que le dio Saladín. *P:* Del exemplo de lo que con-
      tesçió a Saladýn, Soldán de Bavilonia que tenía cativo al
      conde de Provinçia, et cómmo lo sacó un su yerno.
3.   *S:* un mío v. *H:* un mi pariente. *M:* me dixo este otro día.
4.   *HM:* una su fija. *S:* et assí c. él e. t. de conseiar.

---

[212] Como en muchos otros casos, don Juan Manuel escribe aquí
un cuento de gran originalidad combinando varios motivos: 1) La
mujer que es dada en matrimonio a un hombre bueno, aunque
pobre. 2) El hijo que libera al padre cautivo. 3) La generosidad
de Saladino con sus prisioneros. Los críticos consideran este
exemplo y el L (también sobre Saladino) como el núcleo didáctico del libro; una idea presentada inicialmente en el estudio de
Ian Macpherson, «Dios y el mundo. The Didacticism of *El conde
Lucanor*», *RPh*, XXIV, 1970-1971, pp. 26-38. Al respecto, *vid.* R. Ayerbe-Chaux (1975), pp. 124-137, y Harlan Sturm, «*El conde Lucanor:*
The Search for the Individual», en *Juan Manuel Studies*, pp. 157-
168. Sobre Saladino, *vid.* Américo Castro, «La presencia del sultán
Saladino en las literaturas románicas», en *Semblanzas y estudios
españoles*, Princeton, 1956, pp. 17-43.

5 era tenido de me consejar lo mejor quél pudiesse,
que me pedía por merçed quel consejasse en esto lo
que entendía que era más su pro; et díxome todos
los casamientos quel traýan. Et porque éste es omne
que yo querría que lo açertasse muy bien, et yo sé que
10 vos sabedes mucho de tales cosas, rruégovos que me
digades lo que entendedes en esto, por que yo le pueda
dar tal consejo que se falle él bien dello.

—Sennor conde Lucanor —dixo Patronio—, para que
podades consejar bien a todo omne que aya de casar
15 su parienta, plazerme ýa mucho que sopiéssedes lo que
contesçió al conde de Provençia con Saladín, que era
soldán de Babilonia.

El conde Lucanor le rrogó quel dixiesse cómmo
fuera aquello.

20 —Sennor conde Lucanor —dixo Patronio—, un conde ovo en Provençia que fue muy buen omne et deseava mucho fazer en guisa por quel oviesse Dios
merçed al alma et ganasse la gloria del paraýso, fazien-

---

5. *G* omite: *lo mejor quel pudiesse. H:* que él sopiesse et pudiesse, que me rrogava que le aconsejasse en esto lo mejor
que yo sopiesse que era más su pro et su onrra.

7. *M:* su provecho. *GAHM* omiten: *todos. M:* díxome el casamiento.

8. *H:* que le traen. *M* omite: *Et porque éste... muy bien.*

9. *S:* que yo quería. *GA:* que acertasse. *H:* que açertasse en
lo mejor.

10. *P:* de tales cosas mucho. *GA:* más de tales cosas. *H:* m. de
las tales dígovos que me. *M:* me consejedes.

14. *S:* bien consejar. *H:* consejar et conosçer. *P:* q. oviere de
c. bien a su pro a su parienta.

15. *S:* s. qué contesçió.

16. *P:* Provinçia con el soldán de B. *H:* Prohençia con Sula-
dín. *M:* Saladín de B. que era soldán.

20. *H:* un conde ovo en la provincia de [*sic*].

21. *P:* et era. *H* omite: *q. fue muy b. o. H:* et deseava fazer
mucho bien.

22. *P:* por fazer quel oviesse D. *M:* Nuestro Sennor Dios.

23. *GA:* merçed a la su alma. *H:* al ánima. *P:* et que ganasse.
H: et guardasse la gloria del pariso [*sic*].

do tales obras que fuessen a grand su onrra et del su
25 estado. Et para que esto pudiesse conplir, tomó muy
grand gente consigo, et muy bien aguisada, et fuese
para la Tierra Sancta de Ultramar, et poniendo en su
coraçón que, por quequier [213] quel pudiesse acaesçer,
que sienpre sería omne de buena ventura, pues le
30 venía estando él derechamente en serviçio de Dios. Et
porque los juyzios de Dios son muy marabillosos et
muy escondidos, et Nuestro Sennor tiene por bien de
tentar muchas vezes a los sus amigos, pero si aquella
tentaçión saben sofrir, sienpre Nuestro Sennor guisa
35 que torne el pleito a onrra et a pro de aquel a quien
tienta; et por esta rrazón tovo Nuestro Sennor por
bien de tentar al conde de Provençia et consentió que
fuesse preso en poder del soldán. Et commo quier que

---

24. *P:* fuessen sienpre a su onrra. *H:* f. a onrra de su e. *G:* fuese gran su honrra et de. *A:* f. grande su hondra et de.
M: f. su onrra e del su e. Et para que todo esto.
25. *P* omite: *muy, muy.*
26. *GA:* guisada. *HM:* aguisados. *Vid.* 7.44.
27. *HM* omiten: *Sancta. M* de Ultramar que es la casa santa
de Jerusalén.
28. *M:* por qualquier c. *H:* que qualquier cosa que le acaesçiesse. *S:* que él pudiesse a. *GA:* que pudiesse a.
29. *GAM:* de muy b.v.
30. *P* omite: *él derechamente. M:* verrnía ansý. *H:* venían él
estando.
31. *P* omite: *muy, muy. SGAM: ascondidos (vid. 19.25).*
32. *P:* N.S. Dios t. p. b. de t. algunas vezes. *M:* por bien e le
plaze que sean tentados los s. a. e muchas vegadas.
33. *GA:* muchas vegadas. *H:* a los sus servidores.
34. *S:* tenptaçión. El *LBA* 503b (S) tiene *tenptaçiones* y 1677c:
tentaçión; tanto Corominas como Joset rechazan el latinis-
mo. *P:* saben bien sofrir.
35. *P:* a pro et a onrra. *M:* a provecho e a o. de aquel que
tienta.
36. *M:* tovo por bien N.S.
37. *M:* et consyntió e permitió. *H:* de tentar a este conde segunt adelante a [*sic*] oyredes. Et consyntió que en aquel
camino do yva en su rromería, que fuesse p. en p. del s. de
Bavilonia.

---

[213] *quequier:* cualquier cosa; *Mil.* 191*b*; *Apol.* 135*d*; *LBA* 566*d*.

estava preso, sabiendo Saladín la grand bondat del
40 conde, fazíale mucho bien et mucha onrra, et todos
los grandes fechos que avía de fazer, todos los fazía
por su consejo. Et tan bien le consejava el conde et
tanto fiava dél el soldán que, commo quier que estava
preso, que tan grand logar et tan grand poder avía,
45 et tanto fazían por él en toda la tierra del soldán,
commo farían en la suya misma.

Quando el conde se partió de su tierra, dexó una
fija muy pequennuela. Et el conde estudo tan grand
tienpo en la prisión, que era ya su fija en tienpo para
50 casar; et la condesa, su muger, et sus parientes enbiaron a dezir al conde quántos fijos de rreyes et otros
grandes omnes la demandavan por casamiento.

Et un día quando Saladín vino a fablar con el conde, desque ovieron acordado aquello por que Saladín
55 allý viniera, fabló el conde con él en esta manera:

—Sennor, vos me fazedes a mí tanta merçed et

---

39. *GA:* Saladín el soldán. *PH* omiten: *grand. H:* la b. del c.
et otrosí el su linaje.
40. *P:* fízole. .
41. *H:* fechos que fazía.
42. *M:* Et tanto de bien. *H:* Et tan bien consejava.
44. *P:* t. g. poder et t. g. lugar. *M:* a tanto lugar. *GA:* et t.
gran plazer.
45. *S:* tierra de Saladín.
46. *P:* fizieran. *M:* fiziera. *G:* faría.
47. *H:* Et q. el rrey [*sic*]. *M:* este conde salió. *P:* el c. partió.
M: dexó a su muger una fyjuela muy pequennuela.
48. *H:* f. muy pequenna. *P:* fija pequenna. *A:* estuvo en la prisión (omite: *tan g. tienpo*). *P:* tanto tienpo preso. *H:* estando t. g. t. *M:* estando muy g.t... que ya era.
50. *H* omite: *su muger.*
51. *P:* de rr. et de condes et de rricos omnes. *H:* de rr. et
grandes omnes. *M:* e de otros muy grandes omnes. *S:* rreys.
Rreys es un arcaísmo; el plural en *PMC* es *reyes* (diez veces),
lo mismo que en el *LBA* 26*b*, 37*e*, 1521*d*, 1638*b*, 1644*e*.
53. *P:* el soldán... el soldán.
54. *M:* ovieron fablado.
55. *M:* viniera a fablar con el conde. *A:* allý vino. *SPH:* fabló
con el conde en e. m.
56. *M:* Sennor Saladín v.m. fazedes a mí. *A:* me fezistes.

tanta onrra et fiades tanto de mí que me ternía por
muy de buena ventura si vos lo pudiesse servir. Et
pues vos, sennor, tenedes por bien que vos conseje yo
60 en todas las cosas que vos acaesçen, atreviéndome a
la vuestra merçed et fiando del vuestro entendimiento, pídovos por merçed que me aconsejedes en una
cosa que a mí acaesçió.

El soldán gradesçió esto mucho al conde, et díxol
65 quel consejaría muy de grado; et aún, quel ayudaría
muy de buena mente en quequiera quel cunpliesse.

Entonçe le dixo el conde de los casamientos quel movían[214] para aquella su fija et pidiól por merçed quel
consejasse con quién la casaría.

70 El soldán rrespondió assí:

—Conde, yo sé que tal es el vuestro entendimiento,
que en pocas palabras que vos omne diga entendredes
todo el fecho. Et por ende vos quiero consejar en este
pleyto según lo entiendo. Yo no conosco todos estos
75 que demandan vuestra fija, qué linaje o qué poder an,
o quáles son en los sus cuerpos o quánta vezindat an

---

58. *PH:* de buena ventura. *M:* de muy b. v.
60. *H:* todas las otras cosas que. *P:* que a vos a.
61. *P:* fiando en el v.e. *AM:* del vuestro buen e. *G* omite: *et
fiando... pídovos por merçed.*
62. *A:* ruégovos por merçed.
63. *M:* que me acaesçió.
64. *H:* agradesçió. *PM:* agradesçió mucho esto. *PH:* et dixo.
66. *GAHM:* en qualquier cosa.
67. *P:* díxole. *M:* que movían a aquella su fyja.
68. *GA* omiten: *et pidiól... la casaría.*
69. *M:* consejasse lo que aý entendía sobre este fecho.
70. *P:* rrespondiól et díxol assí. *M:* ansý al conde.
71. *M:* Yo sé bien (omite: *conde*).
72. *H:* que omne vos diga. *M:* que vos yo diga.
73. *S* omite: *quiero. G* omite: *Et por ende v.q.c. en e. p. AH:*
en este fecho. *M:* en esto segun lo e.
74. *S:* lo yo entiendo. *H:* lo que entiendo. *A:* Yo conosco [*sic*].
H: conosco estos que d. *P:* c. estos todos q. d.
76. *A:* o quáles son las sus costumbres.

---

[214] *mover casamiento:* sugerir matrimonio; *LBA* 735*b.*

con vusco, o qué mejoría an los unos de los otros, et
por ende non vos puedo en esto consejar çiertamente;
mas el mi consejo es éste: que casedes vuestra fija con
80 omne.

El conde gelo tovo en merçed et entendió muy bien
lo que aquello quería dezir. Et envió el conde dezir a
la condesa, su muger, et a sus parientes el consejo quel
soldán le diera, et que sopiessen de quantos omnes
85 fijos dalgo en todas sus comarcas, de qué maneras et
de qué costunbres, et quáles eran en los sus cuerpos,
et que non catassen por su riqueza nin por su poder,
mas quel enviassen por escripto dezir qué tales eran
en sí los fijos de los rreyes et de los grandes sennores
90 que la demandavan et qué tales eran los otros omnes
fijos dalgo que eran en las comarcas.

---

77. *H:* mejorían [*sic*]. *PM:* mejorías. *Mejoría:* ventaja, es singular en *Ali.* 38*d:* «aviés grant mejoría» y *LBA* 518*c:* «que
non ayas mejoría»; aunque no esté con «haber», es también singular en todos los casos en *Apol.* 148*d,* 198*c,* 220*c,*
311*d. GA:* los unos sobre los otros. *M:* el uno sobre los o.
H: los u. con los o.
78. *S:* que non vos puedo. *PHM* omiten: *en esto. GA:* derechamente.
80. *H:* omne de buen lugar.
81. *P:* tóvogelo. *M:* en mucha merçed.
82. *H:* lo que quería dezir. *P:* Et el conde envió a dezir. *H:* e.
dezir el conde. *M:* Et luego escryvió.
83. *P* omite: *su muger. H:* quel consejo que Saladín le diera.
84. *P:* quantos fijos dalgo avía en sus c. *H:* q. fijos oviesse en
sus c. *M:* q. fyjos dalgo eran en l. c.
85. *GA:* oviesse en todas comarcas. *GA:* de qué naturas e de q.
costumbres en los cuerpos.
86. *P:* c. eran et quáles en sus cuerpos. *M:* q. eran por sus
cuerpos.
87. *H:* q. non case [*sic*]. *PS:* casassen. Adopto con Orduna la
lectura *catassen* de *GAM.*
88. *GAH:* e. dezir por e. *M:* dezir por sus escryturas. *P:* quales eran en sí aquellos que la demandavan. *M:* q. eran
por sí... et los otros sennores que la d.
90. *P* omite: *et qué tales eran... en las comarcas. H:* la demandan. *M:* et q. t. eran sus fechos et qué tales eran los fyjos
dalgo que estaban en l. c.

Et la condessa et los parientes del conde se marabillaron desto mucho, pero fizieron lo que el conde
les envió mandar, et pusieron por escripto todas las
95   maneras et costunbres buenas et contrarias que avían
todos los que demandavan la fija del conde, et todas
las otras condiçiones que eran en ellos. Et otrosí, escrivieron quáles eran en sí los otros omnes fijos dalgo
que eran en las comarcas, et enviáronlo todo contar
100   al conde.

Et desque el conde vio este escripto, mostrólo al
soldán; et desque el soldán lo vio, commo quier que
todos eran buenos, falló en todos los fijos de los rreyes
et de los grandes sennores en cada uno algunas tachas:
105   o de seer mal acostunbrados en comer o en vever, o
en seer apartadizos [215] o de mal rresçebimiento a las
gentes, et pagarse de malas conpannas, o enbargados
de su palabra, o alguna otra tacha de muchas que los

---

93. *HP:* lo que les el conde mandara (*P:* enbió mandar).
94. *P:* t. las costunbres et maneras buenas et malas.
95. *M:* m. e condiçiones e costunbres b. e c.
96. *P:* que la demandavan. *M:* demandavan a su fyja. *H:* omite:
     et todas las otras c. q. e. en ellos.
97. *P* omite: *Et otrosí... en las comarcas. H* omite: *Et otrosí...
     al conde.*
98. *M:* Et otrosí quáles eran por sý e los o. f. d. *GA:* en sí los
     hombres.
99. *M:* et todo esto largamente todo lo enbiaron dezir al conde.
     P: e. todo así al conde.
101. *GAH:* el conde ovo este e. *M:* el conde esto vio mostrólo.
102. *S:* et desque Saladín. *H* omite: *et dq. el s. lo vio.*
103. *S:* eran muy buenos. *P* omite: *en todos los fijos... grandes
     sennores.*
106. *S:* partadizos. *H:* espantadizos. *M:* sannudos e arrebatados.
     P añade: *o jugadores.*
107. *P:* et páganse.
108. *H:* o otra [*sic*] tachas malas de las que omne puede aver.
     P: t. mala de los que los o. p. tener.

---

[215] *apartadizos:* huraños, retraídos; *Estados* 160,28: «Otrosí, quel
plega de estar con las gentes en los tienpos que lo deve fazer, et
non ser apartadizo nin se estar nin aver afazimiento con otras
conpannas nin con omnes viles.»

omnes pueden aver. Et falló que un fijo de un rrico
110 omne que non era de muy grand poder, que segund lo
que paresçía dél en aquel escripto, que era el mejor
omne et el más conplido, et más sin ninguna mala tacha de quien él nunca oyera fablar. Et desque esto oyó
el soldán, consejó al conde que casasse su fija con aquel
115 omne, ca entendió que commo quier que aquellos otros
eran más onrrados et más fijos dalgo, que mejor casamiento era aquél et mejor casava el conde a su fija
con aquél que con ninguno de los otros en que oviesse
una mala tacha; quanto más si oviesse muchas; et tovo
120 que más de preçiar era el omne por las sus obras que
non por su rriqueza, nin por la nobleza de su linage.

Et el conde enbió mandar a la condessa et a sus
parientes que casassen su fija con aquel que Saladín
le mandara. Et commo quier que se marabillaron mu-
125 cho ende, enbiaron por aquel fijo de aquel rrico omne
et dixiéronle lo quel conde les enbiara mandar. Et él
rrespondió que bien entendía quel conde era más
fijo dalgo et más rrico et más onrrado que él, pero si

---

109. *M:* suelen aver. *P:* Et falló en un fijo. *M:* Et después de
todo esto visto fallaron que.
112. *H:* et el m. de syn mala t. que él oyera fablar. *M:* e syn
ninguna m. t. de que omne non oyesse f. *P* omite: *mala.*
115. *P:* que algunos de los otros. *H:* c. q. que aquellos omnes.
117. *GA:* m. casava su fija el conde. *M:* m. c. el c. con aquél su
fyja.
119. *GAHM:* alguna mala tacha. *P:* si fuessen muchas. *H:* si oviesse más. *M* omite: *cuanto más si o. muchas.*
120. *H:* más de depreçiar era. *M:* más era de preçiar. *A:* sus
obras e por la nobleza de su linage, que non por la su riqueza.
M: q. p. su grant rr. nin p. grant n. del linaje.
123. *P:* quel soldán le consejara. *M:* con aquel omne quel soldán.
124. *S:* les mandara. *M:* maravillaron desto mucho la condesa
e sus parientes pero por cunplir su mandado e. luego
p. a. f. de aquel omne.
125. *P:* omne rrico.
126. *SG:* les envió. *A:* enbiava. *H:* le enbiara dezir et mandar.
127. *M:* rrespondióles. *P:* que él bien e. *H:* rr. que el conde era
más.
128. *A:* fidalgo que él. *H:* o. que non él. *M:* o. que él e más fyjo
dalgo.

él tan grant poder oviesse, que bien tenía que toda
130 muger sería bien casada con él, et que esto que fablavan con él, si lo dezían por non lo fazer, que tenía quel
fazían muy grand tuerto et quel querían perder muy
de balde. Et ellos dixieron que lo querían fazer en toda
guisa, et contáronle la rrazón en cómmo el soldán
135 consejara al conde quel diesse su fija ante que a ninguno de los fijos de los rreyes nin de los otros grandes
sennores, sennaladamente porquel escogiera por omne.
Et desque esto oyó, entendió que fablavan verdaderamente en el casamiento et tovo que pues Saladín le
140 escogiera por omne, et le fiziera llegar a tan grand onrra,
que non sería él omne si non fiziesse en este fecho lo
que pertenesçía.

Et dixo luego a la condessa et a los parientes del
conde que si ellos querían que creyesse él que gelo
145 dezían verdaderamente, quel apoderassen luego de todo el condado et de todas las rrentas, pero non les dixo

129. *H* omite: *que bien t.*
130. *P:* se tenía por bien c. c. él. *H:* fuesse b. casada. *M:* podría
     ser b.c. *P* omite: *et que esto q. f. con él. M:* et más les
     dixo que sy esto.
131. *M:* por lo fazer [*sic*]. *H:* que fazían en ello g. t.
132. *P* omite: *muy. M:* synon que tenía que le fazien. *S:* perder
     de balde. *H:* perder en toda guisa. *A* omite: *et quel... de
     balde.*
133. *H:* et e. dezían. *M:* rrespondiéronle.
134. *P:* la rrazón cómmo.
135. *G:* aconsejara. *A:* aconsejava. *M:* antes a él que a n. de los
     otros rreyes. *P:* a otro ninguno de los otros. *GA:* ninguno
     de los otros fijos de rr. nin de los grandes s.
138. *H:* Et dq. esto vio.
139. *H:* con el casamiento. *G:* con él del c. *AM:* con él verdade-
     ramente del c. *PM:* el soldán.
140. *GA:* le fiziera atan g. o. *H:* le f. allegar a tanta honrra.
     P: Et fiziera.
142. *M:* p. fazer a omne. *P:* pertenesçiesse a omne.
143. *GA* omiten: *luego. H:* parientes dellos.
144. *P:* que ellos querían [*sic*] quél creyesse.
146. *SH:* rrendas. *Renta* se encuentra en *Ali.* 860*d* (P) y *LBA*
     249*b*, 1653*b*, 1699*b. P:* non dixo. *A:* dixo nin declaró.

niguna cosa de lo que él avía pensado de fazer. A ellos plogo de lo que él les dizía, et apoderáronle luego en todo. Et él tomó muy grand aver, et, en grand poridat,

150 armó pieça de galeas²¹⁶ et tomó muy grand aver guardado. Et desque esto fue fecho, mandó guisar sus bodas para un día sennalado.

Desque las bodas fueron fechas muy rricas et muy onrradas, en la noche, quando se ovo de yr para su

155 casa do estava su muger, ante que se echassen en la cama, llamó a la condessa et a sus parientes et díxoles en grand poridat que bien sabían que el conde le escogiera entre otros muy mejores que él, et que lo fiziera

---

147. *PM:* de lo que avía. *G:* que él havía de fazer. *A:* él en su pensamiento pensaba fazer. *S:* avía pensada. *H:* que él tenía pensado de fazer. *H* omite: *A ellos... les dezía.*

148. *AM:* plogo mucho. *P:* lo quél dizía. *G:* él les dixo. *A:* él les dixera. *A:* en todo. Y él viéndose apoderado en muy grande aver.

149. *P:* tomó grand poder en poridat. *H:* aver en grant partida.

150. *A:* armó una galea. *M:* fizo armar pieça de muchas galeas. *H:* et armó muy grant p. de g. con muy grant a.g. *P:* tomó grand aver g. Et esto fecho.

151. *GA:* ovo fecho esto. *HM:* esto ovo fecho. *M:* aparejar sus bodas.

152. *H* omite: *para un día sennalado. Desque las bodas.*

153. *GA:* E después que. *A:* fueron fechas e acabadas. *M:* fueron pasadas l. b. que fueron fechas muy rricas e mucho onrradas.

154. *P:* noche de que se ovo de yr a su posada.

155. *AM:* casa donde (*M:* a do) estava su muger. *PH:* que se echasse. *M:* que se echasse con ella.

156. *G:* a la condesa su suegra. *A:* a la c. su suegra e a todos sus parientes.

157. *GH:* en poridad. *P:* sabía que el c. *H:* sabía el conde cómmo lo escogiera. *S:* el conde escogiera. *M:* cómo el conde e el soldán le e.

158. *P:* entre otros mejores. *H:* e. o. muchos mejores. *A:* e. o. muy muchos e muy m. *M:* e. todos los mejores por omne. *M:* lo fiziera el conde. *H* omite: *et que lo fiziera... le consejara.*

---

²¹⁶ *pieça de galeas:* cantidad, número de galeras; *LBA* 226*b*; *Estados* 44,2 y 183,31.

porque el soldán le consejara que casasse su fija con
160 omne, et pues el soldán et el conde tanta onrra le fizieran et lo escogieran por omne, que ternía él que non
era omne si non fiziesse en esto lo que pertenesçía;
et que se quería yr et que les dexava aquella donzella
con qui él avía de casar, et el condado: que él fiava
165 por Dios que Él le enderesçaría por que entendiessen
las gentes que fazía fecho de omne.

Et luego que esto ovo dicho, cavalgó et fuese a
buena ventura. Et enderesçó al rreyno de Armenia, et
moró ý tanto tienpo fasta que sopo muy bien el len-
170 guaje et todas las maneras de la tierra. Et sopo cómmo Saladín era muy caçador.

Et él tomó muchas buenas aves et muchos buenos
canes, et fuese para Saladín, et partió aquellas sus
galeas et puso una en cada puerto, et mandóles que
175 nunca se partiessen dende fasta quél gelo mandasse.

Et desque llegó al soldán, fue muy bien rresçebido,
pero non le besó la mano nin le fizo ninguna rreverençia de las que omne deve fazer a su sennor. Et Saladín
mandól dar todo lo que ovo menester, et él grades-

---

159. *A:* pq. el soldán Saladín. *PM:* gelo consejara. *H:* que non
casasse [*sic*].
161. *PS* omiten: *et lo escogieran. A:* e assí ambos lo e. *P:* q. non
ternían a él que era omne. *GA:* q. n. ternía que lo era.
H: tenía él que era o. *M:* q. él ternía que non era omne.
162. *H:* sy non fiziera él. *M:* f. en este fecho.
163. *A:* yr, y que les encomendava.
164. *H:* con quel avía de casar et aun el condado.
165. *S:* endeçaría. *P:* que Él enderesçaría.
167. *P:* Et des questo ovo fecho. *M:* cavalgó en su cavallo.
169. *A:* moró ende. *M:* moró allí. *PH* omiten: *muy bien.*
170. *P:* Et sopo el soldán cómmo era buen caçador. *M:* quel
s. e. grant c.
172. *P* omite: *buenas.*
173. *PM:* para el soldán. *G:* e partió en aquellas s. g. *A:* e p. en
aquella su galea.
174. *H:* et pasó una en cada p.
175. *P:* non se p. *S:* partiessen ende. *H:* p. dél. *P:* quél los mandasse.
178. *A:* que deve f. hombre a su s.
179. *G:* todo lo q. avía menester. *M:* lo q. oviesse de menester.

180 çiógelo mucho, mas non quiso tomar dél ninguna cosa
et díxol que non viniera él por tomar nada dél; mas
por quanto bien oyera dezir dél, que si él por bien
toviesse, que quería bevir algún tienpo en la su casa
por aprender alguna cosa de quanto bien avía en él
185 et en las sus gentes; et porque sabía quel soldán era
muy caçador, que él trayá muchas aves et muy buenas,
et muchos canes, et si la su merçed fuesse, que tomasse ende lo que quisiesse, et con lo quel fincaría a él,
que andaría con él a caça, et le faría quanto serviçio
190 pudiesse en aquello et en ál.

Esto le gradesçió mucho Saladín, et tomó lo que
tovo por bien de lo que él trayá, mas por ninguna
guisa nunca pudo guisar quel otro tomasse dél ninguna cosa, nin le dixiesse ninguna cosa de su fazienda,
195 nin oviesse estrellos cosa por que él tomasse ningún
cargo de Saladín, por que le fuesse tenudo de lo guardar. Et assí andudo en su casa un grand tienpo.

---

180. *P:* mas non tomó nada de lo suyo. *H:* tomar ninguna cosa.
181. *S:* et dixo. *M:* viniera a entençión de. *H:* non venía por
tomar vianda dél. *GA:* dél nada. *P:* nada de lo suyo.
182. *PG:* bien dél oyera dezir. *H* omite: *bien.*
183. *M:* q. andar algún t. en su casa.
185. *P:* et en las sus obras. *M:* que su alteza era.
186. *P:* gran caçador. *H:* aves et buena. *P* omite: *et muy buenas.*
188. *M:* dende lo que él quisiesse. *P* omite: *a él. M:* que a él
fyncasse.
189. *P:* con él a caçar. *M:* e lo serviría e le faría todo quanto
buen s.
191. *PA:* agradesçió. *H:* Et aquello le g. *M:* Et esto que dixo
le g. *HM:* el soldán.
192. *H* omite: *et tomó lo que tovo por bien* y tiene: *de lo que
trayá, lo quél tovo por bien. P:* lo que trayá. *M:* lo que el
otro trayá. *P:* por ninguna manera. *H:* p. n. cosa.
193. *M:* nunca pudo fazer el soldán con él que él tomasse n. c.
dél.
194. *P* omite: *nin le dixiesse... de su fazienda. H:* nin le diesse.
M omite: *nin le dixiesse... tenudo de lo guardar;·* tine: n. cosa
dél *por que le deviesse guardar nin le dixesse ninguna cosa
de su fazienda.*
195. *SP:* ninguna carga. *H:* ninguna cosa.
196. *PH:* del soldán. *S:* tenido.
197. *S:* andido. *GAHM:* andando en su c. muy grand tienpo.

Et commo Dios acarrea, quando su voluntad es, las
cosas que Él quiere, yendo un día amos a caça, quiso
200 Dios que lançaron los falcones a unas grúas [217] et fueron matar la una de las grúas a un puerto de la mar
do estava la una de las galeas quel yerno del conde ý
pusiera. Et el soldán que yva en muy buen cavallo,
et él en otro, alongáronse [218] tanto de las gentes, que
205 ninguno dellos non vio por do yvan. Et quando Saladín
llegó do los falcones estavan con la grúa, desçendió
mucho aýna por los acorrer. Et el yerno del conde
que venía con él, de quel vio en tierra, llamó a los de
la galea. Et el soldán que non parava mientes sinon por
210 çevar sus falcones, quando vio la gente de la galea
en derredor de sí, fue muy espantado. Et el yerno
del conde metió mano a la espada et dio a entender
quel quería ferir con ella. Et quando Saladín esto vio,
començose a quexar mucho diziendo que esto era muy
215 grand trayçión. Et el yerno del conde le dixo que non

198. *M:* quando su v. es cunplida.
199. *SGAHM* omiten: *yendo un día amos a caça. GA:* quiso q.
alcançaron. *H:* guisó q. lançassen. *Alançar* de *S* quiere decir «lanzar al tablado los bohordos». *Vid.* Huerta Tejadas,
Vocabulario; lançar está en el *LBA* 175a, 301c.
M: quiso guisar que los açores e los falcones fueron echa-
dos a unas grúas.
201. *S:* la u. dellas grúas. *P:* la una dellas a un puerto de mar.
202. *G:* una galea de las que el y. *A:* la g. que el y. *H:* una g.
de las galeas quel y. *M:* una galea del yerno del conde.
203. *P* omite: *muy. M:* yva en su cavallo e el yerno del conde
en otro.
204. *P:* de la otra gente. *M:* de las otras gentes.
205. *P:* non vieron. *S:* por do yva. *GA:* por donde. *H:* veyan por
do yvan. *PH:* el soldán.
206. *H:* llegó a los falcones. *M:* llegó a los f. que estavan.
211. *P* omite: *de sí. H:* muy espantando [*sic*]. Et quando el
yerno.
213. *P:* el soldán vido esto començó a quexarse mucho. *H:* el
soldán e. oyó.
214. *M:* de quexar m. *H* omite: *diziendo. P* omite: *muy.*
215. *GA:* díxole que nunca lo mandase Dios.

---

[217] *grúas:* grullas. La palabra en el *LBA* 253b, 254a es *grulla.*
[218] *alongáronse:* se alejaron; *Apol.* 236c, 453d; *LBA* 603b.

mandasse Dios, que bien sabía él que nunca él le tomara por sennor, nin quisiera tomar nada de lo suyo,
nin tomar dél ningún cargo por que oviesse rrazón de
lo guardar, mas que sopiesse que Saladín avía fecho
220   todo aquello.

Et desque esto ovo dicho tomólo et metiólo en la
galea, et desque lo tovo dentro, contól cómmo era yerno del conde, et que era aquél que él escogiera, entre
los otros mejores quél por omne; et que pues él por
225   omne le escogiera, que bien entendía que non fuera
él omne si esto non fiziera; et quel pidía por merçed
quel diesse su suegro, por que entendiesse quel consejo
que él le diera que era bueno et verdadero, et que se
fallava bien dél.

230   El quando Saladín esto oyó, gradesçiól mucho a
Dios, et plógol más porque açertó él en el su consejo,
que si le oviesse acaesçido otra pro o otra onrra por
grande que fuesse. Et dixo al yerno del conde que gelo
daría muy de buena mente.

---

216.   *P:* que bien sabía quél nunca tomara ninguna cosa dél por
quel fuesse traydor nin tenudo de lo guardar, nin era su
sennor nin tomara dél ningún cargo.
217.   *H* omite: *quisiera. M:* nin nunca quisyera tomar ninguna
cosa.
218.   *S:* encargo. *GA:* enbargo. *M:* nin nunca tomara dél n. en-
trego por que le oviesse de g.
219.   *H:* quel soldán.
220.   *P:* aquello todo.
221.   *GAM:* esto ovo fecho. *P* omite: *tomólo.*
222.   *S:* et de que... cómmo él era el y.
223.   *M:* del conde que él tenía preso. *P:* et que aquél era. *S:*
entre otros m. que sí. *G:* de entre los o. *M:* que él mesmo
escogera entre los mejores. *H:* escogiera por omne entre o.
224.   *SHM:* et pues él.
225.   *H:* que non era él omne sy esto non entendiera et fiziera.
229.   *H:* fallara bien dél. *M:* fallara dél bien.
230.   *H:* el soldán. *S:* gradesçió mucho.
231.   *P:* açertara. *HS:* açertó en el su c. *M:* salió verdad. *G:* a. en
el su pro.
232.   *SGAHM:* oviera. *M:* oviera venido otro provecho.
233.   *M:* Et Saladín dixo al y. d. c. que le plazía del soltar e de
gelo dar de muy buen grado e que se fuesse en buena ora
con él para su tierra.

235   Et el yerno del conde fio en el soldán, et sacólo
luego de la galea et fuese con él. Et mandó a los de
la galea que se alongassen del puerto tanto que non
los pudiessen ver ningunos que ý llegassen.

    Et el soldán et el yerno del conde çevaron muy
240 bien sus falcones. Et quando las gentes ý llegaron,
fallaron a Saladín mucho alegre. Et nunca dixo a omne
del mundo nada de quanto le avía contesçido.

    Et desque llegaron a la villa, fue luego desçender a
la casa do estava el conde preso et levó consigo al
245 yerno del conde. Et desque vio al conde, començól
a dezir con muy grand alegría:

    —Conde, mucho gradesco a Dios por la merçed que
me fizo en açertar tan bien commo açerté en el consejo que vos dí en el casamiento de vuestra fija. Evad [219]
250 aquí vuestro yerno, que vos á sacado de la prisión.

    Entonçe le contó todo lo que su yerno avía fecho,
et la lealtad et el grand esfuerço que fiziera en lo prender et en fiar luego en él.

    El soldán et el conde et quantos esto oyeron loaron
255 mucho el entendimiento et el esfuerço et la lealtad del

---

235. *H:* fio del soldán. *A:* e sacólo de la galera.
237. *PM:* tanto del puerto. *P:* que los non viessen.
238. *H:* pudiesse ver ninguno.
239. *P* omite: *muy.*
240. *G:* sus açores. *P:* et quando llegaron ý las gentes. *M:* las otras gentes allegaron.
241. *P:* al soldán.
242. *P:* de aquello que le avía contesçido. *M:* de lo que le a. acaesçido.
243. *M:* allegaron. *P:* fue el soldán desçender do estava el conde et levó allá a su yerno. *M:* fue l. el soldán a desçender de su cavallo a la posada.
244. *H:* la posada. *AH:* donde (*H:* do) el conde estava preso.
245. *M:* Et dq. Saladín vido començó a dezir estas palabras.
246. *P* omite: *muy.*
247. *P:* a Dios la m. *M:* agradesco a nuestro Sennor Dios por la graçia e merçed.
252. *S:* lealdat.
254. *SH:* esto sopieron.

[219] *evad:* he aquí; *PMC* 2123.

yerno del conde. Otrosí, loaron mucho las vondades de
Saladín et del conde, et gradesçieron mucho a Dios
porque quiso guisar de lo traer a tan buen acabamiento.

260 Entonçe dio el soldán muchos dones et muy rricos
al conde et a su yerno; et por el enojo quel conde
tomara en la prisión, diol dobladas todas las rrentas
que el conde pudiera levar de su tierra en quanto
estudo en la prisión, et envió muy rrico et muy onrrado et muy bien andante para su tierra.

265 Et todo este bien vino al conde por el buen consejo
quel soldán le dio que casasse su fija con omne.

Et vos, sennor conde Lucanor, pues avedes a consejar aquel vuestro vasallo en rrazón del casamiento
de aquella su parienta, consejalde que la prinçipal cosa
270 que cate en el casamiento que sea aquél con quien la
oviere de casar buen omne en sí; ca si esto non fuere,
por onrra, nin por rriqueza, nin por fidalguía que aya,
nunca puede ser bien casada. Et devedes saber que
el omne con bondad acreçienta la onrra et alça su
275 linaje et acreçienta las rriquezas. Et por seer muy fidalgo et muy rrico, si bueno non fuere, todo será muy

---

256. *P:* del soldán. *H:* del soldán et del yerno del conde.
258. *P:* q. traerlo a tal manera de tan b. a. *A:* quiso guiar. *H:* lo
quiso guardar et traer.
259. *GA:* el Saladín muchas dádivas e muy rricas. *H:* muchas
donas et muy buenas et muy rricas. *M:* muchas joyas e
muy rricas e muy buenas asý al c.
260. *GA:* por el daño. *HM:* por el consejo.
261. *P* omite: *todas. H:* dobladas todas las joyas. *M:* dobladas
muchas doblas e todas las rrentas que pudiera.
263. *S:* muy rico et muy bien andante. *M:* e mucho onrrado.
265. *H:* Et todo esto.
266. *P:* le diera.
269. *H:* de aquella vuestra parienta. *M:* de aquella su fyja o
su parienta. *PH:* la primera cosa.
271. *P:* esto non oviere. *M:* esto non fuesse.
272. *H:* nin por fijo dalgo que sea.
273. *P:* nunca será b. c. *M:* non puede ser.
274. *S:* acreçenta. *P:* quel omne acreçienta con bodad la casa
et la onrra.
276. *P:* si bueno en sí non es, todo será perdido. *S:* todo sería

aýna perdido. Et desto vos podría dar muchas fazannas [220] de muchos omnes de grand guisa que les dexaron
sus padres muy rricos et onrrados, et pues non fueron
280 tan buenos commo devían, fue en ellos perdido el linaje
et la rriqueza; et otros de grand guisa et de pequenna
que, por la grand bondad que ovieron en sí, acresçenta-
ron mucho en sus onrras et en sus faziendas, en guisa
que fueron muy más loados et más preçiados por lo
285 que ellos fizieron et por lo que ganaron que aun por
todo su linaje. Et assí entended que todo el pro et todo
el danno nasçe et viene de quál el omne es en sí, de
qualquier estado que sea. Et por ende la primera cosa
que se deve catar en el casamiento es quáles maneras
290 et quáles costunbres et quál entendimiento et quáles
obras á en sí el omne o la muger que á de casar; et
esto seyendo primero catado, dende en adelante, quanto el linaje es más alto et la rriqueza mayor et la

---

mucho a. p. *M:* fuere bueno todo será en breve tienpo muy
perdido.
277. *P:* vos podía dezir. *M:* fazannas e enxenplos. *G:* vos podía
dar.
278. *S:* que les dexaren. *A:* que eran los padres. *H:* que lo dexaron sus parientes mucho rricos et muy o. *G* omite: *que*
les dexaron... onrrados.
279. *SAM:* et mucho onrrados. *A:* Y después sus fijos non fue
ron. *H:* et después n. f. *M:* et porque n. f.
280. *H:* fue con ellos perdido.
282. *P:* bondat que en ellos ovo. *M:* ovieron de acresçentar m.
en sus tierras e en s. f.
284. *GA:* muy más leales. *H:* f. más leales et muy más p. *M:* muy
leales e muy preçiados. *P:* por que ellos fueron [*sic*], ganaron por todo su linaje.
286. *P:* que la onrra et el pro et el danno todo viene. *M:* Et
a mi entender que todo provecho. *H:* todo el pro et el
danno.
287. *M:* viene de aquél que en sý es omne o non lo es. *H:* v. de
que el omne es bueno o non.
288. *P:* la p. c. que se d. tentar.
289. *M* omite: *quáles maneras.*
291. *H:* Et esto seyendo catado todo primero.
292. *PH:* dende adelante.

---

[220] *fazannas:* historias ejemplares, ejemplos; *LBA* 474*a*, 1493*d*.

apostura más conplida et la vezindat más çerca et
295 más provechosa, tanto el casamiento es mejor.

Al conde plogo mucho destas rrazones que Patronio
le dixo et tovo que era verdat todo assí commo él le
dezía.

Et veyendo don Johan que este exemplo era muy
300 bueno, fízolo escrevir en este libro, et fizo estos versos
que dizen assí:

   S   Qui omne es, faz todos los provechos;
       qui non lo es, mengua todos los fechos.

   P   Escoge al omne por bondat et por maneras
305   mas non lo escogas por rriqueza et grandezas.

Exemplo XXVI
De lo que contesçió a la Verdat et a la Mentira [221]

Un día fablava el conde Lucanor con Patronio, su
consejero, et díxole assí:

—Patronio, sabe que estó en grand quexa et en

---

294. *P:* çerca et mejor. *SGA:* más açerca et más aprovechosa.
A pesar de que los adv. *çerca, açerca* ocurren indistintamente en el *PMC* 76, 212, 321, 392, 522, 555, 1003 y en *Apol.*
143*b*, 234*c*, 508*b*, 640*d*, ya en estas obras se nota que *çerca*
es la forma más usual. En el *LBA çerca* es la forma única
con excepción de 562*a: de açerca. H:* vezindat más çierta.
M: más açerca.
302. *H:* Et quien.
303. *AHM:* Et quien. *H:* omne non es. *A:* mengua en los fechos.

S: c. el árvol de la mentira. *GA:* De la compañía que fizieron
la mentira e la verdad. *H:* De la conpannía q. f. la v. et
la m.
3. *H:* sabet q. e. en grant cuydado. *SM:* en muy g. q. et en g.
rroýdo. Sigo el texto de *P: muy* de *S* falta en *GAH;* el hecho

---

[221] No hay ni fuente ni relato paralelo conocido. Existen los mo-
tivos, catalogados por Thompson y por Keller: K 171.1, K 163.5,
H 659.13.2. Hay un análisis de este *exemplo* hecho por Ermanno
Caldera, «Retorica narrativa e didattica nel *Conde Lucanor*», en
Miscellanea di Studi Ispanici (Pisa), XIV, 1966-1967, p. 37.

grand cuydado et rroýdo con unos omnes que me non
5 aman mucho; et estos omnes son tan rreboltosos et
tan mintrosos que nunca otra cosa fazen sinon mentir
a mí et a todos los otros con quien an de fazer o de
lybrar alguna cosa. Et las mentiras que dizen, sábenlas
tan bien apostar [222] et aprovecharse dellas tanto, que
10 me traen a mí a muy grand danno, et ellos apodéranse [223] mucho, et an a las gentes fieramente contra mí.
Et bien creed que si yo quisiesse obrar por aquella
manera, que por aventura lo sabría fazer tan bien
commo ellos; mas porque yo sé que la mentira es de
15 mala manera, nunca me pagué della. Et agora, por el
buen entendimiento que vos avedes, rruégovos que me
consejedes qué manera tome con estos omnes.

—Sennor conde Lucanor —dixo Patronio—, para que
vos fagades en esto lo mejor et más a vuestra pro,

---

de que *cuydado* aparezca en *H* indica que existía en algún
grupo.
4. *GA* omiten: *cuydado. P:* me non quieren et a. m.
6. *PGAM:* mentirosos. *Mintroso* está en *Mil.* 423*d; Apol.* 249*c,*
491*d,* 517*c. Mentiroso* ocurre en el *LBA* 161*d,* 182*c,* 227*a,*
1505*d,* lo mismo que *mintroso* 150*a,* 561*a,* 580*a,* 627*d,* 995*c,*
1620*a.* Esta última forma es la que usa *Estados* 100.10 y
171.11.
7. *H:* de fazer et de tractar. Blecua (p. 151, nota 519) transcribe *delibrar:* deliberar; sin embargo, todos los mss. excepto *H* tienen *de librar:* resolver. *Vid.* nota 121.
9. *SG:* et aprovéchanse tanto dellas. *A:* apartar e a. en ellas.
H: a. tan bien dellas. *M* omite: *tanto.*
10. *S* omite: *a mí. M:* et ellos apoderáronse tanto.
11. *S:* et an gentes muy fiera [*sic*] contra mí. *GA:* et an en las
gentes. *H:* las gentes fuertes. Otra vez sigo el texto de *P.*
12. *S:* Et aun creed. *H:* Et bien creo. *G:* si yo quisiere. *A:* si
yo quisiera.
17. *A:* qué m. tomaré.
18. *GA* omiten: *Sennor conde... cómmo fuera aquello* (línea 22).
19. *P:* fagades lo mejor que me paresçe. *M:* lo que es m. e más
v. provecho.

---

[222] *apostar:* adornar; *vid.* nota 128.
[223] *apodéranse:* se hacen poderosos, ganan poder; *Estados* 30,3,
5 y 6.

20 plazerme ýa mucho que sopiéssedes lo que contesçió
a la Verdat et a la Mentira.

El conde le rrogó quel dixiesse cómmo fuera aquello.

—Sennor conde Lucanor —dixo Patronio—, la Mentira et la Verdat fizieron su conpannía en uno, et de
25 que ovieron estado assí un tienpo, la Mentira, que es
acuçiosa, dixo a la Verdat que sería bien que pusiessen
un árbol de que oviessen fruta et pudiessen estar a la
su sonbra quando fiziesse calentura. Et la Verdat,
commo es cosa llana et de buen talante, dixo quel plazía.

30 Et desque el árbol fue puesto et començó a nasçer,
dixo la Mentira a la Verdat que tomasse cada una dellas
su parte de aquel árbol. Et a la Verdat plógol con
esto. Et la Mentira, dándol a entender con rrazones
coloradas [224] et apuestas que la rraýz del árbol es la
35 cosa que da la vida et mantenençia al árbol, et que es
mejor cosa et más provechosa, consejó la Mentira a
la Verdat que tomasse las rraýzes del árbol que están

---

21. *H:* a la M. et a la V. *M:* acaesçió a la M. con la V.
24. *A:* en uno su conpañía. *P:* fiziéronse conpanneros en uno
et pusieron conpannía, et desque estudieron assí en uno
un t.
26. *P:* muy acuçiosa. *HGA:* más acuçiosa. *M:* dixo la M. a la V.,
que faría bien.
27. *S:* fructa. *A:* fruto. *H:* que sopiessen un árbol [*sic*]. *P:* en
que oviessen sonbra et fruta para quando. *M:* e estovies-
sen a la sonbra. *H:* a la sonbra desque f. c.
29. *M:* de buen talante e sana de coraçón.
30. *M:* Et pues pusyeron su árbol e desque el árbol.
31. *P:* d. la M. que tomasse cada uno su p. del árbol. *AHM:*
c. uno dellos.
32. *P* omite: *con esto. GA* omiten: *Et a la V. p. con esto.*
33. *GA:* d. a entender a la Verdat.
34. *M* omite: *et apuestas. P:* rr. apuestas et afeytadas que las
rraýzes del árbol que están so la tierra es cosa.
36. *P* omite: *la Mentira.*
37. *M:* aquella parte que era la rraýz del árbol que está todavía. *H:* t. la rraýz.

---

[224] *coloradas:* adornadas, de colores retóricos; *Mil.* 51*c*, *LBA*
635*d.*

so tierra et ella que se aventuraría a tomar aquellas
ramiellas que avían a salyr et estar sobre tierra, commo
40 quier que era grand peligro porque estaba a aventura de
tajarlo o follarlo[225] los omnes o rroerlo las bestias o
tajarlo las aves con las manos et con los picos o se-
carlo la grand calentura o quemarlo el grant yelo; et
que de todos estos peligros non avía de sofrir ninguno
45 la rraýz.

Et quando la Verdat oyó todas estas rrazones, porque non ay en ella muchas maestrías et es cosa de grand
fiança et de grand creençia, fiose en la Mentira, su
conpannera, et creyó que era verdat lo quel dezía, et
50 tovo que la Mentira le consejava que tomasse muy
buena parte; tomó la rraýz del árbol et fue con aquella

---

38. *PM:* so la tierra. *So la tierra* y *so tierra* se hallan en el
    LBA 1538*b* y 1576*d*, respectivamente; el uso del artículo pa-
    rece más generalizado en otros casos con *so;* sigo *SGAH.*
    P: se atrevería. *H:* a. de comer. *M:* a. a tomar las rramillas.
39. *A:* y están sobre la tierra.
40. *SHG:* muy g. peligro. *M:* muy g. peligro era: Creo que *PA*
    tienen gran autoridad para descartar *muy* tan fácilmente
    añadido por los copistas.
41. *P:* cavarlo o follarlo. *GA:* tajarlo o fallarlo [*sic*]. *H* omite:
    o follarlo los omnes. M: e cortarlo las aves. *P:* o cortarlas
    aves o las alimannas. *H* omite: *o rroerlo... las aves.*
42. *G:* manos o con los pies. *A:* con los picos o con las manos
    o con los pies.
43. *P:* la calentura o q. el sol. *M:* o q. el grant fuego. *GA:* o
    q. el yelo. *H:* et quemarle el grant pelo [*sic*].
44. *S:* periglos non a. a sofrir. *Vid.* 12.20; *aver de* es la forma
    usada consistentemente en el *LBA* 145*a*, 331*d*, 1060*c*. *S:* nin-
    gunos. *P:* s. nada.
46. *P:* oyó que todas estas rrazones eran buenas. *M* omite:
    todas.
48. *M:* fyuza.
49. *GA:* tovo que era v. *H:* et creyólo era verdad. *M:* verdad
    todo lo que. *P:* dezía et quel dava buena parte.
50. *GA:* consejava bien et que tomava. *H:* consejava que tenía.
    M: aconsejava muy bien e tomava muy grant p.
51. *M:* et fuesse con. *P:* fue con ellas.

---

[225] *follarlo:* hollarlo, pisotearlo; *Ali.* 566*d*.

parte muy pagada. Et quando la Mentira esto ovo acabado, fue muy alegre por el enganno que avía fecho a
su conpannera diziéndol mentiras fermosas et apuestas.

55 La Verdat metióse so tierra para vevir ó estavan
las rraýzes que eran la su parte, et la Mentira fincó
sobre la tierra do viven los omnes et andan las gentes
et todas las otras cosas. Et commo es ella muy falaguera, en poco tienpo fueron todos muy pagados della.

60 Et el su árbol començó a cresçer et echar muy grandes
rramas et muy anchas fojas que fazían muy fermosa
sonbra et aparesçieron en él muy apuestas flores de
muy fermosas colores et muy pagaderas [226] de paresçençia [227].

---

52. *H:* muy bien pagada.
53. *S:* fue mucho alegre. Sobre el uso de *muy* y *mucho* en el
predicado *vid.* R. Menéndez Pidal, *Cantar,* p. 238.25; al respecto dice Corominas en su nota al verso 1663*d* del *LBA*
que *mucho* con adj. es común en el Arcipreste. *P:* que fiziera. *M:* a la verdad su conpannera.
54. *A:* m. coloradas, fermosas e apuestas. *S:* apostadas. *Vid.*
nota 71.
55. *PHM:* so la tierra. *P:* para bevir de las rraýzes q. e. su
parte.
58. *P* omite: *muy, muy. M:* commo la mentira es... fueron pagados della.
60. *P:* et echó.
61. *HM:* rr. et muy muchas fojas. *S:* ramos. El masculino eti-
mológico aparece en *Apol.* 21 y *LBA* 101*c*, 398*b*, pero esto
con la expresión «dar mal ramo» (*vid.* nota de Corominas
al 101*c*); *Ali.* 936*b* (P) y *LBA* 197*d*, 812*c*, 936*c* usan el femenino. *M:* e muchas flores e fazen m.f.s. *P:* et assí fazía
gran sonbra, et nasçieron dél fermosas flores.
62. *GA:* e parescieron. *Paresçer* siempre tiene el significado de
«mostrarse»: *PMC* 309, 1126, 1657, 3076; *Ali.* 2234*d*, 2318*d*;
Apol. 330*b*, 486*d*; *LBA* 43*d*, 683*b*, 1108*b* (tiene también el
sentido actual). *Aparesçer* significa «nasçer» en *PMC* 334;
Ali. 2456*a*; *LBA* 25*c* (que es el sentido que tiene aquí); sólo
en *Mil.* 59*a* quiere decir: «mostrarse».
63. *SP:* muy pagaderas aparesçencia [*sic*]. *H:* et muy grande a.
M: e muy pagaderas e pareçientes.

---

[226] *pagaderas:* agradables, atrayentes.
[227] *paresçençia:* apariencia, aspecto; *Mil.* 93*a*; *Ali.* 2187*c*.

65   Es desque las gentes vieron aquel árbol tan fermoso, ayutávanse muy de buena mente a estar cabe él et
pagávanse mucho de la su sonbra, et estavan ý sienpre
las más de las gentes, et aun los que se fallavan por los
otros lugares dezían los unos a los otros que si querían
70   estar viçiosos [228] et alegres, que fuessen a estar a la
sonbra del árbol de la Mentira.

Et quando las gentes eran ayuntadas so aquel árbol,
commo la Mentira es muy falaguera et de grand sabiduría, fazía muchos plazeres a las gentes et mostrávales
75   de su sabiduría; et las gentes pagávanse mucho de
aprender de aquella su arte. Et por esta manera tiró
a sí todas las más gentes del mundo: ca mostrava a
los unos mentiras senziellas, et a otros, más sotiles,
mentiras dobladas, et a otros, muy más sabios, menti-
80   ras trebles.

---

66. *M:* ayuntáronse a él. *GAH:* ayuntávanse a él. *S:* a estar
cabo dél. *P:* b. mente a él et estar çerca dél et de la su
sonbra.
67. *G:* mucho de estar a la su s. *M:* mucho de estar cabe él
a la sonbra dél. *S* añade: sonbra, *et de las sus flores tan
bien coloradas. P* omite: *sienpre.*
68. *A:* las más de las gentes sienpre.
70. *M:* verse viçiosos... a estar so la sonbra de aquel árbol.
72. *P:* estavan ayuntadas. *H:* so el árbol.
73. *P:* es falaguera et de grand saber, fazíales m. p. et mostrávales.
74. *H:* muy grandes p... et mostrándole [*sic*]. *M:* fazía allí...
e demostrávales.
76. *P:* aprender mucho. *S:* su arte mucho. *P:* traýa a sí. *GA:* tiró
e allegó a sí. *M:* tiró para sý.
77. *PGA:* todas las gentes d. m. *M:* a todas las gentes e a todas
las más de todo el mundo. *PGAH:* ca amostrava. *M:* et demostrava.
78. *PGAHM:* senzillas. El *LBA* 1019*c*, 1555*d*, trae *senzillo*; no
obstante, conservo la forma diptongada como he conservado *escudiella, siella, Castiella, ramiella. P:* más sotiles
e a los otros más dobladas. *M:* e a los otros demostrava
otras mentyras más sotyles e más dobladas. *A* omite: *et
a otros m. s.m.d.*
79. *P:* e los más sabios. *H:* et a los otros muy más sotiles.

---

[228] *viçiosos:* cómodos, regalados; *LBA* 1304*d*, 1333*b.*

Et devedes saber que la mentira senziella es quando un omne dize a otro: «Don fulano, yo faré tal cosa por vos», et él miente de aquello que dize. Et la mentira doble es quando faze juras [229] et omenajes [230] et rrehe-
85 nes [231] et da a otros por sí que fagan todos aquellos pleitos, et en faziendo estos aseguramientos, ha él ya pensado et sabe manera cómmo todo esto tornará en mentira et en enganno. Mas, la mentira treble, que es mortalmente engannosa, es la quel miente et le en-
90 ganna diziéndol verdat.

Et desta sabiduría tal, avía tanta en la Mentira et sabíala tan bien mostrar a los que se pagavan de estar a la sonbra del su árbol, que les fazía acabar por aquella

---

M omite: *et a los o. m.m. s. m.t. PAH:* mentiras tebles. La forma es *treble,* forma popular de *triple: Ali. 276c* y *Sa. 73d.*

82. *P:* Fulano yo f. por vos tal cosa que sé que es vuestra pro, et le m. de a. que dize.

83. *M:* quando lo dize. *P* añade: *q. d. La mentira sotil es quando uno dize a otro: fagamos tal cosa que será nuestra pro et en tal manera, et le enganna en aquello que dize.* A pesar de que *dize... dize,* pudiera explicar la desaparición de estas líneas por un error de algún copista de cuyo manuscrito procede el grupo de *S;* la lógica está a favor de la omisión, en la que sólo hay tres clases de mentiras: sencillas, dobles y triples.

84. *GA:* doblada es q. le da juras. *M:* es q. da juras e o. e rrazones. *H:* es quando juras [*sic*]. *P:* et omenajes que fará todas aquellas cosas.

86. *P* omite: *ha él ya pensado.*

87. *H:* cómmo esto t. en manera et en enganno.

88. *M* omite: *et enganno. M:* m. la m. mucho más doble.

89. *P:* quanto le miente. *H* omite: *es la quel miente. M:* miente en en nno [*sic*].

92. *P:* a los que estavan a la sonbra. *M* omite: *de estar... por aquella sabiduría lo.*

---

[229] *juras:* juramento; *PMC* 120; *Ali.* 2218c; *LBA* 660c.

[230] *omenajes:* promesa solemne de fidelidad; *Partida* IV, 25.°, 4.ª; *PMC* 3425; *Ali.* 2597b; *Apol.* 616a, 636a; *FnGz.* 631b, 656d; *LBA* 1042a.

[231] *rrehenes:* fianzas. *Vid.* Giménez Soler, p. 622,18.

sabiduría lo más de las cosas que ellos querían, et non
95 fallavan ningún omne que aquel arte non sopiesse, que
ellos non lo troxiessen a fazer toda su voluntad. Lo
uno por la fermosura del árbol, et lo ál por la grand
arte que de la Mentira aprendían, deseavan mucho
las gentes estar a aquella sonbra et aprender lo que
100 la mentira les mostrava.

La mentira estava mucho onrrada et muy preçiada
et muy aconpannada de las gentes, et el que menos
se allegava a ella menos sabía de la su arte, menos le
preçiavan todos, et aun él mismo se preçiava menos.
105 Et estando la Mentira tan bien andante, la lazdrada
et despreçiada de la Verdat estava escondida so tierra,
et omne del mundo non sabía parte della, nin se pagava
della, nin la quería buscar. Et ella, veyendo que non le
avía fincado cosa en qué se pudiesse mantener sinon
110 aquellas rraýzes del árbol que era la parte que le consejara tomar la Mentira, con mengua de otra vianda,
óvose a tornar a roer et a tajar et a governarse de las
rraýzes del árbol de la Mentira. Et commo quier que

---

94. *M:* e non fablava ninguno que aquella a.
96. *H:* non le traxiessen a saber.
97. *S:* lo ál con la g. a.
100. *S:* amostrava.
101. *P:* muy onrrada et preçiada. *M:* muy preçiada et mucho
onrrada. *G:* et muy prennada.
103. *S:* se llegava a ella. En el *PMC* se distinguen *llegar:* «venir»
y *allegar:* «acercarse», «aproximarse» (3318), «congregar-
se» (791, 2344); sin embargo, esta distinción no es tan clara
en el *LBA* en donde algunas veces *llegar* tiene el significado
de acercarse» (1278*b*). *M:* e non sabía della e de la su arte.
105. *P:* la Verdat tan mal andante, lazdrada et desonrrada et
despreçiada et escondida.
106. *A:* e despreçiada la V. *PM:* so la tierra.
107. *SH:* non sabía della parte.
108. *PGA:* querían buscar. *P:* q. non tenía cosa que comiesse
nin en qué se p. m.
109. *M:* en q. se mantener.
110. *M:* que eran su parte la qual. *S:* que era la pa el que [*sic*].
111. *P:* con la grand mengua oviesse [*sic*].
112. *H:* tóvose de tornar a correr [*sic*].

el árbol tenía muy buenas ramas et muy anchas fojas
115 que fazían muy grand sonbra et muchas flores de muy
apuestas colores, antes que pudiessen levar fruto, fueron tajadas todas las sus rraýzes ca las ovo a comer
la Verdat, pues non avía ál de que se governar.

Et desque las rraýzes del árbol de la Mentira fue-
120 ron todas tajadas, estando la Mentira a la sonbra del
su árbol con todas las gentes que aprendían de la su
arte, vino un viento et dio en el árbol, et porque las
sus rraýzes eran todas tajadas, fue muy ligero de derribar et cayó sobre la Mentira et quebrantóla de muy mala
125 manera; et todos los que estavan aprendiendo de la
su arte fueron todos muertos et muy mal feridos, et
fincaron muy mal andantes.

Et por el lugar do estava el tronco del árbol salió
la Verdat que estava escondida, et quando fue sobre
130 la tierra, falló que la Mentira et todos los que a ella
se allegaron eran muy mal andantes et se fallaron muy

---

114. *HM:* buenas rramas. *P:* grandes rramas et muchas fojas
et anchas. *H:* et muy muchas fojas. *M:* e muy fermosas f.
115. *P:* flores et de muchas colores.
116. *P:* pudiesse levar. *S:* fructo, f. t. todas sus rr.
117. *P:* rr. que la ovo.
118. *P:* pues non tenía. *M:* que non avía nada de que comer
de otra cosa.
119. *P:* Et dq. las rr. fueron tajadas del árbol.
120. *S:* et estando. *PM:* sombra del árbol. *H:* a la folgura del
árbol.
121. *M:* e todos aquellos que deprendían. *GA:* de aquella su
arte. *P:* aprendían su a.
122. *M:* vino un grant viannto [*sic*]. *P:* dio en el árbol sin rraýzes. Omite: *et porque... todas tajadas.*
123. *GA:* las rraýzes. *M:* eran medas tajadas [*sic*]. *P:* óvolo
ligero de derribar. *GA:* fue ligero.
124. *M:* e quebrantóla toda. *GA:* muy de mala manera.
125. *H:* fueron aprendiendo. *P:* de su a. fueron muertos et mal
f. et muy mal andantes.
128. *A:* e del lugar do. *H:* salió la verdat do estava.
130. *G:* los que allá se a. *M:* que se allegavan a ella.
131. *P:* que se fallaron muy mal de quanto aprendieron et usaron del arte de la mentira. *H:* se fallaron mal et quando
aprendieron et usaron. *A:* se fallaron mal... usaron de lo que
aprendieron.

mal de quanto aprendieron et usaron del arte que aprendieron de la Mentira.

135 Et vos, sennor conde Lucanor, parad mientes que
la mentira á muy grandes rramas, et las sus flores,
que son los sus dichos et los sus pensamientos et los
sus falagos, son muy plazenteros, et páganse mucho
dellos las gentes, pero todo es sonbra et nunca llega
a buen fruto. Por ende, si aquellos vuestros contrarios
140 usan de las sabidurías et de los engannos de la mentira,
guardatvos dellos quanto pudiéredes et non queredes
seer su conpannero en aquella arte, nin ayades envidia
de la su buena andança que an por usar del arte de
la mentira, ca çierto seed que poco les durará, et non
145 pueden aver buena fin, et quando cuydaren seer más
bien andantes, entonçe les fallesçerá, assí commo fa-
llesçió el árbol de la Mentira a los que cuydavan ser
muy bien andantes a la su sonbra; mas aunque la
verdat sea menospreçiada, abraçatvos bien con ella
150 et preçialda mucho, ca çierto seed que por ella seredes
bien andante et avredes buen acabamiento et ganaredes
la graçia de Dios por que vos dé en este mundo mucho bien et mucha onrra paral cuerpo et salvamiento
paral alma en el otro.

---

132. *M:* en quanto usaron del arte de la mentira. *G:* usaron del
de que aprendieron [*sic*].
137. *GA:* mucho dello las gentes. *HM:* dello mucho las gentes.
138. *H:* toda su fabla nunca llega a buen fruto. *M:* es sonbra
e monte que non lieva fruta.
140. *M:* buscan de la sabiduría.
141. *G:* guardavos dellas. *H:* g. dellas quando pudierdes.
143. *P:* por usar de aquella arte.
144. *P:* poco les dura.
145. *M:* buen fin. *P:* et quando entendieren.
147. *S:* estar muy b. a. a su sonbra. *H:* estar bien a. *P:* ser
bien a.
149. *P:* llegadvos bien a ella et preçialda.
150. *M:* seredes muy bien.
152. *P:* la gloria de Dios.
153. *P:* bien et onrra para el cuerpo et en el otro s. para el
alma. *A:* e para el alma salvamento.
154. *GA:* en el otro mundo. *H:* en el alma para el otro.

155   Al conde plogo mucho deste consejo que Patronio
le dio, et fízolo assí et fallóse ende bien.
Et entendiendo don Johan que este exemplo era muy
bueno, fízolo escrevir en este libro et fizo estos versos
que dizen assí:

160   S   Seguid verdad por la mentira foyr,
ca su mal cresçe quien usa de mentir.
P   Fuyga omne la mentira por la verdat seguir
ca grand danno se sigue por usar mentir.

EXEMPLO XXVII

De lo que contesçió al enperador Fadrique et a don Alvar Fánnez Minaya con sus mugeres [232]

Fablava el conde Lucanor con Patronio, su consejero, un día et díxole assí:

—Patronio, dos hermanos que yo he, son casados

---

160. *A:* S. la verdad. *M:* para la mentira. *G:* por la m. fuyd.
161. *GA:* ca mucho mal c. q. usó de m. *H:* ca en su mal. *M:* ca
el su mal.

S: a un enperador et a don Alvarhánez Minaya c.s.m. *P:* a un
enperador con la enperatriz et Alvar Yánnez con donna
Vascona. *G:* e. Fadrico. *A:* Federico. *H:* don Alvarynez. Lo
mismo que el nombre del emperador, el de Alvar Fánnez
tiene variantes: Alvar Fernández (*H*), Alvar Sánchez (*P* una
vez) A. F. Minaya (*M*); de aquí en adelante normalizo estos
nombres como quedan en el título sin volver a citar las
variantes.
3. *M:* P. yo é dos hermanos.

---

[232] Estos dos cuentos deben leerse teniendo en cuenta el humor
que inspiró a su creador. La seriedad proverbial de moralista, que
siempre ha caracterizado a don Juan Manuel, ha impedido recono-
cer este aspecto de su creación. El autor se abandona al gozo
de convertir en ficción dos personajes históricos. Algunos críticos
han dicho que el emperador es Federico Barbarroja (1125-1190).
Sin embargo, siguiendo la sugerencia de Blecua (p. 157, nota 543),
creo haber demostrado que don Juan Manuel usó para su ficción
la fascinante figura de Federico II, emperador de Alemania y rey

entramos et biven cada uno dellos muy desvariadamen-
5 te el uno del otro; ca el uno ama tanto aquella duenna
con qui es casado, que abez podemos guisar con él que
se parta un día del lugar do ella es, et non faz cosa del
mundo sinon lo que ella quiere, et si ante non gelo
pregunta. Et el otro, en ninguna guisa non podemos
10 con él que un día la quiera veer de los ojos, nin entrar
en casa do ella sea. Et porque yo he grand pesar
desto, rruégovos que me digades alguna manera por que
podamos ý poner consejo.

Sennor conde Lucanor —dixo Patronio—, segund esto
15 que vos dezides, entramos vuestros hermanos andan
muy errados en sus faziendas; ca el uno nin el otro
non devían mostrar tan grand amor nin tan grand

---

4. *G:* e bivían. *HM:* vive cada uno. *S:* debariadamente. *H:* des-
avenidamente.
5. *G:* ca el u. havía tanto [*sic*]. *M:* el uno de ellos tanto ama a a.
6. *S:* abés. *P:* a vez. *GA:* avez. *M:* que apenas. *H:* que tan a
vez. Corrijo: *abez* «apenas»: *LBA* 656*b*; vid. nota de Corominas, p. 254 a este verso. *M:* podemos fazer con él. *H:* podríamos guisar que se p.
7. *S:* onde ella es. *P:* donde ella es. *M:* a donde ella está.
H: do ella está. *Vid.* 4.35. *M:* e non á de fazer cosa ninguna que primero non gelo pregunta.
8. *P:* salvo lo que quiere ella.
9. *M:* Et el otro hermano. *H:* non podemos con él en ninguna
guisa.
10. *P* omite: *con él.* *A:* ver de sus ojos. *GA:* nin entrar do ella
sea. *M:* ni aun e. en la c. a donde ella está.
12. *M:* rruégovos, Patronio, que me consejedes a. m. por poner
allí consejo.
16. *M:* mucho errados. *P* omite: *muy.*
17. *P:* non deve m. t. gran amor nin desamor. *M:* non devían

---

de Sicilia. En todo caso, hay que tener en cuenta que la historia,
cuando se convierte en cuento, se llena de ambigüedades, de ab-
surdos y de interrogantes. *Vid.* R. Ayerbe–Chaux (1975), pp. 76-81,
y las pp. 280-283 para los textos de los relatos paralelos sobre el
castigo de la esposa terca y desobediente. Los predicadores que
los usaban en el púlpito, con muerte y todo, sí comprendían su
humor. D. Devoto (1972), por razones de afinidad temática, agrupa
este ejemplo con el **XXXV** *vid.* pp. 426-434.

desamor commo muestran a aquellas duennas con qui
ellos son casados; mas commo quier que lo ellos yerran,
20 por aventura es por las maneras que an aquellas sus
mugeres; et por ende querría que sopiéssedes lo que
contesçió al enperador Fadrique et a don Alvar Fánnez
Minaya con sus mugeres.

El conde le preguntó cómmo fuera aquello.

25 —Sennor conde Lucanor —dixo Patronio—, porque
estos exemplos son dos et non vos los podría dezir en
uno, contarvos he primero lo que contesçió al enperador Fadrique, et después contarvos he lo que contesçió
a don Alvar Fánnez.

30 —Sennor conde, el enperador Fadrique casó con
una donzella de muy alta sangre, segund le pertenesçía;
mas de tanto [233] non le acaesçió bien, que non sopo ante
que casasse con ella las maneras que avía.

Et después que fueron casados, commo quier que
35 ella era muy buena duenna et muy guardada en el su
cuerpo, començó a seer la más brava et la más fuerte
et la más revessada cosa del mundo. Assí que, si el
enperador quería comer, ella dizía que quería ayunar;

---

tanto grant a. nin tan g. d. aver. *H:* tanto amor nin tanto d.
GA: tan g. a. nin d. como ellos muestran.
18. *M* omite: *commo muestran.*
19. *GA:* que ellos yerran. *H:* que lo yerran. *M:* que ellos lo y.
20. *P:* pero es por aventura. *GA:* por las mugeres que á en ellas
tales m. (*A:* mañas). *P:* aquellas duennas.
21. *H* omite: *et por ende... con sus mugeres.*
26. *PM:* estos son dos e. *GA:* e vos los non. *PH:* dezir amos
(*H* entramos) en uno.
27. *P* omite: *contarvos he.*
31. *A:* alta guisa e sangre.
32. *P:* mas de tanto no le sabe sopo ante [*sic*]. *H:* non le a.
que non sopo.
33. *P* omite: *con ella. S:* c. con aquella.
35. *GAH:* era buena duenna. *P:* et guardada en su c.
37. *P:* assí quel enperador dezía que quería comer.

---

[233] *mas de tanto:* pero con todo; *LBA* 11*b* (a pesar de que
J. Joset dice que significa «en tanto» creo que «con todo» es el
significado que tiene en este verso).

et si el enperador quería dormir, queríase ella levantar;
40 et si el enperador quería bien a alguno, luego ella lo
desamava. ¿Qué vos diré más? Todas las cosas del mundo en quel enperador tomava plazer, en todas dava
ella a entender que tomava pesar, et de todo lo que el
enperador fazía, de todo fazía ella el contrario sienpre.
45 El enperador sufrió esto un tienpo et vio que por
ninguna guisa non la podía sacar desta entençión por
cosa que él nin otros le dixiessen, nin por ruegos, nin
por amenazas, nin por buen talante, nin por malo quel
mostrasse; et vio que el pesar et la enojosa vida que
50 avía de sofryr que le era tan grand danno para su
fazienda et para sus gentes que non podía ý poner
consejo; et desque esto vio fuese paral Papa et contól
la su fazienda, tan bien de la vida que passava, commo
del grand danno que venía a él et a toda su tierra por
55 las maneras que avía la enperadriz; et quisiera mucho

---

39. *M:* ella rrespondía q. se quería levantar.
40. *P:* et al quel e. quería b. quería ella mal. *M* tiene después
de *levantar: et si el e. dezía q. comer... ayunar* (l. 38).
M: el e. dezía que quería bien.
41. *P:* todas las otras cosas en quel e.
43. *P:* t. grand pesar, et de quanto el enperador fazía de tanto
ella fazía lo contrallo. *GA:* e a todo (*A:* de todo) lo ál q. el e.
quería, f. e. sienpre el c. *H:* lo que al e. plazía (omite:
sienpre). *M:* el e. mandava fazer f. e. syenpre el c.
45. *S:* Et desque el e. *PM:* un grand tienpo. *P* omite: *por ninguna guisa.*
47. *A:* ruegos, ni por falagos, ni por a.
49. *P:* et vio que por el pesar. *S:* et vio que sin el pesar et
la vida enoiosa. *M:* Et desque vido el enperador. *H:* la enojada vida.
50. *GA:* muy gran daño (*G:* danio). *G* omite: *para su fazienda.*
51. *P* omite: *et para sus gentes... contól la su fazienda.*
52. *M:* esto vio el enperador.
53. *GAM:* toda su fazienda. *H:* su fazienda. *G:* que de toda la
vida q.p. *M:* et contóle assý mesmo cómo allende del danno
quél pasava.
54. *M:* quanto danno venía a todas sus gentes e a t. su t. *SH:*
toda la t.
55. *S:* q. muy de grado si podía. *P:* q. de grado que si ser
pudiera.

de grado si pudiera seer que los partiesse el Papa. Mas
vio que segund la ley de los christianos que non se
podían partir, et otrosí que en ninguna manera non
podían bevir en uno por las malas maneras que la
60 enperadriz avía, et sabía el Papa que esto era assí.

Et desque otro cobro [234] non pudieron fallar, dixo
el Papa al enperador que este fecho que lo acomendava
él al entendimiento et a la sotileza del enperador, ca
él non podía dar penitençia ante quel pecado fuesse
65 fecho.

Et el enperador partióse del Papa et fuese para su
casa, et trabajó por quantas maneras pudo, por falagos et por amenazas et por consejos et por desengannos,
et por quantas maneras él et todos los que con él bi-
70 vían pudieron asmar para la sacar de aquella mala en-

56. *P:* los partiesse el tienpo. *M:* los partyesen de en uno.
57. *P:* non podían partirse.
58. *S* omite: *otrosí que. M:* otrosý vía que.
60. *P:* que ella avía. *GA:* era esto assí. *M:* era esto todo verdad.
61. *H:* Et dixo desque o.c.n. pudo fallar el P. *M:* non se pudo
   fallar.
62. *H:* encomendara. *PAM:* encomendava. *Acomendar* es la forma común en el siglo XIII: *PMC* 256, 372, 411, 2154, 3488;
   Sl. 68*a*; *Mil.* 485*c*; *Ali.* 678*a*, 1457*a*; *Apol.* 37*d*, 450*d*; el
   Arcipreste de Hita usa ambas formas, aunque la segunda
   es más común; 532*a* y 1567*c* tienen *acomendar* quizá como
   arcaísmo intencional, en tanto que *encomendar* está en
   657*b*, 755*c*, 902*b*, 1147*c*, 1671*c*, 1672*a*. En la colección diplomática de don Juan Manuel se lee, p. ej.: «me acomiendo
   a la vuestra graçia», Giménez Soler, p. 324.34, pero: «me
   enbío encomendar en la vuestra graçia», p. 326.13.
63. *H:* et a la nobleza del e.
68. *M:* et por consejos de sus gentes.
69. *P:* maneras él pudo. *M* omite: *et por desengannos... él et
   todos los que. GAH:* el et quantos con él venían. *M:* él et
   quantos con él v., non pudieron pensar cosa que non fyzies-
   sen por la sacar.
70. *P:* nunca la pudieron sacar.

[234] *cobro:* remedio, solución; usado diez veces en el *LBA* 878*d*,
885*d*, 1308*a*, etc.; *Estados* 131,4.

tençión, mas todo esto non tovo ý pro; que quanto más le dizían que se partiesse de aquella manera, tanto más fazía ella cada día todo lo rrevesado [235].

75 Et de que el enperador vio que por ninguna guisa esto non se podía enderesçar díxol un día que él quería yr a la caça de los çiervos et que levaría una partida de aquella yerva que ponen en las saetas con que matan los çiervos, et que dexaría lo ál para otra vegada, quando quisiesse yr a caça; et que se guardasse que

80 por cosa del mundo non pusiesse de aquella yerva en sarna nin en postiella, nin en lugar donde saliesse sangre; ca aquella yerva era tan fuerte, que non avía en el mundo cosa viva que non matasse. Et tomó de otro ungento muy bueno et muy provechoso para qual-

85 quier llaga, et el enperador untóse con él antella en

---

71. *P:* et todo esto. *M:* nunca tuvo ningunt provecho. *P:* que tanto más le dezían tanto más tomava ella el contrallo.

72. *GA:* aquella mala manera. *M:* aquella manera mala.

73. *H:* más dezía ella c. día. *M:* fazía ella todo lo rrevesado de las cosas todas que el enperador mandava.

74. *P:* ninguna manera.

75. *P:* non lo podían enderesçar. *A:* no se podría e. *M:* non se quería emendar. *G* omite: *díxol un día q. él. q. yr a la caça.*

76. *M:* yr al monte a la c. *M:* una pieça de aquella y.

77. *P:* con que los matan et que dexava lo ál.

78. *M:* et que dexava lo otro.

79. *GA:* quisiessen yr. *P:* et que se guardasse de poner della en postilla. *Postilla* se halla en el *LBA* 244*d*, 796*b*; conservo la forma diptongada, *vid.* 26.78.

80. *M:* en la sarna que tenía. *H* omite: *en sarna... saliesse sangre.*

82. *M:* era de tan fuerte naturaleza. *PGH:* non avía cosa en el mundo viva.

84. *SH:* ungüento. Los mss. del *LBA* presentan las formas: *ungente* (605*c*, 1159*c*), *ungento* (1050*d*), *ungüente* (1057*d*); tanto Joset como Corominas eliminan *ungüente*. *Apol.* 308*b* tiene *hunguente. P:* muy bueno et provechoso. *SH:* aprovechoso.

85. *P* omite: *el enperador. P:* u. con ello ante la duenna. *M:* ante la enperadriz en algunas llagas.

---

[235] *lo rrevesado:* lo contrario, lo opuesto.

algunos lugares que non estavan sanos. Et ella et quantos ý estavan vieron que guaresçía luego con ello. Et díxole que si le fuesse menester que de aquél pusiesse en qualquier llaga que oviesse. Et esto le dixo ante

90 pieça de omnes et de mugeres. Et des questo ovo dicho, tomó aquella yerva que avía menester para matar los çiervos et fuese a su caça, assí commo avía dicho.

Et luego quel enperador fue ydo, començó ella a ensannarse et a enbraveçer et començó a dezir:

95 —¡Ved el falso del enperador, lo que me fue dezir! Porque él sabe que esta sarna que yo he non es de tal manera commo la suya, díxome que me untasse con aquel ungento que se él untó, porque sabe que non podría guaresçer con él, mas de aquel otro ungento

100 bueno con que él sabe que guaresçería, dixo que non tomasse dél en guisa ninguna. Mas por le fazer pesar, yo me untaré con él, et quando él viniere, fallarme

---

87. *G:* guarecían luego. *M:* guareçió.
88. *M:* q. sy le fyziesse menester q. de a .ungento bueno pusiesse. *P:* Et dixo que de aquello se p. en q.q. lugar que quisiesse.
89. *GA:* llaga que tuviesse. *M:* d. a grandes vozes ante pieça de muchos o.
91. *H:* yerva que ovo menester. *M:* yerva de monte lo que ovo de menester. *P:* para caçar et f. a caça assí commo dixo.
92. *M:* c. de suso es dicho.
93. *H:* Et luego commo el e. *M:* començó la enpatriz. *GA:* mençóse ella de ensannar.
94. *H:* et enbraveçerse. *M:* enbraveçerse e começó a dezir estas palabras.
95. *P:* lo que fue dezir.
96. *M:* la sarna que yo tengo.
98. *P:* u. que él se untó. *H* omite: *que se él untó... que guaresçería.*
99. *P:* non podré sanar con él. *M:* non podré g. (omite: *con él*). *P:* et que non me untasse con aquel otro bueno con que sabe que guaresçeré. *M* omite: *mas de aquel otro... que guaresçería.*
100. *GAM:* díxome. *P* omite: *dixo que... guisa ninguna.*
101. *GA:* en ninguna manera. *HM:* en ninguna guisa.

ha sana. Et so çierta que en ninguna cosa non le podré fazer mayor pesar, et por esto lo faré.

105   Los cavalleros et las duennas, que con ella estavan,
travaron mucho della que lo non fiziesse, et començá-
ronle a pedir por merçed muy fieramente llorando,
que se guardasse de lo fazer, ca çierta fuesse, que si lo
fiziesse, que luego sería muerta.

110   Et por todo esto non lo quiso dexar. Et tomó la
yerva et untóse con ella las llagas. Et a poco rrato començól a tomar la rrabia de la muerte, et ella arrepin-
tiérase si pudiera, mas ya non era tienpo en que se
pudiesse fazer. Et murió por la manera que avía por-
115 fiosa et a su danno.

    Mas a don Alvar Fánnez contesçió el contrario des-

---

103. *S:* non le podría fazer m. p.
104. *P:* pesar, yo me untaré con él et por esto lo faré.
106. *SGAHM:* travaron mucho con ella. La expresión *travar de*
está en *Mil.* 197*c*, 881*c*; *Ali.* 2342*b*, 2569*c* (*vid.* notas de Nelson); *LBA* 945*d*, 1051*g*, 1109*d*; significa en todos estos casos
«coger», «agarrar»; el texto de *P* implica, pues, que la aga-
rraron y es muy posible que se hiciera la corrección que
aparece en el otro grupo de mss. sugiriendo el sentido de
«argüir».
107. *SGAH:* a pedir merçed. *GA:* llorando mucho fieramente.
HM: muy fuertemente. *P* omite: *muy fieramente llorando.*
108. *M:* se g. que lo non fyziesse. *S:* ca ç. f. si lo fiziesse.
109. *GA:* si lo fazía. *M:* fiziesse e se untasse con aquella yerva.
110. *P:* non quiso dexar. *M:* p. t. e. que le dezían n. lo q. d. de
poner.
111. *S:* et untó. *M:* en las llagas que tenía. *P:* Et luego a p. rr.
começó.
112. *SP:* rrepintiérasse. *G:* arepentira se. *H:* arrepintióse.
113. *H:* que lo p. f.
114. *A:* pudiera fazer. *M:* se pudiesse poner rremedio que se
pudiesse fazer para sanar. *P:* et assí murió por mala manera. *M:* Et murió mala muerte e ayna por la m. m. q. a.
por ser porfyosa a su danno. *P* añade aquí el título del
segundo cuento: *De lo que contesçió a don Alvar Yánnez
con donna Vasconna.*
116. *H* omite: *Mas a don Alvar F... cómmo contesçió.*

to, et por que lo sepades todo cómmo fue, contar vos
he cómmo contesció[236].

Don Alvar Fánnez era muy buen omne et muy on-
120 rado et pobló a Yxcar et morava ý. (Et el conde don
PeroAnçúrez pobló a Cuellar et morava en ella). Et
el conde don PeroAnçúrez avía tres fijas.

Et un día estando sin sospecha ninguna, entró don
Alvar Fánnez por la puerta; et al conde don Pero An-
125 çúrez plógol mucho con él. Et desque ovieron comido
preguntóle que cómmo viniera assí et don Alvar Fánnez
díxol que viniera por le demandar una de sus fijas
para con qui casasse; mas que quería que gelas mostrasse
todas tres et quel dexasse fablar con cada una dellas,

---

117. *P:* contar vos emos c.c. *M:* contar vos lo he.
118. *S:* acaesçió.
119. *M:* mucho onrrado... Yzcar e morava en ella. Edito *Et el
     conde,* etc., en paréntesis porque falta en *PAH;* en mi opi-
     nión tienen juntos mucho peso.
125. *P:* et plugo mucho al conde con él. *M:* quando lo vio entrar
     plógole.
126. *S:* por qué vinía tan sin sospecha. *GAH:* por qué viniera
     tan sin sospecha. *M:* por qué avía venido atan sin sospecha
     a su casa. Comenzando con la variante de *M* se puede ver
     que en algún punto se contaminó el texto al tratar de es-
     pecificar «viniera assí», agregando «tan sin sospecha» y
     terminando con *M,* el más elaborado de los mss. *M* incor-
     pora *assí* en la oración siguiente.
127. *S:* venía por demandar. *GA:* viniera por demandarle. *M:* le
     rrespondió e díxole que avía venido assý. *P:* de sus fijas
     para casamiento.
128. *M:* demostrase. *P:* mostrasse primero todas tres, et fablasse
     con c.u.
129. *M:* c.u. dellas aparte que ninguno non estoviese con ella.

---

[236] En este segundo cuento se establece un contraste intencional entre el Alvar Fáñez de la épica y su prosificación, entre el
mito y su realidad. «Como el ejemplo 27 contiene en sí dos cuentos, este segundo se desdobla como si se realizara en esta forma
la ley de la "bella armonía" en la composición de la pintura.
Tiene lugar primero la prueba de las tres hijas de don Pedro
Anzúrez y luego la prueba de la esposa ante el sobrino»; R. Ayerbe-Chaux (1975), p. 82, y *vid.* pp. 81-86 y 283-285.

130   et después que escogería quál quisiesse. Et el conde
       veyendo quel fazía Dios mucho bien en ello, díxol quel
       plazía de fazer quanto don Alvar Fánnez le dizía.
           Et don Alvar Fánnez apartóse con la fija mayor et
       díxol que si a ella ploguiesse que quería casar con
135   ella, pero ante que fablasse más en el pleito, quel quería
       contar algo de su fazienda. Que sopiesse, lo primero,
       que él non era muy mançebo et que por las muchas fe-
       ridas que oviera en las lides en que se açertara quel
       enflaqueçiera tanto la cabeça que por poco vino que
140   beviesse quel fazíe perder luego el entendimiento; et
       desque estava fuera de su seso, que se ensannava tan
       fuerte que non catava lo que dizía; et que a las vega-
       das firía a los omnes en tal guisa, que se repentía
       mucho después que tornava a su entendimiento; et aún,

---

130. *A:* escogiesse. *H:* escojería con quál quisiesse.
131. *P:* teniendo que Dios le fazía. *H:* f. D. merçed en ello. *H:*
       díxole q. le plazía mucho de lo fazer.
132. *G:* le plazía mucho de f. *M:* de fazer todo quanto. *P:* Alvar
       Sánchez quería.
133. *P:* a. con la mayor et d. q. si le pluguiesse que casaríe
       c. ella, mas ante q. lo començassen que le contaría un poco
       de su fazienda.
135. *M:* pleyto del casamiento... algunas cosas de su f.
136. *P:* Lo primero, que sopiesse quél n. e. mucho mançebo,
       et que oviera tantas feridas en la cabeça en las lides que
       se açertara.
138. *SGH:* que se açertara. *Açertarse* quiere decir «hallarse pre-
       sente a algo», «tomar parte en algo»: *PMC* 1835; por lo
       tanto, la preposición, que sólo está en *AM*, es indispensable.
       P omite: *quel enflaqueçiera t. la c.*
139. *S:* vino que viviesse [*sic*]. *G:* vino que viniesse quel fazía
       poder [*sic*]. *M:* que bevía.
140. *P:* que perdía. *A:* q. le fazía perder el entendimiento. *M:*
       perder el entendimiento luego.
141. *HM:* tan fuertemente. *P:* que tanto se ensannava que non
       sabíe lo que dizíe et que muchas vezes.
143. *H:* omnes de tal guisa. *GA:* a los honbres e fazía en tal
       guisa. *S:* omes el tal guisa. *GA:* arrepentía.
144. *P* omite: *mucho. P:* tornava en su seso. *M:* se t. en su seso
       e en su entendimiento.

145 quando se echava a dormir, desque yazía en la cama, que
fazía ý muchas cosas que non enpeçería nin migaja
si fuessen más linpias. Et destas cosas le dixo tantas,
que toda muger quel entendimiento non oviesse muy
maduro, se podría tener dél por non muy bien casada.

150 Et deque esto le ovo dicho, rrespondiól la fija del
conde que este casamiento non estava en ella, sinon en
su padre et en su madre.

Et con tanto, partióse de don Alvar Fánnez et fuese
para su padre. Et de que el padre et la madre le
155 preguntaron qué era su voluntad de fazer, porque ella
non fue de tan buen entendimiento commo le era menester, dixo a su padre et a su madre que tales cosas
le dixera don Alvar Fánnez que ante quería seer muerta
que casar con él.

160 Et el conde non le quiso dezir esto a don Alvar

---

145. *PM:* desque se echava. *M:* en la cama a dormir. *P* omite:
desque yazía en la cama.
146. *PM* omiten: *nin migaja. G:* enpecieran mucho. *A:* empece-
rían mucho.
147. *S:* si más linpias fuessen.
148. *M:* que non o. el entendimiento maduro. *P:* o. maduro se
ternía por mal casada con él.
149. *A:* se podía t. *H:* se devía t. *M:* dél non por bien c.
150. *P:* Et esto dicho, rrespondió ella et dixo que aquello non
estava en su poder. *M:* non era en ella.
152. *GHM* omiten: *et en su madre.*
153. *P:* partiósse dél. *M:* partióse Alvar Fánnez della et la donzella fuese para su padre. *G* omite: *Et con tanto... p. su
padre.*
154. *A:* Y después. *P:* Et desque le preguntó qué era. *M* omite:
Et de que; añade: *p. a la fyja.*
155. *M:* et commo ella non era.
156. *S:* de muy buen e. *P:* le fuera menester díxole que.
157. *H:* que tales cosas que tales cosas [*sic*] dixera a su padre
et a su madre.
158. *PM:* ante querría.
159. *GA:* q. ser casada con él. *H:* c. con Alvar Fernández.
160. *P:* Et el conde dixo a don A. Sánchez que su fija non quería casar por estonçe e non le dixo más.

Fánnez, mas díxol que su fija que non avía entonçe voluntad de casar.

Et fabló don Alvar Fánnez con la fija mediana; et passaron entre él et ella bien assí commo con la her-
165 mana mayor. Et después fabló con la hermana menor et díxol todas aquellas cosas que dixera a las otras sus hermanas.

Et ella rrespondiól que gradesçía mucho a Dios en que don Alvar Fánnez quería casar con ella; et en lo
170 quel dezía quel fazía mal el vino, que si, por aventura, alguna vez le cunpliesse por alguna cosa de estar apartado de las gentes por aquello quel dizía o por ál, que ella lo encubriría mejor que ninguna otra persona del mundo; et a lo que dezía que era viejo, que, quanto
175 por esto, non partiría[237] ella el casamiento, que cun-

---

161. *H:* su fija non era voluntad de casar. *M:* non era voluntad de su fyja de casar. *GA* omiten: *entonçe.*
163. *P:* Et después apartóse con la fija mediana et pasó entrellos. *M:* Et fabló con la mediana.
164. *S:* con el hermana m. *P* omite: *hermana. M:* e. él et ella las rrazones como pasaron e fueron con la hermana mayor e ella rrespondió por la fortuna de la otra.
165. *H* omite: *Et después... sus hermanas. P* omite: *hermana.*
166. *G:* todas estas cosas.
168. *P:* Et ella dixo que g. a Dios que quería casar con él; et a lo que. *M:* Et la donzella menor le rr. a guisa de sabia e dixo q. g. m. a Nuestro Sennor Dios...; et a lo que.
170. *P:* que si alguna cosa le cunpliesse de estar a. de l. g. por alguna cosa.
171. *M* omite: *alguna vez.*
172. *M:* de la otra gente. *P* omite: *por a. quel d. o por ál. GA:* o por otra qualquier cosa. *M:* o por otra cosa alguna.
173. *P:* encobriría mejor que otra persona alguna. *Encobrir* y *encubrir* ocurren ambos en los mss. del *LBA* 704*d,* 708*c,* 830*b* y 593*a,* 635*d,* 636*b,* 706*c,* 821*b.*
174. *S:* que él era v. *M:* que él que era v. dixo q.q. por aquello que non tomava ella casamiento qual le cunplýa. *H:* que por esto non tomava ella el c.
175. *GA:* q. non apartaría ella el c. *P:* non se partirá el c. *P:* que assaz le cunplía. *M:* mas que lo que le cunplía del c. era el bien e la o. *H* omite: *q. cunplíale a ella.*

---

[237] *partiría:* renunciaría; *LBA* 208*c,* 1678*e.*

plíale a ella del casamiento el bien et la onrra que
avía de ser casada con don Alvar Fánnez; et de lo que
dizía que era muy sannudo et que fería a las gentes,
que quanto por esto, non fazía fuerça, ca nunca faría
180 por que la firiesse, et si lo fiziesse, que lo sabría muy
bien soffrir.

Et a todas las cosas que don Alvar Fánnez le dixo,
a todas le sopo tan bien responder, que don Alvar Fánnez fue muy pagado, et grandesçió mucho a Dios por-
185 que fallara muger de tal entendimiento.

Et dixo al conde don Pero Ançúrez que con aquélla
quería casar. Al conde plogo mucho ende. Et fizieron
luego sus bodas. Et fuese con su muger luego en
buena ventura. Et esta duenna avía nonbre donna Vas-
190 cunnana.

Et desqués que don Alvar Fánnez levó a su muger
a su casa, fue ella tan buena duenna et tan cuerda,
que don Alvar Fánnez se tovo por bien casado con

---

176. *A:* el bien de la honra.
178. *P:* et fería a l. g. que esto non fazía fuerça.
179. *M:* dixo q.q.p. aquello que n. f. grant f. *GA:* gran f. *H:* nunca
faría grand f., ca ella faría porque la non f. *S:* n. ella le
faría.
180. *P:* et aunque la firiesse que ella lo sabríe encobrir. *M:* fiziesse a ella que ella lo s.
182. *M:* et a todas las otras cosas.
183. *P:* a tantas le sopo bien rr.
184. *P:* quél fue muy bien pagado et agradesçió a Dios. *H:* fue
muy bien pagado. *M:* pagado della et agradesçió a Dios
mucho.
185. *S:* de tan buen e.
187. *G:* avía menester casar. *M:* que él quería casar con su fija
la menor. *P* omite: *ende. M:* mucho con esto e f. sus bodas
luego. *S:* Et f. ende sus vodas luego.
188. *P:* et fuéronse a buena v. *GAM:* E fue luego. *H:* Et fuéronse
luego en b. v. con su muger.
189. *P:* donna Vascona.
191. *P:* levó a su casa a su muger.
192. *S:* fue allá [*sic*].
193. *M:* por mucho bien casado e bienaventurado con e. *H:* por
bien pagado et por b.c. *S:* casado della. *Casar con* está en
PMC 1374; *Apol.* 17c, 45d.

ella et tenía por rrazón que se fiziesse todo lo que
195   ella queríe. Et esto fazía él por dos rrazones: la primera
porquel fizo Dios a ella tanto bien, que tanto amava a
don Alvar Fánnez et tanto presçiava el su entendimiento, que todo lo que don Alvar Fánnez dizía et
fazía, que todo tenía ella verdaderamente que era lo
200   mejor; et plazíale mucho de quanto dizía et de quanto
fazía, et nunca en toda su vida contrarió cosa que
entendiesse que a él plazía. Et non entendades que
fazía esto por lo lisonjar, nin por le falagar por estar
mejor con él; mas fazíalo porque verdaderamente creýa
205   et era su entençión, que todo lo que don Alvar Fánnez
quería et dizía et fazía, que en ninguna guisa non podría seer yerro, nin lo podría otro ninguno mejorar.
Et lo uno por esto, que era el mayor bien que podía
ser, et lo ál porque ella era de tan buen entendimiento
210   et de tan buenas obras, que sienpre açertava en lo
mejor. Et por estas cosas amávala et preçiávala tanto
don Alvar Fánnez que tenía por rrazón de fazer todo
lo que ella queríe, ca sienpre ella quería et le consejava

---

195.   *M:* ella quisiesse. *GAHM:* E esto fizo él.
196.   *M:* le fyzo mucha merçed Nuestro Sennor Dios en cobrar
a ella. Et otrosý tanto bien a ella.
197.   *M:* el su buen entendimiento. *H:* el su mandamiento.
198.   *HM:* fazía et dezía.
199.   *H:* que tanto ella tenía verdaderamente. *M:* era aquello
lo mejor.
200.   *P:* et le plazía mucho dello.
201.   *G:* su vida contra ella falló cosa.
203.   *P:* esto ella fazía. *H:* por lisonja nin lo fazía por estar.
P: por mejor estar. *S* omite: *por estar mejor con él.*
204.   *H:* verdaderamente tenía.
206.   *G:* quería se hacía. *AHM:* quería e dezía. *P:* quería et
fazía et dezía. *M:* que todo era lo mejor e que non podía
ser yerro. *A:* non podía.
208.   *PG:* el mejor bien. *SH:* podría ser. *M* omite: *q. era el
m. b. q. p. ser.*
209.   *P:* et lo otro. *A:* era ella. *H:* que por ella sería.
211.   *P:* preçiava et amávala tanto que tenía p. rr. de f. quanto
ella le consejava.
212.   *H:* tenía rr. de fazer. *M:* tenía con grant rr. de fazer.
213.   *P* omite: *ca sienpre ella. P:* et quería lo que era su pro

lo que era su pro et su onrra. Et nunca tovo mientes,
215 por talante nin por voluntad que oviesse de ninguna
cosa, que fiziesse don Alvar Fánnez, sinon lo que a él
más le pertenesçía, et que era más su onrra et su pro.

Et acaesçió que, una vez, seyendo don Alvar Fánnez
en su casa, que vino a él un su sobrino que bivíe en
220 casa del rrey, et plógol mucho a don Alvar Fánnez con
él. Et desque ovo morado con don Alvar Fánnez agunos
días, díxol un día que era muy buen omne et muy
conplido et que non podía poner en él ninguna tacha
sinon una. Et don Alvar Fánnez preguntól que quál era.
225 Et el sobrino díxol que non fallava tacha quel poner
sinon que fazía mucho por su muger et la apoderava
mucho en toda su fazienda. Et don Alvar Fánnez respondiól que, a esto, que dende a pocos días le daría
dello rrespuesta. Et ante que don Alvar Fánnez viesse a
230 donna Vascunnana, cavalgó et fuesse a otro lugar et
andudo allá algunos días et levó allá aquel su sobrino
consigo. Et después enbió por donna Vacunnana, et
guisó assí don Alvar Fánnez que se encontraron en

---

et su onrra. *GAH:* et le consejava lo que era. *M:* et assý
ella le consejava.
214. *P:* t. mientes por sabor n.p.v. *M:* mientes nin por voluntad
que toviesse de n.c. de fazer cosa a don A.F.
216. *P* omite: *don A. F. P:* sinon a lo que a don A. Sánchez más
pertenesçiesse.
218. *P:* Et a. q. don A. Sánchez seyendo. *S:* seyendo que don
A. F. [*sic*]. *M:* que estava don A. F.
220. *M:* et desque lo vido p. m. con él. Et dq. ovo estado çon
su týo d. A. F. a d. en su casa.
221. *P:* ovo estado ý algunos días.
222. *M:* el sobrino al týo díxole. *H:* et bien conplido.
223. *P:* podía en él poner sinon una tacha. *M:* que él nin otro
alguno non podría. *H:* mala tacha.
224. *P* omite: *don A. F.*
226. *HM:* salvo que fazía. *M:* et porque la apoderava en toda
su f.
227. *P:* mucho en su fazienda. *GA:* respondióle e díxole.
229. *S:* ende la rr. *GA:* d. rr. *H:* d. la rr. *M:* d. rrespuesta dello.
230. *GA:* d. V. su muger.
231. *P:* et levó consigo a aquel su sobryno. *M:* allá a su s. consygo.
233. *M:* fyzo por tal manera que se encontrassen.

el camino, pero que non fablaron ningunas rrazones
235 entre sí, nin ovo tienpo aunque lo quisiessen fazer.

Et don Alvar Fánnez fuesse adelante, et yva con
él su sobrino. Et donna Vascunnana vinía (en pos
dellos). Et desque ovieron andado assí una pieça don
Alvar Fánnez et su sobrino, fallaron una grand pieça
240 de vacas. Et don Alvar Fánnez començó a dezir:

—¿Viestes, sobrino, qué fermosas yeguas ha en esta
nuestra tierra?

Quando su sobrino esto oyó, maravillóse ende mucho, et cuydó que gelo dizía por trebejo et díxol que
245 cómmo dizía tal cosa, que non eran sinon vacas.

Et don Alvar Fánnez se començó mucho de maravillar et dezirle que resçelava que avía perdido el seso,
que bien beýe que aquellas yeguas eran.

Et desque el sobrino vio que don Alvar Fánnez
250 porfiava tanto sobresto, et que lo dizía a todo su seso,
finco muy espantado et cuydó que don Alvar Fánnez
avía perdido el entendimiento.

---

234. *P:* el canpo, por que non fablaron.
235. *P:* aunque lo quisiera (omite: *fazer*). *GA:* quisieran fazer.
HM: quisieran fablar.
236. *P* omite: *Et d. V... et su sobrino.*
237. *SGAH* omiten: *en pos dellos* (por estar sólo en *M* lo edito
entre paréntesis).
238. *M:* andando una pieça por el camino fallaron una grant
manada de v.
239. *S:* una pieça de vacas.
240. *M:* a dezir en esta manera.
241. *P:* Vedes. *GAHM:* Vistes. *HPM:* ay en esta tierra. *GA:* estas
tierras nuestras.
243. *P:* maravillóse mucho.
244. *P* omite: *et cuydó q. gl. d. p. trebejo. M:* por burla. *P:* et
el sobryno le dixo. *P:* et dixo que cómmo escarnesçía que
aquéllas vacas eran.
246. *P:* Et d. A. Anes dio a entender que se maravillava et dixo
al sobrino que se rresçelava.
248. *GA* omiten: *q. bien b. q. aquellas. HGAM:* que yeguas eran
aquellas. *P:* que aquellas ý vacas eran.
249. *P:* vido que tanto porfiava en esto.
250. *M:* sobre ello.
251. *S:* fincó mucho e.

Et don Alvar Fánnez estudo adrede en esta porfía, fasta que asomó donna Vascunnana que venía por el
255 camino. Et desque don Alvar Fánnez la vio, dixo a su sobrino:

—Ea, sobrino, fe aquí [238] donna Vascunnana que nos partirá nuestra contienda.

Al sobrino plogo desto mucho. Et desque donna
260 Vascunnana llegó díxol su cunnado:

—Sennora, don Alvar Fánnez et yo estamos en contienda, ca él dize por estas vacas, que son yeguas, et yo digo que son vacas; et tanto avemos porfiado, que él me tiene por loco, et yo tengo que él non está bien en su
265 seso. Et vos, sennora, departidnos esta contienda.

Et quando donna Vascunnana esto oyó, como quier que ella tenía que aquellas eran vacas, pero pues su cunnado le dixo que dizía don Alvar Fánnez que eran yeguas,

---

253. *S:* estido tanto adrede en aquella p. *P:* estando adrede. *GA:* estuvo a departir en e.p. *M:* estovo grant rrato adrede.
255. *P* omite: *don Alvar Fánnez.*
257. *S:* Éa, don sobrino, fe a. a d. V. *HMGA* omiten: *Ea, sobrino.* *M:* Vedes aquí d. V. *H:* He aquí do viene d. V. Omite: *que nos p. n. c.*
259. *P:* et plogo mucho desto al sobrino. Et desque ella allegó. *GA:* plugo mucho desto. *M:* plógole m.d. *H* omite: *Al sobrino p.d.m.*
260. *P:* díxol el sobrino. Dice Blecua (p. 164, nota 579): «cuñado: indica parentesco por afinidad, como señala doña María Goyri de Menéndez Pidal en su edic., p. 104».
261. *H:* Sennora, mi tía. *M:* sennora, hermana. *P:* en grand contienda. *M:* en grant porfýa.
262. *S:* dize por unas vacas.
264. *P:* me tiene a mí por loco... él non es en su entendimiento. *GA:* que non está él en su seso. *HM* omiten: *bien.*
265. *S:* departidnos agora. *M:* por ende, sennora, plega a vuestra mercçed que nos partáys desta contyenda et digades la verdad sy son vacas o sy son yeguas.
266. *S:* esto vio.
267. *M:* q. ella bien veýa q. eran vacas. *P:* que su c. dezía q. d. A. Annes dezía q. eran yeguas.
268. *GA:* lo dezía que dixera d. A.F.

---

[238] *fe aquí:* he aquí; *PMC* 1335, 3591; *LBA* 1331d, 1458c.

tovo ella verdaderamente, con todo su entendimiento,
270 que ellos erravan, que las non conosçían, mas que don
Alvar Fánnez que non erraría en ninguna manera en
las conosçer; et pues dizía que eran yeguas, que en toda
guisa del mundo, que yeguas eran et non vacas. Et
començó a dezir al cunnado et a quantos ý estavan:

275   —Por Dios, cunnado, pésame mucho desto que dezides, et sabe Dios que quisiera que con mayor seso et
con mayor pro nos viniéssedes agora de casa del rrey
do tanto avedes morado; ca bien veedes vos que muy
grand mengua de entendimiento et de vista es tener que
280 las yeguas que son vacas.

Et començól a mostrar, tan bien por las colores commo por las façiones, commo por otras cosas muchas,
que eran yeguas, et non vacas, et que era verdat lo que
don Alvar Fánnez dezía, et que en ninguna guisa el enten-
285 dimiento et la palabra de don Alvar Fánnez que non

---

269. *S:* t. verdaderamente ella. *P:* tomó ella v. *H:* dixo verdaderamente con. *M:* en todo su seso.
270. *GAH:* conocía (*H:* conosçía).
271. *S:* A. Hánnez non erraría. *GA:* q. non errava. *H:* non lo
errava. *M:* q. lo non e. *P:* q. en ninguna manera non e. en
las conosçer; et pues él d.
272. *M:* et pues que él d. *M:* todas las maneras del m.
273. *P* omite: *del mundo.*
274. *H* omite: *et a q. ý estavan. M:* al c. ante quantos allí estavan.
275. *P* omite: *mucho.*
276. *M:* et con mayor provecho querría q. viniéssedes. *GA:* Dios
que con mejor seso e mayor pro querría q. v. vos. *H:* q.c.
mayor s. et m. p. quisiera q. viniérades vos. *P:* D. q. quisiera yo que con mejor seso e pro nos viniérades.
277. *M:* c. del sennor rrey e de su noble corte adonde tanto
tienpo a. m.
279. *P:* m. de entendimiento et de seso et de vista. *M:* vista
vuestra. *P:* vista tener que las yeguas son vacas.
281. *P* omite: *Et començól... et non vacas. H* repite dos veces:
Et conmençól... et non vacas.
282. *M:* p. o. muchas cosas le fyzo entender que yeguas eran.
284. *S:* n. manera... que nunca podría errar.
285. *M:* A. F. non lo erraría.

podía errar. Et tanto le afirmó esto que ya el cunnado et todos los otros començaron a dubdar que ellos erravan, et que don Alvar Fánnez dezía verdat, que las que ellos tenían por vacas, que eran yeguas. Et desque esto 290 fue fecho, fuéronse don Alvar Fánnez et su sobrino adelante et fallaron una grand pieça de yeguas. Et don Alvar Fánnez dixo a su sobrino:

—¡Ahá, sobrino! Éstas son las vacas, que non las que vos dezíades ante, que dezía yo que eran yeguas. 295 Quando el sobrino esto oyó, dixo a su tío:

—Por Dios, don Alvar Fánnez, si vos verdat dezides, el diablo me traxo a mí a esta tierra; ca çiertamente, si éstas son vacas, perdido he yo el entendimiento, ca, en toda guisa del mundo, éstas, yeguas son, et non 300 vacas.

Et don Alvar Fánnez començó de porfiar muy fuertemente que eran vacas. Et tanto duró esta porfía, fasta que llegó donna Vascunnana. Et desque ella llegó et

---

286. *P:* lo afirmó en esto. *H:* le afincó en esto. *M:* la duenna tanto lo afirmó esto... todos los otros que aý estavan, c. a dudar et creyeron quellos e. en lo que dezían, e que don A. F.
288. *P* omite: *q. las q. ellos t. p. vacas q. e. yeguas.*
289. *P:* Et esto pasado, don A. F. et su s. fueron adelante. *M:* todo esto fue dicho... su sobrino más adelante.
291. *P:* grand presa de y. *M:* grant piara de y.
293. *P:* Sobrino, aquellas son v. *GA* omiten: *Ahá, sobrino.*
294. *A:* dezides enciente [*sic*]. *G:* d. enante. *M:* las que dezíades vos enantes. *GA:* que yo dezía. *P* omite: *que dezía yo q. e. yeguas.*
295. *P:* esto oyó a su tío: [*sic*]. *MGAH* omiten: *a su tío.*
296. *P:* Por Dios, tío. *A* omite: *don A. F. H:* Tío don A. F. *M:* Tío, sennor, por Dios vos digo... dezides agora, tengo q. el d. me traxo a esta t.
298. *P:* mi entendimiento. *M:* p. he yo todo mi entendimiento.
299. *GH:* en todas las cosas del mundo. *A:* en todas las partes del mundo. *M:* del mundo porfyaré e diré que éstas son y. que non vacas.
301. *SGAM:* començó a. (*Vid.* 8.30). *SM:* muy fieramente.
302. *S:* Et t. llegó e. p. *P:* Et t. duró fasta que llegó.
303. *M:* e. allegó a donde ellos estavan e oyó lo que d. d. A. F.

305 le contaron lo que dizía don Alvar Fánnez et dizía su
sobrino, maguer a ella paresçía que el sobrino dizía
verdat, non pudo creer por ninguna guisa que don Alvar
Fánnez pudiesse errar, nin que pudiesse seer verdat ál,
sinon lo que él dezía. Et començó a catar rrazones
para provar que era verdat lo que don Alvar Fánnez
310 dezía, et tantas rrazones et tan buenas dixo, que su
cunnado et todos los otros tovieron que el su entendimiento, et la su vista errava; et lo que don Alvar Fánnez dezía, que era verdat. Et aquesto fincó assí.

Et fuéronse don Alvar Fánnez et su sobrino adelan-
315 te, et andudieron tanto, fasta que llegaron a un rrío
en que avía pieça de molinos. Et dando del agua a las
bestias en el rrío, començó a dezir don Alvar Fánnez
que aquel rrío que corría contra la parte onde nasçía,
et aquellos molinos, que de la otra parte les venía el
320 agua.

Et el sobrino de don Alvar Fánnez se tovo por per-

---

304. *H:* don A. F. dezía. *HM* omiten: *et d. su sobrino. GA:* et
lo q. d. su s. *P:* don A. Annes a su sobrino, m. ella veya
quel sobrino dezía verdat.
305. *M:* m. q. a ella paresçió q. el cunnado d. v. *H* omite: *maguer... verdat... lo que don A. F. dezía* (l. 309).
306. *P:* creer q. en n. g. don A. Annes errasse nin pudiesse
ser sinon verdat lo quél dezía. *M:* n. g. que el cunnado podría dezir verdad, synon don A. F.
309. *S:* lo q. dizía d. A. Hánnez. *M:* que era ansý commo dezía.
310. *H:* et tantas rrazones et tan buenas dezía al cunnado que
todos los otros tovieron.
311. *M* omite: *tovieron.*
312. *P:* et la su vista avían perdida. *M:* vista que erravan. *S:* mas
lo que.
313. *GA:* dezía era verdad. *M:* era grant verdat, et esto fyncó
ansý por verdad.
314. *M:* Et después a cabo de un poco fuéronse d. A. F. e su s.
315. *P* omite: *andudieron tanto f. q. H:* atanto que llegaron.
M: atanto fasta q. allegaron a un grant rr. en q. a. una
grant p. de. m. e llegaron a dar a. a las b. a la orilla de
de aquel rrío.
317. *H* omite: *en el rrío.*
318. *PH:* la parte que nasçía. *M:* do nasçía.
321. *P* omite: *de d. A. F. M:* Et quando esto oyó el sobrino t. por
muy p.

dido quando esto oyó; ca tovo que, assí commo errara
en el conosçimiento de las vacas et de las yeguas, que
assí errava agora en cuydar que aquel rrío venía al
325 revés de commo dezía don Alvar Fánnez. Pero porfiaron tanto sobresto, fasta que donna Vascunnana llegó.

Et des quel dixieron esta porfía en que estava don
Alvar Fánnez et su sobrino, pero que a ella paresçía
que el sobrino dezía verdat, non creó al su entendi-
330 miento et tovo que era verdat lo que don Alvar Fánnez
dezía. Et por tantas maneras sopo ayudar a la su rrazón, que su cunnado et quantos lo oyeron, creyeron
todos que aquella era la verdat.

Et daquel día acá fincó por fazanna [239] que si el
335 marido dize que corre el rrío contra arriba, que la
buena muger lo deve creer et deve dezir que es verdat.

---

322. *AHM:* ca t. errava.
323. *P:* en el conosçer.
324. *M:* bien ansý errava en el conosçimiento del rrío en que
cuydava que venía al revés.
325. *P:* rrevés commo dezía su tío.
326. *H:* atanto sobre ello. *P:* fasta q. llegó d. Vascona.
327. *M:* Et desque ellos le contaron. *GA:* en que estavan.
328. *P:* con el sobrino, pero que aunque. *GA:* pero aunque. *H:*
aunque ella veía. *Pero que* significa «aunque»; *PGA:* tienen
una redundancia. *Vid. LBA* 366*b*, 575*b*, 678*a*, 839*b*, 1140*b*.
329. *M:* que su cunnado dezía verdad. *P:* non creýa... lo que su
marido dezía.
330. *M:* et tovo que d. A. F. dezía la v.
332. *M:* que d. A. F. e quantos lo oyeron, todos creyeron que
dezía verdat. *H:* lo vieron.
334. *M:* Et aquí se demuestra bien aquello que es dicho por
fazanna de las viejas. *P:* día adelante quedó p. f.
335. *P:* dize: «Contra arriba corre el rrío». No hay duda de que
esta lectura de *P* tiene más de dicho y de refrán que la
forma indirecta de los otros mss. *H:* dixere que corra el
rrío. *M:* que sy la muger quiere ser bien casada que toda vía
á de otorgar en lo que dixere su marido aunque sea men-
tyra; et que sy el marido dixiere que el rr. que corre.
336. *PH* omiten: *buena. M:* deve dezir que es assý la verdad e
otorgar con él.

---

[239] *fazanna:* dicho, refrán, sentencia; *Apol.* 31*c*, 487*d*; *LBA* 188*d*.

Et desque el sobrino de don Alvar Fánnez vio que por todas estas rrazones que donna Vascunnana dizía se provava que era verdat lo que dizía don Alvar Fánnez, que errava él en no conosçer las cosas assí commo eran, tóvose por muy maltrecho, cuydando que avía perdido el entendimiento.

340

Et desque andudieron assí una grand pieça por el camino, et don Alvar Fánnez vio que su sobrino yva muy triste et en grand cuydado, díxol assí:

345

—Sobrino, agora vos he dado la rrespuesta a lo quel otro día me dixiestes que me davan las gentes por grand tacha porque tanto fazía por donna Vascunnana, mi muger; ca bien cred que todo esto que vos et yo abemos passado oy, todo lo fize por que entendiéssedes quién es ella, et que lo que yo por ella fago, que lo fago con rrazón; ca bien creed que entendía yo que las primeras vacas que nós fallamos, que dezía yo que eran yeguas, que vacas eran, assí commo vos dezíades. Et desque donna Vascunnana llegó et vos oyó que yo dizía que eran yeguas, bien çierto so que entendía que vos dezíades verdat; mas porque fiava ella tanto en el mío entendimiento, que tiene que, por cosa del mundo, non podría errar, tovo que vos et ella

350

355

337. *P* omite: *de d. A. F. vio. M:* esto oyó et q... que ella dezía.
338. *P:* que dezía d. V. se provava lo que dezía d. A. F.
341. *P:* tóvose por mal engannado cuydando que avía de perder el e. *M:* pensando que avía.
343. *GA:* Et de que contendieron assí. *H:* contendieron.
344. *P* omite: *et d. A. F.*
345. *P* omite: *grand.*
346. *S:* a lo que en el otro día.
347. *M:* que me notavan las g.
348. *P:* que tanto fazía por mi muger.
350. *P:* oy avemos passado. *GAM:* avemos oy p. *H* omite: *oy.*
352. *H:* que es con rrazón. *M:* con derecho e con rrazón. *P* omite: *que entendía yo. H:* ca bien entendí que creýa yo.
355. *GA:* oyó lo que yo dezía. *M:* allegó et vos o. dezir que yo que dezía.
356. *P:* çierto so yo que entendió que dezíades v.
357. *S:* mas que fio ella. *M:* porque ella fýa.
359. *P:* t. que vos errávades en lo non c.

360 errávades en non lo conosçer commo era. Et por ende
     dixo tantas rrazones et tan buenas, que fizo entender
     a vos et a quantos allí estavan que lo que yo dezía era
     verdat; et esso mismo fizo en lo de las yeguas et del
     rrío. Et bien vos digo verdat: que del día que comigo
365 casó, que nunca un día le vi fazer nin dezir cosa en
     que yo pudiesse entender que querría nin tomava
     plazer, sinon en aquello que yo quise; nin le vi to-
     mar enojo de ninguna cosa que yo fiziesse. Et sienpre
     tiene verdaderamente en su talante que qualquier cosa
370 que yo faga, que aquello es lo mejor; et lo que ella á
     de fazer de suyo o le yo encomiendo que faga, sábelo
     muy bien fazer, et sienpre lo faze guardando mi onrra
     et mi pro et queriendo que entiendan las gentes que
     yo so el sennor, et que la mi voluntad et la mi onrra
375 se cunpla en todo; et non quiere para sí otra pro, nin
     otra fama de todo el fecho, sinon que sepan que es mi
     pro, et tome yo plazer en ello. Et tengo que si un moro

---

360. *M:* en non c. las cosas assý c. eran. *P* omite: *por ende.*
361. *H:* atantas rr. *P:* atan buenas. *GAM:* q. f. entender a quan-
     tos allí e.
362. *P:* a vos et a los que ý e. *H:* quantos ý e.
363. *P:* et esto m. *S:* fizo después. *GA* omiten: *fizo. P:* et en
     lo del rrío.
366. *H:* que ella pudiesse. *GA:* entender cosa que quería.
367. *H:* sinon en a. q. yo quisiesse que lo ella non fiziesse.
368. *M:* fyziesse et quisiesse: nin le vi nunca tomar. *A:* t. de
     ninguna cosa q. yo fiziesse, enojo.
369. *S* omite: *tiene. GAM:* v. en su voluntad. *H:* con su volun-
     tad. En *Apol.* 7b, 353b se encuentra: *aver voluntad:* querer;
     talante, talente se usan doce veces en el *LBA* con el signifi-
     cado de *deseo;* no creo que se pueda cambiar la lectura
     de *SP; talante:* deseo, está también en *Estados* 32.16; 35.16;
     110.24.
371. *GA:* fazer de suso o le yo encomiendo.
372. *S:* toda mi onrra. *GAH:* todavía mi onrra. *Toda* de *S* con
     variante en *GAH* es una posible elaboración.
373. *M:* et dando en todo a conosçer a las g.
375. *S* omite: *en todo. M:* en todo e por todo. *P:* pro nin otra
     onrra.
376. *HM:* que sepa.
377. *P:* et tomo yo.

de allende el mar esto fiziesse, quel devía yo mucho
amar et preçiar et fazer mucho por el su consejo; de-
380 más seyendo casado con ella, et seyendo ella tal et de
tal linaje de que me tengo por muy bien casado. Et
agora, sobrino, vos he dado rrespuesta a la tacha que
el otro día me dixiestes que avía.

Quando el sobrino de don Alvar Fánnez oyó estas
385 rrazones plogól mucho, et entendió que pues donna
Vascunnana tal era et avía tal entendimiento et tal entençión, que fazía muy grand derecho don Alvar Fán-
nnez de la amar et fiar en ella et fazer por ella quanto
fazía et aun más, si más fiziesse.

390 Et assí fueron muy contrarias la muger del enperador et la muger de don Alvar Fánnez.

Et, sennor conde Lucanor, si vuestros hermanos son
tan desvariados, que el uno faze quanto su muger
quiere et el otro todo lo contrario, por aventura esto
395 es porque sus mugeres fazen tal vida con ellos commo
fazía la enperadriz et donna Vascunnana. Et si ellas
tales son, non devedes maravillarvos nin poner culpa
a vuestros hermanos; mas si ellas non son tan buenas
nin tan revesadas como estas dos de que vos he fabla-
400 do, sin dubda vuestros hermanos non podrían seer sin
grand culpa, ca commo quier que aquel vuestro her-

---

378. *P:* de allén mar. *GA:* allende la mar. *H:* allén la mar. *P:*
quel devría yo.
379. *S:* et preçiar yo et fazer yo. *M:* amar mucho e preçiarle.
380. *S:* et demás seyendo ella tal et yo seer c.
381. *P* omite: *muy. H:* bien pagado.
385. *PM:* plógol ende mucho.
386. *P:* et tenía tal. *GAH:* era tal. *M:* era tal e de tal entendimiento.
387. *P* omite: *don A. F. M:* A. F., su týo.
388. *A:* e fiar mucho en ella. *P:* fazer en ella q. podía et a. m. si
más pudiesse. *M:* tanto como f. et a. muy mucho más.
393. *P:* desvariados el uno del otro. *S:* f. todo quanto. *M:* todo
lo que.
395. *S:* es que. *P:* es por sus m. que f. tal v. con ellas.
397. *P:* tales [*sic*] non vos d. maravillar. *M:* non devíades.
399. *P:* commo éstas de que vos é dicho.
400. *P:* p. ser sinon en grand culpa.

mano que faze mucho por su muger, faze bien, entended que éste es bien que se deve fazer con rrazón et
non más; ca si el omne, por aver grand amor a su
405 muger, quiere estar con ella tanto por que dexe de yr
a los lugares o a los fechos en que puede fazer su pro
et su onrra, faze muy grand yerro; nin si por le fazer
plazer nin conplir su talante dexa nada de lo que pertenesçe a su estado, nin a su onrra, faze muy desagui-
410 sado; mas guardando estas cosas, todo bien et toda
onrra et todo buen talante et toda fiança quel marido
pueda mostrar a su muger, todo le es fazedero et todo
lo deve fazer et paresçe muy bien que lo faga. Otrosí,
deve mucho guardar que por lo que a él mucho non
415 cunple, nin le faze gran mengua, que non le faga pesar
nin enojo et sennaladamente en ninguna cosa en que
pueda aver pecado, ca desto vienen muchos dannos:
lo uno la maldat et el pecado que omne faze, lo ál que
por fazerle emienda o fazerle plazer por que pierda
420 aquel enojo avrá a fazer cosas que se tornarán en
danno de la fazienda et de la fama. Otrosí, el que por

---

402. *P:* faze tanto por su muger.
404. *P* omite: *ca si el omne... estar con ella tanto.*
406. *P:* a los lugares et fechos. *M:* e a los otros fechos.
409. *GA:* muy gran desaguisado.
410. *S* omite: *todo bien et toda o.*
411. *M:* onrra e toda buena ventura. *S:* que al marido p. m. su m.
412. *P:* pueda fazer et mostrar.
413. *S:* et le paresçe. *GAHM:* le pertenesce. Orduna (p. 178, nota 19) dice que *le paresçe* quiere decir «le corresponde». No hay ejemplos que corroboren esta acepción, ya que *parescer* está en *SP* adopto la lectura de *P* con el sentido común del verbo, que está perfectamente bien aquí.
415. *S: gran men.* El folio siguiente fue arrancado, pues en él comenzaba el exemplo de don Lorenzo Suárez y algún escrupuloso juzgó su tema doctrinalmente insostenible.
416. *P:* enojo nin pesar... en ninguna guisa cosa que puede. *G:* n. manera en q. *M:* en q. aya pecado.
418. *GHM:* el pecado e la maldad. *A:* el p. de la maldad. *M:* q. o. fyzo.
419. *P:* fazerle emienda e plazer... a fazer costas.
421. *P:* d. de la fama et de la fazienda.

su fuerte ventura tal muger oviere commo la del enperador, pues al comienço non pudo o non sopo ý poner consejo non ay sinon pasar su ventura commo
425 Dios gelo quisiere aderesçar; pero sabed que para lo uno et para lo ál cunple mucho, que, del primer día quel omne casa, dé a entender a su muger que él es el sennor de todo, et quel faga entender la vida que an de passar en uno.
430 Et vos, sennor conde, al mi cuydar, parando mientes a estas cosas podedes consejar a vuestros hermanos en quál manera bivan con sus mugeres.

Al conde plogo mucho destas cosas que Patronio le dixo, et tovo que dezía verdat et muy buen seso.
435 Et entendiendo don Johan que estos exemplos eran muy buenos, fízolos escrevir en este libro, et fizo estos versos que dizen assí:

En el primero día que omne casare, deve mostrar
qué vida á de fazer o cómmo á de passar.

---

422. *P:* commo la enperatriz.
423. *M:* pues al prinçipio non sopo o non quiso poner en ello consejo.
424. *GA:* poner cobro. *Poner consejo* está en 6.31 y 27.51; *poner cobro* está en *Estados* 18.8 y 54.32.
425. *P:* et para lo otro, c. m. que para el primero día.
427. *M:* el o. casare.
429. *GA* omite: *en uno.*
430. *GA:* s. c. Lucanor, al mío cuydar. *M:* parad m. en estas tales cosas, podredes bien aconsejar a v. amigos en qué manera an de pasar.
438. *AH:* En el comienço deve omne mostrar (*G:* hombres m. *M:* el omne mostrar).
439. *GA:* a su muger cómo deve passar (*H:* ha de p. *M:* tyene de pasar). En los versos, *GAHM* forman un grupo aparte del texto de *P.*

Exemplo XXVIII

De lo que contesçió a don Lorenço Suárez Gallinato [240]

Fablava el conde Lucanor con Patronio, su consejero, en esta guisa:

—Patronio, un omne vino a mí por guaresçer comigo, et commo quier que yo sé que él es buen omne
5 en sí, pero algunos dízenme que á él fecho algunas cosas
desaguisadas. Et por el buen entendimiento que vos
avedes, rruégovos que me consejedes lo que vos paresçe que faga en esto.

—Sennor conde —dixo Patronio—, para que vos fa-
10 gades en esto lo que vos cunple, plazerme ýa que

H: De lo que acontesçió en Granada a d. L. S. G. *P:* De cómmo mató don Lorenço Çuárez Gallinato a un clérigo que se
tornó moro en Granada.
1. *GH:* El c. L. fablava un día con P. *M* omite: *Lucanor.*
4. *GH:* él es en sí buen hombre *(H:* omne).
5. *M* omite: *en sí. P:* pero algunos dízenme ý el fecho [sic].
H: que me ha fecho. *M:* que á fechas.
7. *M* omite: *vos paresçe que.*
8. *GHM:* en esta rrazón.
9. *GHM* añaden: *Lucanor.*
10. *G:* lo yo cuydo [*sic*] que vos más cunple. *HM:* lo que yo
cuydo que v. m. c.

---

[240] Argote de Molina, quizá por razones semejantes a las que
causaron la mutilación del códice *S,* omite este *exemplo.* O, cabe
preguntarse si uno de los tres manuscritos que se consideran
desconocidos y de que se sirvió el primer editor, no sería *S.*
Lástima que no podamos salir del círculo de las conjeturas. Sobre
este *exemplo* las páginas más valiosas son, a mi parecer, las
de R. Brian Tate en su estudio ya citado (nota 12), «Don Juan
Manuel and his Sources», pp. 554-557. Del emperador Constancio
dice la *PCG* (cap. 307, p. 180a,26): «Estonce Costancio echó dessi
quantos sacrificaran, et non quiso tener en su conpanna si no
los que no avien sacrificado; ca dizie que no eran pora servir
sennor, ni serien leales all emperador los que eran falsos et trai-
dores a su Dios.»

sopiéssedes lo que contesçió a don Lorenço Suárez
Gallinato.

Et el conde le preguntó cómmo fuera aquello.

—Sennor conde —dixo Patronio—, don Lorenço
15 Suárez bevía con el rrey de Granada. Et desque vino
a la merçed del rrey don Ferrando, preguntól un día
el rrey que, pues él tantos deserviçios fiziera a Dios
con los moros, que si cuydava que le avría Dios nunca
merçed por que non perdiesse el alma.

20   Et don Lorenço Suárez díxol que nunca fiziera cosa
por que cuydasse que Dios le avría merçed al alma, sinon porque matara una vez un clérigo misa cantano.
Et el rrey óvolo por muy estranno; et preguntól cómmo podría esto ser.

25   Et él dixo que biviendo con el rrey de Granada,
quel rrey fiava mucho dél, et era guarda del su cuerpo. Et yendo un día con el rrey, que oyó rroýdo de
omnes que davan bozes, et porque era guarda del rrey,

---

11. *M:* acaesçió.
13. *G:* le p. que le dixese cómo f. a.
14. *GM* añaden: *Lucanor.*
15. *H:* venía con el rr. *M:* de Granada e vivió con él allá en su
    rreyno grant tiempo. Et desque plogo a Dios que vino.
16. *GHM:* p. el rrey un día... tanto deserviçio avía fecho.
18. *M:* con los moros ayudándolos contra los xitanos.
20. *P:* et sin ayuda, q. nunca D. avríe m. dél et que perderíe
    el alma.
21. *G:* que le avría Dios m. del a. *H:* avería D. m. al a. *M:* cuy-
    dava q. le a. D. m. (omite: *al alma*).
22. *P:* misa cantando. *M:* clérigo de misa. *Misacantano* de *GH*
    está en *Mil.* 221a.
23. *GM:* Et esto tuvo el rr. *M:* el rr. don Fernando por mu-
    cho e. *H* omite: *Et el rrey o. p. estranno. M:* et el rr. le pre-
    guntó que c. p. ser esto.
25. *M:* Et él le rrespondió que aquel rrey.
26. *H:* se fiava. *GH:* dél mucho. *M:* guarda mayor.
27. *G:* rey que andava por la villa oyó. *H:* rr. q. yva para la
    villa o. *M:* rr. cavalgando por la villa. Aunque las variantes
    dentro de la variante indican un posible añadido de algún
    copista, *que oyó* de P no es muy seguro porque puede indi-
    car una omisión entre las dos palabras.

de que oyó el rroýdo, dio de las espuelas al cavallo et
30 fue do lo fazían. Et falló un clérigo que estava rre-
vestido. Et devedes saber que este clérigo fue christiano et tornóse moro. Et un día, por fazer bien a los
moros et plazer, díxoles que, si quisiessen, que él les
daría el Dios en que los christianos creýan et tenían
35 por Dios. Et ellos le rrogaron que gelo diesse. Estonçe el clérigo traydor fizo unas vestimentas et un
altar, et dixo allí misa, et consagró una ostia. Et desque fue consagrada, diola a los moros; et los moros
rrastrávanla por la villa et por el lodo et faziéndol mu-
40 chos escarnios.

Et quando don Lorenço Suárez esto vido, commo
quier que él bivía con los moros, menbrándose [241] cóm-

29. *GHM* omite: *de que oyó el rroýdo. G:* que diera de las e.
30. *GHM:* llegó a do fazían aquel roýdo.
31. *M:* mal clérigo fuera c. *H:* q. era c.
32. *GM:* et tornárase moro. *M:* et acaesçió un día. *GHM:* por
    fazer plazer a los moros.
33. *H:* que les diría [*sic*] aquel D.
34. *GM:* aquel Dios *P:* creen et tenían. *GH:* fiavan e t. *M:* creýan
    e fiavan e tenían.
35. *GHM:* et los moros. *H:* gelo dixesen [*sic*].
36. *M:* traydor e malo fizo fazer. *GH:* v. e fizo un altar. *M:* v. e
    mandó fazer un altar. Ejemplo de cómo *M* elabora más que
    los otros mss.; pero, partiendo de *M* se pueden depurar
    las añadiduras.
37. *G:* dixo una misa. *HM:* d. la misa.
38. *M* omite: *los moros.*
39. *G:* andávanla rastrando. *HM:* andávanla arrastrando. Aun-
    que en el *LBA* 222b el ms. *S* tiene *arrastrados,* lo corrige
    Corominas y dice (p. 122) que *rastrar* por *arrastrar* fue
    muy usual desde el siglo XII al XVII. *Rastrar* está en *PMC* 3374
    y *Mil.* 273c; pero en *Ali.* 713d *P* trae *rastró* y *O arastró;* en
    Estados 48.22 se usa *rrastrando* con el sentido intransitivo
    de «reptar». Por lo tanto, he corregido *arrastrávanla* del
    códice de Puñonrostro.
42. *H:* venía con los moros.

[241] *menbrándose:* acordándose; *PMC* 3316; *Sd.* 474a; *FnGz.*
604d; *Ali.* 79d; *Apol.* 62c, 114c, 541a, 630c; *LBA* 1585c; *Armas*
688,39.

mo era christiano, et creyendo sin dubda que aquél
era verdaderamente el cuerpo de Dios, et que pues
45 Jhesu Christo muriera por rredemir nuestros pecados,
que sería él de buena ventura si muriesse por le vengar o por le sacar de aquella desonrra que aquella
falsa gente cuydava quel fazían. Et por el grand duelo
et pesar que de esto ovo, enderesçó al traydor del
50 dicho rrenegado que aquella trayçión fiziera, et cortól la cabeça. Et desçendió del cavallo et fincó los
ynojos en el lodo et adoró el cuerpo de Dios que los
moros traýan rrastrando. Et luego que fincó los ynojos,
la ostia que estava dél alongada saltó del lodo en la
55 falda de don Lorenço Suárez.

Et quando los moros esto vieron, ovieron ende
grand pesar, et metieron mano a las espadas, et pa-
los et piedras, et vinieron contra él por lo matar. Et él
metió mano al espada con que descabeçara al clérigo
60 et començóse a defender.

Quando el rrey oyó este rroýdo, et vio que querían
matar a don Lorenço Suárez, mandó quel non fiziessen,
mal, et preguntó que qué fuera aquello. Et los moros,

---

43. *M:* creyendo verdaderamente q. a. era el cuerpo de Dios.
45. *M:* rredimir los pecadores.
46. *H:* mala ventura sinon m. él.
47. *P:* q. falsamente cuydava.
48. *G:* cuydavan que le fazía. *H:* cuydava quel fazía. *M:* falsa
g. le fazía. *Gente* lleva a veces el verbo en plural: *LBA*
189d. El sujeto de *cuydava* es don L. S. y el de *fazían* es
a. *falsa gente. M:* Et desque esto ovo pensado, con el grant
dolor e pesar que ovo.
49. *G:* t. del clérigo renegado. *H:* t. d. clérigo derrenegado.
M: el t. clérigo rrenegado.
52. *G:* en el suelo. *M:* en tyerra.
53. *H:* arrastrando por el lodo *M:* t. por el lodo arrastrando.
G omite: *que los moros... los ynojos.*
54. *H:* estava dél lonje. *M:* dio un salto del lodo e saltó... Suárez Gallinato.
58. *G:* contra d. L. S. *H:* contra don Lorenço. *M:* todos contra d. L. S.
59. *GH:* mal clérigo.
62. *M:* que ninguno non le f. ningún mal et p. qué cosa f. a.
63. *GH:* ningún mal.

con grand quexa, dixiéronde cómmo fuera et cómmo
65 pasara aquel fecho.

Et el rrey se quexó et le pesó desto mucho, et
preguntó a don Lorenço Suárez por qué lo fiziera. Et
él le dixo que bien sabía que él non era de la su ley,
pero quel rrey esto sabía, que fiava dél su cuerpo, et
70 que lo escogiera él para esto, cuydando que era leal;
et que por miedo de la muerte non dexaría de lo guardar; et que si él lo tenía por tan leal, que cuydava que
faría esto por él, que era moro, que parasse mientes,
si él leal era, qué devía fazer, pues era christiano,
75 por guardar el cuerpo de Dios, que es rrey de los
rreyes et sennor de los sennores; et que si por esto
le matassen que nunca él tan buen día viera.

Et quando el rrey esto oyó, plógol mucho de lo que
don Lorenço Suárez fiziera et de lo que dezía, et amól
80 et preçiól, et fue mucho más amado desde allí adelante.

Et vos, conde sennor, si sabedes que aquel omne
que convusco quiere bevir es buen omne en sí, et podedes fiar dél, quanto por lo que vos dizen que fizo
85 algunas cosas sin rrazón, non le devedes por eso partir de la vuestra conpanna; ca por aventura aquello

---

64. *GH:* con muy g. q. e braveza. *M:* que estavan con g. q. e
braveza dixeron al rrey.
66. *H:* Et al rrey le pesó et se quexó mucho desto. *M:* mucho
desto.
67. *GHM:* preguntó muy sannudamente. *M:* fyziera aquello sin
su mandado. *GHM:* Et don L. S. le dixo.
68. *M:* su ley e que era cristiano, e que maguer que él esto conosçía que sabía bien q. f. dél el su c. pensando que era leal.
69. *H:* el rrey bien sabía que fiava él de su c.
72. *M:* et pues sy él por tan leal le tenía.
77. *GH:* le mandasse matar. *G:* n. bería él mejor día. *M:* n. él
vería m.d. *H:* q. él nunca vería mejor día.
79. *GHM:* omiten: *et de lo que dezía.*
80. *G:* et fizo mucho más del allí a. *H:* p. mucho et fio dél
más de a. a. *M:* p. mucho más de aquella ora en adelante.
83. *GHM:* quiere guaresçer. *G:* es b.o. si podedes dél fiar.
84. *M:* dél bien fiar.

que los omnes cuydan que es sin rrazón, non es assí,
commo cuydó el rrey que don Lorenço fiziera desaguisado en matar aquel clérigo. Et don Lorenço fizo el mejor
90 fecho del mundo. Mas, si vos sopiéssedes que lo que
él fizo es tan mal fecho, por que él sea por ello mal
envergonçado, et lo fizo sin rrazón, por tal fecho faríades bien en lo non querer para vuestra conpanna.
Al conde plogo mucho desto que Patronio le dixo,
95 et fízolo assí et fallóse ende bien.

Et entendió don Johan que este exemplo era bueno, et fízolo escrevir en este libro et fizo estos versos
que dizen assí:

Muchas cosas paresçen sin rrazón
100 et qui las sabe, en sí buenas son.

EXEMPLO XXIX

De lo que contesçió a un rraposo que se fizo el muerto [242]

Otra vez fablava el conde Lucanor con Patronio,
su consejero, et díxole assí:

---

87. *GM:* que fue sin rr. *GH:* non lo fue a. *M:* non lo vieron nin
fue ansý, c.c. el rr. don Fernando de lo de don L.S. Gallinato que f. d. en m. un c. fasta que supo la rrazón dello
e assý podemos dezir que d.L.S.
90. *GHM* omiten: *por que él sea... por tal fecho.*
92. *G:* faríades de lo non q. *HM:* faredes bien de lo non q.
97. El fol. 161 de ms. *S* comienza: *fízolo escrevir.*
99. *P:* M. c. faze omne que p.s. rr. *H:* p. ser rrazón.
100. *P:* mas de que son sabidas, fállanlas con rrazón. *M:* et
desque las omne bien sabe.
A: a una raposa. *G:* un raposa [*sic*]. *GHA:* se fizo muerto (*A:*
muerta). *S:* rr. que se echó en la calle et se f. el m. *P:* al
rr. que entró de noche a la villa a comer las gallynas et
fízose muerto de día.

---

[242] Se halla en el *LBA* 1412-1421 y Félix Lecoy ha estudiado su
procedencia en *Recherches sur le Libro de buen amor de Juan
Ruiz, Archiprêtre de Hita,* Paris, 1938 (reed. por Alan D. Deyermond, Farnborough, Gregg International, 1974), pp. 138-140. Para
comprender las diferencias que existen entre las dos versiones
españolas se deben tener en cuenta los comentarios de Ian Mi-
chael, «The Function of the Popular Tale», en «*Libro de buen*

—Patronio, un mi pariente bive en una tierra do non ha tanto poder que pueda estrannar quantas es-
5 cátimas le fazen, et los que an poder en la tierra, querrían muy de grado que fiziesse él alguna cosa por que oviessen achaque[243] para seer contra él. Et aquel mi pariente tiene que le es muy grave cosa de soffrir aquellas terrerías quel fazen, et querría aven-
10 turarlo todo ante que soffrir tanto pesar de cada día. Et porque yo querría que él açertasse en lo mejor, rruégovos que me digades en qué manera le conseje por que passe lo mejor que pudiere en aquella tierra.

—Sennor conde Lucanor —dixo Patronio—, para
15 que vos le podades consejar en esto, plazerme ýa que sopiéssedes lo que contesçió a un rraposo que se fizo el muerto.

El conde le preguntó cómmo fuera aquello.

---

4. *P:* quantos escarnios. *Escátima:* «perjuicio», «afrenta» está en el *LBA* 1699*c; escarnio* significa «burla» *LBA* 1484*d,* acepción que no viene bien aquí.
5. *M:* los otros que an más poder en aquella tierra et querían.
6. *SH:* querían. *P:* que fiziesse algunas cosas.
7. *P:* achaque contra él. *H:* para q. oviesse achaque para que fuessen contra él.
8. *S:* a. mio p. t. que él es [*sic*]. *PH:* que es muy g. *HM:* muy grave de sofrir aquellas perrerías (*M:* denteras).
9. *P:* aquellas desonrras. La palabra *terrería:* «amenaza terrorífica», sólo ocurre aquí y no es extraño que los copistas la hayan cambiado. *SH:* et quería. *M:* et quiérelo aventurar. *P:* aventurar todo lo que tiene.
10. *H:* todo que s. t. p. cada día. Et por quanto.
11. *SH:* yo quería.
13. *H:* lo m. que pudiesse. *P:* lo que mejor pudiere (omite: *en aquella tierra*).
15. *P:* en esto bien aconsejar.
16. *SH:* c. una vez. *M:* acaesçió una vez.
18. *P:* le rrogó cómmo fuera a.

---

amor», Studies, ed. G. B. Gybbon–Monypenny, London, Tamesis, 1970, pp. 177-181. *Vid.* R. Ayerbe-Chaux (1975), pp. 66-69 y 287-290; D. Devoto (1972), pp. 416-418.

[243] *achaque:* acusación (*LBA* 559*d*); pretexto (*LBA* 93*b,* 377*d*); don Juan Manuel lo usa aquí con este segundo significado, lo mismo que en *Estados* 75,3 y 197,13.

—Sennor conde —dixo Patronio—, un rraposo en-
20   tró una noche en un corral do avía gallinas. Et andando en rroýdo con las gallinas, quando él cuydó que
se podría yr, era ya de día et las gentes andavan todas
por las calles. Et desque vio que non se podía esconder, salió escondidamente a la calle, et tendiósse assí
25   commo si fuesse muerto.

Quando las gentes lo vieron, cuydaron que era muerto, et non cató ninguno por él.

Et a cabo de una pieça passó por ý un omne et
dixo que los cabellos de la fruente del rraposo eran
30   buenos para poner en la fruente de los moços pequennos por que non los aoien. Et trasquilóle con unas tiseras de los cabellos de la fruente del rraposo.

---

20.   *M:* a donde estavan muchas g. *P* omite: *Et andando en rr.*
       c. l. gallinas.
21.   *M:* en rrebuelta c.l.g. q. él pensó.
22.   *H:* se quería yr. *M:* era de día et bien claro e las más de
       las gentes. *GAM:* andavan ya por. *S:* andavan ya todos.
       H: andavan por las calles.
23.   *SH:* Et dq. él vio. *M:* el rraposo vio q. se non podía yr syn que
       le viessen. *H:* se podía defender. *GA:* ya esconder. *S:* as-
       conder.
24.   *H:* salió muy encubiertamente. *M:* assý commo muerto.
       P: t. commo muerto.
26.   *H:* cuydávanse que. *M:* pensaron que era assý e non cató.
28.   *PH:* cabo de pieça. *Pieça:* rato; en el *LBA:* «a cabo de
       grand pieça» (767*a*, 1244*a*), «porfiaron grand pieça» (1120*a*),
       «ansý una grand pieça en uno nos estamos» (809*b*). Nece-
       sita determinante. El folio 63 del ms. *H* está deteriorado e
       ilegible.
29.   *PA:* frente. *Fruente* es la forma más usada desde el siglo xiii:
       Sm. 167*b*; *Ali.* 1041*c*, 1139*c*, 2181*c*; *LBA* 315*a*, 1004*b*, 1115*c*,
       1178*b*. *P:* para los moçuelos. *M:* moços pequennuelos.
31.   *PG:* aogen. *Aoiar:* aojar: «a moças aojadas e que han la ma-
       drina» *LBA* 1417*c*. *M:* aojassen. De aquí en adelante el texto
       de *P* es tan distinto que lo copio de seguido: «Et trasquilóle
       la cabeça et levó los cabellos et non se meçió. Et vino otro
       et dixo de los cabellos del lomo et otro de la yjada; et
       tanto le tomaron fasta quel trasquilaron todo et nunca por
       todo esto se movió». *GA:* trasquilóle. *M:* tresquilójelos c.u.t.
       e levólos consygo.
32.   *AG:* f. del rr. que eran muy buenos et levólos.

Después vino otro, et dixo eso mismo de los cabellos del lomo; et otro de las yjadas. Et tantos dixieron
35 esto fasta que lo trasquilaron todo. Et por todo esto nunca se movió el rraposo, porque entendía que aquellos cabellos non le fazían danno en los perder.

Después vino otro et dixo que la unna del polgar del rraposo que era buena para guaresçer de los pa-
40 narizos et sacógela. Et el rraposo non se movió. Et después vino otro que dixo que el diente del rraposo era bueno para el dolor de los dientes; et sacógelo. El el rraposo non se movió.

Et después, a cabo de otra pieça, vino otro que
45 dixo que el coraçón era bueno paral dolor del cora-

---

33. *M:* cabellos del rraposo de las yjadas que eran buenos para fazer muchas melezinas.

35. *S:* Et por todo nunca. *M:* Et p. esto todo el rr. non se movía porque entendía.

37. *GA:* gran danno.

38. *P:* «Et vino otro et dixo que la unna del rraposo era buena para sanar panarizos, et sacógela. Et vino otro et dixo quel diente del rraposo era bueno para mondar los dientes, et sacógelo con una piedra. Et vino un çapatero et dixo quel rrabo de rraposo era bueno para calçar, et cortógelo. Et vino otro et dixo que el ojo del rraposo era bueno para melezina et sacógelo, et nunca por todo esto se movió. Et desque pasó por ý un físico, dixo quel coraçón del rraposo» (se une a los otros mss. en la línea 44).

39. *A:* panadizos.

42. *M:* que era muy bueno. *GA:* sacárongelo. *M* añade: «con una piedra e el rraposo por todo esto non se movió. Et después a cabo de poco passó por allí un çapatero et, desque lo vio assý, dixo que la cola del rraposo era buena para fazer traynel para calçar los çapatos engrasados; et cortójela et estudo muy quieto». Como lo apuntan doña María Goyri de Menéndez Pidal y Orduna (p. 184, nota 9), esta variante, lo mismo que la de *P*, proceden del *LBA* 1415 y 1416.

44. *GA:* a cabo de pieça. *M:* de una grant pieça v. otro omne por allí. *H:* vino otro omne.

45. *GAHM:* el coraçón del rraposo. *M:* era mucho bueno. *A* omite: *dolor del. H:* dolor de estómago.

çón, et metió mano a un cochiello para sacarle el coraçón. Et el rraposo vio quel querían sacar el coraçón
et que si gelo sacassen, non era cosa que se pudiesse
cobrar, et que la vida era perdida, et tovo que era
50 mejor de se aventurar a quequier quel pudiesse venir,
que soffrir cosa por que se perdiesse todo. Et aventuróse et punó en guaresçer et escapó muy bien.

Et vos, sennor conde, consejad âquel vuestro pariente que si Dios le echó en tierra do non puede es-
55 trannar lo quel fazen commo él querría o commo le
cunplía, que en quanto las cosas quel fizieren fueren
atales que se puedan soffrir sin grand danno et sin
grand mengua, que dé a entender que se non siente
dello et que les dé passada; ca en quanto da omne a
60 entender que se non tiene por maltrecho de lo que
contra él an fecho, non está tan avergonçado; mas de

---

46. *PAHM:* cuchillo. *G* omite: *et metió mano... el coraçón. P:*
para sacárgelo. *H:* gelo cortar. *M:* gelo sacar.
47. *P:* Et desque vio el rr. quel querían. *M:* el rr. desque esto
oyó que aquel omne le quería. *H:* el rr. vio que si el coraçón
le cortavan.
48. *P:* que era cosa que non se podía cobrar si gelo sacassen
et que la vida era perdida.
49. *H:* que perdería la vida e que non era cosa que podiesse
cobrar.
50. *M:* a qualquier cosa q. *H:* a qualquier cosa otra le p. avenir.
51. *M:* pudiesse perder. *H:* con que se p. *P:* cosa que se p. t. et
aventuróse por escapar et guaresçió muy bien.
52. *H:* por guaresçer et ayudólo Dios et e.m.b. *M:* et fuyó quanto
más pudo syn cabellos e syn pelos e syn pulgar e syn diente
e syn cola, todo desfegurado e fyzo mucho por guaresçer et
e.m.b.
54. *H:* que pues Dios et su ventura. *M:* echó a morar en t. que
n. p. e. quantas escátimas le fazen. *P:* tierra que non pudiesse.
56. *M:* que si todas las cosas que le fyzieren. *P:* quel fiziere
fueren tales que sean de sofrir. *H:* fizieran eran tales que
se non puedan (otra vez el folio está ilegible).
60. *M:* q. se non tiene por maltrecho de lo que contra él fazen.
61. *M:* Et non deve omne mostrar que está envergonçado, mas
antes que dé a entender que se non tiene por envergonçado
nin maltrecho de lo que á rreçebido.

que da a entender que se tiene por maltrecho de lo
que ha rresçebido, si dende adelante no faze lo que
deve por non fincar menguado, non está tan bien com-
65 mo ante. Et por ende, a las cosas passaderas, pues
non se pueden estrannar commo deven, es mejor de
les dar passada; mas si llegare el fecho a alguna cosa
que sea grand danno et grand mengua, estonçe que se
aventure et non lo sufra, ca mejor es la pérdida o la
70 muerte, defendiendo omne su derecho et su onrra et
su estado, que bevir passando en estas cosas mal et
desonrradamente.

El conde tovo éste por buen consejo.

Et don Johan fízolo escrevir en este libro, et fizo
75 estos versos que dizen assí:

---

62. *P:* que se non siente de lo que c. él an fecho non está tan
envergonnado nin corren assí tras él (*vid.* 17.22). *A:* mas
dando e. *G:* mas que dé a e.
63. *M:* pero si dende en adelante non fyziere lo que deve. *S:*
todo lo q. d.
64. *G:* no está bien. *A:* n. está b. c. devía. *M:* non le está b. so-
frirlo commo de ante.
65. *M:* ca a las cosas pasaderas quando non se pueden e. c.
devían.
66. *A:* puede e. c. devía. *P:* puede e. c. deve. *GA:* mejor es darles
passada. *M:* bien es de las sofrir.
67. *P:* mas si el fecho ll. alguna cosa. *H:* mas desque el fecho
llega a tal lugar que es. *M:* pero quando las cosas son tales
que desonrran la fama e amenguan la persona. *S:* fecho o
alguna cosa que son.
68. *P* omite: *estonçe.*
69. *S:* le sufra. *H:* aventure todo. *S:* estonçe se aventure. *A:*
sufra. La mejor es la pérdida. *M:* mejor es al omne ponerse
a todo peligro de muerte defendiendo su derecho e su
estado.
71. *H:* que vevir mal et desonrradamente. *M:* q. vivir vida de-
nostada sufriendo las tales cosas desonrradamente.
73. *M:* Et al conde plogo mucho de lo que Patronio su consejero le dixo e fízolo ansý e fallóse ende bien e tovo este
por buen consejo.
74. *M:* Et porque entendió d. J. q. este enxemplo q. era bueno,
mandólo e.

Sufre las cosas en quanto devieres,
estranna las otras en quanto pudieres.

EXEMPLO XXX

De lo que contesçió al rrey Abenabet de Sevilla con Ramayquía, su muger [244]

Un día fablava el conde Lucanor con Patronio, su consejero, en esta manera:

—Patronio, a mí contesçe con un omne assí: que muchas vezes me rruega et me pide quel ayude et le
5   dé algo de lo mío. Et commo quier que, quando fago aquello quél me rruega, da a entender que me lo gra-

---

76. *S:* quanto divieres. *A:* q. bivieres. *P:* Sufra omne las cosas que sin grand danno sean.
77. *GA:* las otras quanto. *P:* e muera por las otras que de sofrir non sean.
    P: al rrey moro de Sevilla en Córdova con. *GA:* Ben Avid (*A:* Avit) de S. con la rreyna R. (*G:* con la Rey). *H:* Abuhabit con su muger R.
2. *P:* en esta guisa. (un corrector ha cambiado *guisa* por *manera* en el ms.).
3. *PGAH:* contesçió. *M:* acaesçió. Aunque estos mss. tienen el pret., conservo el presente de *S* que concuerda con *rruega* y *pide.*
4. *H:* me pide et me rruega. *GA* omiten: *et me pide. M:* pide por merçed.
6. *P:* aquello que me rr. *M:* dame a entender.

---

[244] Los protagonistas son el rey al-Mu'tamid ibn 'Abbād de Sevilla (1040-1095) y su esposa I'timād ar-Rumayqīya. *Vid.* el comentario de R. Ayerbe-Chaux (1975), pp. 119-123 y 290-292; comentario que debe completarse con el importante estudio de John England sobre la estructura narrativa folklórica de los *exemplos* de don Juan Manuel, «¿Et non el día del lodo?», pp. 77-79. En *Don Juan Manuel Studies* se puede ver también el análisis de Celia Wallhead Munuera, pp. 111-116; pero hay que tener en cuenta que interpreta incorrectamente (p. 114) lo que D. Devoto (1972), p. 433, había escrito con tanto acierto sobre el elemento árabe en los cuentos de don Juan Manuel.

desçe, luego que otra vez me pide alguna cosa, si lo non
fago assí commo él quiere, luego se ensanna et da a
entender que non me lo gradesçe et que á olvidado
10 todo lo que fiz por él. Et por el buen entendimiento
que avedes, rruégovos que me consejedes en qué manera passe con este omne.

—Sennor conde Lucanor —dixo Patronio—, a mí paresçe que vos contesçe con este omne segund contes-
15 çió al rrey Abenabet de Sevilla con Ramayquía, su
muger.

El conde le preguntó cómmo fuera aquello.

—Sennor conde —dixo Patronio—, el rrey Abenabet era casado con Ramayquía et amávala más que cosa
20 del mundo. Et ella era muy buena muger et los moros
an della muy buenos exemplos; pero avía una manera
que non era muy buena: esto era que a las vezes tomava algunos antojos a su voluntad.

Et acaesçió que un día estando en Córdova en el

---

7. *P* omite: *otra vez. M:* luego otra vez sy me pide. *H:* otra
cosa alguna. *P:* si non lo fago.

9. *S:* que non me gradesçe. *GAH:* q. me lo non g. (*GA:* agra-
desçe).

10. *P* omite: *todo. M:* todo lo que ante fyze por él.

11. *H:* consejades cómo pase con él.

15. Los mss. difieren en la grafía de estos nombres: Abena-
vente *(P)*, Ben Avit *(GA)*, Alhaquin *(H)*; Romaquía *(GA)*,
Rromayquía *(PM)*, Rromequía *(H)*. De aquí en adelante ig-
noro las variantes de estos dos nombres.

17. *A:* le preguntó que le dixesse. *H:* —¿Et cómmo fue esto?
—dixo el conde. *M* omite: *El conde... fuera aquello... dixo
Patronio... con Ramayquía.*

19. *M:* Et el rrey amávala mucho más que. *A:* muy más que a
cosa.

21. *H:* avían della. *M:* ovieron della oy en día muchos e. e buenas dotrinas. *S:* muchos buenos exienplos. *P:* pero avía una
tacha, que era antojada a su voluntad. *GA:* pero una manera avía. *M:* pero que avía una costunbre non muy buena:
que a las vezes tomava grant enojo assý delante el rrey
como de otros.

22. *GA:* a las vegadas. *H:* algunos enojos a su voluntad.

24. *M:* que una vez estando.

25   mes de febrero, cayó una nieve. Et quando Ramay-
      quía la vio, començó a llorar. Et el rrey preguntól por
      qué llorava. Et ella dixól que porque nunca la dexava
      estar en tierra que oviesse nieve.

          Et el rrey, por le fazer plazer, fizo poner almendra-
30   les por toda la sierra de Córdova; porque pues Cór-
      dova es tierra caliente et non nieva ý cada anno, que
      en el mes de febrero paresçiessen los almendrales flo-
      ridos, que semejassen nieve, por le fazer perder el
      deseo de la nieve.

35   Otra vez, estando Ramayquía en una cámara sobre
      el rrío, vio una muger, que estava descalça, bolvien-
      do [245] lodo çerca el rrío para fazer adobes. Et quando
      Ramayquía la vio, començó a llorar; et el rrey pre-

---

25. *H:* Et q. la ella vio. *M:* la R. esto vio c. muy fuertemente
    a llorar.
26. *GA:* esto vio. *S:* Et preguntó el rr. *GA:* le preguntó. *HM:* Et
    preguntóle el rr.
27. *S:* que por nunca [*sic*]. *P:* porque non la dexavan estar en
    la nieve.
28. *S:* en tierra que viesse nieve. *M:* adonde oviese n.
29. *H:* fízole poner almendras. *M:* plazer e merçed mandó po-
    ner muchos a.
30. *P:* toda la frontera. *S:* xierra. La grafía es *sierra* en *PMC*
    (ocho veces); *Ali.* 1598*a*, 1725*a*, 1909*b*; *LBA* (trece veces). *M:*
    Et la rrazón fue ésta: que pues C. es t. tan caliente que pocas
    vezes nieva.
31. *GA:* es tan caliente tierra. *M:* que cada anno paresçerían
    en f. los árboles bien floridos.
32. *H:* las almendras.
33. *S:* que semeian nieve. *GA:* que semejavan. *H* omite: *por le
    fazer... de la nieve. M:* Et esto mandó fazer el rrey por le
    fazer perder deseo de la nieve.
35. *P* omite: *en una cámara. M:* la R. estava en una cámara pa-
    rada en una ventana que estava sobre el rrío.
36. *S:* muger descalça boviendo.
37. *P:* Et quando ella la vio.
38. *S:* lo vio. *P:* el rr. començól a preguntar.

---

[245] *bolviendo:* revolviendo, moviendo con presteza, agitando;
PMC 1059; *Apol.* 6*b*, 261*c*, 280*d*.

guntól por qué llorava. Et ella díxol que porque non
40 podía estar a su guisa, siquier faziendo lo que fazía
aquella muger.

Estonçe, por le fazer plazer, mandó el rrey fenchir
de agua rosada aquella grand albuhera [246] de Córdova
en logar de agua, et en lugar de lodo fízola fenchir de
45 açúcar et de canela et de gengibre [247] et de espic [248] et
clavos, et musgo et anbra [249] et algalia et de todas las
buenas espeçias et de buenos olores que podían ser;
et en lugar de paja, fizo poner cannas de açúcar. Et desque destas cosas fue llena de albuhera, de tal lodo

39. *H:* le preguntó que por qué. *P:* le dixo. *H:* dixo. *M:* le rrespondió. *P:* porque nunca estava a su guisa.
40. *GA:* faziendo aquello que fazía. *M:* faziendo aquel lodo
que f.
42. *P:* el rr. mandó f. *GA* omiten: *el rrey. M:* et e. le mandó
fazer el rr., por le fazer plazer, fenchir.
43. *P:* a.g. albuhera de C. de agua rrosada por otra agua. *A:* de
rosas. *G:* alvuerga. *M:* alberca.
44. *S:* en l. de tierra. A pesar de que *tierra* de *S* es más lógico,
todos los mss. tienen *lodo. M:* mandóla fenchir.
45. *S:* canela et de espie et clavos. *AH:* agengibre. *A:* espar.
H: espique. *M:* de mucho açúcar e de mucha c. e de g. e
de espia e de clavos. *G* omite: *et de gengibre... anbra et
algalia.*
46. *S:* algalina. *A* omite: *et musgo. M:* et de alanbar e de mucha algalia de Alexandría muy fyna.
47. *H:* que podrían ser. *M:* que pudieron ser avidas.
48. *P:* cannas de otro açúcar.
49. *M:* vet quál lodo entendedes q. p. ser tal.

[246] *albuhera:* Dice Blecua (p. 175, nota 607): «albufera, alberca.
Cf.: "e mandó labrar grandes albuheras que enchiessen de agua";
General estoria, 1.ª parte, Madrid, 1930, p. 209a.»
[247] *gengibre:* jengibre. Los manuscritos del *LBA* 1335*b* traen:
ST «gengibrante», *G* «gengibrate»: dulce de jengibre.
[248] *espic:* nardo. Blecua (nota 608) cita *Gran conquista de Ultramar,* p. 352*b:* «e envio estonces al huerto del santo Abraham por
un verdugo de un árbol que llaman espique». Orduna (p. 187), siguiendo a González Palencia, propone «espliego», «lavanda».
[249] *anbra:* ámbar.

50   qual entendedes que podría seer, dixo el rrey a Ra-
      mayquía que se descalçasse et follasse aquel lodo et
      fiziesse adobes dél quantos quisiesse.
          Et otro día, por otra cosa que se le antojó, co-
      mençó a llorar. Et el rrey preguntól por qué lo fazía.
55   Et ella díxol que cómmo non lloraría, que nunca
      fiziera el rrey cosa por le fazer plazer. Et el rrey ve-
      yendo que, pues tanto avía fecho por le fazer plazer
      et conplir su talante, et que ya non sabía qué pudies-
      se fazer más, díxol una palabra que se dize en el alga-
60   ravía desta guisa: *wala nahaar el tin*²⁵⁰ et quiere dezir:
      «¿et non el día del lodo?», commo diziendo que pues,
      las otras cosas olvidava, que non devía olvidar el lodo
      que fiziera por le fazer plazer.
          Et vos, sennor conde, si veedes que por cosa que
65   por aquel omne fagades, que sinon fazedes todo lo ál
      que voz dize, que luego olvida et desgradesçe todo lo

---

50. *P:* qual podes entender que podía ser. *H:* que podía ser.
    M: a la rreyna, conviene saber a la R.
51. *S:* que se descabeçasse [*sic*] et que f. a. l. et que fiziesse.
    M: et que f. a. lodo e ella fýzolo ansý e fyzo adobes dello
    quantos quiso.
53. *M:* Et o. d. acaesçióle. *S:* que se antojó.
54. *M:* preguntóle el rr. *PM:* que por qué llorava.
55. *P:* que por qué non ll. *S:* non llorava. *A:* non lorara. *M:* Et
    e. d. que porque nunca fiziera. *H:* q. nunca cosa fazía el rr.
    P: q. n. el rr. por ella fiziera cosa con que tomasse plazer.
56. *H* omite: *Et el rrey veyendo... fazer plazer.*
58. *M:* conplir su voluntad. *H:* et conplía su voluntad. *A:* qué
    pidiesse.
59. *GA* omiten: *fazer más. P:* p. fazer nin le agradesçía lo
    fecho. *M:* en el arávigo. *P:* en arávigo.
60. *P:* que dize assí.
61. *M:* ¿Et non sabes el día del lodo? *G:* como dizen que
    pues. *P:* pues todas las cosas.
62. *S:* cosas olvidar el lodo. *M:* todas las otras cosas olvidara
    que non deviera o. el l. que mandara fazer por le f.p.
64. *M:* sy tenedes que por cosa. *P:* que vos por aquel omne f.
65. *S:* le fazedes. *A:* lo que vos dize. *M:* lo otro que vos él rruega.
66. *G* omite: *que vos dize... desgradesçe todo lo.*

---

²⁵⁰ *Vid.* A. R. Nylk, «Arabic Phrases in *El conde Lucanor*», *HR*,
X, 1942, pp. 12-17.

que por él avedes fecho, conséjovos que non fagades
por él tanto que se vos torne en grand danno de vuestra fazienda. Et a vos, otrosí, conséjovos que si alguno
70   fiziere por vos alguna cosa que vos cunpla et después
non fiziere todo lo que vos querríades, que por esso
nunca le desconoscades el bien que vos vino de lo que
por vos fizo.

El conde tovo éste por buen consejo et fízolo assí
75   et fallóse ende bien.

Et teniendo don Johan éste por buen exemplo, fízolo escrevir en este libro et fizo estos versos que dizen
assí:

Qui te desconosçe tu bien fecho,
80   non dexes por él tu grand provecho.

---

69. *P:* Et a vos conséjovos que. *GA* omiten: *Et a vos.* *M:* Et
vos consejo otrosý que. *S:* si alguno fiziesse.
70. *M:* fiziere alguna cosa por vos.
71. *P:* non faziendo lo q. v. queredes. *M:* quanto vos quisyerdes. *H:* querades. *S:* queríedes.
72. *SM:* desconozcades. En el *LBA* 330*b*, 831*a*, 873*d*, se encuentra
la grafía *conosco* y en 1178*c: conoscan; conosco* se halla
también en *Apol.* 165*b*. *P:* el bien que por él nos vino et lo
que fizo por vos. *H:* que vos viene.
73. *M:* que fizo por vos.
79. *AH:* buen fecho. *G:* Entiende de entonces tu buen fecho.
P: Quien te desagradesçiere el bien que tú fizieres.
80. *G:* no le dexes. *M:* por él de buscar tu grand provecho.
A: Déxale por tu provecho. *P:* nunca lo dexes si tu provecho vieres.

Exemplo XXXI

De lo que contesçió a los de la eglesia catredal et a los frayles menores en París [251]

Otra vez fablava el conde Lucanor con Patronio, su consejero, en esta guisa:

—Patronio, un mi amigo et yo queríamos fazer una cosa que es pro et onrra de amos; et yo podría fazer
5 aquella cosa et non me atrevo a la fazer fasta que él llegue. Et por el buen entendimiento que Dios vos dio, rruégovos que me consejedes en esto.

—Señor conde —dixo Patronio—, para que en esto fagades lo que me paresçe que es más vuestra pro, pla-
10 zerme ýa que sopiéssedes lo que contesçió a los de la eglesia catredal et a los frayles menores en París.

S: Del juyzio que dio un cardenal entre los clérigos de París et los frayles menores. P: De lo q.c. en París a los canónigos de la e.c. con los f. de San Françisco. H: De lo q. c. en P. a los de la e. c. l. fleyles menores.

1. S: Otro día fablava. A: Fablava otra vez.
3. S: un mío amigo. G: yo e un amigo querríamos. A: yo he un amigo e querríamos. H: queremos una cosa. M: queremos f.u.c.q. es gran provecho e grant onrra de entramos a dos; et yo querría.
5. G: aquella casa [sic].
6. A: por el entendimiento. M: q. vos Dios dio. P: que vos avedes.
7. H: en esto lo que faga.
8. S omite: en esto. GAH: fagades en esto.
9. M: lo que en ello me pareçe. SH: más a vuestra pro.
10. M: acaesçió. P: contesçió en París. S: catedral. A: chatredal. H: c. en París. Catedral está en Estados 253.26; el ms. P del Ali. 2538c, tiene cathedra; el LBA tiene dos veces cathreda (53c, 54c); conservo la forma vulgar con metátesis que traen PGAHM.
11. M: f.m. en la çibdad de París.

---

[251] Vid. María Rosa Lida de Malkiel, Estudios, p. 96; Ermanno Caldera, «Retórica narrativa», p. 111.

El conde le preguntó cómmo fuera aquello.

—Sennor conde —dixo Patronio—, los de la eglesia dezían que, pues ellos eran cabeça de la eglesia, que
15 ellos devían tanner primero a las oras [252]. Los frayles dezían que ellos avían de estudiar et levantarse a maytines et a las oras, en guisa que non perdiessen su estudio, et demás que eran essentos et que non avían por qué esperar a ninguno.
20 Et sobresto fue muy grande la contienda, et costó grand aver para los abogados et el pleyto en la corte

---

12. *P:* le rrogó quel dixiesse.
13. *P:* los clérigos de la eglesia catredal dezían. Creo que esta lectura es mejor, pero no la he adoptado porque todos los otros mss. omiten *catredal*.
14. *H* omite: *de la eglesia. M:* cabeça de todas las yglesias de la çibdad e de las otras villas de aderredor de París.
15. *H:* los f. dixeron. *M:* les rrespondieron que pues ellos.
16. *S:* avían de escuchar [*sic*]. *H:* levantarse de mannana.
17. *S:* matines. Ambas formas aparecen en el *LBA: maytines* (1051*a*), *matynes* (374*d*). *P:* p. nada del estudio. *M:* p. su estado.
18. *M:* eran escrytos por esentos. *S:* exentos. *A:* essemptos. Solamente una vez aparece *esençión* en los mss. del *LBA* (334*a*); en cambio, se encuentran *exençión* (353*a*), *exenpçiones* (349*b*) y *excepçión* (354*a*) y cinco veces más; tanto Joset como Corominas corrigen en todos los casos por *esençión*. *H:* et demás que eran sobre sý et que otro non avía premia sobre ellos salvo el Papa et que non avían.
19. *M:* por qué atender a ninguno.
20. *P:* fue muy grand contienda entrellos. *M:* ovieron muy grant c., et fue fecha muy grant costa a amas las partes e muy grande algo que dieron a los abogados (omite: *et el pleyto... Papa*).
21. *H:* grand aver a los unos et a los otros (omite: *para los abogados... Papa*). *GA:* g. aver los abogados (*A:* advogados) e los pleytos a entramas las partes (omiten: *en la corte del Papa*).· *S:* Et c. muy g.a. a los abogados en el pleito a entramas las partes (omite: *en la corte del Papa*). Como se puede ver, el texto está aquí muy contaminado; sigo el

---

[252] *a las oras:* al rezo de las horas canónicas; *LBA* 374*a*, 1164*c*, 1601*b*.

del Papa. Et a cabo de grand tienpo, un Papa que vino, encomendó este pleyto a un cardenal et mandól que lo librasse de una guisa o de otra.

25   Et el cardenal fizo traer ante sí el proçesso, et era tan grande que todo omne se espantaría solamente de la vista. Et desque el cardenal tovo todos los escriptos ante sí, púsoles plazo para que viniessen otro día a oyr sentençia.

30   Et quando fueron antél, fizo quemar todos los proçessos et díxoles assí:

—Amigos, este pleyto ha mucho durado, et avedes tomado todos grand costa [253] et grand danno; et yo non

---

códice de Puñonrostro. *GAHM* añaden: *GA: Et duró muy grande tienpo el pleyto en la c. del P. HM: Et duró el p. grant tienpo (M: muy g.t.) en las cortes del Papa (M: en la corte del P.).*

22.   *S:* muy grand tienpo. *M:* un Papa que nuevamente avían criado. *H:* el Papa encomendó. *G* omite: *Et a cabo... un Papa.*

23.   *S:* acomendó este fecho. *H:* este fecho. *M:* encomendó a un cardenal que librasse este pleyto e mandóle q. lo librasse luego syn tardança ninguna en qualquier manera que fallasse por derecho.

25.   *M:* el qual proceso era ya tan grande q. t. o. que lo viesse se e.

26.   *P:* se espantava. *H:* se espantara. *A* omite: *solamente.*

27.   *M:* vido todo esto et tovo. *H:* ante sí todos los escriptos. *GAM:* ante sí todas las escripturas. *S:* scriptos. *P:* todos estos e. ante sí.

28.   *M:* puso a las partes plazo.

30.   *P:* mandó quemar. *M:* Et q. otro día vinieron antel cardenal, lo que primero mandó fue que luego en su presençia que quemassen todo el proçeso del pleyto.

31.   *GHM:* e dixo assí.

32.   *H:* ha durado mucho. *S:* avedes todos tomando. *GA:* avedes tomado grande. *M:* et avedes fecho muy grandes costas cada parte por sý, e avedes rreçebido muy g. d... traer más en este pleyto.

33.   *H:* g. costa sobre ello.

---

[253] *costa:* gasto, costo; *LBA 367b,* 1111c; *Estados* 99,20; *Armas* 679,5.

vos quiero traer en pleyto, mas dovos por sentençia
35 quel que ante despertare, que ante tanga [254].

Et vos, sennor conde, si el pleyto es provechoso
para amos et vos lo podedes fazer, conséjovos yo que
lo fagades et non le dedes vagar [255], ca muchas vezes
se pierden las cosas que se podrían acabar por les dar
40 vagar et después, quando omne querría, o se pueden
fazer o non.

El conde se tovo desto por bien aconsejado et fízolo
assí, et fallóse ende bien.

Et entendiendo don Johan que este exemplo era
45 bueno, fízolo escrevir en este libro et fizo estos versos que dizen assí:

Si muy grand tu pro puedes fazer,
nol des vagar que se pueda perder.

---

34. *H:* traer el pleyto a más luenga; et yo vos do. *M:* desde
aquí mando e vos doy por mi sentençia. *H:* s. definitiva
que los que.
35. *M:* tanga las canpanas. Et por esta mi sentençia defynytiva
pronúçiolo ansý e mando que vayan costas por costas.
36. *P:* conde sennor. *GAM:* s. c. Lucanor.
37. *SHM:* para vos amos. *M:* e lo vos podedes fazer syn el otro.
P: conséjovos que lo f. et non dedes vagar. *M:* conséjovos
que le non dedes vagar e que lo fagades luego.
38. *G:* dedes lugar. *H:* non vos dedes v. *P* omite: *ca muchas
vezes... dar vagar. M:* ca m.v. las cosas q. se pueden acabar
se acabarían synon por les dar vagar.
40. *H:* después que querían. *M:* quando querrían. *S:* q. omne
quería. *P:* quanto omne querría.
41. *H:* fazer o non, ca nunca está el mundo en grant estado.
43. *S:* fallóse en ello muy bien.
47. *H:* Sy tu grant pro pudieres fazer. *GAM:* pudieres. *P:* Do
vieres la tu pro et lo puedes fazer.
48. *HM:* por que se pueda perder. *P:* non des vagar porque
se puede perder.

---

[254] *tanga:* taña, toque las campanas; *LBA* 384*a*, 1537*b* (citados
por Blecua).
[255] *le dedes vagar:* dar tiempo, dar reposo; *FnGz.* 191*a*; *LBA*
629*d*, 719*c*, 1116*a*.

Exemplo XXXII
De lo que contesçió a un rrey con tres omnes burladores que vinieron a él [256]

Fablava otra vez el conde Lucanor con Patronio, su consejero, et dezíale:

—Patronio, un omne vino a mí et díxome muy grand fecho et dame a entender que sería muy grand
5 mi pro; pero dízeme que lo non sepa omne del mundo por mucho que yo en él fie; et tanto me encaresçe que guarde esta poridat, fasta que dize que si a omne del mundo lo digo, que toda mi fazienda et aun la vida es en grand peligro. Et porque yo sé que omne non
10 vos podría dezir cosa que vos non entendades, si se

_____

PA omite: _que vinieron a él. S:_ que fizieron el panno. _H:_ burladores en Barçelona.
3. P omite: _muy. M_ omite: _muy grand._
4. _GA:_ será muy grande mi pro. _H:_ mi muy grant pro. _P:_ grand mi pro (omite: _muy_).
5. _M:_ provecho mío. _H:_ que non lo sepa.
6. _M:_ omite: _por mucho q. yo en él fie. H:_ me caresçe. _M:_ que lo guarde (omite: _esta poridat_).
8. _A:_ lo digo e descubro. _M_ omite: _aun la. P:_ et aun mi vida está.
9. _A:_ es a muy gran p. de se perder. _HM:_ muy grant peligro. _S:_ periglo. _M:_ Et pq. por mucho que yo en él me fýe non me fyaría tanto commo en el vuestro consejo porque sé que omne non podría dezir cosa. _P:_ que non vos podría omne dezir.
10. _A:_ que vos lo entendades [_sic_].

_____

[256] Archer Taylor, «The Emperor's New Clothes», _MPh,_ XXV, 1927-1928, pp. 17-27, reunió el material para el estudio de este _exemplo._ En esa fecha temprana ya reconoce Taylor que en don Juan Manuel adquiere el cuento, por primera vez, una forma literaria. _Vid._ R. Ayerbe-Chaux (1975), pp. 292-308, para los relatos paralelos y pp. 140-150 para el análisis del cuento. Para la demás bibliografía, _vid._ D. Devoto (1972), pp. 420-421.

dize por bien o por algún enganno, rruégovos que me digades lo que vos paresçe en esto.

—Sennor conde —dixo Patronio—, para que vos entendades, al mío cuydar, lo que vos más cunple de
15 fazer en esto, plazerme ýa que sopiéssedes lo que contesçió a un rrey con tres omnes burladores que vinieron a él.

El conde le preguntó cómmo fuera aquello.

—Sennor conde —dixo Patronio—, tres omnes bur-
20 ladores vinieron a un rrey et dixiéronle que eran muy buenos maestros de fazer pannos, et sennaladamente que fazían un panno que todo omne que fuesse fijo daquel padre que todos dezían que vería el panno; mas el que non fuesse fijo daquel padre que él tenía et
25 que las gentes dezían que non podría ver el panno.

Al rrey plogo mucho desto, teniendo que por aquel panno podría saber quáles omnes de su rreyno eran fijos de aquellos padres que devían ser o quáles non; et por esta manera podría acresçentar mucho lo suyo;

---

11. *P:* por bien o por mal o por alguno enganno. *M:* Et por ende rruégovos.
12. *H:* lo que vos paresçe (omite: *en esto*). *P:* lo q. v. en esto paresçe.
13. *SHM:* S.c. Lucanor.
15. *P* omite: *de fazer en esto. M:* acaesçió a un rrey moro.
16. *H* omite: *burladores.*
17. *M:* a él e le engannaron muy fermosamente.
19. *P:* vinieron tres omnes b.
20. *M:* e fiziéronle entender que.
21. *H:* maestros muy buenos. *GA:* para fazer p.
22. *M:* le dixeron que farían. *P:* que non fuesse [*sic*]. *S:* que fuesse daquel padre. *H:* fijos de aquel p.
23. *P:* que non podría ver. *A:* que veýan el panno. *P:* et el q. fuesse fijo.
24. *P:* et que todos dezían. *M:* padre que tenían las gentes, dezían que non p.v. el p.
25. *P:* dezían podría ver aquel panno. *H:* non podía ver.
28. *SG:* a. q. devían seer sus padres. *H:* a. omnes que devían ser sus padres. *M:* a. padres que ellos dezían o devían ser. *A* omite: *o quáles non.*
29. *GA:* podría endereçar. *M:* podría mucho a. *P:* a. lo suyo mucho.

30 ca los moros non heredan cosa de su padre sinon son
verdaderamente sus fijos. Et para esto mandóles dar
un palaçio [257] en que fiziessen aquel panno.

Et ellos dixiéronle que por que viesse que non le
querían engannar, que los mandasse ençerrar en aquel
35 palaçio fasta que el panno fuesse fecho. Desto plogo
mucho al rrey.

Et desque ovieron tomado para fazer el panno mucho oro et mucha plata et seda et muy grand aver para
que lo fiziessen, entraron en el palaçio et ençerrá-
40 ronlos ý.

Et ellos pusiron sus telares et davan a entender
que todo el día texían en el panno. Et a cabo de algunos días fue el uno dellos dezir al rrey que el panno
era començado et que era la más fermosa cosa del
45 mundo; et díxol a qué figuras et a qué lavores lo co-

---

30. *H:* nunca heredan. *M:* heredan en lo de su p. *GA:* cosa
de lo de su p. sino verdaderamente s. f. *P:* es v. su fijo.
32. *M:* palaçio muy grande e muy bueno.
33. *H:* dixeron que por que viessen. *M:* viesse el rrey. *PM:* q. lo
non q.
34. *S:* çerrar. *Çerrar* y *ençerrar* se distinguen con su acepción actual en el *LBA: compárense* 1481*c* y 1127*b*, 1172*a*; tal
distinción ya estaba en *PMC* 39 y 2695.
35. *H:* fuesse texido. *M:* fuesse fecho e acabado.
38. *H:* mucho et mucha plata [*sic*]. *S* omite: *mucha. P* omite:
muy. M: para lo fazer.
39. *S:* en aquel palaçio. *P:* çerráronlos ý. *M:* metiéronlos en el
palacio e ençerráronlos allí.
41. *H* omite: *Et ellos... en el panno.*
42. *P:* en aquel panno... de unos días fue el uno a dezir.
43. *M:* uno de aquellos burladores. *M:* q. era ya c. e que venía la
más fermosa c.
44. *P:* era la cosa más f.
45. *H:* Et díxoles. *M:* Et aquel omne díxole a qué labores e
a qué fyguras lo començaran a fazer. *H:* que a qué f. o· qué
manera lo podría fazer. *A:* a qué figura.

---

[257] *palaçio:* En *Estados* 187,6 y *PMC* 115 significa «casa de los
nobles». Aquí significa, como dice Orduna (p. 192), «sala, aposento de una casa»: *PMC* 183, 3373; *PCG* 615*b*, 22-30 (*vid.* R. Menéndez Pidal, *Cantar*, p. 783,8); *LBA* 481*c*, 1492*d*.

mençavan a fazer; et que, si fuesse la su merçed, que
lo fuesse a ver et que non entrasse con él omne del
mundo. Desto plogo al rrey mucho.

Et el rrey, queriendo provar aquello ante en otro,
50 envió un su camarero que lo viesse; pero non le aper-
çibió quel desengannasse. Et desque el camarero vio
los maestros et lo que dizían, non se atrevió a dezir
que non lo viera. Et quando tornó al rrey díxol que
viera el panno. Et después enbió otro et dixo esso
55 mismo.

Et desque todos los que el rrey envió le dixieron
que vieran el panno, fue el rrey a lo ver. Et quando
entró en el palaçio et vio los maestros que estavan
texiendo et dezían: «Esto es tal labor, et esto es tal
60 estoria, et esto es tal figura, et esto es tal color», et
conçertavan todos en una cosa, et ellos no texían ninguna cosa; quando el rrey vio que ellos texían et dezían
de qué manera era el panno, et que él non lo veýa et

---

46. *G* omite: *et que, si fuesse... omne del mundo.*
47. *S:* lo fuesse ver *H:* entrasse en él omne del m.
48. *PH:* mucho al rr. *M* omite: *D.p. al rr. m.*
49. *P* (omite: *Et el rrey):* q. p. aquello en otro ante. *G:* ante
     otro. *AM:* ante que otro. *H:* ante que entró.
50. *M:* envió allá. *S:* un su camero. *P:* pero non le enbió quel d.
51. *M:* Et el camarero fue luego. Et desque el c.
52. *P:* los m. vio lo que dezían.
53. *PHM:* que lo non. *AH:* vio. *GM:* vía. *M:* Et q. el camarero
     tornó. *S:* et díxol.
54. *M* omite: *Et después... q. vieran el panno.*
56. *GA:* E después que. *H:* les dixeron que vieron.
57. *GA:* fue allá el rrey a lo ver. *M:* Et fue el rr. a lo ver.
     H: a verlo.
58. *H:* los maestros texendo. *M:* los maestros e lo que dezían
     e estavan texendo e dezían.
59. *GA:* texendo. *H:* lavor et tal estoria.
60. *M:* tal color e ésta es tal fygura, et ésta es tal lavor. *G:* e
     condertavan.
61. *H:* et ello non texían.
62. *SHM:* ellos non texían.
63. *S:* et él que non lo v. *P:* él non veýan. *H:* q. él non veýa
     el panno.

que lo avían visto los otros, tóvose por muerto, ca tovo
65 que porque non era fijo del rrey quél tenía por su
padre, que por esso non podía ver el panno; et rresçeló
que si dixiesse que non lo veýa que perdería el rreyno.
Et por ende, començó a loar mucho el panno, et apren-
dió muy bien la manera commo dezían aquellos maes-
70 tros que el panno era fecho.

Et desque fue en su casa con las gentes començó
a dezir maravillas de quánto bueno et quánto maravilloso era aquel panno; et dizía las figuras et las
cosas que avía en el panno. Pero él estava con muy
75 mala sospecha; et a cabo de dos o tres días, mandó
a su alguazil que fuesse veer aquel panno. Et el rrey
contól las maravillas et estrannezas que viera en el
panno. Et el alguazil fue allá; et desque entró et vio
los maestros que texían et dezían las figuras et las co-
80 sas que avía en el panno, et oyó al rrey cómmo lo avía
visto et que él non lo veýa, tovo que porque non era

---

64. *P:* tovo que non era.
65. *H:* del rrey et él tenía. *M:* tenía que era el rrey su padre.
66. *P:* que por esto non veýa (omite: *el panno*).
67. *SM:* que lo non veýa.
68. *S:* Et p.e. a loar mucho el [*sic*]. *H:* a alabar mucho. *M:* mucho a loar el p.
69. *P:* a. mucho bien. *GA:* la manera muy bien. *H:* mucho la manera.
70. *H:* que es fecho. *GAM:* que era fecho.
71. *P* omite: *con las gentes*. *M:* fue a su palaçio... maravillosas cosas.
72. *P:* quán bueno et quán fermoso. *GA:* de quán b. e quán f. *HM* omiten: *et quánto maravilloso*.
73. *P:* la figura. *M:* e qué fyguras. *A* omite: *et dizía... en èl panno*.
74. *S:* pero que él estava. *M:* en mala sospecha.
75. *M:* de dos días o tres. *H* omite: *días*.
76. *GA* omiten: *Et el rrey... en el panno*.
77. *M:* la manera e la estranneza que avía visto. *S:* en aquel panno.
78. *M:* el alguazil fue e vido los maestros e dezíanle las f. que avía en el panno.
79. *H:* las figuras et dezían las cosas que yvan en el panno.
81. *A* omite: *porque*. *M:* non lo vía él, tovo el alguazil... fyjo de su padre, de aquel que él cuydava que era fyjo.

fijo de aquel padre que él cuydava, que por esso non
lo veýa, et tovo que si gelo sopiessen, que perdería
toda su onrra. Et por ende, començó a loar el panno
85 tanto commo el rrey o más. Desque tornó al rrey et
le dixo que viera el panno et que era la más noble et la
más apuesta cosa del mundo, tóvose el rrey aun más
por malandante; et pensó que pues el alguazil viera
el panno et él non lo viera, que ya non avía dubda
90 que él non era fijo del rrey que él cuydaba. Et por
ende començó más de loar et de afirmar más la bondad et la nobleza del panno et de los maestros que tal
cosa sabían fazer. Et otro día envió el rrey otro su
privado et acaesçiól commo al rrey et a los otros.
95 ¿Qué vos diré más? Desta guisa et por este rreçelo,
fueron engannados el rrey et quantos fueron en su
tierra, ca ninguno non osava dezir que non veýa el
panno.
Et assí passó este pleyto, fasta que vino una grand
100 fiesta. Et dixieron todos al rrey que vistiesse aquellos
pannos para la fiesta. Et los maestros traxiéronlos

---

83. *GA:* lo viera. *H:* lo vio et t. q. sy gelo sabían.
86. *M:* noble cosa.
87. *P:* tóvose él aun por más. *M:* Et quando ésto oyó el rrey
tóvose por muy malandante.
88. *SHM:* pensando. *P:* el alguazil lo viera.
89. *H* omite: *que ya non avía. M:* duda synon que él non era.
90. *H:* él non fuera.
91. *S:* firmar. *Firmar* es un arcaísmo de *S: afirmar* ya era
corriente en *Ali* 2283c y *Apol.* 190a, 239c. *G:* por ende a loar
e de afirmar. *A:* començó a loar e de a. *H:* a loar más el
panno et afirmar la bondad. *M:* a loar mucho más el panno
e de afirmar más la verdad de la nobleza.
93. *P:* Otro d. enbió el rrey por otro su p. *M:* e. allá el rrey
a un su p. *H:* el rr. su privado et contesçióle.
94. *PGAH:* et a los otros que vos dixe. Mas desta g.
96. *P:* fue engannado el rr.
97. *H:* et ninguno no veýa el panno.
100. *H:* Dieron todos al rrey que vistiessen. *M:* et pidiéronle
todos por merçed que en aquella grant fyesta que vis-
tiese aquellos pannos. *A:* de a.p.
101. *P:* Et los moros troxiéronlos.

enbueltos en muy buenas sávanas, et dieron a entender que desbolvían el panno. Et preguntaron al rrey qué quería que tajassen²⁵⁸ de aquel panno. Et el rrey
105 dixo quáles vestiduras quería. Et ellos davan a entender que tajavan et que medían el talle²⁵⁹ que avían de aver las vestiduras, et después que las cosían.

Et quando vino el día de la fiesta, vinieron los maestros al rrey, con sus pannos tajados et cosidos,
110 et fiziéronle entender quel vestían et quel allanavan²⁶⁰ los pannos. Et assí lo fizieron fasta que el rrey tovo que era vestido, ca él non se atrevía a dezir que él non veýa el panno.

Et desque fue vestido tan bien commo avedes oýdo,
115 cavalgó para andar por la villa; mas de tanto le avino bien que era verano.

102. *H:* en unas sábanas. *M:* e fazían que desenbolvían el panno.
103. *S:* desvovían (En el *LBA* 971*b* está la forma: *desbuélvete*). *H* añade: *que tajavan et medían el panno.*
104. *P:* que tajassen dél. *H:* que qué quería tajar. *M:* que qué rropas quería que le cortasen, et él díxoles lo que quería.
105. *P:* les dixo las vestiduras que quería.
106. *P:* et medían el panno et talla. *GA:* e metían el talle. *H:* et medían et el talle. *M:* que medían e que tajavan e que tomavan medida del talle.
107. *S:* las coserían.
108. *GA:* el día de la fiesta vino. *M:* fue venido el día de la f.
109. *M:* con sus pannos cosydos. *H* omite: *tajados et cosidos... allanavan los p.*
110. *M:* le vestían e alabávanle mucho los p. *A:* le tallavan los p.
111. *P* omite: *el rrey. M:* que él tovo que era ya v., que él non se atrevió.
114. *M:* Et desque el rrey... commo oýdes.
115. *P* omite: *mas. H:* le vino bien. *M:* le acaesçió bien.

---

²⁵⁸ *tajassen:* cortasen; *PMC* 1241; *Ali.* 155*d*; *Apol.* 346*c*, 555*b*; *LBA* 993*b*.
²⁵⁹ *talle:* la proporción del cuerpo. Éste es el significado que tiene en el *LBA* 581*a (G)* y 653*b (S)* y creo que, sin ejemplos, no se puede adoptar el significado que le da Blecua (p. 181, nota 628): «forma, traza o corte del vestido».
²⁶⁰ *allanavan:* alisaban.

Et desque las gentes lo vieron assí venir et sabían
que el que non veýa aquel panno que non era fijo
de aquel padre que cuydava, cada uno cuydaba que
120 los otros lo veýan et que, pues él non lo veýa, que si
lo dixiesse, que sería perdido et desonrrado. Et por
esto fincó aquella poridat guardada, que non se atrevió
ninguno a la descobrir, fasta que un negro, que guardava el cavallo del rrey et que non avía qué pudiesse
125 perder, llegó al rrey et díxol:

—Sennor, a mí non me enpeçe que me tengades
por fijo de aquel padre que yo digo, nin de otro; et
por ende, dígovos que yo so çiego, o vos desnudo
ydes.

130 Et el rrey le començó a maltraer diziendo que
porque non era fijo daquel padre que cuydaba, que
por esso non veýa los sus pannos.

Desque el negro esto dixo, otro que lo oyó dixo
esso mismo, et assí lo fueron diziendo fasta que el

---

117. *P:* Et desque lo vieron a.v. et sabían quel non veýa a. p.
[*sic*]. *H:* et sabían que el non v. [*sic*].
119. *S* omite: *cuydava. M:* cada uno dezía que los vía. *H:* cuydava que lo veýa.
120. *GA:* que lo veýan los otros. *PH* omiten: *et q. pues él non
lo veýa. M:* e el que non los vía que sy lo dixessen que les
sería pérdida e desonrra. *H:* si dixiesse que los non veýa.
121. *A:* que sería perdido e deshonrado si lo dixesse. *P:* et por
esto quedó.
122. *HM:* fue aquella p. *M:* mucho guardada. *S:* q.n. se atrevíe
ninguno a lo d.
123. *GAHM:* descubrirla. *HM:* un moro negro.
124. *P:* non avía cosa que. *GA:* que perder pudiesse.
126. *H:* a mí no enpeçe. *M:* que me non tengades p. f. de aquel
que yo soy nin de otro ninguno.
128. *P:* que so yo çiego. *GA:* soy çierto que vos, *H* soy çiego
et vos. *S:* desnuyo. *Desnudo* se encuentra en *PMC* 2944;
Apol. 124*a*, 511*b*, 512*c*; *LBA* 248*b*, 1587*a*; *Estados* 62.7.
130. *A:* començóle. *H:* Et començó a maltraerlo diziéndole. *M:*
començó de maltraello diziéndole q. pq. avía dicho tal
cosa, que non era. *P:* diziéndol que non era fijo.
133. *HM:* el moro negro. *P:* el negro esto oyó, dixo otro esso
mesmo. *M:* salió otro moro e dixo aquello mismo.
134. *M:* diziendo otros muchos.

135 rrey et todos los otros perdieron el rreçelo de conosçer la verdat, et entendieron el enganno que los burladores avían fecho. Et quando los fueron buscar,
non los fallaron, ca se fueron con lo que avían levado del rrey por el enganno que avedes oýdo.

140 Et vos, sennor conde Lucanor, pues aquel omne
vos dize que non sepa ninguno de los en que vos fiades nada de lo que él vos dize, çierto seed que vos
cuyda engannar, ca bien devedes entender que non ha
él rrazón de querer más vuestra pro, que non ha con-
145 vusco tanto debdo commo todos los que convusco biven,
que an muchos debdos et bienfechos de vos, por que
deven querer vuestra pro et vuestro serviçio.

El conde tovo éste por buen consejo et fízolo assí
et fallóse ende bien.

150 Et veyendo don Johan que éste era buen exemplo,
fízolo escrevir en este libro, et fizo estos versos que
dizen assí:

Quien te conseja encobrir de tus amigos,
sabe que más te quiere engannar que dos figos.

---

136. *P:* aquellos burladores.
137. *H:* ovieron fecho. *AHM:* fueron a buscar.
138. *S:* ca se fueran. *GAH:* llevado al rrey. *P:* ca fuéronse con lo que les avía dado el rrey que era grand aver, por el enganno que fizieron.
141. *M:* ninguno de aquellos en que. *H:* q. non se paga ninguno dellos en que vos fazedes [*sic*].
142. *M:* ninguna cosa de aquello. *GAM:* que vos él dize. *P:* que vos dize.
143. *M:* quiere engannar. *H:* devríades. *P* devedes vos entender.
144. *P* omite: *más vuestra pro... convusco biven que an. M:* más vuestra pro e vuestro serviçio que los que convusco viven e que an más debdo convusco por lo qual deven.
145. *GA:* que han más deudos. *PH:* mucho debdo et bienfecho de vos (*H* dellos).
146. *GA:* por que devan querer. *P:* vuestra onrra et vuestra pro et v.s.
153. *P:* El nuevo consejero que te esquiva de los viejos.
154. *P:* o te quiere engannar o fazer malos juegos. *G:* sábete que te quiere e. que tus fijos. *A:* engannar te quiere assaz e sin testigos. *M:* quiérete engannar más que tus enemigos. *H:* que tus fijos.

Exemplo XXXIII

De lo que contesçió a los muy buenos falcones garçeros, et sennaladamente a un muy buen falcón sacre que era del infante don Manuel [261]

Fablava otra vez el conde Lucanor con Patronio, su consejero, en esta manera:

—Patronio, a mí contesçió de aver muchas vezes contiendas con muchos omnes; et después que la
5 contienda es passada, algunos conséjanme que fuelge et esté en paz, et algunos conséjanme que comiençe guerra et contienda con los moros. Et porque yo sé

P: De lo q. c. al falcón sacre. *H:* De lo q. c. a un f. s. que era del infante don Manuel. *S:* De lo q. c. a un f. s. del infante d. M. con una águila et con una garça. *G:* et sennaladamente lo que contesçió.

3. *M:* acaesçió de aver c. con m. omnes. *H:* c. de ver contienda. *P:* c. muchas vezes de aver contienda.

5. *SGA* añaden: es passada, *algunos conséianme que tome otra contienda con otros* (*G:* me tome con otros). A pesar de que un grupo de tanta autoridad como *SAG* tiene esta línea, la omito en mi texto, pues se repite en seguida y es muy probable que naciera del error de algún copista. *GA:* e otros me consejan q. c. *M* omite: *algunos conséjanme... en paz.* *H:* que folgasse y está [*sic*] en paz.

6. *M:* que tome contienda con los moros.

---

[261] Nicholson B. Adams y Frank M. Bond, «Story thirty-three of *El libro de Patronio*», *Hispania*, LII, 1969, pp. 109-111, creen que la anécdota que don Juan Manuel atribuye aquí a su padre es histórica. Ningún crítico verdaderamente familiarizado con la obra de ficción manuelina acepta hoy la historicidad del *exemplo*. Como al infante don Enrique, como a don Lorenzo Suárez y como al resto de los personajes históricos de su libro, don Juan Manuel coloca a su padre en el reino de la ficción, atribuyéndole un motivo literario tradicional. *Vid.* Alexander Haggerty Krape, «Le Faucon de l'Infant dans *Le Conde Lucanor*», *BH*, XXXV, 1933, pp. 294-297; Daniel Devoto, «Cuatro notas sobre la materia tradicional en Don Juan Manuel», *BH*, LXVIII, 1966, pp. 209-215; John England, «Et non el día», p. 78.

que ningún otro non me podría consejar mejor que
vos, por ende vos rruego que me consejedes lo que
10 faga en estas cosas.

—Sennor conde —dixo Patronio—, para que vos en
esto açertedes en lo mejor, sería bien que sopiéssedes
lo que contesçió a los muy buenos falcones garçeros,
et sennaladamente lo que contesçió a un falcón sacre
15 que era del infante don Manuel [262].

El conde le preguntó cómmo fuera aquello.

—Sennor conde —dixo Patronio—, el infante don
Manuel andava un día a caça çerca de Escalona; et
lançó un falcón sacre a una garça et montado el falcón
20 con la garça, vino al falcón una águila. Et el falcón con
miedo del águila, dexó la garça et començó a foýr; et
el águila, desque vio que non podía tomar el falcón

---

8. *P:* otro ninguno. *GA:* q. ninguno n. m. *P:* non me podrá tan
bien c. c. vos. *M:* non podría mejor consejarme q.v. *H:* consejar con vos.

9. *M* omite: *por ende. P* omite: *lo que faga. M:* lo que faga
en esto.

11. *S:* s. c. Lucanor. *P* omite: *en esto.*

12. *P:* que sepades. *H:* sopiedes.

13. *PH* omiten: *muy.*

14. *P:* s. al falcón sacre del ynfante. *GA* omiten: *sennaladamente.*
M: lo q. acaesçió. *GA:* a un muy buen falcón sacre.

16. *P* omite: *El conde le... el infante.*

18. *H:* andando un día a caça en E. *P:* a caçar. *M:* açerca de E.

19. *H* omite: *sacre a una garça... vino al falcón. M* omite: *et
montando el f. c. la g. P:* et andando el f. c. la g. v. al f.
una garça águila [*sic*].

20. *G:* comiendo de la águila dixo [*sic*]. *H:* comiendo del águila
dexó [*sic*].

21. *A:* temiendo del águila. *PM:* por miedo del águila. *P:* et luego
el águila fuese.

22. *GA:* podía ganar.

---

[262] Como explica Blecua (p. 183, nota 633), el halcón garcero
estaba adiestrado especialmente para la caza de la garza. Orduna
(p. 196) dice que el halcón sacre era grande y «se criaba especialmente en Salamanca, a orillas del Araduey, y en los encinares
de Mayorga y Villalpando, según el mismo don Juan Manuel en
el cap. IV del *Libro de la caza*».

fuese. Et desque el falcón vio yda el águila, tornó a la
garça et començó a andar muy bien con ella por la
25 matar. Et andando el falcón con la garça tornó otra vez
el águila al falcón, et el falcón començó a foýr commo
la otra vez; et el águila fuese, et tornó el falcón a la
garça. Et esto fue assí bien tres o quatro vezes: que
cada que el águila se yva, luego el falcón tornava
30 a la garça; et cada quel falcón tornava a la garça,
luego vinía el águila por le matar.

Desque el falcón vio que el águila non le quería
dexar matar la garça, dexóla, et montó sobre el águila,
et vino a ella tantas vezes feriéndola, fasta que la fizo
35 desterrar daquella tierra. Et desque la ovo desterrado,
tornó a la garça; et andando con ella muy alto, vino el
águila otra vez por lo matar. Et desque el falcón
vio que non le valía cosa que feziesse, subió otra vez

---

23. *P:* vido el águila que se fue. *M:* vido que el águila era yda.

24. *GAHM* omiten: *et començó... por la matar.*

25. *P:* Et andando assí tornó el águila et el falcón fuyó commo
ante. *M:* Et a. assý el falcón... o. vez el águila e fuese el
falcón. *H:* el falcón tras la g. tornó el á. otra v. al f. començó [*sic*].

27. *M:* Et entonçes tornóse a yr águila, et yda el á. tornó otra
vez el f. *P:* fuese otra vez et el f. tornó a la g. *GA:* el f. tornó
otra vez a la g.

28. *GA* omiten: *assí. M:* bien quatro vezes. *H* omite: *que cada
que... a la garça.*

29. *P* omite: *luego. S:* tomaba a la garça. *M:* tornava para matar la g.

30. *GAM* omiten: *et cada quel... a la garça.*

31. *P:* tornava el águila al f. por lo matar. *H:* tornava el águila.
M: por le matar el falcón.

32. *P:* el f. vido que le non quería. *H:* non le daxava matar.

33. *H:* tomó sobre.

34. *G* omite: *a ella. H:* vezes que firiéndola.

35. *GAH:* de la tierra. *M* omite: *de a. tierra. H:* Et dq. el águila
fue yda.

36. *M:* tornóse.

37. *P* omite: *otra vez. MH:* para lo (*H* la) matar.

38. *P:* que le non valía. *M:* que él non valía con ella... montó
otra vez sobre.

sobre el águila et dexóse venir a ella et diól tan grant
40 golpe quel quebrantó el ala. Et desque la vio caer, el
ala quebrantada, tornó el falcón a la garça et matóla.
Esto fizo porque tenía que la su caça non la devía dexar,
luego que fuesse desenbargado de aquella águila que
gela enbargava.

45 Et vos, sennor conde Lucanor, pues sabedes que la
vuestra caça et la vuestra onrra et todo vuestro bien
para el cuerpo et para el alma es que fagades serviçio
a Dios, et sabedes que en cosa del mundo, según el
vuestro estado, non le podedes tanto servir commo en
50 aver guerra con los moros, por ençalçar la sancta et
verdadera fe católica, conséjovos yo que luego que podades seer seguro de las otras partes, que ayades guerra
con los moros. Et en esto faredes muchos bienes: lo
primero, faredes serviçio a Dios; lo ál, faredes vuestra
55 onrra et bivredes en vuestro offiçio et vuestro mester,
et non estaredes comiendo el pan de balde, que es una
cosa que non paresçe bien a ningund grand sennor; ca

---

39. *H:* dexóse venir atan bravamente. *P:* et diól un golpe q.
    G: e dile un g.
40. *S: colpe* (*vid.* 12.62). *H:* le quebró. *S:* ella vino caer. *H:*
    vio quebrada el ala. *M:* el águila vio su ala quebrada, apar-
    tóse. *P:* Et desquel águila cayó a tierra, el ala quebrada.
41. *A:* tornóse el f. *H:* el f. al águila. *M:* el f. tornó.
42. *GA:* porque la su caça non la devía dexar. *M:* fizo el falcón.
    H: la su caça non la su caça non la devía et dexó [*sic*].
43. *P:* luego que fue. *M:* después que se viesse desenbargada
    de a. á. que assý le enbargava la garça. *P* omite: *aquella.*
44. *GA:* gelo e.
48. *M:* et ya sabedes que según el vuestro estado que vos tene-
    des que non ay cosa en el mundo.
50. *P* omite: *sancta et verdadera. H:* la santa fe católica et ver-
    dadera.
51. *PH:* conséjovos que. *HM:* que podiendo ser.
52. *P:* seguro de las otorgar, para que ayades.
54. *S:* serviçio de Dios. *M:* mucho s. a Dios. *P:* lo ál será v. o.
    M: lo segundo.
55. *GH:* obraredes. *A:* cobraredes. *GA:* v. oficio de vuestro me-
    nester. *MH:* de v. o. et de v. menester. En este pasaje adopto
    la forma de *S: mester*, porque tiene el significado de *oficio,
    ocupación* (*vid.* P.54).
57. *P:* a grand sennor. *M:* a n. sennor grande; ca los grandes s.

los sennores, quando estades sin ningún grand mester,
non preçiades las gentes tanto commo devedes, nin faze-
60   des por ellos todo lo que devíades fazer, et echádesvos
a otras cosas que serían a las vezes muy bien de las
escusar. Et pues a los sennores vos es bueno et provechoso aver algunt mester, çierto sed que de los meste-
res non podedes aver ninguno tan bueno et tan onrrado
65   et tan a pro del alma et del cuerpo, et tan sin danno,
commo la guerra de los moros. Et si quier, parat mientes
al exemplo terçero que vos dixe en este libro, del salto
que fizo el rrey Richalte de Inglaterra, et quánto ganó
por él; et pensat en vuestro coraçón que avedes a morir
70   et que avedes fecho en vuestra vida muchos pesares
a Dios, et que Dios es derechero [263] et de grand justiçia,
et que non podedes fincar sin pena de los males que

---

58.   *SH:* sin ningund m. *GA:* sin aver gran m. *M:* syn algúnt m.
59.   *PHM:* tanto las gentes (*M:* a las g.). *H* omite: *commo devedes.*
60.   *PM* omiten: *todo. M:* devríades fazer.
61.   *GA:* a las vezes bien. *H:* muy bien a las vezes. *P:* a las v.
serían buenas para escusar. *M:* muy buenas. Omite: *de las
escusar.* Et p. a los omnes es b.
62.   *P:* a los s. et a vos es bueno et p. aver m. *S:* aprovechoso.
63.   *SGAM:* çierto es. *H* tiene una variante especial. «Et pues
a los sennores es muy bueno, et provechoso a los otros
omnes de buena guisa, cada uno en su estado, et non
estar de vagar quanto pudiere et buscar en esto de qué
biva honestamente et a su honrra, guardándose de fazer
et dezir cosas que non estén bien a Dios et al mundo;
ca la pereza et grant folgura nunca fizo buen fecho. Et
aunque algunas cosas nos vos sean assý como vos quisierdes luego sed çierto que si vos o otro que buscare otra
baraja en este mundo por bien bevir guardando serviçio
de Dios et bondad que a la lengua [*sic*] Dios nuestro Sen
nor le dará gualardón et bueno.
66.   *P:* Et si quisiéredes parar.
68.   *M:* ganó por su buen esfuerço.
70.   *P:* fecho pesares a Dios en vuestra vida.
71.   *P* omite: *derechero. M:* a Dios que es derechero. *S:* dere-
churero et de grand iustiçia, que non podedes salir s. p.
72.   *A:* sin gran pena.

---

[263] *derechero:* recto, justo; *Mil.* 90*c; Apol.* 11*d,* 257*a; FnGz.*
30*a; LBA* 1701*b.*

avedes fecho. Pues ved si sodes de buena ventura en
fallar carrera por que en un punto podades aver perdón
75 de todos vuestros pecados; ca si en la guerra de los
moros muriéredes estando en verdadera penitençia, sodes mártir et muy bien aventurado. Et aunque por armas
non murades, las buenas obras et la buena entençión
vos salvará.

80   El conde tovo éste por buen consejo et puso en su
coraçón de lo fazer, et rrogó a Dios que gelo guisasse
commo Él sabe que lo desea.

Et entendiendo don Johan que este exemplo era muy
bueno, fízolo escrevir en este libro, et fizo estos versos
85 que dizen assí:

Si Dios te guisare de aver segurança,
punna de ganar la conplida bien andança.

Exemplo XXXIV
De lo que contesçió a un çiego con otro [264]

Otra vez fablava el conde Lucanor con Patronio, su
consejero, en esta guisa:

73. *M:* avedes fecho en este mundo. *P:* pues vedes si sodes. *M:* pues, sennor, ved.
74. *S:* para que en un punto. *P:* c. en un punto por que podades.
75. *S:* ca si en la guerra morides.
77. *P:* martil et bien aventurado.
80. *SGA:* por buen exemplo. *M:* por muy b. e. et consejo.
81. *S:* que gelo guise. *M* omite: *et rrogó a Dios... que lo desea.*
82. *GA:* como él sabía que lo él desseava. *M:* de lo fazer ansý.
86. *S:* sigurança.
87. *GAHM:* buena andança. *A:* pugna cumplida ganar b. a. *HM:* pugna en guardar la c.b.a. *P:* trabaja en aver buena andança.

S: un çiego que adestrava a otro. *P:* a dos çiegos que guiava uno a otro.

[264] Se basa en las palabras de Jesús: «Si un ciego guía a otro ciego, ambos caen en la fosa» (Mat. XV,14 y Lucas VI,39). «En don Juan Manuel uno de los ciegos ha perdido la vista reciente-mente y no tiene más remedio que convertirse en pordiosero a

—Patronio, un mi pariente et amigo, de quien yo
fío mucho et so çierto que me ama verdaderamente, me
5 conseja que vaya a un logar de que me rreçelo yo mucho. Et dízeme él que non aya rreçelo ninguno; que
ante tomaría él la muerte que yo tome ningund danno.
Et agora rruégovos que me consejedes en esto.

Sennor conde Lucanor —dixo Patronio—, para este
10 consejo mucho querría que sopiéssedes lo que contesçió a un çiego con otro.

Et el conde le preguntó cómmo fuera aquello.

—Sennor conde —dixo Patronio—, un omne morava
en una villa et perdió la vista de los ojos et fue çiego.
15 Et estando assí çiego et pobre, vino a él otro çiego que
morava en aquella villa, et díxol que fuessen amos a

---

3. *S:* un mío pariente. *A:* un pariente. *HM:* yo mucho fío.
5. *P:* et consejóme. *H:* conséjame. *M:* me yo rreçelo mucho.
   H: me rreçelo mucho.
6. *S:* Et él dize que me non aya. *GAH:* e dízeme que non.
   M: Et díxome que yo que non aya. *SGAH* omiten: *ninguno.*
   Sigo *P*, ya que contiene todos los elementos desplazados en
   los otros mss.
7. *S:* tomaría él muerte. *M:* rreçibiría él la m. q. yo rreçibies-
   se n. d. *P:* la muerte que yo danno ninguno. *GAH:* tomasse
   ningún danno.
9. *M:* para saber en este consejo cómmo avedes de fazer.
10. *P:* querría mucho. *A:* mucho querría para este consejo. *M:*
    lo q. acaesçió.
11. *H* omite: *con otro.*
12. *PM:* le rrogó quel dixiesse.
13. *M:* un omne bueno. *G:* ynorava [*sic*] en una villa.
14. *M:* plogo a Dios que perdió la vista e fue çiego. *P:* la vista
    et fue çiego et pobre. *H:* de los ojos et era çiego.
15. *P* omite: *Et estando a. ç. et pobre. H:* vino otro omne çiego.
16. *P:* en aquel lugar.

---

causa de su nueva tara; un detalle muy de la sociedad de entonces. Como ya ha andado el camino y sabe de antemano los peligros que le acechan, se muestra más insensato al ceder a las
promesas de seguridad que le ofrece el compañero. Con todo esto
está recalcando la situación del conde, quien perfectamente conoce lo que le espera»; R. Ayerbe-Chaux (1972), p. 47.

otra villa çerca daquella et que pedirían por Dios et que avrían de qué se mantener et governar.

Et aquel çiego le dixo que sabía que en aquel ca-
20 mino de aquella villa que avía pozos et varrancos et muy fuertes passadas; et que se rreçelava mucho daquella yda.

Et el otro çiego le dixo que non oviesse rreçelo, ca él se yría con él et lo pornía en salvo. Et tanto le asse-
25 guró et tantas proes [265] le mostró en la yda, que el çiego creyó al otro çiego; et fuéronse.

Et desque llegaron a los lugares fuertes et peligro-

---

17. *P:* una villa. *H:* villa que él sabía çerca. *GHA:* que (*G* do) ellos moravan. *M:* q. sy le ploguiese que sería bueno que fuessen amos a dos conpanneros e que fuessen amos a lugar que era de allí muy açerca. *P:* et pedirían por Dios et governarse yen. *H:* que podría ý aver quien les diesse más limosna que no en aquello [*sic*] que se podría bien m. et g. *GA:* por amor de Dios e avrían en qué.

18. *M:* avrían bien.

19. *P:* Et el otro le dixo. *S:* q. sabía aquel camino. *GA:* dixo que en aquel c. *H:* dixo que aquel camino que él dezía que era bien de yr allá, mas quél sabía que era muy trabajoso ca él lo avía andado quando avía la vista.

20. *MP* omiten: *de aquella villa. S:* q. a. ý pozos. *A:* passos. *M:* q. a. por allí muchos pozos. *P:* avía pozos et fylos et v. *H:* et v. et muy fuertes pozos et q. rr. mucho de yr allá.

23. *S:* Et el çiego. *P:* Et el otro le dixo que non rreçelasse quél le pornía en salvo. *M:* rreçelo ninguno que él yría c. él e lo serviría e lo p. *GA:* que él yría. *H:* oviesse miedo nin rreçelo que él sabía muy bien el camino et que él lo guardaría et lo pornía en salvo et que antes tomaría él la muerte que él peligrasse.

24. *H:* et tantos fechos fizo que les vernía por aquella yda.

25. *M:* tanto pres. *H* omite: *que el çiego... et fuéronse.*

26. *P:* que creó el uno al otro. *GA:* fuéronse amos (*A* ambos). *M:* fuéronse su camino.

27. *H:* Et dq. llegó. *M:* allegaron.

---

[265] *proes:* plural de *pro:* provecho, ventaja. En *Ali.* 310c (O) se encuentra *proe;* en *PMC* 2847 se usa *pros:* excelentes; en las *Siete partidas* se lee: «los bienes e los proes» (IV, 1.°, 12.ª) y «otros proes» (II, 23.°, 23.ª).

sos cayó el çiego que guiava al otro, et non dexó por
esso de caer el çiego que rreçelava el camino.

30   Et vos, sennor conde, si rreçelo avedes con rrazón
et el fecho es peligroso, non vos metades en peligro
por lo que vuestro pariente et amigo vos dize, que
ante morrá que vos tomedes danno; ca muy poco vos
aprovecharía a vos quél muriesse et vos tomássedes
35 danno et muriéssedes.

Et el conde tovo éste por buen consejo et fízolo assí
et fallóse ende bien.

Et entendiendo don Johan que este exemplo era
bueno, fízolo escrevir en este libro, et fizo estos versos
40 que dizen assí:

> Nunca te metas do ayas mal andança
> aunque tu amigo te faga segurança.

Exemplo XXXV

De lo que contesçió a un mançebo que casó
con una muger muy fuerte et muy brava [266]

Otra vez fablava el conde Lucanor con Patronio, et
díxole:

---

28. *P:* cayó en un pozo el que guiava et después el que se rreçelava. *H:* et por eso non dexó de caer. *G:* non dexó de caer
por esso el otro çiego.
29. *A:* recelava por ello.
31. *P:* metades en peligros. *GAH:* en camino de peligro. *M:* non
vos pongades en peligros... pariente e vuestro amigo.
33. *G:* antes morría. *A:* a. moriría. *M:* morrá él. *P:* morría él
q. v. tomássedes d. *H:* tomedes enojo.
34. *P* omite: *a vos. M:* quél muriesse e vos otrosí con él.
41. *SG:* ó (*G* do) puedas aver. *HM:* a do puedas aver mala a.
42. *S:* aunque amigo. *M:* aunque el tu caro amigo te faga grant s.

GA: m. el día que se casó. *H:* c. al fijo del omne bueno con la
moça brava. *P:* contesçió a un moço que casó con una
muger moça que era muy brava et cómmo la sopo él aman-
sar. Como el título no se halla en el enunciado de Patronio,
sigo el de *S* añadiendo la palabra *muger*.

---

[266] Existen relatos, tanto europeos como orientales, anteriores
a don Juan Manuel. *Vid.* R. Ayerbe-Chaux (1975), pp. 309-319; sobre

—Patronio, un mi criado me dixo quel traýan cassamiento con una muger muy rrica et aún que es más
5 onrrada que él; et que es el cassamiento muy bueno para él, sinon por un enbargo que ý ha, et el enbargo es éste: díxome quel dixeran que aquella muger que era la más fuerte et la más brava cosa del mundo. Et agora rruégovos que me consejedes si le mandaré que
10 case con aquella muger, pues sabe de quál manera es, o sil mandaré que lo non faga.

—Sennor conde —dixo Patronio—, si él fuere tal commo fue un fijo de un omne bueno que era moro, consejalde que case con ella, mas si non fuere tal, non
15 gelo consejedes.

El conde le rrogó quel dixiesse cómmo fuera aquello.

---

3. *S:* un mío criado.
4. *P:* rr. et más onrrada. *H:* et aún más honrrada. *M:* et que es más o.
5. *PH:* que non él.
6. *P* omite: *por un enbargo... quel dixeran. H:* q. ý avía. *M:* q. allý ay.
7. *A:* que le dixeron. *H* omite: *quel dixeran.*
8. *H:* es la más. *P:* es la m. b. et la m. f. muger del mundo. *M:* cosa de todo el mundo. Et porque yo sé que ninguno otro non podría mejor consejarme, que vos, rruégovos.
9. *G:* vos ruego.
10. *P:* casar con ella. *HM:* case con ella (*M* añade: *o non*). *M:* pues que ya sabedes quál es la manera e assý le mandaré que lo faga. *P:* de quál manera es o non.
12. *P:* tal commo un fijo. *H:* si él fuera tal como fuera.
13. *H:* consejadle.
14. *P:* que se case. *Casar* no tiene la forma reflexiva ni en *PMC* 1374, etc., ni en *Apol.* 17c, 45d, etc.; *casar* y *casarse* aparecen ambos indistintamente en el *LBA.* Sigo la forma no reflexiva de la mayoría de los mss. y que usa *Estados* 68.30 y 183.22. *M:* él non f. t. consejalde que lo non faga.

---

la estructura de este *exemplo, vid.* pp. 156-160 y John England, «¿Et non el día del lodo?», p. 79. John E. Keller lo ha analizado en «A Re-examination of Don Juan Manuel's Narrative Techniques: *La mujer brava*», *Hispania,* LVIII, 1975, pp. 45-51. Como se dijo antes, D. Devoto (1972) lo trata juntamente con el exemplo XXVII, por razón de la semejanza temática, pp. 426-434.

Patronio le dixo que en una villa avía un omne bueno que avía un fijo, el mejor mançebo que podía ser, mas non era tan rrico que pudiesse conplir tantos fechos
20 nin tan grandes commo el su coraçón le dava a entender que devía conplir. Et por esto era él en grand cuydado, ca avía la voluntad et non avía el poder.

Et en aquella villa misma, avía otro omne muy más onrrado et más rrico que su padre, et avía una fija et
25 non más, et era muy contraria de aquel mançebo; ca quanto aquel mançebo avía de buenas maneras, tanto las avía aquella fija del omne bueno, de malas et rrevesadas; et por ende, omne del mundo non quería casar con aquel diablo.

30 Aquel tan buen mançebo vino un día a su padre et díxol que bien sabía que él non era tan rrico que pudiesse darle con que él pudiesse bevir a su onrra, et

---

17. *PM:* Sennor conde (*M:* Lucanor), dixo Patronio, en una v. estava (*M:* morava). *A:* avía un moro honrado.
18. *M:* que era moro e avía un (omite: *fijo*). *GA:* que en el mundo podría ser.
19. *H:* t. rr. que sopiéssedes que podía conplir. *P:* tantos nin tan grandes fechos.
20. *SH:* et tan grandes.
22. *A:* porque avía. *SG:* la buena voluntad. *M:* la voluntad buena.
23. *P:* villa era otro omne. *A:* avía otro moro. *M:* avía un omne más rrico e más onrrado que su padre. *PH:* omne que era. *P* omite: *muy*.
24. *M:* e este onbre tenía u. f. e non más la qual.
25. *H* omite: *ca q. a. mançebo.*
26. *M:* tenía de b. mannas.
27. *P* omite: *bueno. H:* buen omne. *S:* omne bueno, malas et revesadas. *M:* de muy malas e muy rr.
28. *M:* non quería omne del mundo. *PH:* casar con ella. *P* añade: *ca dezían que era diablo en sus fechos.*
30. *P:* Et aquel mançebo vino. *H:* Et aquel tan buen omne quería casar con aquel diablo. Un día a su padre [*sic*] et díxole que él bien sabía.
31. *M:* que le pudiesse dar con qué pudiesse vivir.
32. *P:* darle con quél biviesse.

que, pues le convenía fazer vida menguada [267] et lazdrada, o yrse de aquella tierra; que si él por bien toviesse, que
35 le paresçía mejor seso de catar algún cassamiento con que pudiesse aver alguna passada [268]. Et el padre le dixo quel plazía ende mucho si pudiesse fallar para él cassamiento quel cunpliesse.

Entonçe le dixo el fijo que, si él quisiesse, que
40 podría guisar que aquel omne bueno que avía aquella fija, que gela diesse para él. Quando el padre esto oyó, fue muy marabillado, et díxol que cómmo cuydava en tal cosa: que non avía omne que la conosçiesse que, por pobre que fuesse, quisiesse casar con ella. El fijo
45 le dixo quel pidía por merçed que guisasse aquel cassamiento. Et tanto le afincó que, commo quier quel padre lo tovo por estranno, que gelo otorgó.

Et fuese luego para aquel omne bueno, et amos eran mucho amigos, et díxol todo lo que passara con su fijo
50 et rrogól que, pues su fijo se atrevía a casar con su

---

33. *SH:* le convinía a fazer. *H:* vida lazrada et menguada.
35. *H:* que era mejor seso.
36. *P:* El padre rrespondió.
37. *M:* rrespondió. *H:* que le plazería. *GAH:* fallar casamiento que. *M:* fallar algunt c. *P:* catar cassamiento alguno.
39. *PH* omiten: *el fijo.*
40. *P:* podría fazer. *HM:* que tenía a. fija.
41. *M:* para él por muger.
42. *GA:* mucho maravillado. *H:* quedó mucho m. *M:* maravillóse ende mucho.
44. *H:* casar con ella quisiesse.
45. *P:* díxol. *M:* le rrespondió. *P:* que gelo guisasse. *M:* que él trabajasse por aver aquel casamiento.
46. *S:* lo afincó.
47. *M:* gelo tovo por mucho estranno que gelo ovo de otorgar.
48. *P:* Et luego fuesse para el otro et amos eran muchos amigos.
49. *M:* et fabló con él e díxole... e rrogóle mucho.
50. *H:* que pues él quería casar... ploguiesse de gela dar.

---

[267] *menguada:* necesitada, pobre. *PMC* 134, 2194, 2470, 2494; *Apol.* 66*ab*, 101*a*, 114*b*, 542*c*; *FnGz.* 439; *LBA* 820*b*, 1433*b*, 1593*c*.

[268] *passada:* recursos. Dice Corominas (p. 608) en su nota al verso 1711*b* del *LBA:* «sea en el sentido de modo de pasar la vida, recursos para pasarla». Quizá tenga este mismo sentido en 962*d*.

fija, quel ploguiesse et que gela diesse para él. Quando
el omne bueno esto oyó âquel [269] su amigo, díxole:

—Por Dios, amigo, si yo tal cosa fiziesse seervos ýa
muy falso amigo, ca vos tenedes muy buen fijo, et ter-
55 nía que fazía muy grand maldat si yo consintiesse su
mal et su muerte; ca so çierto que, si con mi fija casasse, que o sería muerto o le valdría más la muerte
que la vida. Et non entendades que vos digo esto por
non conplir vuestro talante, ca si la quisiéredes, a mí
60 mucho me plaze de la dar a vuestro fijo, o a quienquier
que me la saque de casa.

Et aquel su amigo díxole quel gradesçía mucho quanto le dizía, et que pues su fijo quería aquel casamiento,
quel rrogava quel ploguiesse.

65 El casamiento se fizo, et levaron la novia a casa de
su marido. Et los moros an por costunbre que adovan
de çenar a los novios et pónenles la mesa et déxanlos

---

51. *M:* que le ploguiesse dello et que. *P* omite: *para él.*
52. *M:* rrespondióle e díxole. *P:* Et el otro rrespondió: Si fiziesse yo tal cosa, sería falso amigo ca v. t. buen fijo, et
faría mal.
54. *SHM:* ca vos avedes.
55. *G:* que vos yo. *A:* que yo vos. *GA:* gran falsedad.
56. *SM:* su mal nin su m. *H:* su maldad et su m. *SHM:* et so
(*M:* soy) çierto. *H:* si con ella casasse.
59. *H:* cunplir vuestra voluntad. *M:* ca sy la queredes. *H:* a mí
plaze. *GA:* a mí bien me plaze.
60. *M:* de la dar a vos o a qq. *GA:* o a otro que. *H:* o a quien
me livrare desta mala cosa.
61. *M:* la saque de mi casa.
62. *S:* Al su amigo le dixo quel g. *GA:* agradecía mucho esto
que le d. *H:* que le plazía mucho quanto le dezía et gelo
gradesçía. *M:* mucho todo quanto.
63. *P:* su fijo la quería. *G:* e que la rogava q. pues su f. q. a.
casamiento, que a él le pluguiese.
64. *M:* ploguiesse de lo assy fazer.
65. *P:* Et assý fízose el cassamiento. *M:* fue fecho luego e
llevaron. *H:* a casa de su padre.
66. *SG:* adovan de cena. *P:* adoban de comer. *M:* que fazen adobar de çenar.
67. *S:* et pones [*sic*].

---

[269] *âquel. Vid.* nota 55.

en su casa fasta otro día. Et fiziéronlo assí aquéllos;
pero estavan los padres et las madres et parientes
70 del novio et de la novia con grand reçelo, cuydando que
otro día fallarían el novio muerto o muy maltrecho.

Luego que ellos fincaron solos en casa, assentáronse
a la mesa, et ante que uviasse²⁷⁰ a dezir cosa, cató el
novio en derredor de la mesa, et vio un perro et díxol
75 yaquanto bravamente:

—¡Perro, danos agua a las manos!

Et el perro non lo fizo. Et él començóse a ensannar
et díxol más bravamente que les diesse agua a las manos. Et el perro non lo fizo. Et desque vio que lo non
80 fazía, levantóse muy sannudo de la mesa et metió mano

---

68. *M* omite: *fasta otro día. S:* aquellos assí. *GM:* así a aquellos (*M* añade: *novios*).
69. *P:* el padre et la madre. Omite: *et de la novia. M* omite: *et parientes... de la novia.*
71. *M:* muerto e muy maltrecho. *P:* lo fallaryan muerto o fe- rido. Et en punto que los dexaron.
72. *M* omite: *Luego que... a la mesa.*
73. *P:* que dixiessen cosa. *G:* hayase a dezir. *A:* huyase. *H:* oviese dezir. *M:* començase a dezir.
74. *GAH:* et vio un su alano. *M:* e vido un alano que estava allí asentado. *H:* et dixo al alano.
75. *P* omite: *yaquanto. S:* buenamente. *M:* puenamente [*sic*].
76. *GAM:* Alano, danos.
77. *GAHM:* e el alano. *S:* Et encomençósse... más buenamente. *M:* Et el mançebo començó a ensannarse con él. *P* omite: *Et començóse... non lo fizo. M* omite: *Et el perro non lo fizo.*
79. El texto de *P* es tan distinto que lo transcribo de seguida: «Et desque vio que lo non fazía, levantóse a él, el espada sacada en la mano; et desque lo vio el perro, començó a foyr et corrió en pos dél por le matar por todos los luga- res, fasta que lo alcançó et le cortó la cabeça et las pier- nas et los braços, et lo fizo pedaços et ensangrientó toda el espada, et assí se asentó a la mesa.»
80. *H:* muy sannudamente.

---

²⁷⁰ *uviasse:* llegase. *PMC* 3319; *Sm.* 416; *Apol.* 386a; *LBA* 232d, 278a. *Vid.* R. Menéndez Pidal, *Cantar*, p. 902,25.

a la espada et endereçó al perro. Quando el perro lo vio venir contra sí, començó a foýr, et él en pos él, saltando amos por la ropa et por la mesa et por el fuego, et tanto andudo en pos él fasta que lo alcançó,
85 et cortól la cabeça et las piernas et los braços, et fízolo todo pedaços, et ensangrentó toda la casa et toda la mesa et la ropa.

Et assí, muy sannudo et todo ensangrentado, tornóse a sentar a la mesa et cató en derredor, et vio un
90 gato et díxol quel diesse agua a las manos; et porque non lo fizo, díxol:

—¡Cómmo, don falso traydor! ¿Non viste lo que fiz al perro porque non quiso fazer lo quel mandé yo? Prometo a Dios que, si poco nin más conmigo
95 porfías, que esso mismo faré a ti que al perro.

81. *M:* e endereçó contra el alano. *GA:* al alano. *GA:* Q. el alano. *M:* El alano quando le vido.
82. *GAHPM:* et él en pos dél (*vid.* 12.68). *M:* e el novio en pos dél.
83. *M:* rropa e por la cama e por la mesa; et ansý muy sannudo tanto andudo.
84. *S:* andido. *GA:* anduvo.
85. *M:* e le cortó la cabeça e fýzolo todo pieças.
86. *GAH:* todo pieças. *Fazer pedaços* está en el *LBA* 1406*d*. *GA:* la casa e la ropa e la mesa. *H:* la mesa et la rropa. *M:* la rr. e la casa e la mesa.
88. *A* omite: *et todo ensangrentado. G* omite: *todo. M:* sangriento.
89. *H:* a derredor. *GA:* al derredor e vio un blanchete. *M:* a derredor de sý e vio un blanchete pequenno e muy fermoso que tenía la novia en su rregaço.
90. *A:* e mandó. *GHM:* e mandóle. *GH:* que les diese del agua. *S:* agua a manos.
92. *P:* ¡Falso! *H* omite: *Cómmo. S:* vistes lo q.
93. *GAHM:* al alano. *P* omite: *pq. non quiso... p. a Dios que. M:* no fizo lo que le m. *H:* lo que le yo mandé.
94. *M:* juro a Dios. *A* omite: *a Dios. GAM:* si un punto más. *H:* sy punto nin más. *P:* si un poco me porfías, aun eso faré en ti.
95. *H:* eso mesmo faga. *GAH:* que al alano. *M:* faré a ti. *PM* omiten: *q. al perro.*

El gato non lo fizo, ca tanpoco es su costunbre de dar agua a las manos, commo del perro. Et porque non lo fizo, levantóse et tomólo por las piernas et dio con él a la pared et fizo dél más de çient pedaços, mostrando 100 muy mayor sanna que contra el perro.

Et assí, bravo et sannudo et faziendo muy malos contenentes, tornóse a la mesa et cató a todas partes. La muger quel vio esto fazer, tovo que estava loco o fuera de seso, et non dizía nada.

105 Et desque ovo catado a cada parte, vio un su caballo que estava en casa, et él no avía más de aquél, et díxol bravamente que les diesse agua a las manos. Et el caballo non lo fizo. Desque vio que lo non fizo, díxol:

—¿Cómmo, don caballo! ¿Cuydades que porque non 110 he otro caballo, que por esso vos dexaré si non fizierdes

---

96. *GAHM* omiten: *El gato... commo del perro. P:* El g. non se levantó a lo fazer que non es su naturaleza commo del perro. Et luego levantóse a él.

97. *M* omite: *et porque non lo f. levantóse.*

99. *H:* a las paredes. *P:* en la pared et despedaçólo. *HM:* çient pieças. *S:* et mostrándol. *M:* demostrando.

100. *P:* mayor s. que ante (Omite: *contra el perro*). *H:* m. mayor s. que la que ovo con. *GAHM:* el alano.

101. *P:* Et sannudo tornóse a la mesa. *M:* ansý faziendo el bravo e sannudo. *H:* assý sannudo et muy malo et f. m. buenos continentes.

102. *GA:* t. a sentar a la m. *M:* Et quando la m. le v. f. todo esto tovo que era loco. *P:* Et la muger pensó que estava loco.

105. *M:* Et dq. el novio. *GA:* a toda parte. *M:* a una parte e a otra... caballo que estava comiendo en su pesebre. *P* omite: *Et dq. o. c. a c. parte. P:* Et vio un caballo, que non avía otro sinon aquél, et díxol: «Danos agua a las manos».

106. *M:* e el novio non tenía más de a. caballo; aquél era todo lo mejor que él tenía. *H:* avía nada más de aquél.

107. *S:* díxol muy buenamente.

108. *PHM* omite: *Dq. vio q. lo non fizo. P:* et luego díxole. *H:* dixo.

109. *P:* Cuydades don cavallo que porque non he otro dexaré de vos matar. (Omite: *Cómmo d. c.*).

110. *M:* tengo o. c. synon a vos que dexaré de vos matar. *P* omite: *si non fizierdes lo q. yo v. m.*

lo que yo vos mandare? Desso vos guardat, que si por
vuestra mala ventura non fizierdes lo que yo vos mandare, yo juro a Dios que tan mala muerte vos dé commo
a los otros; et non á cosa viva en el mundo que non
115 faga lo que yo mandare, que esso mismo non le faga.

El cavallo estudo quedo. Et desque vio que non fazía
su mandado, fue a él et cortól la cabeça et con la mayor
sanna que podía mostrar, depedaçólo todo.

Quando la muger vio que matava el cavallo non avien-
120 do otro et que dizía que esto faría a quiquier que su
mandado non cunpliesse, tovo que esto ya non se fazía
por juego; et ovo tan grand miedo que non sabía si
era muerta o biva.

Et él assí, bravo et sannudo et ensangrentado, tor-
125 nóse a la mesa, jurando que si mil cavallos et omnes
et mugeres oviesse en casa, quel saliessen de mandado,

---

111. *S:* Dessa. *GA* omiten: *Desso vos g... juro a Dios. HM* omite: *Desso vos g... yo vos mandare. P* omite: *que si por...
yo vos mandare.*

113. *H:* yo le rruego a Dios. *M:* que yo j. a D. *P:* sinon juro
a Dios. *GA:* vos daré.

114. *P* añade: a los otros, *si non fiziéredes lo que yo vos mandare.*

115. *GA:* le non faga. *P:* que non lo mate. Et desque non lo fizo
levantóse a él con mayor sanna et cortól la cabeça et despedaçólo.

116. *G:* E el cavallo esvo [*sic*]. *M* omite: *El cavallo e. quedo.
M:* Et quando el novio vio.

118. *H:* sanna que tenía, mostró [*sic*]. *GA:* despedaçávalo todo.

119. *P:* Et desque la muger v.q.m. el cavallo sin culpa. *GAH:*
matara el c. *M:* e que él non tenía otro.

120. *H:* et que eso mesmo faría. *GAH:* a qualquier cosa (*H* cosa
viva). *M:* a qualquier persona. *P:* eso faría a toda cosa que
non fiziesse su mandado, tovo que non se fazía jugando.

121. *GAH:* m. non fiziesse.

122. *H:* que non sopo si estava muerta nin viva.

123. *M:* muerta nin sy viva.

124. *P:* Et todo ensangrentado assentóse. *M:* ensangrentado todo.

126. *PM:* toviesse. *PHM* omiten: *en casa. M:* que le falleçiessen
del mandado. *P:* que eso mesmo les faría si le saliessen de
su mandado.

que todos serían muertos. Et assentóse et cató a toda parte, teniendo el espada sangrienta en el rregaço; et desque cató a una parte et a otra et non vio cosa viva,

130　bolvió los ojos contra su muger muy bravamente et díxol con grand sanna, teniendo la espada en la mano:

—Levantadvos et datme agua a las manos.

Et la muger, que non esperava otra cosa sinon que la despedaçaría toda, levantóse muy apriessa et diol

135　agua a las manos. Et díxole él:

—¡Ah! ¡Cómmo gradesco a Dios porque fezistes lo que vos mandé, ca de otra guisa, por el pesar que estos locos me fizieron, esso oviera fecho a vos que a ellos!

140　　Et después mandól quel diesse de comer; et ella fízolo. Et cada quel dezía alguna cosa, tan bravamente gela dezía, que ya cuydava que la cabeça era cortada.

---

127. *M:* Et asentóse a la mesa. *P* omite: *Et assentóse... a toda parte.* *S:* a cada parte.

128. *M:* sangrienta fuera de la vayna. *P:* el rregaço; et non vio en derredor cosa biva, bolvió contra su muger.

130. *S:* muy buenamente.

131. *GA:* la espada sacada en la mano. *M:* la espada alta. *P* omite: *teniendo... en la mano.*

132. *P:* Danos del agua a las manos. *M:* Levantadvos apresa.

133. *M:* synon quando la mataría e después la despedaçaría. *P:* s. q. la descabeçaría.

134. *M:* mucho ayna. *PM:* et diol del agua. *H:* Et diole porque gela avía dado [*sic*].

135. *M:* Et él díxole commo en sanna.

136. *M:* gradeçed a Dios. *P:* a Dios mucho. *S:* fiziestes. En el *LBA*, para la 2.ª pers. sing. del pret. perf., sólo se encuentra: *feziste* (233*a*, 1555*b*), *fezistes* (784*d*, 1346*c*).

138. *P* omite: *locos.* *H:* estos locos vos fizieron. *M:* esso mesmo oviera. *PH:* esso fiziera.

141. *H:* Et cada cosa que le dezía, bravamente gela dezía. *SM:* tan buenamente. *A* omite: *Et cada quel... gela dezía.* *S:* et el tal son. *G:* e en tal son. *H:* et de tal son. *M:* et con tal son. *A:* e con tal son se lo dezía. Estas variantes dan lugar para dudar de su legitimidad: sigo el texto más sobrio de *P.*

142. *SGH:* era yda del polvo. *A:* por el polvo. *M:* cuydava cada vez que le cortaría la cabeça.

Assí passó el fecho entrellos aquella noche, que nunca ella fabló, mas fazía lo quél mandava. Et desque
145 ovieron dormido una pieça, díxol él:

—Con esta sanna que ove esta noche non pude bien dormir. Catad que non me despierte cras[271] ninguno; et tenedme bien adobado de comer.

Quando fue grand mannana, los padres et las madres
150 et parientes llegaron a la puerta; et porque non fablava ninguno, cuydaron que el novio estava muerto o ferido. Et desque vieron por entre las puertas a la novia et non al novio, cuydáronlo más. Quando ella los vio a la puerta, llegó muy passo et con grand miedo, et comen-
155 çóles a dezir:

—¡Locos, traydores! ¿Qué fazedes et cómmo osades llegar a la puerta nin fablar? ¡Callad! Sinon tanbién vós commo yo, todos somos muertos.

---

143. *P:* et assí passaron aquella noche.
144. *P:* sinon fazer. *M:* mas fazía luego. *H:* lo que él quería. *GAM:* todo lo que él le. *S:* quel mandavan. *M:* Et acostáronse a dormir e dq.
145. *H:* ovo dormido. *M:* díxole el novio.
146. *P* omite: *que ove esta noche. GAH:* non puedo.
147. *P:* et catad que cras non me despierte nadie et adobad bien de comer. *M:* catad, fazed de guisa... despierte mannana ninguno.
149. *H:* fue de mannana. *P* omite: *los padres et las madres.*
150. *GA:* allegáronse. *P* (variante especial): «et desque vieron que non fablava nadie, pensaron quel novio era muerto; et desque vieron a ella, non a él, cuydaron más. Et quando los vio a la puerta llegar, llegó muy quedo et díxoles». *H:* non fablara ninguno.
152. *M:* a la novia e non al n. por entre las puertas. *H:* et non vieron al novio.
153. *S:* cuydáronlos más. *M:* tovieron que era ansý. *GA:* quando la novia. *H:* los ella vio... llegó muy quedo.
156. *GAH* omite: *Locos. M:* fazedes ay.
157. *M:* allegar e fablar. *H:* nin fablad [*sic*]. *S:* sinon todos. *H:* sinon todos vosotros et yo con vosotros. *M:* et sy non vos tirades dende todos vosotros e tanbién vos commo yo.

---

[271] *cras:* mañana; *PMC* 1686, 3465; *Mil.* 484*b*; *Ali.* 1231*c* (P); *FnGz.* 480*c*; *LBA:* 186*b*, 397*b*, 507*d* (y veinte veces más); *Estados* 167,24.

Et quando todos esto oyeron, fueron marabillados,
160   et desque sopieron cómmo passaran en uno, presçiaron
mucho al mançebo porque assí supiera fazer lo quel
cunplía et castigar[272] tan bien su casa. Et daquel día
adelante, fue aquella su muger muy bien mandada et
ovieron muy buena vida.

165   Et dende a pocos días, su suegro quiso fazer assí
commo fiziera su yerno; et por aquella manera mató
un gallo. Et díxol su muger:

—A la fe, don fulán, tarde vos acordastes ca ya non
vos valdría nada si matassedes çient cavallos: que ante
170   lo oviérades a començar, que ya bien nos conosçemos.

___

159.   *P:* Et desto fueron maravillados. *G:* todos oyeron. *H:* esto
vieron. *GAH:* muy maravillados. *M:* mucho maravillados.
160.   *H:* vieron cómmo pasavan en uno. *M:* passaron aquella noche (omite: *en uno*). *GA:* en uno aquella noche. *P:* loaron
mucho.
161.   *M:* mucho más al novio pq. sopiera f. todo lo q. le c. en
castigar atan b.
162.   *H:* sabía castigar su casa et fazer lo que a él cunplía. *P:* que
assí sopiera castigar su casa. *P* omite: *Et daquel día... muy
buena vida.*
163.   *GA:* tan bien mandada.
165.   *M:* Et después desto dende. *P:* fazer assí et desta guisa et
mató un gallo.
166.   *M* añade: su yerno, *porque era su muger muy brava.*
167.   *GA:* un cavallo. *M:* un g. con grant sanna.
168.   *P:* Halaé. El *LBA* usa *alahé* (1492*b*) y *a la fe* (309*d*) con
el sentido de «por mi fe», «ea, vamos» (Corominas), «en
verdad» (Joset). *M:* don viexodido, el nonbre mayor, viejo
malo. *GA:* vos acordades. *A* omite: *ca ya non... oviérades
a començar.*
169.   *P* omite: *nada. HM:* aunque matásedes. *P:* ciento gallos o
cien cavallos (*Vid.* 20.23).
170.   *PM:* lo deviérades començar (*M:* de c.). *MH:* vos conosçemos. *M* añade: *para quánto sodes.*

___

[272] *castigar.* Aunque su significado es «advertir», «aconsejar»,
«amonestar», «prevenir», aquí quiere decir «ordenar», «gobernar»,
que es el significado que muy probablemente tiene en el *exemplo*
de las ranas que pedían rey a Júpiter: *LBA* 200*d*.

Et vos, sennor conde, si aquel vuestro criado quiere casar con tal muger, si fuere él tal commo aquel mançebo, consejalde que case seguramente, ca él sabrá cómmo passe en su casa; mas si non fuere tal que
175 entienda lo que deve fazer et lo quel cunple, dexalde passe su ventura. Et aun conséjovos, que con todos los omnes que algo avedes a fazer, que sienpre les dedes a entender en quál manera an de passar convusco.

El conde tovo éste por buen consejo, et fízolo assí,
180 et fallóse ende bien.

Et porque don Johan lo tovo por buen exemplo, fízolo escrevir en este libro, et fizo estos versos que dizen assí:

Si al comienço non muestras quién eres,
185   nunca podrás después quando quisieres.

---

171. *P* omite: *quiere casar con tal muger. H:* que quiere casarse.
172. *M:* si él fuere tal commo el mançebo.
173. *AH:* consejadle. *H:* q. se case. *M* omite: *ca él s.c.p. en su casa. PM:* seguramente con ella. *S:* ca él sabía passa en su casa [*sic*].
174. *GA:* cómo ha de passar. *H:* cómmo castigar.
175. *P* omite: *que entienda... lo quel cunple. GA:* deve (*G* deva) f. a lo que le. *H:* dexatlo que pase. *GA:* d. (*A* dexadle) passar.
176. *GAH:* por su ventura. *S:* c. a vos que. *M:* c. yo que.
177. *H:* avedes de fazer. *GA:* oviéredes que fazer. *S:* que ovierdes fazer. *M:* con que ovierdes de fazer alguna cosa.
178. *P:* entender cómmo an de p.
184. *GAM:* Si en el comienço. *S:* quí eres. *P:* En el comienço muestra qué vida as de fazer.
185. *G:* non podrás. *A:* non podrás enpués q. lo quisieres. *P:* Que si después quisieres, non te dará poder.

Exemplo XXXVI

De lo que contesçió a un mercadero que fue a conprar sesos [273]

Un día fablava el conde Lucanor con Patronio, su consejero, estando muy sannudo por una cosa quel dixieron, que tenía él que era muy grand su desonrra. Et díxol que quería fazer sobrello tan grand cosa et
5 tan grand movimiento [274], que para sienpre fincasse por fazanna.

Quando Patronio lo vio assí sannudo tan arrebatadamente, díxol:

P: al mercader que fue mercar seso. *H:* que conprara sesos. *S:* un m. quando falló a su muger et fijo durmiendo en uno.
2. *P:* que estava muy s. *HM:* que le dixeron que tenía él.
3. *A:* que él tenía. *P:* que era grand su d.
5. *H:* movimiento nunca fincasse. *GA:* que sienpre f.
7. *M:* vio al conde assý estar mucho sannudo atan a. *GA:* rebatadamente. La misma vacilación que se encuentra en *PMC* respecto del sust. *rebata, arebata* (562 y 468, 2295), presenta

---

[273] Se pueden citar relatos paralelos de los dos motivos de este *exemplo*, pero ninguno se acerca completamente a la versión de don Juan Manuel. Los motivos de la venta de los consejos y el del incesto se combinan, se influyen mutuamente, y queda transformada así la moraleja que tenían por separado. La situación del tema del incesto es la misma de los ejemplarios: marido que se marcha y tarda en regresar; madre que, al sustituir el amor del esposo ausente por el del hijo que aquél le ha dejado al partir, cae en el incesto. Pero en don Juan Manuel, caso único, el incesto no se efectúa. *Vid.* R. Ayerbe-Chaux (1975), pp. 50-55 y 319-330; Kemlin Laurence, «*Los tres consejos:* The Persistence of Medieval Material in the Spanish Folk Tradition of Trinidad», en *Medieval Studies Presented to Rita Hamilton*, ed. Alan D. Deyermond, London, Tamesis, 1976, pp. 107-116; D. Devoto (1972), pp. 434-437.

[274] *movimiento:* conmoción, perturbación. Dice el *Libro de las armas:* «que si este casamiento se fiziesse, que les era muy grant danno et grant movimiento en su rreyno»; Giménez Soler, p. 683, par. 27.

—Sennor conde mucho querría que sopiéssedes lo que
10   contesçió a un mercadero que fue conprar sesos [275].
El conde le preguntó cómmo fuera aquello.

—Sennor conde —dixo Patronio—, en una villa morava un grand maestro que non avía otro offiçio sinon
vender sesos. Et aquel mercadero de que ya vos fablé,
15   por esto que oyó, fue un día a ver aquel maestro que
vendía sesos et díxol quel vendiesse uno daquellos sesos. Et el maestro díxol que de qué preçio lo quería,
ca segund quisiesse el seso, assí avíe de dar el preçio
por él. Et díxole el mercadero que quería seso de un
20   maravedí. Et el maestro tomó el maravedí, et díxol:

—Amigo, quando alguno vos convidare, si non sopiéredes los manjares que oviéredes a comer, fartadvos
bien del primero que vos traxieren.

---

el adj. en el *LBA: arrebatadas* (1445c), *rebatado* (550b, 297a);
pero aparece *arrebates* (562d) y *arrebatamiento* (551c).
10. *H:* c. a un día a un m. *SGA:* que fue un día conprar. *M:*
mercador. *PGA:* mercader. *Mercadero* se halla en *Mil.* 681c,
683b y *LBA* 477b y 1041a; *mercador* sólo aparece una vez:
514d.
11. *P:* le rrogó. *M:* le dixo: —Patronio, rruégovos que me digades
c. fue esso.
12. *H:* morava un maestro. *P:* avía un g. m. *M:* en una buena
villa m. un g. m., e non tenía otro.
13. *SGH:* otro o. nin otro mester (*GH:* menester).
15. *P:* Et desque esto oyó el mercader. *H:* desque los falló por
esto que oyó. *S:* un día fue veer. *H:* vio un día aquel m.
P omite: *que vendía sesos.*
16. *GA:* v. un seso.
17. *SH:* de quál preçio. *GA:* dixo que le plazía, mas que le dixesse.
18. *M:* et que segunt quería. *S:* que assí avía. *GAHM:* avía de
pagar.
19. *P:* et el mercader díxol. *H:* este mercadero. *M:* que quería
que le diesse seso que costasse.
21. *P:* vos conbidare alguno. *M:* algunos vos convidaren. *P:* si
n. sopiéssedes.
22. *P:* avedes a comer... que vos dieren.

---

[275] *sesos:* consejos, proverbios, dichos; *LBA* 571d, 906a. *Vid.*
nota 190.

El mercadero le dixo que non le avía dicho muy
25 grand seso. Et el maestro le dixo que él non le diera
preçio que deviesse dar grand seso. El mercadero le
dixo quel diesse seso que valiesse una dobla, et diógela. Et el maestro le dixo que quando fuesse muy
sannudo et quisiesse fazer alguna cosa arrebatadamen-
30 te, que se non quexasse²⁷⁶ nin se arrebatasse fasta que
sopiesse toda la verdat.

El mercadero tovo que aprendiendo tales fabliellas
podría perder quantas doblas traýa, et non quiso conprar más sesos; pero tovo este seso en el coraçón.
35 Et acaesçió que el mercadero fue sobre mar a una

---

24. *GA:* avía dado. *M:* dicho en aquello. *P:* Et el m. díxol quel
non avía dicho grand seso. Et dixo el maestro que non avía
dado preçio por que gelo oviesse a dar mayor.
25. *H* (variante especial): «Et el mercadero dixo que le diese
seso que valiese cient maravedís. Et el maestro dixo que se
asentase en tal lugar que non le dixiese otro ninguno que
se levantase dende. Et el mercadero le dixo que le diese seso
de çiento et diez maravedís. Et el maestro le dixo que nunca
se asentase a consejo sy non fuese llamado. Et el mercadero
le dixo que le diese una dobla [*sic*]. Et diógela luego.» *GA:*
que le non diera. *M:* q. non le diera. *H* omite: *Et el maestro... dar grant seso.*
26. *GA:* por que le deviesse. *M:* por que él le deviera.
27. *M:* que le vendiesse un s. que le valiesse u. d. e el mercadero diógela. *GA:* seso de una dobla.
28. *P:* díxol que. *PH* omiten: *muy.*
29. *H* omite: *arrebatadamente.*
30. *HM:* aquexasse. *P:* que non se arrebatasse nin se quexasse
fasta que sopiesse la verdad.
31. *H:* primeramente sopiesse. *M* omite: *toda.*
32. *H:* entendiendo que despendiendo tales fabliilas. *M:* aquellas
fablyllas. *GA:* fablillas. *P:* fablas. *Fabliellas:* dichos, proverbios: *LBA* 870*a*, 1400*d*; conservo la forma de *S* como lo
he hecho con *escudiella* (10.19), *postiella* (27.81).
33. *P:* podía perder quanto tenía. *H:* podía p. q. d. tenía.
34. *H:* pero todo este seso levó en el coraçón. *M:* detovo este
seso guardado dentro de su coraçón. Et a cabo de grant
tiempo acaesçió.
35. *S:* que fue sobre mar. *M:* sobre la mar.

---

²⁷⁶ *quexasse:* impacientase; *LBA* 792*a*, 887*a*.

tierra muy luenne [277], et quando se fue dexó a su muger
ençinta. Et el mercadero moró [278], andando en su mercadería tanto tienpo, fasta que el fijo que nasçiera
de que fincara su muger ençinta, avía más de veynte
40 annos. Et la madre, porque non avía otro fijo et tenía
que su marido non era vivo, conortávase con aquel
fijo et amávalo commo a fijo; et por grand amor que
avía a su padre, llamávalo marido. Et comía sienpre
con ella et durmía con ella commo quando avía un anno
45 o dos; et assí passava su vida commo muy buena muger, et con muy grand cuyta porque non sabía nuebas
de su marido.

Et acaesçió que el mercadero libró [279] toda su mer-

---

36. *M:* Et al tienpo que partyó d. a su m. prennada encinta. Et
moró tanto allá por ganar en su mercadería.
37. *H:* moró en su mercadería.
38. *M:* el fijo de que fincara su muger prennada avía.
40. *H:* et la m. pq. avía más de veynte annos et la madre
pq. non a. otro fijo [*sic*]. *M:* non tenía otro fijo e q. t. q.
su m. era muerto.
41. *M:* c. con su fyjo que lo amava mucho.
42. *M:* amor que ella tenía con su padre.
43. *S:* llámalo marido.
48. *H:* toda su fazienda. *M:* Et a cabo de tienpo acaesçió q. el m.
que vendió toda su m. a toda su voluntad e tornóse para
su tierra. *P* (variante especial): «Et acaesçió que aquel mercador fue sobre mar, et quando fue dexó a su muger en
cueyta. Et el mercador estovo allá tanto tienpo fasta que
su muger parió et el fijo avía más de veynte annos; et
la muger, commo non avía otro et tenía quel miedo non
era bueno, conortávase con él et amávalo commo a fijo et
marido; et comía con ella et dormía con ella commo quando
era chico; et assí fazíe vida de buena muger. Et acaesçió
que el mercader libró su mercaduría et tornó muy bien andante a su tierra. Et el día quél llegó âquel lugar do estava su muger, non dixo nada a ninguno, et fue muy escondidamente a su casa.»

---

[277] *luenne:* lejos; *Mil.* 110*a*; *Estados* 135,1. *Vid*. R. Menéndez
Pidal, *Cantar*, p. 462,9.
[278] *moró:* tardó; *PMC* 953; *Apol*. 655*b*.
[279] *libró:* vendió, resolvió. *Vid*. nota 121.

caduría et tornó muy bien andante. Et el día que llegó
50 al puerto de aquella villa do morava non dixo nada a
ninguno, et fuese desconosçidamente para su casa et
escondióse en un lugar encubierto por veer lo que se
fazía en su casa.

Quando fue contra [280] la tarde, llegó el fijo de la buena
55 muger, et la madre preguntól:

—Dí, marido, ¿ónde vienes?

El mercadero, que oyó a su muger llamar marido
a aquel mançebo, pesól mucho, ca bien tovo que era
omne con quien fazía maldat o que era casada con él;
60 et tovo más que fazía maldat que non que era casada,
porquel onme era tan mançebo. Et quisiéralos matar
luego, pero acordándose del seso quel costara una
dobla, non se arrebató.

Et desque llegó la tarde, assentáronse a comer. De

---

49. *G:* el día que tornó. *M:* q. allegó a su casa de aquella villa.
51. *H:* et quedó muy escondidamente. *M:* et fuese desconosçido. *M:* e ninguno non le vido entrar et escondióse.
52. *H:* entró en su casa por ver lo que fazía su muger.
54. *PH:* Quando fue la tarde. *M:* vino su fyjo a casa et la m. p. e díxole.
55. *GA:* e la buena madre.
57. *P:* Et desquesto oyó el mercader. *H:* et la marido [*sic*] que oyó llamar a su muger marido aquel mançebillo. *M:* desque oyó llamar marido. *P:* el mercader, pesól mucho que vido llamar a aquel mançebo marido.
58. *M:* mucho de coraçón. *S:* ca bien tenía.
59. *S:* o a lo mejor que era c. con él. *G:* o a lo menos. *P* omite: con él *A:* maldad e non era casada.
60. *PM:* et más tovo. *SG:* que fuesse casada. *AH* omiten: *et tovo más... que era casada.*
61. *S:* tan moço. *GA:* era el hombre. *M:* porque el moço era mançebo et de muy fermoso cuerpo. Et pensó de los matar luego.
62. *M:* pero acordósele del seso. *H:* p. acordóse d.s.q. avía conprado por la dobla et non se arrebató fasta que más sopiesse.
64. *P:* fue más tarde. *M:* vino más la tarde, asentóse. *G* omite: *Et desque... a comer.*

---

[280] *contra:* hacia. Es el significado fundamental, como en *PMC* 558, 1090; *Mil.* 435a, 464c; *Apol.* 122b, 463b.

65 que el mercadero los vio assí estar, fue más movido
para los matar, pero por el seso que conprara non se
arrebató.

Mas, quando vino la noche et los vio echar en la
cama, fízosele muy grave de soffrir et endereçó a ellos
70 para los matar. Et yendo assí muy sannudo, acordándose del seso que conprara, estudo quedo. Et ante que
matassen la candela, començó la madre a dezir al fijo,
llorando muy fuertemente:

—¡Ay, marido et fijo! ¡Sennor! dixiéronme que
75 agora llegara una nave al puerto, et dizen que viene de
aquella tierra do fue vuestro padre. Et por amor de
Dios, yd allá cras de mannana, et por aventura querrá
Dios que sabremos nuevas algunas dél.

---

65. *P:* assí los vio. *G:* los vio assí andar. *M:* lo vio assý asentado e comiendo con ella. *G:* f. ya muy más movido. *AM:*
f. ya mucho mas movido. *S:* f. aun más movido por. Este
por de *S* es arcaisante; *mover por* se encuentra en *FnGz.*
140c, pero se ha de corregir: «movyeron poraun agua muy
fuerte»; *vid.* R. Menéndez Pidal, *Cantar,* p. 341.1.
66. *P* omite: *que conprara.*
68. *M:* la noche vino. *P:* Et después quando los vio echar en uno.
69. *M:* muy más grave. *H:* tan ý grave. *P* (especial): de soffrir;
et yendo assí sannudo para los matar; pero por el seso,
estudo quedo. *M:* endereçó de yr a ellos.
70. *GAH:* e yéndose m. s. acordóse.
71. *H:* estovo un poco quedo. *S:* estido quedo.
72. *GAH:* la lunbre. *Candela:* «vela de cera», es sinónimo de
«lumbre» en *PMC* 244, 3055; en el *LBA* 262c, *lumbre* quiere
decir «llama»: «la lumbre de la candela encantó». *P:* a llorar
diziendo al fijo.
74. *G:* Assí marido e fijo. *M:* aquí, marido e fijo. *P:* dixéronme
agora que.
75. *G:* llegaría. *PH:* un nave (omiten: *al puerto*). *Nave* es fem.:
LBA 614c; *Apol.* 103a, 104b, 243b y veinte veces más que
la palabra aparece con determinante en este poema. *S:* et
dizían que vinía. *H* omite: *et dizen que viene. M:* e dixéronme q. venía de fazia a. t. donde f. tu p.
76. *P:* onde.
77. *H:* Rruégote que vaya a.c.m. *M:* te rruego que vayas a. c. de
buena mannana. *S:* querría Dios q. sabredes algunas buenas
nuevas dél. *G:* querría Dios q. sabríamos.
78. *M:* que sopiésemos algunas buenas nuevas dél. *GA:* algunas

Quando el mercadero aquello oyó et se acordó cómmo dexara ençinta a su muger, entendió que aquél era su fijo. Et si ovo grand plazer non vos marabilledes. Et otrosí, gradesçió mucho a Dios quel quiso guardar que los non mató commo lo quisiera fazer, donde fincara muy mal andante por tal ocasión; et tovo por bien enpleada la dobla que dio por aquel seso, de que se guardó et que se non arrebató por sanna.

Et vos, sennor conde, commo quier que cuydades que vos es mengua de soffrir esto que dezides, esto sería verdat, de que fuéssedes çierto de la cosa; mas fasta por ende seades çierto, conséjovos yo que, por sanna nin por rebato, que vos non arrebatedes a fazer ninguna cosa; ca pues esto non es cosa que se pierda por tienpo, en vos soffrir fasta que sepades la verdat,

---

nuevas dél. *H:* algunas nuevas de tu padre (sigo el texto de *P*).

79. *P:* Et desquel mercader aquello oyó. *H:* El mercadero que estava aguardando quando matasen la candela, su cuchillo en la mano, para los matar, et oyó dezir aquellas palabras a su muger, acordó de cómmo la dexara ençinta.

80. *M:* en çinta quando della se partyera e. verdaderamente q. era aquél su f.

81. *H:* su fijo et que sería ya de tanto tienpo. *PGAH:* et assí ovo. *P:* non vos devedes maravillar. *G:* e por ende non vos m. *M:* e non vos m. dello. *AH* omiten: *non vos m.*

82. *P* omite: *otrosí. SH:* porque quiso g. *M:* porque le q. g. *GA* omite: *quel quiso guardar.*

83. *P:* commo lo pensara. *H:* lo quiso fazer, donde quedara. *P* omite: *donde fincara... por tal ocasión.*

84. *H* omite: *por tal ocasión.*

85. *P:* por el seso. *PHM* omiten: *de que se guardó.*

88. *P:* esto será verdat. *H:* et esto vos sería v. de que vos f.

89. *P:* fuéredes.

90. *PHM:* conséjovos que.

91. *M:* vos non arrebatedes por sanna a fazer alguna cosa. *S:* rebatades. *P:* nin por rebato non fagades nada.

92. *M:* es cosa que se non pierde.

93. *SM:* toda la verdat.

95 non perdedes nada; et del arrebatamiento poder vos
ýades muy aýna arrepentir.

El conde tovo éste por buen consejo, et fízolo assí
et fallóse ende bien.

Et teniéndolo don Johan por buen exemplo, fízolo escrevir en este libro et fizo estos versos que dizen assí:

100   Si con rebato grant cosa fizieres
ten que es derecho si te arrepintieres.

EXEMPLO XXXVII

**De la respuesta que dio una vez el conde Ferrant González
a sus vassallos** [281]

Una vegada, viníа el conde de una hueste muy cansado et muy lazdrado et pobre, et ante que uviasse

---

94. *P:* non perderedes. *G:* non podedes. *H:* non perderedes nada,
antes açertaredes.

95. *GA:* mucho aýna. *P* omite: *muy. SG:* repentir. *H* añade: *et
non poder poner pro.*

100. *S:* fazierdes. *M:* alguna cosa. *P:* Si con sanna o con rrebate,
alguna cosa fazer quisieres.

101. *S:* arrepentieres. *P:* ante sabe la verdat o la piensa muchas
vezes.
PSH omiten: *una vez. S:* a sus gentes después que ovo vençido la batalla de Façinas. *PH:* a sus cavalleros. *P:* quel dizían que folgasse. *A:* De lo que acaesçió al conde Ferrán
Gonçález, e de la repuesta que dio a sus vassallos.

1. *P:* El conde Lucanor fablava con Patronio, su consejero,
apresuradamente en esta guisa. *H:* Un día fablava el c. L.
con P. su c., et venía a un hueste. *P:* El conde venía.

2. *H* omite: *et pobre. M:* et muy pobre, et a. q. se quisiesse
desarmar nin d. *H:* u. descansar nin fuesse desarmado. *P:*
oviasse folgar (omite: *et descansar*). *AG:* oviesse a folgar.
S: huviasse. Adopto *uviasse:* llegase; aunque en 35.73 tiene
la prep. *a*, en los versos del *LBA* que cito en la nota 270
no la lleva.

---

[281] En el exemplo XVI Fernán González dio realce al refrán:
«murió el onbre et murió su nonbre». «El héroe castellano es
asimismo usado para dar valor al dicho de que las heridas nuevas

folgar et descansar, llegól mandado muy apressurado
de otro fecho que se movía de nuevo; et los más de
5 su gente consejáronle que folgasse algún tienpo et después que faría lo que se le guisasse. Et el conde preguntó a Patronio lo que faría en aquel fecho. Et Patronio díxole:

—Sennor, para que vos escojades en esto lo mejor,
10 querría que sopiéssedes la respuesta que dio una vez el
conde Ferrant González a sus vassallos.

El conde preguntó a Patronio cómmo fuera aquello.

—Sennor conde —dixo Patronio—, quando el conde
Ferrant González vençió al rrey Almançor en Façinas,
15 murieron ý muchos de los suyos; et él et todos los
más que fincaron vivos fueron muy mal feridos; et ante
que uviassen a guaresçer, sopo quel entrava el rrey de

---

3. *P:* muy apriesa.
4. *A:* las más de sus gentes.
5. *HM:* consejávanle.
6. *HM:* lo que quisiesse. *GA:* lo que fuesse guisado. *P:* Estonçe
(omite: *Et el conde*).
7. *M:* que qué le consejava que fiziesse en este fecho. *H* omite:
lo que faría.
9. *HM:* Sennor conde. *M:* fagades.
10. *P:* lo que respondió.
12. *PH:* le preguntó (omiten: *a Patronio*). *M:* le rrogó que le
dixesse. *A:* omite: *El conde... fuera aquello.*
13. *M:* S. c. Lucanor. *A* omite: *Sennor... Patronio. H:* este conde.
14. *PH* omiten: *rrey. S:* Almozerre. Conservo la forma *Almançor,* de la *PCG.*
15. *M:* allí muchas gentes, e todos los que fincaron fueron mal
feridos.
17. *A:* viniesen a guarecer. *M:* acabasen de guarecer. *M:* ovo
el conde sabiduría que entrava. *H:* sopo que le honrava por

---

hacen olvidar el dolor de las pasadas. Aunque se menciona la
batalla de Façinas, todo el ejemplo es creación absoluta de la
imaginación del autor, quien trae aquí las quejas de los súbditos
que había omitido del relato de la crónica en el ejemplo XVI»;
R. Ayerbe-Chaux (1975), p. 91. *Vid.* D. Devoto (1972), p. 437. El verso
final es como un proverbio que, según lo anota Blecua (p. 197,
nota 683), se encuentra también en *Estados* 186,12: «Et que onrra
et biçio non en una morada biven».

Navarra por la tierra, et mandó a los suyos que ende-
resçassen a lidiar con los navarros. Et todos los suyos
20 dixiéronle que tenían muy cansados los cavallos, et aun
los cuerpos; et aunque por esto non lo dexassen, que
lo devían dexar porque él et todos los suyos estavan
muy mal feridos, et que esperasse fasta que fuessen
guaridos él et ellos.

25   Quando el conde vio que todos yvan por aquel camino, sintióse más de la onrra que non del cuerpo.
Díxoles:

—Amigos, por las feridas non lo dexemos, ca estas

---

la tierra et el rrey de Granada [*sic*]. *P:* sopo quel rrey de
Navarra le entrava la tierra (el orden sintáctico de *P* es
mejor, pero no se puede ir contra *S,* cuando tiene en apoyo
de *GA,* por razones estilísticas).

18. *M:* et mandó luego. *H:* que se endereçassen para yr lidiar con
los guerreros et por esto que lo non dexassen.

19. *M:* para yr a lidyar c. l. n. e que non lo dexassen porque
estavan mal feridos. *P:* lidiar con ellos. *P:* Et los suyos.

20. *M:* d. que non podían, que tenían. *P:* los cavallos cansados
et los cuerpos. *M:* m. cansados e ellos que estavan muy
mal feridos.

21. *S:* non lo dexasse. *M* omite: *et aunque p.e.n. lo d. M:* et
que por esto lo devía dexar.

22. *S:* lo devía d. *P:* por las feridas que él et ellos tenían. *M:*
estavan mal feridos.

23. *G:* e que lo dexasse e esperasse. *A:* e q. dexasse la lid y e.
M: et que le pedían por merçed e. *A:* f. q. él y ellos f. guaridos.

24. *M:* guareidos. *H:* guarescidos. *P:* bien guaresçidos. Hay un
cruce semántico entre *guaresçer* y *guarir* (*vid.* nota 159); *guarir:* «proteger», «salvar» en *PMC* 3681, significa «sanar» en
el *LBA* 592*c* y en varios versos del *Apol.* 442*b,* 316*a,* 318*c,*
323*a,* etc.; *vid.* nota 101.

25. *S:* querían partir aquel reyno. *GA:* q. partir (*A* de) aquel camino. *H:* quería [*sic*] yr. *M:* querían estorvar o dexar el camino.
Las variantes son tales, que escojo el texto de *P,* confirmado hasta cierto punto por *H.*

26. *SM:* sintiéndose. *M:* más de la pérdida. *SAHM:* que del
cuerpo.

28. *A:* feridas que avemos non dexemos la batalla. *H:* las feridas
non lo dexedes que. *P:* A. vamos, que las feridas nuevas que

feridas nuevas que agora nos darán, nos farán que ol-
30   videmos las que nos dieron en la otra batalla.

Desque los suyos vieron que se non dolía de su cuerpo por defender su tierra et su onrra, fueron con él. Et vençió la lid et fue muy bien andante.

Et vos, sennor conde Lucanor, si queredes fazer lo
35   que devierdes, quando viéredes que cunple para defendimiento de lo vuestro et de los vuestros, et de vuestra onrra, nunca vos sintades por lazeria, nin por trabajo, nin por peligro; et fazet en guisa que el peligro et la lazeria nueva vos faga olvidar lo passado.

40   El conde tovo éste por buen exemplo et buen consejo, et fízolo assí, et fallóse ende bien.

Et entendiendo don Johan que éste era muy buen exemplo, fízolo poner en este libro et fizo estos versos que dizen assí:

---

agora avremos, nos farán olvidar éstas que tenemos de la otra pelea.
29.   *M:* nos farán olvidar las otras.
30.   *G* omite: *las que nos dieron. A:* en la otra lid.
31.   *PH:* que non se dolía. *S:* del cuerpo.
32.   *M:* por yr a defender. *P:* la tierra (omite: *su onrra*). *M:* fueron con él todos. *H* omite: *f. c. él.*
33.   *P:* et vençieron al rrey de Navarra et fuese mal andante et el conde fincó con su honra. *H:* fincaron con él et vençieron la lid et fueron. *M:* et plogo a Dios que vencieron a los navarros e fueron todos.
34.   *H:* si quisierdes... lo que vierdes.
35.   *PM:* que devedes. *H:* quando vençiéredes veredes lo que cunple.
36.   *P* omite: *et de los vuestros. M:* e de vuestra onrra e de los vuestros. *H:* de lo v. et de la vuestro [*sic*] honrra et de lo vuestro [*sic*].
37.   *P:* nunca vos dexedes. *HM:* lo sintades. *M:* por trabajo (omite: *por lazeria, nin por peligro*).
38.   *PM* omiten: *et fazet... el peligro. A:* que el peligro nuevo non vos faga acordar lo p. *M:* et la lazeria nunca vos faga olvidar lo p. *H:* que el t. et la l. nunca vos faga olvidar lo p.
39.   *P:* vos fará olvidar lo p.
40.   *S:* éste por buen consejo... et f. dello muy bien.

45   Aquesto tenet çierto que es verdat provada
        que onrra et grand viçio non an una morada.

Exemplo XXXVIII

De lo que contesçió a un omne que levava una cosa muy presçiada al cuello et passava un rrío [282]

Dixo el conde Lucanor un día a Patronio, su consejero, que avía muy grand voluntad de estar en una
tierra porquel avían ý de dar una partida de dineros,
et cuydava fazer ý mucho de su pro; pero que avía
5 muy grand rreçelo que, si allý se detoviesse, que le podría venir muy grand peligro del cuerpo, et quel rogava
quel consejasse qué faría en ello.

—Sennor conde —dixo Patronio—, para que vos fa-

---

45. *A:* tened esto por çierto, ca. *M:* por çierto. *H:* A. t. que es
cierta cosa provada. *P:* A. tened, et es cosa provada.
46. *A:* que onrra e viçio grande.
P: que passava cargado un rrío. *S:* que yva cargado de piedras
preçiosas et se afogó en el rrío.
1. *SGM:* Un día dixo el c. *SG* omiten: *su consejero.*
2. *M:* Patronio, yo he muy grant v.
3. *P:* porque avía. *S:* de dar ý. *M:* adonde me avían de dar muchos dineros, e pensava fazer mucho de mi provecho.
4. *P:* ý fazer. *P:* avía grand rr.
5. *M:* que me podría.
6. *P:* venir grand danno al cuerpo. *M:* peligro assý al alma
commo al cuerpo. *P:* et rrogól quel aconsejasse. *M:* por que
vos rruego que me consejedes en qué manera lo faga mejor.
7. *GA:* c. en ello.

---

[282] «El ejemplo debió ser usado por los predicadores en una
forma alegórica. Para don Juan Manuel, que le ha dado una esce-
nificación tan feliz, la moraleja se reduce a no poner en peligro
el pellejo sin necesidad: "nunca aventures el vuestro cuerpo si
non fuere por cosa que sea vuestra onrra" y esa honra castellana
nunca estaba en la riqueza.» R. Ayerbe-Chaux (1975), p. 48. *Vid.* el
breve comentario que allí se hace de la escena descrita en el
exemplo. Falta en el manuscrito *H.*

gades en esto, al mío cuydar, lo que vos más cunple,
10 sería muy bien que sopiéssedes lo que contesçió a un
omne que levava una cosa muy presçiada en el cuello
et passava un rrío.

El conde le rrogó quel dixiesse cómmo fuera aquello.

—Sennor conde —dixo Patronio—, un omne levava
15 grand pieça de piedras preçiosas a cuestas, et tantas
eran, que se le fazían muy pesadas de levar. Et acaesçió que ovo de passar un grand rrío; et commo levava
grand carga, çafondava más que si aquella carga non
levasse; et quando fue en medio del rrío començó a
20 çafondar mucho.

---

9. *P:* lo mejor que me paresçe. *M:* lo que al mi pensar más vos
cunple. *GA:* más vos cunpliesse. *P:* plazerme ýa que s.

10. *M:* lo que acaesçió... una joya muy presçiada.

11. *P:* que llevava sobre sí muchas piedras preçiosas.

12. *M:* un rrío muy fondo.

13. *SGA:* le preguntó. *GA:* que le dixera. *S* omite: *quel dixiesse.*

14. *M:* et Patronio le dixo assí. *M:* un omne acaesçió que llevava consygo una grand p. de p. p. que valían muy grant
quantía e llevávalas a sus cuestas.

15. *S:* muy g. p. *GA:* una cosa muy preciada al cuello. *P:* et
commo eran muchas fazíasele grand carga de levar. *GA* omiten: *et tantas eran... de levar.*

17. *M:* que este omne avía de pasar a pie por un grant
rrío. Et començó a entrar en el agua. *GA:* que llegó a un
río muy grande en que avía mucho çieno; et (*G* él) avía de
passar el río forçadamente para yr allí do le cumplía con
aquello que llevava a cuestas; ca non avía puente nin barco
nin otra cosa por do passasse el río salvo por el agua. Assí
que se ovo a descalçar (*G* e) a entrar por él.

18. *M:* afondava mucho en el agua. *P:* afondava con ella más
que si non la levasse. El participio *afondado* se halla en
Ali. 2257*d* (P), pero en ese poema aparecen también: *sofon-
dar* (1727*c*), *sofondidas* (2291*b*) y *sofondado* (1920*c*, 2257*d*).
A pesar de que parecería preferible leer: *se afondava:* se
hundía, conservo la forma de *SAG* que está también en
Caza, 7.26 y, como lo anota Blecua (p. 198, nota 684), en
Castigos e documentos, p. 109.

19. *S:* Et quando en ondo del rrío. *M:* rrío commo levava grant
cargo afondava mucho.

20. *GA:* mucho más.

Et un omne que estava a la oriella del rrío començól
a dar bozes et dezir que si non echasse la carga que
sería muerto. Et el mesquino loco non entendió que
si muriesse en el rrío, que perdería el cuerpo et la
25 carga que levava; et si la echasse, que aunque perdiesse la carga, que non perdería el cuerpo. Et por la
grand cobdiçia de lo que valían las piedras preçiosas
que levava, non las quiso echar et murió en el rrío et
perdió el cuerpo et perdió la carga que levava.

30   Et commo quier que vos, sennor conde, podríades

---

21. *P:* Et otro que estava en la rribera del rrío. *A:* El rrey e
un hombre.

22. *P* omite: *et dezir. M:* grandes vozes diziéndole que echasse
alguna carga de aquello que llevava a cuestas, que estava
adelante muy fondo el rrío. *GA:* carga que llevava.

23. *M:* e que sopiesse por çierto que se afogaría e morría mala
muerte en aquel rrío. *G:* sería çierto [*sic*]. *P:* que morría
et que perdería el cuerpo et la carga que levava. *P* omite:
mesquino. M: loco mesquino... que si cayesse en el rrío que
moriría.

25. *PM* omite: *que levava. AG:* tienen una variante especial;
existen algunas pequeñas diferencias (ortografía, pronom-
bres) entre *A* y *G*; reproduzco *A*, fol. 56r: «la carga que
levava; non lo quiso fazer nin quiso creer el buen consejo
que le dava el otro que estava en la orilla del río; e como
el río venía muy rezio y el cieno era muy grande e otrosí
con el peso que llevava muy grande al cuello, ovo a çahon-
dar tanto, fasta que le dio el agua por la garganta, e desque
quiso sacar los pies de aquel cieno en que estava, non pudo
por la gran carga que tenía a cuestas, e vino el agua muy
rezia e derribóle en el río e afogósse e assí perdió el cuerpo
e lo que llevava a cuestas por quererse meter a peligro por
mala codicia, non queriendo creer el buen consejo que el
otro le dava e menospreciando su cuerpo por aquello que
llevava a cuestas». *M:* e que sy echasse la carga que escapa-
ría el cuerpo.

27. *P* omite:: *lo que valían.*

28. *M* omite: *que levava. P:* et afogóse en el rrío et perdió el
aver et el cuerpo. *M:* e afogóse e murió... el cuerpo e la carga
de las piedras preciosas.

30. Sigo el texto de *P* por más claro. *S:* Et vos, s. c. Lucanor,

fazer vuestra pro en dineros o en otra cosa, sería bien que lo fiziéssedes. Enpero, conséjovos que si peligro del vuestro cuerpo fallades en la fincada[283], que non finquedes ý por cobdiçia de dineros nin de su semejante.

35 Et aún vos consejo que nunca aventuredes el vuestro cuerpo si non fuere por cosa que sea vuestra onrra o vos sería mengua si lo non fiziéssedes; ca el que poco se preçia et por cobdiçia o por devaneo aventura el cuerpo, bien creed que non tiene mientes de fazer
40 mucho con el su cuerpo; ca el que mucho preçia su cuerpo á menester que faga en guisa por que lo preçien mucho las gentes; ca non es el omne preçiado por preçiarse él mucho; mas es muy preçiado porque faga tales obras quel preçien mucho las gentes. Et si él tal
45 fuere, por çierto seed que preçiará mucho el su cuerpo et non lo aventurará por cobdiçia nin por cosa en que non aya grand onrra; mas en lo que se deviere aventurar, seguro sed que non á omne en el mundo que

commo quier que los dineros et lo ál que podríades fazer de vuestra pro. *GA* (como *S*, excepto): de los dineros o de lo ál.

32. *P:* peligro alguno falláredes de v. c. en la f.
33. *M:* fincada allá. *P:* que non vayades allá.
34. *M:* finquedes ende... nin de otra cosa. *GA:* semejable.
36. *P:* sinon por vuestra grand onrra.
37. *P:* o vos fuesse mengua... fiziéredes. *M:* ca otramente seríavos grant mengua.
38. *P:* cobdiçia e por devoçión. *G:* e por ventura aventura.
39. *P* omite: *bien creed que. GA:* bien tened que. *M:* non cata de fazer mucho con él... se preçia con.
41. *GA:* faga que lo p. *M:* faga cosa que le p.
42. *P* omite: *mucho.* ca el omne non es p. por el preçiarse mucho.
43. *M:* por se preçiar mucho. *PM:* mas es preçiado. *P:* p. por las buenas obras.
45. *P:* por çierto creed. *M:* que le preçiarán. *P:* su cuerpo mucho.
47. *S:* deveríe aventurar.

---

[283] *fincada:* permanencia, estancia. Es quizá parte de la vacilación que nota R. Menéndez Pidal (*Cantar*, p. 198,4) en la forma del sust. derivado de *fincar:* «fijar», «clavar», que da *fincança* *PMC* 563 y *fincançia Ali.* 932*b*. Solamente he hallado esta palabra como sust, aquí, pues en el *LBA* 597*b* y 1265*a* es participio pasado del verbo.

tan aýna nin tan buenamente aventure su cuerpo, com-
50 mo el que vale mucho et se preçia mucho.

El conde tovo éste por buen exemplo, et fízolo assí
et fallóse ende bien.

Et porque don Johan entendió que éste era muy
buen exemplo, fízolo escrevir en este libro et fizo estos
55 versos que dizen assí:

> Quien por grand cobdiçia de aver se aventura,
> será maravilla si el bien mucho le dura.

Exemplo XXXIX

De lo que contesçió a un omne con un pardal et con una golondrina [284]

Otra vez fablava el conde Lucanor con Patronio, su
consejero, en esta guisa:

—Patronio, yo non puedo escusar en ninguna guisa
de aver contienda con uno de dos vezinos que yo he.
5 Et contesçe assí: que el más mi vezino non es tan poderoso, et el que es más poderoso, non es tanto mi

---

49. *M:* tan aýna aventure el cuerpo. *P:* aventurasse.
50. *P* omite: *et se preçia mucho.*
52. *S:* et fallóse dello muy bien.
56. *P:* Quien por cobdiçia de aver, su cuerpo aventura.
57. *S:* que el bien. *P:* seríe gran maravilla.
   S: con la golondrina et con el p. *GA:* y una golondrina. *P:* omne doliente... golondrina que le fazían rroýdo.
3. *GAH:* P. en ninguna guisa.
4. *P:* de non aver c. *M:* con unos dos v.
5. *P:* Et es assí: el que es más vezino. *M:* et acaesçióme ansý.
   H: q. sy el más mi v. *A:* que es el uno más mi v. (omite
   todo lo demás hasta: *Et agora*). *P:* et el que non es tan
   vezino es más poderoso.
6. *H:* el que es poderoso, non tanto mi vezino.

---

[284] Como apunta D. Devoto (1972), p. 438, esta fábula no figura
en las colecciones clásicas. Ha sido imposible indicar relatos paralelos que puedan considerarse como tales.

vezino. Et agora, rruégovos que me consejedes lo que faga en esto.

—Sennor conde —dixo Patronio—, para que sepades
10 para esto lo que vos más cunple, sería bien que sopiéssedes lo que contesçió a un omne con un pardal et con una golondrina.

El conde le preguntó cómmo fuera aquello.

—Sennor conde —dixo Patronio—, un omne era fla-
15 co [285] et tomava grand enojo con el rroýdo de las vozes de las aves; et rrogó a un su amigo quel diesse algún consejo; que non podía dormir por el rroýdo que fazían los pardales et las golondrinas.

Et aquel amigo díxol que del todo non le podía
20 desenbargar, mas que él sabía un escanto [286] con que lo desenbargaría del uno dellos: o del pardal o de la golondrina.

Et aquel que estava flaco rrespondiól que commo

---

7. *GA:* agora e ruégovos. *M:* por que vos rruego. *P:* consejedes en esto.
9. *GA:* por que sepades. *P:* para que en esto sepades. *M:* sepades lo que vos.
10. *H:* en esto que vos.
11. *M:* acaesçió.
12. *GA:* e una golondrina.
13. *S:* que cómmo fuera aquello.
14. *P:* era muy flaco. *M:* era muy viejo e muy flaco.
15. *P:* rroýdo que fazíen las aves.
16. *H:* que le dixiesse. *P* omite: *algún*. *M:* diesse alguna cosa, con que pudiesse dormir.
17. *H:* con el ruydo de las aves et p. et golondrinas. *S:* por el del rroýdo quel.
19. *P:* que de todas aquellas. *S:* q. de todos. *G:* q. de todas. *A:* q. todas.
20. *P:* mas quel desenbargaría de los unos o de los otros, o de los pardales o de las golondrinas, con un escanto que sabía.
21. *GA:* de lo uno dellos. *M:* de lo uno o de lo otro. *H:* lo desenbargasse de lo uno dello.
23. *M:* Et aquel omne viejo e flaco díxole.

---

[285] *flaco:* débil, enfermizo; *Apol.* 314*b*; *LBA* 85*a*, 1199*c*, 1202*a*.
[286] *escanto:* remedio; *Sd.* 403*b*; *Ali.* 542*d*, 1567*d*; hechizo: *LBA* 442*d*, 709*b*, 718*c*, 756*a*.

quier que la golondrina da mayores vozes, pero porque
25 la golondrina va et viene et el pardal mora sienpre
en casa,

| P | SGAHM |

que más se quería pa-
rar al rroýdo de la go-
30 londrina que del par-
dal. Et vos, conde sen-
nor, commo quier quel
menos poderoso está
más çerca y el más po-
35 deroso está lexos, conséjovos yo que prime-
ro ayades contienda
con el más çercano.

que ante se quería parar [287] al
rroýdo de la golondrina, maguer que es mayor porque va
et viene, que al del pardal que
está sienpre en casa. Et vos,
sennor conde, commo quier
que aquel que mora más lexos
es más poderoso, conséiovos yo
que ayades ante contienda con
el que vos está más çerca, aunque non sea tan poderoso.

El conde tovo éste por buen consejo, et fízolo assí
40 et fallóse ende bien.
Et porque don Johan se pagó deste exemplo, fízolo
escrevir en este libro, et fizo estos versos que dizen assí:

24. *AMG:* da (*G* dé) muchas vozes e mayores. *H:* dava muchas
vezes mayores vozes. *M* añade: *quel pardal.*
28. *S:* q. antes se querría. *H:* q. antes se querían. *M:* Et por
esto q. antes se q. p. a las vozes e al rr. de la g. que a las
del p. q. estava s. en c.
29. *GA* omite: *maguer q. es mayor. GA:* que yva e venía que
non al rr.
31. *H:* al rruydo de los pardales.
36. *H:* ayades más aýna contienda con el que tenedes más
çerca. *GAM:* contienda con él (*M* aquél), que (*GA* no) con el
que vos está más açerca (*G* çerca).
38. *H* añade: *que muy mala es la guerra de cabo casa para
cada día.*

---

[287] *parar.* No he encontrado ningún ejemplo que corrobore el
sentido que le da Orduna: «soportar»; ni el que le da Blecua:
«librarse de» que, por otra parte, no va con el contexto. Sugiero
«convenir», «concertar» como en *PMC* 198, 2012, 2224; sentido que,
a pesar de la opinión de Corominas y de Joset, podría tener en
el *LBA* 1323d.

Si en toda guisa contienda ovieres de aver
toma [288] la más lexos aunque aya más poder.

Exemplo XL
De lo que contesçió al senescal de Carcaxona [289]

Fablava otra vez el conde Lucanor con Patronio, su
consejero, et díxole:

—Patronio, porque yo sé que la muerte non se puede escusar, querría fazer en guisa que después de mi
5 muerte,dexasse alguna cosa sennalada que fincasse por
mi alma et que fincasse para sienpre, por que todos
sopiessen que yo fiziera aquella obra. Et rruégovos que
me consejedes en qué manera lo podré fazer mejor.

---

43. *M:* si con algunos contienda. *P:* Si te acaesçiere dos contiendas aver.
44. *M:* toma la más de lexos. *H:* tómale de más l. a. non ayas
m. p. *P:* toma la más çercana, aunque aya más poder.
S: De las rrazones por que perdió el alma un sindical de Carcassona. *P:* De lo q. c. al senescal de Cartagena que mandó
lo suyo a los frayles después de su muerte. *H:* de Cartagena,
del testamento que fizo quando finó.
1. *S* omite: *su consejero.*
3. *P:* non se escusa.
5. *M:* sennaladamente que. *A:* a mi alma. *P:* por mí acá.
6. *H:* et fuesse para sienpre. *M:* para syenpre jamás.
7. *H:* fuessen sabidores. *M:* que fazía yo aquel bien.
8. *S:* lo podría. *H:* lo podrá saber mejor. *P:* podré esto mejor
fazer. *M:* lo faga mejor.

---

[288] *toma:* para que el verso corresponda a la moraleja del cuento debe tener el significado de «sufrir» o «esperar con».
[289] Los relatos paralelos de este *exemplo* se pueden ver en
R. Ayerbe-Chaux (1975), pp. 48-49 y 331-334. Como se anota allí,
se pueden distinguir cuatro variantes, de acuerdo a las diferentes
razones por las cuales se condena una persona que, no obstante,
había muerto con todos los auxilios eclesiásticos. Don Juan Manuel evita las apariciones de muertos, y la noticia del más allá
se obtiene por medio de una endemoniada.

—Sennor conde —dixo Patronio—, commo quier quel
10 bien fazer, en qualquier guisa e por qualquier entençión que se faga, sienpre el bien fazer es bien, pero
para que vos sepades cómmo se deve fazer lo que omne faze por su alma et a quál entençión, plazerme ýa
mucho que sopiéssedes lo que contesçió a un senes-
15 cal[290] de Carcaxona[291].

El conde le preguntó cómmo fuera aquello.

—Sennor conde —dixo Patronio—, un senescal de
Carcaxona adolesçió. Et desque entendió que non podía
escapar, enbió por el prior de los frayles pedricadores
20 et por el guardián de los frayles menores, et ordenó

---

10. *P:* Omite: *en qualquier guisa... el bien fazer es bien.* sienpre
es bueno. *H:* en qualquier manera o por qualquier rrazón
que se faga.

11. *M:* que se fagua [*sic*] syenpre es bien fecho, pero conviene
que se fagua non por vanagloria nin por loor del mundo
que aquello tal non aprovecha nada.

12. *S:* sopiéssedes. *GA:* supiésedes lo que hombre faze por su
alma cómo se deve fazer e a quál intención. *M:* el bien
cómmo se deve de f. *H:* deve fazer el bien que faze omne
por su alma.

13. *H:* que aquel entençión [*sic*]. *M:* a quál e. es de fazer.
P: querría que sopiéssedes a quál entençión [*sic*].

15. *P:* Cartajena. *H:* Tarasco (no repito esta variante del nombre).

16. *M* omite: *El c. le p. cómmo fuera aquello.*

17. *H:* un senescal avía avía [*sic*] un tarescón, una çibdat et
adolesçió. *M* omite: *Sennor conde... Carcaxona.*

18. *P:* adoleçió de muerte. *P:* dq. vio. *M:* dq. el syniscal entendió.

19. *H:* escapar de la muerte. *S:* frayres (*vid.* 14.29). *GH:* frayles menores.

20. *GH* omiten: *et por el g. de los f. m.*

---

[290] *senescal:* «el Jefe o Cabeza principal de la Nobleza del Pueblo, que la gobierna, especialmente cuando es llamada o convo-
cada a la guerra»; *Aut.*

[291] *Carcaxona.* Transcribo la nota de Orduna (p. 218): «Knust
anota que el primer senescal de Carcasona fue nombrado por
Simón de Monfort en 1217. La ciudad, famosa por sus fortificaciones aún conservadas, está en el sur de Francia entre Tolosa y
Narbona.»

con ellos fazienda de su alma. Et mandó que luego quél
fuesse muerto, que cunpliessen todo aquello quél mandava. Et ellos fiziéronlo assí. Et él avía mandado[292]
mucho por su alma. Et porque fue tan bien conplido
25 et tan aýna, estavan los frayles muy pagados et en
buena entençión et buena esperança de la su salvaçión.

Et acaesçió que dende a pocos días, que fue una
muger demoniada en la villa, et dizía muchas cosas
marabillosas, porque el diablo que fablava con ella,
30 sabe todas las cosas fechas et dichas. Quando los frayles en que dexara el senescal fecho de su alma sopieron
las cosas que aquella muger dizía, tovieron que era
bien de la yr a ver por le preguntar si sabía alguna
cosa del alma del senescal; et fiziéronlo assí. Et luego
35 que entraron por la casa do estava la muger demoniada, ante que ellos le preguntassen ninguna cosa, díxo-

---

21. *PHM:* ellos la fazienda. *H:* su fazienda et su alma.
22. *S* omite: *fuesse muerto... todo aquello. A:* que él que fues-
    se muerto. *M:* mandava por su testamento. Et e. dixiéronle
    que lo farían ansý. Et fyzieron ansý por quanto él avía man-
    dado mucho de su fazienda por su ánima.
25. *P:* bien pagados con buena esperança.
26. *S:* et en muy buena e.
28. *GA:* endemoniada (*G* endimoniada). *Demoniado* está en
    Sm. 169a; *Ali.* 1377d (O). *Estados* 100.13 trae: *demuniado.*
    P: en la cibdat.
29. *A:* el d. fablava con ella. *H:* con ella todas las cosas f. et d.
30. *A* omite: *sabe t.l.c. fechas et dichas. MSG:* sabía... et aun
    las dichas. *H:* los f. esto oyeron, a quien el senescal de-
    xara todo el f. de su ánima.
31. *A* omite: *en que dexara... de su alma. M:* dexava el s.
32. *P:* lo que a. m. d. *M:* todas las cosas que dezía a. m.
33. *S:* de yrla a ver, por preguntarle. *H:* et preguntáronle. *P:*
    sabía algo.
34. *M:* de aquel senescal. *M* (omite: *et fiziéronlo assí*). Et fue-
    ron allá et luego. *P:* et entrando p. la c. do la muger estava
    ante quel preguntassen, díxoles que bien sabía a qué ve-
    nían.
35. *AH:* la casa en que estava.

---

[292] *mandar:* ofrecer, otorgar en don o testamento; *PMC* 180,
224, 1798; *Apol.* 193a, 500c, 617d, etc.; *LBA* 451c, 552d, 760b.

les ella que bien sabía por qué vinían, et que sopiessen
que aquella alma por que ellos querían preguntar,
que muy poco avía que se partiera della et la dexara
40 en el infierno. Quando los frayles esto oyeron dixiéronle
que mentía; ca çiertos eran quél fuera bien confessado
et resçibiera los sacramentos de la Sancta Eglesia;
et pues la fe de los christianos era verdadera, que non
podía seer que fuesse verdat lo que ella dizía.
45   Et ella díxoles que sin dubda la fe et la ley de los
christianos toda era verdadera, et si él muriera et fiziera lo que devía fazer el que es verdadero christiano,
que salva fuera su alma; mas él non fizo commo verdadero nin buen christiano, ca, commo quier que mucho
50 mandó fazer por su alma, non lo fizo commo devía nin
ovo buena entençión; ca él mandó conplir aquello después que fuesse muerto, et su entençión era que si
muriesse que lo cunpliessen; mas si visquiesse que

37. *M:* sopiessen por çierto.
38. *H:* aquel alma por quien. *P:* aquel alma de quien querían
     preguntar, que poco avía.
39. *M:* dexara dentro en el ynfierno.
40. *P:* et los frayles dixiéronle. *G:* oyeron dezir. *A:* le oyeron
     dezir. *H:* esto vieron.
41. *S:* mintía. Prefiero *mentía*; vid. *LBA* 437c, 635d; en los
     derivados, el Arcipreste usa tanto *mintroso* como *menti-*
     roso. S: ca çierto era. *SGA:* muy bien c. *GA:* confessada.
     H: çierto eran ellos q. era bien amonestada, et que avía
     rresçebido.
42. *S:* de sancta eglesia. *AM:* de la sancta madre yglesia.
43. *P:* la ley de l. ch. *P:* es la verdadera... ser verdat. *H* omite:
     non podía... era verdadera.
45. *P:* la ley de l. ch. era sin dubda v. *M:* la fe de los ch. q. e.
     muy v.
46. *GA:* et que si él quando. *H:* et si quando él murió.
47. *S:* deve fazer. *M:* deviera fazer verdadero ch. *H:* fazer buen
     cristiano et verdadero.
48. *GA:* él non lo fizo. *HM:* que él non lo fizo. *P:* commo
     buen ch. *M:* commo verdadero ch.
50. *M:* mandó que diessen.
51. *PM:* con buena e. *H:* mandó aquello cunplir. *M:* desque
     fuesse m.
53. *GA:* que lo cunpliría. *PGAH:* biviesse. *Visquiesse* está sólo
     en *S*; *vid.* R. Menéndez Pidal, *Cantar* 279.32; se usa en *Es-*

non fiziesse nada dello; et mandólo cunplir después
55 que muriesse, quando non lo podía tener nin levar
consigo; et otrosí, dexávalo porque fincasse dél fama
para sienpre de lo que fiziera, por que oviesse fama
de las gentes et del mundo. Et por ende, commo quier
quél fizo buena obra, non lo fizo bien; ca Dios non gua-
60 lardona solamente las buenas obras mas gualardona las
que se fazen bien. Et este bien fazer es en la entençión,
et porque la entençión del senescal non fue buena, ca
fue quando non devía seer fecha, por ende non ovo della
buen gualardón.

65   Et vos, sennor conde, pues me pedistes consejo, dígovos que, al mío grado, que el bien que quisiéredes
fazer, que lo fagades en vuestra vida. Et para que ayades dello buen gualardón, conviene, lo primero, que
desfagades los tuertos que avedes fecho: ca poco valdría
70 rrobar el carnero et dar los pies por Dios. Et a vos

---

tados 38.4, 121.10 (*vid.* introd. de Tate y Macpherson, página LXXXVI). Conservo *fiziesse* en sing. porque así está
en *SGA* y porque el sujeto tácito es «el senescal».

54. *P:* cunpliesse dello nada. *M:* cunpliessen nada dello. *P:* mandólo fazer.
55. *M:* tener provecho nin levarlo consygo.
56. *P:* Otrosí dexólo por aver fama del mundo. *M:* dexávalo por
fazanna por que fyncasse para syenpre su loança por que
oviesse.
57. *G* omite: *porque o. fama de.*
58. *PH* omiten: *Et por ende.*
59. *P:* non lo fizo a buena entençión ca D. non solamente galardona. *GA* omiten: *ca Dios... se fazen bien. S:* galardona.
60. *P:* las buenas obras mas el bien de la entençión.
61. *P* omite: *Et este b. f. es en la e.*
63. *M:* non podía ser más fecho (omite: *della*). *P:* por ende
non fue gualardonada nin ovo della buen gualardón. *Vid.*
11.173.
65. *P:* consejo me pidiestes. *M:* pues que me demandades. *S:*
pedides. *P:* dígovos quel bien que oviéredes a fazer.
66. *GAHM:* q. queredes fazer.
67. *S:* que lo faredes.
68. *GA:* buen galardón dello. *SGA:* c. que lo p.
69. *M:* desfagades primero. *GA:* que fagades sea desfazer. *H:*
que tenedes fechos: ca poco valía. *M:* poco aprovecharía.
70. *S:* por amor de Dios. *M:* a vos muy poco.

poco valdría tener mucho robado et furtado a tuerto,
et fazer limosnas de lo ageno. Mas, para que la limosna
sea buena, conviene que aya en ella estas çinco cosas:
la una, que se faga de lo que omne oviere de buena
75 parte; la otra, que la faga estando en verdadera penitençia; la otra, que sea atanta, que sienta omne mengua por lo que da, et que sea cosa de que se duela
omne; la otra, que la faga en su vida; la otra, que la
faga omne sinplemente por Dios et non por vana gloria
80 nin por ufana del mundo. Et, sennor, faziéndose estas
çinco cosas, serían todas las buenas obras et limosnas
bien conplidas, et avría omne de todas muy grand
gualardón; pero vos nin otro ninguno que tan conplidamente non las pudiesse fazer, non deve por esso
85 dexar de fazer buenas obras, teniendo que, pues non
las faze en las çinco maneras que son dichas, que non
les tiene pro de las fazer; ca ésta sería muy mala rrazón

---

71. *P:* valdría poco fazer limosna, todo furtado et rrobado et
tomado a tuerto. *M:* a grant tuerto.
72. *P* omite: *et f. l. de lo ageno.*
74. *A:* la primera. *M:* la primera que lo faga. *M:* b. parte, que
sea bien pagado.
75. *PM:* la segunda.
76. *S:* que sientan [*sic*]. *H:* alguna cosa mengua porque que
da [*sic*]. *M:* la terçera que sea tanto la lymosna... e sea en
lugar que se duela omne.
78. *PM:* la quarta. *M:* que el bien que fyziere que lo faga en
su vida synplemente por Dios. *P:* la quinta. *M:* La quinta,
que lo faga lo más secreto que ser pueda, que sy ser pudiere que lo que diere con la una mano que non lo vea la
otra nin se alabe a ninguno del bien que fyziere.
80. *P* omite *nin por ufana. P:* estas çinco cosas faziendo será
la limosna bien conplida et avrá omne della buen gualardón.
81. *A:* serán todas. *H:* serían las b.o. et limosnas cunplidas
et avrá o. de todas b.g.
82. *GA:* muy buen galardón.
84. *PM:* non lo pueda fazer. *H:* pudiere fazer, non deve por
eso de fazer b. obras [*sic*].
85. *M:* dexar por eso... las fazía en estas c.m. que dichas son.
86. *P:* en aquellas çinco maneras, que non tiene pro.
87. *M:* ca esto sería desesperamiento.

et sería commo desesperamiento; ca çierto es que, en qualquier manera que omne faga bien, que sienpre
90 es bien; ca las buenas obras prestan [293] al omne a salir de pecado et venir a penitençia et a la salut del cuerpo, et a que sea rrico et onrado et que aya buena fama de las gentes, et para todos los bienes tenporales. Et assí, todo bien que omne faga a qualquier entençión sienpre
95 es bueno, mas sería mejor para salvamiento et aprovechamiento del alma guardando las çinco cosas suso dichas.

El conde tovo que era verdat lo que Patronio le dezía et puso en su coraçón de lo fazer assí et rrogó a
100 Dios que gelo guiasse en la manera que Patronio le dezía.

Et entendiendo don Johan que este exemplo era

---

88. *H:* desperamiento. *S:* ca çierto que. *P:* ca çierto sed... faga bie, es bien. *M* omite: *ca çierto es... q. sienpre es bien.*

90. *P* (variante especial): «ca la buena obra presta a çinco cosas; la prymera, que ayuda a salir de pecado; la segunda, venir a penitençia; la terçera, a salud del cuerpo; la quarta, que sea rrico et onrrado; la quinta que aya buena fama et p.t.l. bienes tenporales. Et por ende en qualquier bien que omne faga.

91. *GA:* e fazerlo yr a p.

92. *H:* que sería rrico. *M:* e a ser rrico e a aver buena fama de l.g. Et aprovecha aun más para aver todos los bienes tenporales.

94. *A* omite: *a qualquier e. M:* entençión que sea, todo es bien fecho.

95. *S:* muy meior. *H:* mas sería bien. *M:* muy mucho mejor. Omite: *et aprovechamiento.*

96. *P:* sobre dichas.

100. *S:* quel guise que lo pueda fazer. *GA:* que lo (*G* le) guissasse que lo pudiesse f. *M:* mucho a D. que gelo ayudasse a conplir. *H:* que lo guisasse a lo fazer assy por la su merçed. Las variantes son tales, que he adoptado el texto de *P; guiar* tiene el sentido de «dirigir», «gobernar» en *PMC* 217, 241; *Mil.* 45c; *LBA* 125c, 693a, etc.

---

[293] *prestan:* ayudan; *PMC* 1298; *Mil.* 389d; *Ali.* 2232a; *Apol.* 112a, 532a, 652d; *LBA* 590d, 694a y quizá en 1366c.

muy bueno, fízolo escrevir en este libro, et fizo estos versos que dizen assí:

105   Faz bien a buena entençión en tu vida,
           si quieres acabar la gloria conplida.

Exemplo XLI

De lo que contesçió a un moro que fue rrey de Córdova [294]

Un día fablava el conde Lucanor con Patronio, su consejero, en esta guisa:

—Patronio, vos sabedes que yo só grand caçador et he fecho muchas caças nuevas que nunca fizo otro
5 omne. Et aun he fecho et annadido en los capiellos et

---

105. *SG:* et a buena e. *H:* Far a buena e. tu vida.
106. *P:* la tu gloria c. *GA:* aver la g.c. *H:* ganar vida cunplida.
     M: Sy quisyeres bien acabar e aver la g.c.
     S: a un rrey de Córdova quel dizían Alhaquim. *H:* a un rrey
     moro que fue de Córdova. *P:* a un rrey moro de C. que
     fizo puntos en un alboge.
  3. *S:* muy grand c. *GAM:* soy muy caçador.
  5. *S:* ennadido en las piuelas et en lo c. En *Apol.* 28*c* y 525*c*
     la forma es *annader* y en el *LBA* 1629*b*, *annadir*. *H:* anna-
     dido en los canpos et ponerles [*sic*]. *PGA:* capillos. *M:* ca-

---

[294] El personaje es histórico: Al-Hakan II al-Mustansin, califa de Córdoba entre 961 y 976. Fue quien en realidad amplió la mezquita de Córdoba que había construido Abderramán I. La conquista de la ciudad por Fernando III el Santo tuvo lugar en 1236. La anécdota, sin embargo, pertenece a la ficción. María Rosa Lida de Malkiel la comentó en «Tres notas» (*Estudios*, p. 110) y subrayó su «sobrio y primoroso juego dramático». Por mi parte, he subrayado «esa realidad cambiable que se va dignificando y engrandeciendo», como esencialmente poética y muy propia del lirismo árabe. «La acción del rey no comprendida por el vulgo, es precisamente una pequeñez, pero una pequeñez que refina la armonía y mejora la música. Ese "añadimiento del rey Alhaquem", aunque artístico y poético, se transforma en algo más importante, no en la esfera de las armas o las leyes, sino nuevamente en el arte, en la bella mezquita de Córdoba» R. Ayerbe-Chaux (1975), pp. 123 y 124.

pihuelas algunas cosas muy provechosas que nunca fueron fechas. Et agora, los que quieren dezir mal de mí,
fablan en manera de escarnio, et quando loan al Çid
Rroy Díaz o al conde Ferrant González de quantas li-
10 des vençieron o al sancto et bien aventurado rrey don
Ferrando de quantas buenas conquistas fizo, loan a mí
diziendo que fiz muy buen fecho porque annadí aquello
en los capiellos et en las pihuelas. Et porque yo entiendo que este alabamiento más se me torna en denuesto
15 que en alabamiento, ruégovos que me consejedes en
qué manera faré por que non me escarnezcan por la
buena obra que fiz.

—Sennor conde —dixo Patronio—, para que vos sepades lo que vos cunple de fazer en esto, plazerme ýa
20 que sopiéssedes lo que contesçió a un moro que fue
rrey de Córdova.

---

perotes. *Capiellos* (caperuza de cuero con que se cubría
la cabeza del halcón): conservo la forma diptongada; *vid.*
10.19; 27.81 y 36.30. *Pihuelas* (correa de guarnición que
se aplicaba a los pies del halcón, Blecua p. 204, nota 698):
presenta en los mss. la grafía: *piguela* y *piuela*.

6. *PH* omiten: *muy*. *SGA:* aprovechosas.
7. *M:* algunos que quieren dezir. *P:* mal dezir de mí. *H:* bien
dezir.
8. *M:* et quando lo que al Çid.
9. *H:* quantas conquistas fizo (?) fizieron (?). *GA:* lides que
fizieron.
10. *H* omite: *o al sancto... conquistas fizo.*
11. *P:* de quanto bien fizo. *M* (omite: *loan*): a mí dizen.
12. *P:* porque fiz buen fecho. *H:* que fize muy bien. *P* omite:
aquello.
13. *H:* las pinuelas de las aves. *P:* yo sé que esto.
14. *M:* a mí en denuesto que en alabança. *H* omite: *m. se me t.
en d.q. en a.*
16. *H:* manera faga. *M:* manera faría.
17. *P:* por lo que fiz.
18. *S:* S.c. Lucanor. *P:* en Córdova ovo un rrey para que fagades lo que más vos.
19. *S:* más cunpliría *P* (omite: *de fazer en esto*): querría que.
20. *M:* acaesçió a un rrey moro que fue de la çibdad de Córdova. *H:* a un rrey moro de C.

El conde le preguntó cómmo fuera aquello.

—Sennor conde —dixo Patronio—, en Córdova ovo un rrey que avía nonbre Alhaquim. Commo quier que
25 mantenía assaz bien su rreyno, non se trabajava de fazer otra cosa onrrada nin de grand fama de las que suelen et deven fazer los buenos rreyes, ca non tan solamente son los rreyes tenudos de guardar sus rreynos, mas los que buenos quieren seer, conviene que
30 tales obras fagan por que con derecho acresçienten sus rreynos et fagan en guisa que en su vida sean muy loados de las gentes, et después de su muerte finquen buenas fazannas de las buenas obras que ellos ovieren fechas. Et este rrey non se trabajava desto, sinon de
35 comer et folgar et estar en su casa viçioso.

Et acaesçió que, estando un día folgando, que tannían antél un estrumento de que mucho se pagan los

---

23. *A:* Patronio le dixo assí.

24. *GA:* vuo nonbre Alhaquime. *H:* q. ovo nonbre Abenalbaqui. *M:* ovo por nonbre Alhaquir (?) et c.q. que era muy buen rrey e mantenía.

25. *GA:* bien assaz. *PH* omiten: *assaz. GA:* non se trabaxó.

26. *P* omite: *otra. M:* ninguna cosa de onrra.

27. *S:* rreys (*vid.* 25.51). *P:* aver los rreyes buenos. *GA* omiten: *buenos.*

28. *SGH:* tenidos. *H:* tenidos los buenos rreyes et los buenos sennores de guardar s. rr.

29. *M:* buenos son e quieren ser.

30. *P:* acreçiente en sus fechos.

31. *S:* su rregno. *H:* sus rr. et su sennorío. *H:* et faga en su vida que sean loados. *M:* por que la su vida sea. *S:* sea muy loado de las gentes.

32. *H:* después de sus vidas. *M:* fagan buenas fazannas.

33. *H:* b. o. et de los buenos fechos. *S:* obras que él oviere fechas. *PH:* que fizieron.

34. *M:* non trabajava de todo esto ninguna cosa. *P:* desto nada. *H* omite: *desto.*

35. *M:* comer e bever. *H:* de comer et de bever et estar en su casa folgando muy viçioso.

36. *P:* que un día estava folgando. *GA* omiten: *folgando.*

37. *G:* estromento. *A:* estormento. *P:* estormente. *M:* esturmento. *Vid.* 24.85. *S:* se pagara mucho. *GAHM:* se pagavan mucho.

moros, que á nonbre albogón [295]. El rrey paró mientes
et entendió que non fazía tan buen son commo era
40 menester, et tomó el albogón et annadió en él un forado [296] a la parte de yuso [297] en derecho de los otros
forados, et dende adelante faze el albogón muy meior
son que fasta entonçe fazía.

Et commo quier que aquello era bien fecho para
45 en aquella cosa, porque non era tan grand fecho commo convinía de fazer a rrey, las gentes, en manera de
escarnio, començaron a loar aquel fecho et dizían
quando loavan a alguno: «V. a. he de ziat Alhaquim»,
que quiere dezir: «Éste es el annadimiento del rrey
50 Alhaquim».

---

38. *M:* a que llaman. *H:* que avían [*sic*] nonbre.
39. *H:* et entendía que non fazía. *P:* que non fazían. *M:* son commo devía.
41. *G:* de suso. *M:* de ayuso.
42. *PHM:* fizo. *P:* mayor son.
43. *H:* que non solía. *M:* que ante fazía. *P* omite: *fazía*.
44. *S:* buen fecho. *M:* muy bien fecho. *P:* pero en a.c.
45. *GA:* pero que non hera tan. *H:* tan buen fecho.
46. *GA:* conbiene de f.
47. *M:* començaron las gentes a loar aquel fecho en manera de escarnio. *H:* aquel fecho a loar.
48. *H:* a alguno en su lenguaje. *A:* a a. en arávigo. *P:* v. a he de ziet. *GA:* v. a he dezut Alhaquime. *M:* v. āhe cuc (cur?) alhaq̃m. *H* omite. Dice Blecua (p. 205, nota 704): «Gayangos lee: *A hede ziat Alhaquim* y lo mismo hacen González Palencia y Juliá; Knust transcribe: *Va hede ziat Alhaquim* y Nykl, art. cit., propone leer: *Wa hadi ziyadat Al-Hakam,* mientras mi colega Vernet me sugiere: *Ha-hadi ziyad al-Hakam.*»
49. *M:* el entendimiento del rrey alhaqm. *P:* fazanna q. q. d.: éste es el mandamiento que fizo el rrey Aliazim en el albogón. *G* omite: *Éste es... Alhaquim. H:* Tan buen fecho

---

[295] *albogón:* flauta grande de boca ancha y siete agujeros que servía de bajo. *Vid.* nota de J. Joset al *LBA* 1233*a*.
[296] *forado:* agujero; *Mil.* 213*b*; *LBA* 337*d*, 868*c*, 1350*d*, 1377*a*, 1413*b*, 1430*a*.
[297] *yuso:* abajo; *PMC* 992, 1002; *Ali.* 2630*d*; *LBA* (con la preposición *de*): 80*a*, 171*d*, 412*d*, 958*d*, etc. *Vid.* D. Devoto (1972), página 440.

Et esta palabra fue sonada tanto por la tierra fasta que la ovo de oyr el rrey, et preguntó por qué dezían las gentes esta palabra. Et commo quier que gelo quisieron encobrir, tanto los afincó, que gelo ovieron a
55 dezir.

Et desque él esto oyó, tomó ende grand pesar, pero commo era buen rrey, non quiso fazer mal en los que lo dezían, mas puso en su coraçón de fazer otro annadimiento de que por fuerça oviessen las gentes a loar
60 el su fecho.

Estonçe, porque la mezquita de Córdova non era acabada, annadió en ella aquel rrey toda la labor que ý menguava et acabóla. Ésta es la mejor et más conplida et noble mezquita que los moros avían en Es-
65 panna; et, loado Dios, es agora eglesia et llámanla Sancta María de Córdova; et offreçióla el sancto rrey

---

feziste, commo fizo el rrey Albaquin en el alargamiento del albogón, et esto dezían todos en manera de escarnio.
51. *M:* tanto dicha. *P:* sonada por toda la tierra. *H* omite: *por la tierra.*
52. *H:* ovo de saber. *M:* lo oyó el rrey. *P:* que por qué dezían aquello.
53. *GA:* aquesta palabra. *HM:* las gentes aquello. *SA:* quisieran.
54. *GA:* negar e encubrir (*G:* encobrir). *P:* les afincó fasta. *H:* afincó en ello que.
56. *P:* Et de que lo oyó ende tomó. *M:* lo sopo el rrey.
57. *G:* muy gran rr. *H:* rrey et muy cuerdo.
58. *S:* dizían esta palabra. *A:* aquesta palabra. *G:* aquestas palabras. *H:* esta rrazón. *M:* esto dezían. Adopto la lectura de *P*, ya que la vacilación en las palabras añadidas indican contaminación. *P:* pensó en su coraçón. *M:* caro annadimiento.
59. *H:* a labar [*sic*] su fecho. *M:* a dezir o a loar su fecho.
61. *M:* non era aun acabada.
62. *H:* tan buena ni tan acabada. *M:* entendió aquel rrey en la labor que allí. *P* omite: *aquel rrey.*
63. *A:* Y ésta fue. *SM:* la mayor.
64. *H:* que todos los moros.
65. *M:* et loado e alabado sea Nuestro Sennor Dios que agora es. *S:* et loado a Dios. *P:* et loado sea Dios (*vid.* 12.3; 21.89 y 23.3). *H:* et llámase. *P:* et dízenle. *M:* e llamanna [*sic*] Santa M. la mayor de C., la qual ofreçió.
66. *P:* et ofreçiógela el rrey don Ferrando quando.

don Ferrando a Sancta María quando ganó a Córdova de los moros.

70 Et desque aquel rrey ovo acabada la mezquita et fecho aquel tan buen annadimiento, dixo que pues fasta entonçe lo loavan escarniçiéndolo del annadimiento que fiziera en el albogón, que tenía que de allí adelante lo avían a loar con rrazón del annadimiento que fiziera en la mezquita de Córdova.

75 Et fue después muy loado. Et el loamiento que fasta estonçe le fazían escarniçiéndolo fincó después por loor; et oy en día dizen los moros quando quieren loar algún buen fecho: «Este es el annadimiento de Alhaquim».

80 Et vos, sennor conde, si tomades pesar o cuydades que vos loan por escarnesçer del annadimiento que fiziestes en los capiellos et en las pihuelas et en las

---

67. *H:* don Fernando ý el su cuerpo en su enterramiento quando.

69. *M:* aquel rrey Alhaquim ovo a. *H:* ovo acavido [*sic*].

70. *M:* tan noble annadimiento. *H:* aquel annadimiento. *P:* annadimiento que fiziera en el albogón.

71. *H:* lo loavan et de estar nasçimiento [*sic*] de annadimiento. *P:* escarneçiéndol. La forma del verbo es *escarnir* en *PMC* 2551, 2555; *Sm.* 202a; *So.* 185d; *Ali.* 1622c. En el *LBA* el participio es *escarnido* (once veces), pero el infinitivo tiene ya la forma moderna en 866d: «andan por escarneçerla»; conservo la forma de *S* que está en *Estados* 100.24, aunque el participio es *escarneçido* en 237.16. *GA:* retrayéndole el annadimiento que f. *M:* porque fiziera el a. *P* omite: *del annadimiento... albogón.*

72. *S:* adellante (*vid. LBA* 774a, 1709d). *GA:* lo (*A* le) avrían a loar.

73. *P* omite: *del annadimiento... Córdova.*

75. *P:* Et el alabamiento q.f.e. le f. fue por loar.

76. *H:* en manera de escarnio.

77. *GA:* por loa. *H:* et aun dizen oy en día los moros.

78. *H:* buen fecho de semejante [*sic*].

80. *H:* porque cuydades que este loor que vos dizen, que vos lo dizen por voslo escarneçer.

81. *S:* por vos escarner [*sic*]. *GM:* por vos escarneçer. *P:* de aquel annadimiento en las cosas de caça.

82. *H:* en las piguelas et en los capillos de los falcones et açores.

otras cosas de caça que vos fiziestes, guisad de fazer
algunos fechos grandes et buenos et nobles, quales
85 pertenesçen de fazer a los grandes omnes. Et por fuerça
las gentes avrán de loar los vuestros buenos fechos,
assí commo loan agora por escarnio el annadimiento
que feziestes en las cosas de la caça.

El conde tovo éste por buen consejo, et fízolo assí
90 et fallóse ende muy bien.

Et porque don Johan entendió que éste era buen
exemplo, fízolo escrevir en este libro, et fizo estos versos que dizen assí:

Si algún bien fizieres
95 que tan grande non fuere,
faz grande si pudieres
ca el bien nunca muere.

Exemplo XLII
De lo que contesçió al diablo con una falsa beguina [298]

Otra vez fablava el conde Lucanor con Patronio, su
consejero, en esta guisa:

83. *M:* pensad de fazer tales cosas e algunos f. grandes e nobles
e buenos.
84. *H:* algunos buenos fechos. *G:* grandes e nobles. *A:* granados
e nobles.
86. *P* omite: *los. H:* loar a vuestro buen fecho et de los que lo
fizieron.
87. *H:* loan agora los moros el a. que fizo el rrey de Córdova.
P omite: *assí commo... de la caça.*
88. *GA* omiten: *en las cosas.*
95. *SM:* que muy grande. *A:* que chico a faz fuere. *H:* que
grande non fuere.
96. *S:* Faz grandes. *GA:* Fazlo grande. *MH:* pugna de fazer más
(*M* omite: *si pudieres*).
97. *SGA:* que el bien. *H* omite: *ca. M:* que el bien fecho n. m.
P: se pierde. *H:* el b. que nunca m.
H: con una pelegrina. *GA:* con una muger pelegrina. *P:* De
cómmo un buen omne et su muger fueron bueltos por dichos de una falsa muger.

[298] En R. Ayerbe-Chaux (1975), pp. 13-20, estudié las versiones

—Patronio, yo et otras muchas gentes estávamos fablando et preguntávamos que quál era la manera que 5 un omne malo podría aver para fazer a todas las otras gentes cosa por que más mal les viniesse. Et los unos dezían que por ser omne reboltoso, et los otros que por ser peleador, et otros dezían que por ser omne mal fechor en la tierra, et los otros dizían que la cosa 10 por que el omne malo podría fazer más mal a todas las otras gentes que era por seer de mala lengua et assacador [299]. Et por el buen entendimiento que vos avedes, rruégovos que me digades de quál mal destos podría venir más mal a todas las gentes.

---

3. *P:* Yo et otros muchos omnes. *GA:* e otras gentes muchas. *M:* he otras gentes. *H:* he otros muchos estávamos folgando.
4. *H:* era la peor manera que un o.m. o muger mala.
5. *P:* podíe aver. *M:* podría fazer. *P:* a todos los otros.
6. *H* (omite: *otras*): les podiesse venir. Omite: *Et los unos... reboltoso.* Invierte el orden y tiene primero *malfechor* y luego, *peleador.*
7. *G:* rebatoso. *M:* rebatado. *S:* et los otros dizían q. p. s. omne muy peleador. *GA* omiten: *et otros... peleador.*
9. *SAG:* muy mal fechor. *A* omite: *en la tierra. P* omite: *et los otros... las otras gentes. M:* la cosa por que más mal puede venir.
11. *P:* otros, que por ser de mala lengua et asacador. *H:* et los otros dezían que por ser de mala lengua, que por la mala lengua et por ser asacador de mal podría un mal omne et a una [*sic*] mala muger fazer a todas las otras gentes meter en grandes yerros et en grandes peligros.
13. *H:* dígovos que me d. por qué manera. *P:* quál destas cosas más mal puede venir a los omnes.
14. *GA* omiten: *todas.*

---

anteriores, contemporáneas y posteriores a la de don Juan Manuel e indiqué las correspondencias especiales que tiene con la del judío barcelonés, Josep Ben Meir Ibn Sabarra, *Llibre d'ensenyaments delectables. Sèfer Xaaixuim.* Traducció amb Introducció i notes d'Ignasi González-Llubera, Barcelona, Alpha, 1931, pp. 174-179. Hice también el análisis del cuento y subrayé, ante todo, la elaboración del protagonista. *Vid.* D. Devoto (1972), pp. 440-442, y María Rosa Lida de Malkiel, *Estudios,* p. 101.

[299] *assacador:* difamador, cizañero. *Vid.* nota 169.

15 —Sennor conde Lucanor —dixo Patronio—, para que
vos sepades esto, mucho querría que sopiéssedes lo que
contesçió al diablo con una muger destas que se fazen
beguinas.

El conde le preguntó cómmo fuera aquello.

20 —Sennor conde —dixo Patronio—, en una villa avía
un muy buen mançebo et era casado con una muger et
fazían muy buena vida en uno, assí que nunca entrellos
avía ninguna desabenençia.

Et porque el diablo se despaga sienpre de las bue-
25 nas cosas, ovo desto muy grand pesar, et pero que

---

16. *P:* querría que sopiéssedes lo que contesçió a un omne bueno et a su muger con una vieja. Dejando de lado el texto
de *P,* es obvio que las variantes que siguen de *HM* son elaboraciones a la palabra *pelegrina.* Ahora bien, queda el interro-
gante de si *pelegrina* de *GA* es el primer paso de algún
copista para explicar *beguina* o si, por el contrario, *beguina*
fuera el toque feliz de algún escriba. Yo me inclino a creer lo
primero, ya que la tendencia de los escribas es a sustituir
palabras difíciles y por ello mantengo *beguina* como palabra auténtica. (De aquí en adelante no transcribo esta variante.) Las beguinas pertenecían a una comunidad religiosa
para ambos sexos, fundada en Bélgica en el siglo XII por
Yambert le Bègue y condenada en el concilio de Vienne
(1311-1312); combinaban la vida del seglar y la del religio-
so, mezcla que les valió la acusación de hipócritas; se
distinguían por la emotividad mística.
17. *GA:* destas pelegrinas. *H:* muger mala de las malas beatas
et pelegrinas. *M:* destas pelegrynas que andan por el mundo
de rromería en rromería e de Roma a Iherusalem e a San-
tyago e a las otras perdonanças.
20. *SM:* S.c. Lucanor.
21. *P* omite: *muy. M:* un omne mucho buen mançebo. *M:* una
buena muger. *H:* una muger de buena vida. *M:* et estos casados fazían muy b. v.
22. *H:* et vivían en uno muy bien. *P:* f. amos buena vida.
23. *PM:* oviera (*M* avía) desabenençia ninguna. *SH* omiten:
ninguna.
24. *S:* se despagó. *H:* se despaga mucho. *P:* al diablo pesa de
l. b. obras, desto ovo grand pesar, et porque andudo grand t.
25. *GA:* pero andudo.

andudo muy grand tienpo por meter mal entrellos, nunca lo pudo guisar.

Et un día, viniendo el diablo de aquel logar do fazían vida aquel omne et aquella muger, muy triste 30 porque non podía poner ý ningún mal, topó con una beguina. Et desque se conosçieron, preguntól por qué vinía triste. Et él díxol que vinía de aquella villa do fazían vida aquel omne et aquella muger et que avía muy grand tienpo que andava por poner mal entrellos 35 et nunca pudiera; et desque lo sopiera aquel su mayoral, quel dixiera que, pues tan grand tienpo avía que andava en aquello et pues non lo fazía, que sopiesse que era perdido con él; et que por esta rrazón vinía triste.

Et ella dixo que se marabillava, pues tanto sabía, 40 cómmo non lo podía fazer, mas que si fiziesse lo que ella queríe, que ella le pornía recabdo en esto.

Et el diablo le dixo que faría lo que ella quisiesse

26. *S:* andido. *H:* et maguer que a. grant t. *M:* et trabajó grant t. *P:* nunca nunca lo pudo fazer.
27. *GAH:* fazer nin guisar. *M:* pudo esto fazer.
28. *P:* lugar do moravan. *M:* de donde aquel o. e a. buena m. fazían vida.
30. *GA:* ý poner. *P:* los non podía bolver. *H:* algunt mal. *M:* mal ninguno entre marido e muger. *H:* encontró con. *P:* con una vieja que dezían que era pelegrina.
32. *M:* Et el diablo le dixo. *P:* de aquel lugar do aquellos moravan et avía grand t.
34. *H:* por meter.
35. *H* omite: *et desque... quel dixiera. P* (variante especial): «Et quel dixiera su mayoral que pues tanto tienpo avía andado et non rrecabdava, que era perdido. Et por lo tanto venía triste.»
36. *M:* tanto avía que. *G:* tiempo que andava. *A:* tiempo andava.
37. *GAH:* e non lo fazía.
39. *M:* Et la pelegrina le rrespondió e díxole que mucho. *P* (variante especial): «sabiendo tanto et non fazer; mas, si él quisiesse lo que ella quería, que ella lo faría. Et el diablo díxol que faría quanto ella quisiesse, en tal que metiesse mal entrellos. Et ella et el diablo fueron abenidos. Et la vieja fuese do aquellos bivían et, de día en día, fízose conosçer con la muger de aquel mançebo».
40. *M:* sy él quisiesse fazer.
42. *M:* el diablo le prometió que faría. *GAHM:* todo lo que.

en tal que guisasse cómmo pusiesse mal entre aquel
omne et aquella muger.

45   Et desque el diablo et aquella beguina fueron a esto
avenidos, fuese la beguina para aquel logar do vivían
aquel omne et aquella muger, et tanto fizo de día en
día, fasta que se fizo conosçer con aquella muger de
aquel mançebo et fízol entender que era criada de su
50   madre et por este debdo que avía con ella, que era tenuda de la servir et que la serviría quanto pudiesse.

Et la buena muger, fiando en esto, tóvola en su casa
et fiava della toda su fazienda, et esso mesmo fazía su
marido.

55   Et desque ella ovo morado muy grand tienpo en su
casa et era privada de entramos, vino un día muy triste
et dixo a la muger, que fiava en ella:

—Fija, mucho me pesa desto que agora oý: que
vuestro marido que se paga más de otra muger que
60   non de vos, et rruégovos quel fagades mucha onrra et
mucho plazer por que él non se pague más de otra

---

43.   *GAH:* en tal guisa que pudiesse poner (*G* fazer). *M:* en tal
manera que pudiesse poner rrecabdo e malquerençia.
45.   *GA* omiten: *desque.*
46.   *H:* avenidos en aquesto. *M:* en esto entramos a dos abenidos.
47.   *H* omite: *et tanto fizo... aquella muger.*
48.   *M:* con ella e con aquel mançebo su marido. *H:* de aquel
omne.
50.   *P:* et que por aquel debdo era. *S:* muy tenuda. *M:* le era
mucho tenuda.
51.   *M:* quanto quisyesse.
52.   *P:* Et la muger creóla. *M:* fyándose desto. *H:* metióla en
su casa.
53.   *P:* fiava della mucho.
55.   *P:* Et desque ovo morado un tienpo. *M:* Et desque ella vio
tienpo e que avía morado con ellos en su casa muy grant
tienpo e era ya mucho privada de amos a dos.
56.   *P:* privada de amos... triste et dixo a su ama:
58.   *P:* que oý dezir.
59.   *PGAHM:* se pagava. *P:* más de otra que non de vos. *M:* de
otra más que de vos.
60.   *M* omite: *et rruégovos... plazer. P* omite: *et mucho plazer.*

muger que de vos, ca desto vos podría venir más mal
que de otra cosa ninguna.

65 Quando la buena muger esto oyó, commo quier
que non lo creýa, tomó desto muy grand pesar et entristeçió muy fieramente. Et desque la mala beguina
la vio estar triste, fuese para el lugar por do su marido
avía de venir. Et de que se encontró con él, díxol quel
70 pesava mucho de lo que fazíe en tener tan buena muger commo teníe et amar más a otra que non ella,
et que esto, que ella lo sabía ya, et que tomara grand
pesar et que le dixiera que pues él esto fazíe, faziéndol
ella tanto serviçio, que cataría ella otro que la amasse a ella tanto commo él o más; que, por Dios, que
75 guardasse que esto non lo sopiesse su muger, sinon
que sería muerta.

Quando el marido esto oyó, commo quier que lo
non creyó, tomó ende grand pesar et finçó muy triste.

---

62. *M:* v. muy grant danno e más q. otra c. n. *P* (variante especial): «que desto vos podría venir mucho mal. Et desque
esto oyó la buena muger non lo creyó, pero tomó grand
pesar et entristeçió. Et desque la vio estar triste fue salyr
al lugar por do él avía de venir».
64. *H:* Q. la muger.
65. *G:* non la creyó. *M:* que lo non creyó. *S:* tovo desto. *M* omite:
desto. H (omite: *muy*): et entristeçió mucho.
66. *H:* la falsa beata.
67. *M:* estar ansý m. t., fuese a poner en el lugar por donde.
H: fuese fuese [*sic*] a parar en el lugar do avía.
70. *P* (omite: *que non ella*): et que ella lo sabía esto et q. t.
por ello g. p.
71. *H:* esto su muger lo sabía. *M:* esto ya lo sabía ella.
72. *H:* et qué dexara q. p. esto lo fazía [*sic*]. *P:* esto fiziera.
H: et ella le fazía tanto serviçio et non le era gradesçido.
73. *P:* que tomaría. *H:* que ella cataría o. que lo [*sic*] amasse.
M: que amasse a ella; que fuesse tanto commo él o más.
Et que en aquella moneda mesma le pagaría commo él pagava a ella; e p. D. q. le rrogava q. se guardasse.
75. *P:* que esto que lo guardasse que lo non sopiesse. *M:* sopiesse ella. *H:* que lo non sopiesse su muger et esto que
non gelo diesse [*sic*] synon que ella q.s.m.
78. *P:* fue muy triste et tomó grand pesar. *GAM:* muy gran p.
GAH: e finçó ende muy triste. *M:* fue muy triste.

Et desque la falsa beguina le dexó assí, fuese de-
80 lante a su muger et díxol, mostrándol grand pesar:

—Fija, non sé qué desaventura es ésta, que vuestro marido es muy despagado de vos; et por que entendades que es verdat esto que yo vos digo, agora
veredes cómmo viene muy triste et muy sannudo, lo
85 que él non solía fazer.

Et desque la dexó con este cuydado, fuese para
su marido et díxole esso mismo. Et desque el marido
llegó a su casa et falló a su muger triste, et de los
plazeres que solían en uno aver que non avían nin-
90 guno, estavan cada uno con muy grand cuydado.

Et desque el marido fue a otra parte, dixo la mala
beguina a la buena muger que, si ella quisiesse, que
buscaría algún omne muy sabidor quel fiziesse alguna cosa con que su marido perdiesse aquel mal talan-
95 te que avía contra ella. Et la muger, queriendo aver
muy buena vida con su marido, díxol quel plazía et que
gelo gradesçería mucho.

---

79. *P:* la f. vieja lo vio triste. *H:* lo vio assý. *GA:* lo dixo assí.
M: dixo esto assý. *SGA:* adelante (*Vid. PMC* 853; *LBA* 237*d*,
1245*d*) ... muy g. p.

81. *H* omite: *no sé. M:* Fija mía, desaventurada es esta vida,
que v. m. no es pagado de vos.

82. *P:* está despagado de vos et por que veades. *M* omite: *et
por que... vos digo.*

83. *P* omite: *esto que yo vos digo. P:* parad mientes agora c. v.
triste e sannudo.

84. *GA:* viene triste.

86. *G:* E do la dexó. *A:* E dexándola con. *H:* Et dexóla en
este c. *M:* Et déxola ansý en este c.

88. *P:* Et llegó a casa et f. a su m. triste et non plazer ninguno
de los que solýan, et estava cada uno con grand cuydado
(línea 90). *GAH:* llegó para su c. *M:* su muger muy triste.

90. *GAH:* estava todavía con. *M:* et amos a dos estavan todavía con.

91. *M:* dixo a la muger la falsa pelegryna. *AH:* la falsa pelegrina. *P:* la vieja falsa.

93. *P:* que fiziesse con que su marido p. el mal talante.

94. *H:* el mal talante que della avía.

95. *P:* Et la buena muger cobdiçiando.

97. *AG:* agradesçía (*G* gradecía) mucho.

Et a cabo de algunos días, tornó a ella et díxol que avía fallado un omne muy sabidor et quel dixiera
100 que si oviera unos pocos de cabellos de la barva de su marido de los que están en la garganta que faría con ellos una maestría [300], que perdiesse el marido toda la sanna que avía della, et que bivrían en buena vida commo solían o por ventura mejor, et que a la
105 ora que viniesse, que guisasse que se echasse a dormir en su rregaço. Et diol una navaja con que cortasse los cabellos.

Et la buena muger, por el grand amor que avía a su marido, pesándole mucho de la estranneza que
110 entrellos avía caýdo et cobdiçiando más que cosa del mundo tornar a la buena vida que en uno solían aver, díxol quel plazía et que lo faría assí. Et tomó la navaja que la mala beguina traxo para lo fazer.

----

99. *P:* quel fallara. *M:* q. avía fablado con. *H:* et que le dixiere [*sic*].
100. *GH:* que si oviesse. *S:* que oviesse.
101. *PM:* so la garganta.
102. *GAM:* por que perdiesse.
103. *HM:* que della avía. *P:* et que biviría... solía. *M:* q. farían b. v. *H:* et q. la amaría tanto et q. por ventura más q. solía et q. avría buena vida commo solía o mejor.
104. *GA:* e por aventura (*vid.* 1.109).
105. *P:* que fiziesse cómmo se echasse.
108. *H:* Et por el grant amor que avía la buena muger que avía con su marido.
109. *S:* pesando mucho. *P:* pensando. *H:* la grant estranneza que en uno avía caýdo.
110. *M* (omite: *caýdo*): pensó en lo fazer codiçiando más. *S:* cudiçiando. La vacilación entre *cobdiciar* y *cubdiciar* la he hallado en el *Ali.* 2105*d:* «cobdician» (O), «cubdician» (P); las formas del verbo son todas con *o* en el radical, en *Apol.* 313*c*, 494*c* y en las 16 veces que se usa en el *LBA. P:* cobdiçiando mucho tornar a la b. v.
111. *H:* que en uno avían.
112. *H:* la navaja en la mano para lo fazer.
113. *P:* quel dio la vieja (omite: *para lo fazer*). *GA:* traýa para lo fazer. *M:* le dio para lo fazer.

----

[300] *maestría:* remedio, mixtura. Blecua, p. 210, nota 712, cita *Apol.* 198.

Et la beguina falsa tornó al marido, et díxol que avía
115 muy grand duelo de la su muerte, et por ende que
gelo non podía encobrir, et que sopiesse que su muger lo quería matar et yrse con su amigo, et por que
entendiesse que dizía verdat, que su muger et aquel
su amigo avían acordado que lo matassen en esta
120 manera: que luego que viniesse, que guisaría que él
se adormiesse en su rregaço della, et desque fuesse
adormido, quel degollasse con una navaja que tenía
paral degollar.

Et quando el marido esto oyó, fue mucho espan-
125 tado, et commo quier que ante estava con mal cuydado
por las falsas palabras que la mala beguina le avía
dicho, por esto que agora dixo fue muy cuytado et
puso en su coraçón de se guardar et de lo provar; et
fuese para su casa.

130 Et luego que su muger lo vio, reçibiólo meior que
los otros días de ante, et díxol que sienpre andava
travajando et que non quería folgar nin descansar, mas

---

114. *P* omite: *Et la b. f. M:* tornóse. *S:* et dixo.
116. *M* omite: *que sopiesse... q. dizía verdat.*
118. *P:* que era verdat, que acordavan amos que desquél viniesse
que guisasse ella cómmo se echasse a dormir en su rregaço. *HM:* que sopiese que su m.
120. *GA:* guisasse que se adurmiesse. *H:* q. guisasse quél se
adormiesse. *M:* l. q. se fuesse él a su casa que farían tanto
que se echase él a dormir en su rregaço.
122. *H:* que lo degollaría. *P:* q. tenía para lo fazer.
124. *GAHM:* muy espantado. *P:* espantóse et commo ante estava.
125. *G:* estava mucho espantado con mal cuydado. *A* omite: *et
c.q.q. ante estava. H:* que antes con el grant c. [*sic*]. *M:*
q. ante estava pensando en las falsýas que la falsa pelegrina
le dixera pero non dava tanto por ello.
126. *G:* con las palabras. *A:* de las falsas palabras. *P:* quel avía
dicho ante. *H:* la falsa pelegrina le ovo dicho.
127. *P* omite: *que agora dixo. H* omite: *por esto... cuytado.
M:* mucho más espantado.
128. *P:* pensó en su coraçón.
130. *P:* Et desquel vio su muger. *M:* muy bien, mucho mejor.
132. *M:* e que nunca descansava; que le ploguiesse que se alle-
gasse allí açerca della.

que se echasse allý çerca della et que pusiesse la cabeça en su regaço, et ella quel espulgaría.

135 Quando el marido esto oyó tovo por çierto lo quel
dixiera la falsa beguina, et por provar lo que su muger
faría, echóse a dormir en su regaço et començó de dar
a entender que dormía. Et desque su muger tovo que
era adormido bien, sacó la navaja para le cortar los
140 cabellos, segund la falsa beguina le avía dicho. Quando el marido le vio la navaja en la mano çerca de la
su garganta, teniendo que era verdat lo que la falsa
beguina le dixiera, sacól la navaja de las manos et
degollóla con ella.

145 Et al rroýdo que se fizo, quando la degollava, recudieron el padre et los hermanos de la muger. Et
quando vieron que la muger era degollada et que nunca
fasta aquel día oyeron al su marido nin a otro omne
ninguna cosa mala en ella, por el grand pesar que
150 ovieron ende, fueron todos al marido et matáronlo. Et

---

134. *P:* en su rregaço la cabeça et quel espulgaría.
135. *P:* Quando él esto oyó, tovo por çierto lo que la vieja le dixiera. Et por la provar.
137. *GA:* echóse en su regaço a dormir. *H:* començó a echarse en su rr. *M* omite: *a dormir. PHM:* et dava (*H* dio, *M* diole) a entender que. *GA:* començó a dar. *Vid.* 8.30.
138. *S:* durmía. *Vid. LBA* 1425a. *H* omite: *Et dq. su m. t.q. era adormido.*
139. *M:* bien adormido. *GA:* dormido bien. *P:* bien dormido. *Vid. LBA* 1100c.
140. *P* (omite: *segund la f. b. le a. dicho*): Et q. él vio la n. en las manos ç. del pezcueço.
141. *M:* sentyó la n. açerca de su g. en la mano de la muger.
145. *M* omite: *Et al rroýdo... la degollava. P* añade: la dego-llava, *dio vozes la vieja. M:* Et luego en punto rrecudieron a su casa su p. e su m. e sus h. *P:* rrecudieron los parien-tes de la muger.
147. *P* omite: *la muger. M:* que a su muger avía degollado. *P:* et nunca oyeran a su m. *M:* e q. fasta entonçes nunca avían oýdo.
148. *GAH:* otro omne ninguno.
149. *HM:* mala cosa. *PM:* della. *P:* con pesar fueron al marido.
150. *H:* vinieron todos. *S:* endereçaron todos et matáronlo. *M:* ovieron ende grant pesar et vinieron todos los parientes de la muger e tomaron al marido e matáronlo.

a este rroýdo recudieron los parientes del marido, et
mataron a aquellos que mataron a su pariente. Et en
tal guisa se rrevolvió el pleyto, que se mataron aquel
día la mayor parte de quantos eran en aquella villa.
155 Et todo esto vino por las falsas palabras que sopo
dezir aquella falsa beguina.

Pero, porque Dios nunca quiere quel que mal fecho
faze que finque sin pena, nin aun que el mal fecho
sea encubierto, guisó que fuesse sabido que todo aquel
160 mal viniera por aquella falsa beguina, et fizieron della
muchas malas justiçias, et diéronle muy mala muerte
et muy cruel.

Et vos, sennor conde Lucanor, si queredes saber
quál es el peor omne del mundo, et de que más mal
165 puede venir a las gentes, sabet que es el que se muestra
por buen christiano et por omne bueno et leal, et la su

---

151. *H* omite: *recudieron. P:* vinieron los parientes dél.
152. *M:* a todos aquellos que avían muerto al su p. *P:* quel
avían muerto.
153. *GA:* se bolvió. *P:* se rrecreçió. *M:* rrebolvió aquel pueblo
la falsa pelegrina q. se m. allí toda la m. p. que era en
la v. *P:* q. se m. la mayor partida de q. omnes avíe en a. v.
154. *GAH:* eran en la villa.
155. *P:* Et todo este mal. *H:* Et en todo este mal v. p. las malas
palabras.
156. *P:* de aquella vieja falsa, traydora, enemiga.
157. *GA:* P. pq. nunca Dios. *H:* nunca quiere Dios q. el q. más
[*sic*] fecho f. *P:* quel que mal faze. *M:* non quiere Dios
que el mal fecho sea encubierto e que el mal fecho fynque
syn pena, plógole que fuesse.
158. *P:* sin pena et el mal fecho sea descobierto, quiso que.
159. *H:* guisóse et fue.
160. *P:* mal vino por. *H:* fue por aquella f.
161. *G:* muchas justizias. *H:* muy malas j. *P:* tantas justiçias
fasta que los pedaços se le cayén biva. *M:* della justiçia et
d. m.m. m. et muy cruel, cortándole pies e manos e sacán-
dole el coraçón e al fyn fue lançada en un grant fuego.
163. *S* omite: *si* (queredes).
164. *M:* cosa del mundo.
165. *P:* a los omnes. *PM* omiten: *sabet que. G* omite: *sabet que
es el q. se muestra. M:* es el que es tenido. *AH* añaden (se
muestra): *a las gentes.*
166. *H:* por muy buen omne et leal.

entençión es falsa, et anda asacando falsedades et
mentiras por meter mal entre las gentes. Et conséjovos yo que sienpre vos guardedes de los que vierdes
170 que se fazen gatos rreligiosos[301], que los más dellos
sienpre andan con mal et con enganno. Et para que
los podades conosçer, tomad el consejo del Evangelio
que dize: «A fructibus eorum cognoscetis eos»[302], que
quiere dezir, que por las sus obras los conosçeredes.
175 Ca çierto sed, que non á omne en el mundo que muy
luengamente pueda encubrir las obras que tiene en la
voluntad; bien las puede encobrir algún tienpo mas
non luengamente.

El conde tovo que era verdat esto que Patronio le
180 dixo et puso en su coraçón de lo fazer assí, et rrogó
a Dios quel guardasse a él et a todos sus amigos de
tal omne.

---

167. *P:* es mala et anda acatando. *M:* falsedades e muertes por
poner.
168. *H:* entre los omnes. *M:* Et rruégovos e pídovos por merçed que.
169. *P:* et guardatvos sienpre. *GA:* de los homes que vierdes.
H: de los omnes que se fazen.
170. *S:* religiosios [*sic*].
171. *P* omite: *sienpre.*
172. *GA:* podades consejar. *P:* los conoscades, tomad el Evangelio. *H:* el seso del Evangelio.
173. *G:* A fructibus eam cognoscas eos [*sic*]. *PH* omiten: *A fructibus... dezir. A* omite: *que quiere dezir.*
174. *H:* por las sus palabras. *M:* veredes e los conosçeredes.
175. *S:* Ca çierto sabet. *GA:* sed cierto. *P:* omne del mundo que
luengamente. *H:* que nunca luengamente.
176. *H:* las buenas obras e malas que toviere.
177. *M:* ca bien las puede. *P:* puédelas encobrir algún tienpo
mas non mucho. *H:* ca algunt tienpo bien las puede encobrir mas non largamente.
179. *M:* plogo mucho con este exemplo que Patronio su consejero le dixera.

---

[301] *gatos rreligiosos:* hipócritas. *Vid.* María Rosa Lida de Malkiel, «¿Libro de los gatos o Libro de los cuentos?» *RPh,* V, 1951-
1952, pp. 46-69.
[302] San Mateo, VII, 16.

Et entendiendo don Johan que este exemplo era
muy bueno, fízolo escrevir en este libro, et fizo estos
185 versos que dizen assí:

Para mientes a las obras et non a la semejança
si cobdiçiares ser guardado de aver mala andança.

Exemplo XLIII

**De lo que contesçió al Bien et al Mal
et de lo que contesçió a un omne bueno con un loco** [303]

El conde Lucanor fablava con Patronio, su consejero, en esta manera:

—Patronio, a mí contesçe que he dos vezinos: el uno
es omne a quien yo amo mucho, et ay muchos debdos
5 entre mí et él por quel devo amar; et non sé qué pecado o qué ocasión es, que muchas vezes me faze al-

---

186. *A:* para miente a l. o. non a la s. *M:* a la obra. *P:* Vee la
obra del omne e non a su semejança.
187. *A:* si quies [*sic*]. *M:* si quieres. *H:* sy quieres aver buen
andança. *P:* si quieres ser seguro con buena esperança.

S: al Mal et al cuerdo con el loco. *P:* al Mal et a un omne
bueno con otro loco en el banno. *H:* al Mal et al omne bueno
con el loco que entrava en el banno. *GA* omiten: *bueno.*
3. *P:* contesçió. *M:* acaesçió.
4. *S:* et ha muchos deubdos. *H:* ha muchos buenos d. *GA:* hay
muchos buenos d. *M:* ay muchos debdos buenos.
5. *A:* le devo amor. *M:* mucho de amar. *M:* qué punto o qué
ocasyón.
6. *H:* me faze muchas vezes algunas escátimas de que yo tomo
grant enojo. *M:* a las vezes me f.a. enojos e algunos yerros
e escátimas de que t. grant e.

---

[303] En el primer exemplo, de tipo alegórico, irónicamente el
Bien es en el fondo tan malo, por vengativo, como el Mal; y el
Mal, arrepentido, deja de ser malo. Puede tener como base la má-
xima de la *Disciplina clericalis* o la de los *Bocados de oro* que
cita D. Devoto (1972), p. 445 (*vid.* pp. 442-445). Según María Rosa
Lida de Malkiel, *Estudios,* p. 107, queda huella del segundo cuento
en los refraneros.

gunos yerros et algunas escátimas de que tomo muy
grand enojo; et el otro non es omne con quien aya
grandes debdos nin grand amor, nin ay entre nos
10   grand rrazón por quel deva mucho amar; et éste otrossí, a las vezes, fázeme algunas cosas de que yo non
me pago. Et por el buen entendimiento que vos avedes, rruégovos que me conseiedes en qué manera passe con aquellos dos omnes.

15   —Sennor conde Lucanor —dixo Patronio—, esto que
vos dezides no es una cosa, ante son dos, et muy re-
vessadas la una de la otra. Et para que vós podades en
esto obrar commo vos cunple, plazerme ýa que sopiéssedes dos cosas que acaesçieron: la una, qué con-
20   tesçió al Bien et al Mal; et la otra, qué contesçió a
un omne bueno con un loco.

El conde le preguntó cómmo fuera aquello.

—Sennor conde —dixo Patronio—, porquestas son
dos cosas e non las podría dezir en uno, dezirvos he
25   primero de lo que contesçió al Bien et al Mal, et dezirvos he después lo que contesçió al omne bueno con
el loco.

---

7.   *P:* yerros e escátimas de que tomo grand pesar et enojo.
     Vid. 29.4.
8.   *H:* es omne con quien yo non he tan g.d. nin ay entre nos
     tan g.a. *M:* yo tenga o aya muchos d.
9.   *P:* debdo nin am. (el ms. está roto). *A:* nin grande amistad.
     H omite: *ay e. nos grand. M* omite: *nin ay... mucho amar.*
10. *GA:* mucho aver.
11. *H:* fázeme a las vegadas. *GA:* fázeme a las vezes. *H:* me yo
     non pago.
16. *P* omite: *non es una cosa, ante.*
17. *M* añade (de la otra): *cada qual por sý.*
19. *M:* la primera, es lo que acaesçió. *S:* lo que c.
20. *P:* al Mal et al Bien. *M:* et la segunda es la que. *S:* lo que
     contesçió.
22. *M:* le rrogó que le dixesse.
24. *S:* dos cosas non vos las. *H:* estas cosas son dos et non vos
     las puedo. *M:* dos cosas cada una por sý. *P:* podré dezir
     en uno, diré primero lo q.c. al Mal et al Bien, et después
     al omne bueno con el loco. *H:* et después dezirvos he.
26. *GA:* al buen hombre.

Sennor conde, el Bien et el Mal acordaron de fazer su conpannía en uno. Et el Mal, que es más acuçioso
30 et sienpre anda con rrebuelta et non puede folgar, sinon rrebolver algún enganno et algún mal, dixo al Bien que sería buen rrecabdo que oviessen algún ganado con que se pudiessen mantener. Al Bien plogo desto. Et acordaron de aver oveias. Et luego que las
35 oveias fueron paridas dixo el Mal al Bien que escogiesse en el esquilmo [304] daquellas oveias.

El Bien, commo es bueno et mesurado, non quiso escoger, et el Bien dixo al Mal que escogiesse él. Et el Mal, porque es malo et derranchado [305], plógol ende,
40 et dixo que tomasse el Bien los corderuelos assí commo nasçían, et él, que tomaría la leche et la lana de las oveias. El Bien dio a entender que se pagava desta partición.

Et el Mal dixo que era bien que oviessen puercos;

28. *PM* añaden: *dixo Patronio. H:* eran conpanneros et fizieron.
29. *GA:* sienpre es más. *M:* es syenpre mucho a.
30. *H:* et anda sienpre.
31. *P:* dixo el Mal al Bien. *M:* d. al B. un día.
32. *G:* que sabía que sería. *H* omite: *q. sería b. rrecabdo.* Que oviessen algunt enganno [*sic*].
33. *M:* Et el bien desque esto oyó plógole mucho dello e a. de conprar ovejas.
34. *P:* acordaron (ms. ilegible *hasta commo nasçían*).
37. *A:* El Bien, como es bueno e mesurado, no quiso escoger. Y luego q.
38. *GA:* mas dixo el B. al M. *H:* et dixo al M. *M:* mas antes dixo el B. al M.
39. *H:* malo et derranchando. *M:* malo e desvariado e desvergonçado. *AM:* p. ende mucho.
40. *M:* los corderos como nasçiessen.
41. *G:* nasció. *A:* nascía. *H:* nasçen.
43. *P:* de la partición. *H:* con esta parte.
44. *M:* d. otra vez al B. que sería mucho bien que conprassen puercos e al B. plógole mucho desto e conpráronlos. *H:* puercas.

[304] *esquilmo:* «producto que se saca del ganado o de la tierra» (Blecua, p. 213, nota 720). El verbo *esquilmar* aparece en el *LBA* 1250*a*.
[305] *derranchado:* audaz, temerario. *Vid.* 21.115.

45   et al Bien plogo desto. Et desque parieron, dixo el
      Mal que, pues el Bien tomara los fijos de las oveias
      et él la leche et la lana, que tomasse agora la leche et
      la lana de las puercas, et que tomaría él los fijos. Et el
      Bien tomó aquella parte.

50   Después dixo el Mal que pusiessen alguna ortaliza;
      et pusieron nabos. Et desque nasçieron, dixo el Mal al
      Bien que non sabía qué cosa era lo que non veýa, mas,
      por que el Bien viesse lo que tomava, que tomasse las
      foias de los nabos que paresçían et estavan sobre
55   tierra, et que tomaría él lo que estava so tierra. Et
      el Bien tomó aquella parte.

         Et después, pusieron coles; et desque nasçieron,
      dixo el Mal que, pues el Bien tomara la otra vez de
      los nabos lo que estava sobre tierra, que tomasse agora
60   de las coles lo que estava so tierra. Et el Bien tomó

---

45. *H* omite: *et al B. p. desto. P:* «et plógol al Bien. Et dq. par-
     tieron dixo el M. al B. q. p. t. los corderos de las ovejas,
     que agora él tomasse la lana et la leche de los puercos et
     t. él los cochinos.» *M:* parieron las puercas dixo el M. al B.
     que pues él tomara la leche.
47. *H:* tomaría él agora los fijos de las puercas et él que to-
     masse la lana et la leche.
49. *P:* et el B. dio a entender quel plazía. Et el M. dixo que
     sería bien oviessen a. ortaliza.
50. *G:* que supiessen [*sic*]. *H:* que tomassen ortaliza. *M* omite:
     alguna.
51. *P:* «dixo el M. que por que él viesse lo que tomava que to-
     masse las fojas que paresçían, et él fízolo assí».
52. *H:* la cosa que non veýa. *M:* pero por que él viesse lo que
     tomava.
54. *H* omite: *los nabos que paresçían.*
55. *G* omite: *et que tomaría... so tierra. HM:* tomaría él agora.
57. *GH* omiten: *Et después... tomó aquella parte* (línea 61).
     M: Et d. dixo el M. al B. que posyessen berças; después
     que nasçieron dixo el M. al B.
58. *P:* que por que él viesse, pues el Bien tomara lo que pa-
     resçía fuera de los nabos.
59. *M:* los nabos las fojas que estavan sobre la tierra. *P:* que
     él agora tomaría lo que pareçía fuera de las coles et él
     que tom. (el ms. en esta parte está roto y se pierden va-
     rias palabras).
60. *M:* plógole dello e tomó aquella suerte.

aquella parte. Después dixo el Mal al Bien que sería
buen recabdo que oviessen una muger que los servies-
se. Et al Bien plogo desto. Et desque la ovieron, dixo
el Mal al Bien que tomasse el Bien de la çinta arriba,
65 et él que tomaría de la çinta ayuso. Et el Bien tomó
aquella parte.

Et fue assí que la parte del Bien fazía lo que cunplía en casa, et la parte del Mal era casada con él et
avía de dormir con su marido. La muger fue en çinta
70 et encaesçió de un fijo. Et desque nasçió, quiso la
madre dar al fijo de mamar; et quando el Bien esto
vio dixo que non lo fiziesse, ca la leche de la su parte

61. *GAH* omiten: *sería buen recabdo. P:* sería bien que oviessen.
62. *H:* tomassen una muger. *M:* sería buero [*sic*] q. entramos
a dos a tomassen u.m.q. les s. en su casa.
63. *P:* et desto plogo al B. *GA:* y el B. dixo que le plazía. *M:* la
muger ovieron tomada. *H:* ovieron tomada.
64. *SH* omiten: *al Bien. P:* tomasse él de la ç. *S:* çinta contra
la cabeça. El significado fundamental de *contra* es «hacia»
(*vid.* R. Menéndez Pidal, *Cantar,* p. 389.26); sin embargo,
no adopto la lectura de *S* porque no está en ninguno de
los otros mss.; en la línea 91), *contra* tiene esta acepción.
65. *M:* fasta la cabeça. *GA:* que partiesen el servicio della y el
Bien dixo que le plazía; y el Mal dixo al Bien que tomase el
servicio de la cinta arriba que era la mejor parte del cuerpo.
P: et él que tomasse. *GA* omiten: *et él tomaría y Et el
B. t. a. parte. A:* la peor parte que era de la cintura ayuso.
G: lo de la cinta abaxo ayuso que era la peor parte. *H:* de
çinta abaxo. *M:* desde baxo de la çinta contra los pies.
S: contra los pies.
66. *M:* a. parte que el Mal le dio.
67. *H:* en casa lo que cunplía. *M:* fazía todo lo que se avía de
fazer en casa.
69. *M:* enprennó e fue en çinta e después encaesçió. *P:* fue
en çinta et enprennóse. *P* da dos sinónimos; la lectura
de *SGA* es mejor, ya que significa «estar en cinta y dar a
luz»; *vid. Estados* 50.10 y Giménez Soler, p. 678.20.
70. *H:* acaesçió. *H:* et dq. fue nasçido, q. la m. dar de mamar
al fijo. *GA* omiten: *et dq. nasçió. M:* fue nasçido el fyjo
quísole dar la madre de mamar. *P:* quiso criar la madre a
su fijo et darle de mamar. *GA:* e quísole dar de la leche.
72. *M:* mandóle. *HM:* q. lo non fiziesse. *M:* la leche que ella

era, et que non lo consintiría en ninguna manera.
Quando el Mal vino alegre por veer el su fijo quel
75 nasçiera, falló que estava llorando et preguntó a su
madre que por qué llorava. La madre le dixo que porque non mamava. Et dixo el Mal quel diesse a mamar. Et la muger le dixo que el Bien gelo defendiera [306] diziendo que la leche era de su parte. Quando
80 el Mal esto oyó fue al Bien et díxol, riendo et burlan-
do, que fiziesse dar leche a su fijo. Et el Bien dixo
que la leche era de su parte et que non lo faría. Et
quando el Mal esto oyó, commençól de affincar ende.
Et desque el Bien vio la priessa en que estava el Mal
85 díxol:

—Amigo, non cuydedes que yo tan poco sabía, que
non entendía quáles partes escogistes vós sienpre et

---

tenía. *P:* era de la su parte. *H:* era de su parte que lo non
consintiera.
73. *M:* lo non c.
74. *GA:* supo que era encaescida, vino. *M:* vino a la casa, ve-
nié muy alegre.
76. *G* omite: *La madre... mamava. SHM:* Et díxol.
77. *H:* non mamava el su fijo.
78. *P:* Et dixo la muger. *H:* gelo avía defendido.
79. *M:* las tetas eran de la su parte e que era suya la leche.
PM añaden: *et que non lo faría. P* omite: *Quando el Mal...
et que non lo faría.*
80. *M:* e rrogóle mucho e díxole rriendo e b. que le rrogava
que le mandasse dar.
81. *H:* que le rrogava que le fiziesse dar. *G* omite: *a su fijo.*
M: le rrespondió.
82. *H:* que lo non faría ca la leche sabía él bien que era en
la su parte (omite: *et q. n. lo faría*). *M:* lo non faría en
ninguna manera.
83. *H:* c. de falagar mucho. *M:* c. de rrogar e de afyncarle
mucho que le mandasse dar la teta a su fyjo por que non
peresçiessa.
84. *P:* en que el Mal estava.
86. *PS:* non cuydes. *M:* non te cuydes.
87. *P:* vos sienpre para vos.

---

[306] *defendiera:* había prohibido, había vedado; *LBA* 523*b*, 839*c*,
1708*d*; *Estados* 19,25 y 75,14.

quáles diestes a mí; pero yo nunca vos demandé nada de las vuestras partes, et passé muy lazradamen-
90 te [307], con las partes que me vós dávades, et nunca
vos doliestes de mí nin oviesse mesura [308] contra mí;
pues si agora Dios vos traxo a lugar [309] que avedes menester algo de lo mío, non vos maravilledes si vos lo
non quiero dar, et acordatvos de lo que me feziestes,
95 et soffrid esto por lo ál.

Quando el Mal entendió que el Bien dizía verdat
et que su fijo sería muerto por esta manera, fue muy
mal cuytado et començó a rrogar et pedir merçed al
Bien: que, por amor de Dios, oviesse piedat de aque-
100 lla criatura, et que non parasse mientes a las sus mal-
dades, et que dallí adelante sienpre faría quanto mandasse.

---

88. *H:* davas a mí. *M:* e q. partes davas para mí. *S:* demandé
ya nada. *H:* te demandé de las tus partes. *M:* te demandé
nada de lo tuyo nin de la tu parte, et Dios sabía que pasava.
89. *S:* lazdradamiente.
90. *H:* que tú me diste. *M:* que me tú davas.
91. *S:* mensura. *M:* ninguna mensura. *H:* mesura nin piedat
(omite: *contra mí*).
92. *P:* vos truxo Dios. *GA:* vos D. traxo. *M:* pues te D. traxo
a l. q. tú has m. *H:* te traxo a l. q. has m.
93. *G:* vos non lo quiero yo dar. *A:* no os lo quiero yo dar.
M: te lo non quiere dar.
94. *S:* non quiso dar [*sic*]. *GA:* fezistes sofrir. *H:* fiziste et toma
esto. *M:* feziste e sufre.
96. *A:* el M. atendió. *H:* entendió que era verdat et q. su f. era
muerto.
97. *P:* fue en grand cuydado. *M:* fue muy cuytado. *H:* muy mal
contado et c. a pedir et rrogar.
99. *P:* que por lo de Dios.
101. *M:* que le prometía e jurava. *PM:* faría lo quel (*M* él le)
mandasse.

---

[307] *lazradamente:* pobremente, miserablemente.
[308] *mesura:* comedimiento, consideración; *Ali.* 813*b*; *Apol.* 572*b*;
LBA 606*b*, 1341*d*, 1522*c*, etc. (El sentido inicial del verbo es «medir»: *Sm.* 226*c*).
[309] *vos traxo a lugar:* os puso en ocasión. *Vid.* nota 142.

Desque el Bien esto vio, tovo quel fiziera Dios
mucho bien en traerlo a lugar que viesse el Mal que
105 non podía guaresçer sinon por la bondat del Bien, et
tovo que esto le era muy grand emienda, et dixo al
Mal que si quería que consintiesse que diesse la muger leche a su fijo, que tomasse el moço acuestas et
que andudiesse por la villa pregonando en guisa que
110 lo oyessen todos, et que dixiesse: «Amigos, sabet que
con bien vençe el Bien al Mal»; et faziendo esto, que
consintiría quel diesse la leche. Desto plogo mucho
al Mal et tovo que avía de muy buen mercado [310] la
vida de su fijo; et el Bien tovo que avía muy buena
115 emienda. Et fízose assí. Et sopieron todos que sienpre
el Bien vençe con bien.

Mas al omne bueno contesçió de otra guisa con
el loco; et fue assí:

Un omne bueno avía un vanno et el loco vinía al

103. *M:* esto oyó. *P:* que Dios le fiziera merçed et bien.
104. *A:* mucha merçed.
106. *M:* tovo el Bien... emienda o satisfaçión. *P:* q. aquello le
era grand e. *H:* dixo el B. al M.
107. *M:* q. aquella muger diesse a mamar a su fyjo. *H:* que
diesse la muger a su fijo [*sic*].
109. *PH* omiten: *en guisa. M:* pregonando a grandes vozes en
guisa.
111. *P:* quel Bien vençió al Mal con bien. *GAM:* vençió. *H:* el B.
con el bien vençe al Mal.
112. *H:* consyntiera q. d. l. a su fijo. *P:* que diesse leche la madre
a su fijo. *M:* la leche la muger a su fyjo, en otra manera
que non lo consentiría en ninguna guisa.
113. *PH:* avíe (*H* avía) bien mercado.
114. *H:* v. de su f. et fízolo assý. *M:* avía avido. *PHM* omiten:
muy.
115. *H:* emienda de quanto el Mal le avía fecho. *GA:* por esto
supieron (*G* sopieron). *H:* et tovieron todos q. s. el Bien
vençe al Mal. *M:* todos los de la villa que el B. que vençió
al M. con bien.
116. *P:* vençiera con bien al Mal.
119. *S:* Un omne bono. *M:* tenía un banno; e un loco vino un
día e entró en aquel banno, et quando algunas gentes se

[310] *mercado:* contrato mercantil; *PMC* 139; *Mil.* 670*a*, 871*d*;
Apol. 87*a*; *FnGz.* 128*d*, 572*c*; *LBA* 1309*c*; *Estados* 159,24.

120   vanno quando las gentes se vannavan et dávales tan-
       tos golpes con el cubo et con piedras et con palos et
       con quanto fallava, que ya omne del mundo non osava
       yr al vanno de aquel omne bueno, et perdía su renta.
       Quando el omne bueno vio que aquel loco le fazía
125   perder la renta del vanno, madrugó un día et metióse
       en el vanno ante que el loco viniesse. Et desnudóse et
       tomó un cubo de agua bien caliente, et una maça de
       madero. Et quando vino el loco, endereçó al vanno
       commo solía. Et quando el omne bueno, que estava

---

bannavan en aquel b. *A:* e en aquella tierra era un loco
el qual era el primero que cada día venía al banno e quando
las g.

120.   *P:* los omnes se bannavan.
121.   *HM:* con los cubos. *S:* con los cabos. *G:* con los árboles e
       con p. *A:* golpes el loco con piedras (*añade:* con quanto fa-
       llava *a los que allí entravan*).
123.   *S:* et perdió su renta. *M:* atanto que perdió su renta e lo
       que ganava con las gentes que solían venir a bannarse a
       aquel su banno.
124.   *P:* Et q. él esto oyó que lo fazía aquel loco.
125.   *GA:* de aquel banno. *M:* un día bien de mannana... q. vi-
       niesse el loco al banno, et desnudóse todo.
126.   *S:* denuyóse. Es forma única de *S.* Aunque *desnuyar* se
       encuentra en la *GE* y una vez el infinitivo del verbo es
       desnugar en *Estados* 202.19, la forma del participio pasado,
       que debiera presentar el mismo cambio fonético de la 3.ª p.
       sing. del pret. perf., es siempre *desnudo* en *PMC*, *Apol.* y
       LBA; vid. 32.128 y Orduna p. 234. *P* omite: *et desnudóse.*
127.   *H:* agua ferviendo et un grant maço de madero. *M:* agua
       que estava muy caliente e una grant m.
128.   *GA:* vino el loco que solía. *M:* Et q. el l. se levantó para
       venir al banno para ferir a los que se bannavan endereçó
       de yr al b. c. solía *SGAH:* solía venir al banno para ferir
       los que se bannassen (*GA:* bañavan; *H:* bannava) llegó, en-
       dereçó (*GA* omiten: *llegó; H:* llegó et endereçó). He adop-
       tado el texto de *P* siguiendo uno de los criterios que he
       propuesto: cuando las variantes en una parte añadida de *S*
       y los otros mss. son importantes, es muy probable que se
       deba esa parte a una adición posterior; en esos casos,
       invariablemente el texto del códice de Puñonrostro es más
       sobrio.
129.   *H:* el o. b. lo vio venir. *P:* o. b. lo vio quel estava atendiendo,
       fuese para él.

130   atendiendo, lo vio entrar, dexóse yr a él muy bravo
et muy sannudo, et diol con el cubo de agua caliente
por çima de la cabeça, et metió mano a la maça et
diol tantos et tales golpes con ella por la cabeça et por
el cuerpo, quel loco cuydó ser muerto, et cuydó que
135   aquel omne bueno que era loco. Et salió dando muy
grandes vozes, et topó con un omne et preguntól cómmo vinía assí dando vozes et quexándose tanto. Et el
loco le dixo:

—Amigo, guardatvos; que sabet que otro loco á en
140   el vanno.

Et vos, sennor conde Lucanor, con estos vuestros
vezinos passat assí: con el que avedes tales debdos que
en toda guisa queredes que sienpre seades amigos,
fazedle sienpre buenas obras, et aunque vos faga al-
145   gunos enoios, datles passada et acorredle sienpre a su
menester, pero sienpre lo fazed dándole a entender

---

130. *S:* atendiendo desnuyo. *GAHM:* m. sannudo e muy bravo.
131. *M:* e diole muy rreçio.
132. *H:* por somo de la c.
133. *P* omite: *et tales. H:* et diole con una maça tantos de golpes en la c. et de los costados et por t. el c. *M:* et puso
mano a la maça e diole con ella tantos de golpes e tales.
134. *M:* bien se pensó ser muerto. *H:* que bien cuydó el loco
ser muerto en toda guisa, et c. q. a. que lo fazía. *P:* cuydó
quel buen omne e. l. *M:* et pensó que a. o. que ansý le fería.
135. *HM:* que era loco assý commo él. *GA:* vozes muy grandes.
M: s. del banno muy apriesa dando muy g. v. et aquel loco
topó con un omne que venía por la calle. *H:* s. dando vozes
et quexándose muy fuerte e los que topavan con él dezían
que cómmo venía assý dando bozes.
137. *HM* omiten: *et quexándose tanto.*
139. *GA:* guardadvos, amigo, que otro loco ha. *H:* les dezía: amigos, guardadvos que otro más loco que yo está. *M:* que
non vades al banno que sabed por çierto que otro loco ay
en el banno e que sy allá ydes que vos matará.
142. *P:* avés. *H:* tanto [*sic*] debdos buenos debdos buenos.
143. *S:* quered que. *GA* en toda quanto da guisa [*sic*] que querades. *AH:* querades. *M:* en tal manera que seades syenpre
amigos.
145. *S:* dalde. *G:* darle. *M:* muchos enojos d. p. e acorrelde.

que lo fazedes por los debdos et por el amor quel
avedes, mas non por vençimiento. Mas al otro, con
quien non avedes tales debdos, en ninguna guisa non
150 le sufrades cosa del mundo, mas datle bien a entender
que por quequier que vos faga, todo se aventurará
sobrello. Ca bien cred que los malos amigos más guardan el amor por barata et por reçelo, que por otra
buena voluntad.
155 El conde tovo éste por muy buen conseio et fízolo
assí, et fallóse ende muy bien.
Et porque don Johan tovo éstos por buenos exemplos, fízolos escrevir en este libro et fizo ende estos
versos que dizen assí:
160 Sienpre el Bien vençe con el bien al Mal.
Sofrir al omne malo poco val.

---

147. *H:* los buenos debdos e p. el a. que los avedes. *P:* que avedes con él.
149. *GA:* en guisa del mundo. *H:* con quien vos abedes tanto
debdo [*sic*] en guisa del mundo non le sufrades cosa, mas
antes dadle a entender quel bien que vos faga.
150. *M:* a entender bien por que quier q.v.f. que quiebre sobre él.
152. *P:* por ello et sobrello. *G:* sólo a ello. *S:* amigos que más g.
GA: falsos amigos más g. el amigo.
153. *PH:* por baratar. *M:* por barato. *Barata* significa «confusión» en *PMC* 1228 y *LBA* 273*b*, 275*b*, 318*c*; el verbo *baratar:* «confundirse», «aturdirse» *LBA* 441*d*; vid. R. Menéndez Pidal, *Cantar*, pp. 494.7 y 172.20. No creo aceptable la
acepción que propone J. Joset a los versos 441*d*, 275*b*. Vid.
en contraste *barato* en 971*d* y en el *Libro infinido*, p. 82.
Por tanto, podría quizá corregirse: *buen barato, mal barato:* «ganancia» en el texto de *Estados* 159.35 y 160.1 y 3.
160. *GA:* S. que el Bien. *H:* S. el B. vençe bien (omite: *al Mal*).
P: El B. vençe al M. sienpre con bien.
161. *H:* En s. el mal malo p.v. *P:* Si sufres a omne malo avrá
más mal que bien.

Exemplo XLIV

De lo que contesçió a don Pero Núnnez el Leal et a don Roy Gonçales Çavallos et a don Gutier Roýz de Blaguiello con el conde don Rodrigo Franco [311]

Otra vez fablava el conde Lucanor con Patronio, su consejero, et díxole:

—Patronio, a mí acaesçió de aver muy grandes

H: acaesçió a tres cavalleros que sirvieron lealmente a su sennor que murió en corte de Roma, gafo. *P:* De lo que contesçió al conde don Rodrigo el Franco con tres cavalleros nobles que con él bivieron fasta que murió. *A:* De lo q. aconteçió a don R. el F. e sus cavalleros. *G:* Del consejo que dio Patronio al conde Lucanor en rrazón de algunos que él avía criado, e quando abían muy grandes gerras e los ovo menester, que lo dexaron. El exemplo fue de lo que contesçió a don Rodrigo el Franco.

---

[311] Todos son personajes históricos del siglo XII (*vid.* Blecua, p. 217), aunque el matrimonio de la divorciada con el rey de Navarra y los siete motivos del *exemplo* son pura ficción. Las anécdotas que recogen estos motivos se agrupan abrumadoramente para reavivar la fe en el ser humano. Hay dos acusaciones falsas de infidelidad de dos esposas: en la primera, el paladín es Dios, quien castiga con la lepra al esposo acusador; la segunda recoge el motivo del «caballo del rey don Sancho» (*PCG*, II, páginas 474-475), que sobrevive más tarde en la defensa de la emperatriz de Alemania por el conde de Barcelona en Bernat Desclot, *Llibre del rey En Pere*, en *Les quatre grans croniques*, ed. Ferrán Soldevila, Biblioteca Perenne 26, Barcelona, Selecta, 1971, p. 600, y en el *Romancero general*, ed. de Durán, *BAE* X, p. 210. En el centro del relato están los tres caballeros que trabajan a jornal, se beben el agua llena de podre (Etienne de Bourbon n. 156, *Dialogus miraculorum*, dist. VIII, cap. 33, Herolt, sermo 67G, p. 613, *Jacob's Well*, cap. 39, p. 247) y devuelven finalmente los restos de su señor a Castilla (*Scala celi* n. 838, *Legenda aurea*, cap. 99, n. 4, Etienne de Bourbon n. 196, *Recull de Eximplis* n. 323). Sin embargo, son las acciones de dos esposas las que cierran esta serie recargadísima de hechos de heroica fidelidad. *Vid.* D. Devoto (1972), pp. 445-449.

guerras, en tal guisa que estava la mi fazienda en muy
5   grand peligro. Et quando yo estava en mayor menester, algunos de aquellos que yo crié [312] et a quien fiziera mucho bien, dexáronme, et aun sennaláronse
mucho a me fazer desserviçio. Et tales cosas fizieron
contra mí aquéllos, que bien vos digo que me fizieron
10 aver muy peor esperança de las gentes de quanto avía,
ante que aquéllos errassen contra mí. Et por el buen
seso que Dios vos dio, rruégovos que me conseiedes
lo que devo fazer en esto.

—Sennor conde —dixo Patronio—, si los que assí
15 erraron contra vós fueran tales commo fueron don Pero
Núnnez de Fuente Almexir et don Roy Gonçales de Çavallos et don Gutier Roýz de Blaguiello et sopieran lo
que les contesçió, non fizieran lo que fizieron.

El conde le preguntó cómmo fuera aquello.

20 —Sennor conde —dixo Patronio—, el conde don

---

4.   *H:* que mi fazienda vi en g.p. *P:* la mi persona et la mi
fazienda.
5.   *GA:* gran perdimiento. *M:* en grant m. a. de los que yo crié.
6.   *P:* a. quien yo crié et fiz mucho por ellos. *HM:* et fize mucho bien.
7.   *G:* ensennáronse. *A:* ensañáronse. *A* trata de corregir; *sen-*
nalarse quiere decir «destacarse» y el participio pasado está
en *Apol.* 124d, 570c y *LBA* 1260d, 1321a.
9.   *S:* ante mí aquéllos. *P* omite: *aquéllos. H:* contra mí ellos.
10. *P* omite: *muy. H:* muy poca e. de l. g. de mi casa de quanto
(omite: *avía*).
11. *MGA:* ante que ellos. *H:* que me ellos. *S:* aquéllos que assí e.
GM: buen entendimiento. *A* omite: *Et p. el b.s. q. D. vos dio.*
13. *SGM:* lo que vos (*G* os) paresçe (*M* que yo). *H:* lo que faga
en esta rrazón et qué devo f. en ella.
14. *P:* los que erraron fueren tales. *M:* para que vós fagades
en esto lo que vos más cunple, plazerme ýa que sopiéssedes lo que acaesçió a don P. N. de Fuente Alimexi e don
Ruy Gutiérrez de Çavallos e a don Gutier Ruyz de Langetta;
ca sy tales fueran los que erraron contra vos como éstos.
(Omito las variantes de los nombres y adopto las formas
de *S* con la corrección *Blagello* en *Blaguiello.*)
20. *H:* el conde alidaluz [*sic*] don R...

---

[312] *criar:* «alimentar y educar en su casa a un hijo extraño».
Vid. R. Menéndez Pidal, *Cantar,* pp. 606-608.

Rodrigo el Franco fue casado con una duenna, fija de don Gil García de Çagra, et fue muy buena duenna. Et el conde su marido assacól falso testimonio; et ella, quexándose desto, fizo su oración a Dios que si 25 ella era culpada, que Dios mostrasse su miraglo en ella; et si el conde le assacara falso testimonio, que lo mostrasse en él.

Luego que la oración fue acabada, por el miraglo de Dios engafesçió[313] el conde su marido, et ella par-30 tióse dél. Et luego que fueron partidos, enbió el rrey de Navarra sus mandaderos a la duenna, et casó con ella et fue rreyna de Navarra.

Et el conde, seyendo gafo et veyendo que non po-día guaresçer, fuese para la Tierra Sancta en rrome-35 ría para morir allá. Et commo quier que él era muy onrrado et avía muchos buenos vasallos, non fueron con él sinon estos tres cavalleros dichos, et moraron

21. *P* omite: *fija de don G.G.Ç.*
23. *M:* et este conde don R... et la buena duenna quexándose.
24. *P:* a Dios (añade: *et la oración fue ésta*). *M:* e pidióle por merçed diziendo que si ella era en culpa. *H* omite: *q. si e. era culpada.*
25. *M:* m. Nuestro Sennor miraglo maravilloso en ella.
26. *S:* et si el marido. *M:* le levantava lo que non era. *H* omite: *et si el conde... mostrasse en él.*
27. *P:* mostrasse luego en él. *M:* mostrasse miraglo en él.
28. *P:* Et la oración acabada. *M:* Et la penitençia acabada, fyzo la buena duenna su salva e salió su verdad. Et fue fecho un miraglo grande por Dios Nuestro Sennor ansý que se tornó luego gafo et conde, et la buena duenna partyóse dél por esta rrazón. Et luego q. f. p. enbióle a la duenna el rr. de N. sus cartas e enbaxadores e casaronla con él.
33. *M:* c. don Rodrigo... que en ninguna manera non p.
34. *H:* fue en rromería para la casa santa de Iherusalem. *M:* T.S. de Iherusalem en rromería e para morar allá algunt tienpo.
35. *GAH:* para (*H* por) yr morir allá. *M:* muy onrrado omne e tenía.
36. *P* omite: *buenos.*
37. *P:* estos tres sobre dichos.

[313] *engafesçió:* se volvió leproso. *Gafo:* leproso. *Gafedat:* lepra.

allá tanto tienpo que les non cunplió [314] lo que levaron de su tierra et ovieron de vevir a tan grand po-
40   breza, que non avían cosa que dar al conde su sennor
para comer; et por la grand mengua alquilávanse cada día los dos en la plaça et el uno fincava con el conde, et de lo que ganavan de su alquilé governavan a
su sennor et a sí mismos.
45   Et cada noche vannavan al conde et alinpiávanle
las llagas de aquella gafedat. Et acaesçió que en la-
vándole una noche los pies et las piernas, que, por
aventura, ovieron de escopir et escupieron. Quando el
conde vio que todos escupieron, cuydando que lo fa-

---

39. *H:* de sus tierras (el plural ha sido corregido en el ms.
quizá por otra mano). *P:* et vinieron a t.g. pobredat. *Pobredat* (*LBA* Pról. 10.2 de J. Joset, 727*a*, 1384*d*; *Estados*
283.4) y *pobreza* (*LBA* 636*b*) eran ambos usados en el siglo XIV.

40. *M:* en tal manera que non tenían que dar. *P:* a su sennor
el conde.

41. *M:* mengua que tenían a. c. d. en la plaça a jornal, a cavar
o fazer otras cosas que les mandassen fazer segunt que
fazen los labradores quando se alquilan a la plaza. Et ordenáronse ansý ca se alquilavan los dos et el conde fyncava
con el uno que le servía.

42. *P:* fincava el uno. *H:* con el conde por le fazer conpanna.

43. *P:* al alquilé governávanse a sí mesmos et a su sennor.
AH omiten: *a su alquilé.*

44. *GA* omiten: *et a sí mismos. H:* mantenían al conde su s. et a
ellos. *M:* de aquello al c. su s. et.

45. *GA:* E assí mismo, cada noche. *P:* le lavavan. *M:* lo bannavan e lo alynpiavan.

46. *GAH:* de la gafedat. *M:* de la su gafedad. Et acaesçióles
una vez. *GA:* en bañándole u.n. los braços e las piernas.

47. *H* omite: *los pies. M* omite: *los pies et las piernas. M:* que
por fecho de aventura.

48. *S:* mester de escopir. *GA:* menester de escopir y e. (*A* escopían). *H:* o. enojo de las sus llagas, escupieron tornando
los rrostros.

49. *M:* escopían todos. *P* omite: *todos. H:* escupían de la su
dolençia. *S:* cuydando que todos. *H* omite: *cuydando... dél
tomavan.*

---

[314] *cunplió:* bastó, fue suficiente; *PMC* 3248; *Sd.* 361*b*.

50 zían por asco que dél tomavan, començó a llorar et
quexarse del grand pesar et quebranto que daquello
oviera. Et por que el conde entendiesse que non avían
asco de la su dolençia, tomaron con las manos daquella agua que estava llena de podre et de las pos-
55 tiellas de la gafedat, et bevieron della muy grand
pieça.

Et passando con el conde su sennor tal vida, fincaron con él fasta que el conde murió. Et porque ellos
tovieron que les sería mengua de tornar a Castiella
60 sin su sennor, vivo o muerto, non quisieron venir sin
él. Et commo quier que les dizían que lo fiziessen co-
zer et que levassen los huesos, dixieron ellos que
tanpoco consintrían que ninguno pusiesse la mano en
su sennor, seyendo muerto commo si fuesse vivo. Et

---

50. *M:* a ll. muy fuertemente e quexávase mucho con gran
pesar. Et los cavalleros quando esto vieron, por que non
entendiesse el conde que lo fazían por asco de la su gafedad, tomaron todos de aquella agua que estava toda llena
de podre e de venino que avía salido de todas aquellas
llagas.

51. *P:* et de grand quebranto. *GA:* quebranto (*G* qrebanto) del
asco que dél ovieron. *H:* et a quexarse mucho et a mal-
dezir su ventura e ellos ovieron grant quebranto e duelo
e mansilla dello.

54. *S:* de podre et de aquellas postuellas que salían de las
llagas de la gafedat que el conde avía. *GA:* postillas que le
salían (*A* salía) de las llagas de la gafedad (*A* omite: *de la gafedad*) que el conde avía. *H:* lleno de podre con que le avían
lavado las sus llagas et postillas. Conservo la forma *postie-
llas* de 27.81; sigo el texto de *P,* ya que la tendencia manifiesta en este *exemplo* es a añadir detalles, especialmente
en *HM.*

57. *P:* Et pasaron. *M:* Et pasando grant tienpo. *P:* tal vida
fasta que murió. *H:* atal vida, estovieron con él f.q. el c.
ovo de morir. *M:* vida, todavía estovieron allí con él fasta
que plogo a Dios que el conde falleçió.

59. *H:* entendieron. *M:* les era muy grant m. *P:* grand desonrra.
60. *P:* muerto o bivo. *GAHM:* tornar sin él.
63. *P:* non quisieron nin consentían.
64. *P:* s. muerto tanpoco commo si. *GA:* siendo finado como
siendo vivo. *H:* maguer que era muerto que antes non mu-

65 non consintieron quel coxiessen, mas enterráronle et
esperaron tanto tienpo fasta que fue toda la carne
desfecha. Et metieron los huesos en una arqueta et
traýanla a cuestas a vezes. Et assí vinían pidiendo
las rraçiones [315] et trayendo a su sennor a cuestas;
70 pero traýan testimonio de todo esto que les avía contesçido.

Et viniendo ellos tan pobres, pero tan bien andantes, llegaron a tierra de Tolosa, et entraron por una
villa, et toparon con muy grand gente que levavan a
75 quemar una duenna muy onrrada porque la acusava
un hermano de su marido. Et dezía que si algún cavallero non la salvasse, que cunplirían en ella aquella
justiçia, et non fallavan cavallero que la salvasse. Et
quando don Pero Núnnez, el Leal et de buena ven-

---

riessen ellos. *M:* para tal cosa commo ésta commo sy fuesse
vivo.
65. *P:* non lo cozieron. *G:* cociesen. *A:* coziessen. *Vid.* nota 745
de Blecua, p. 219. *G:* e tanto esperaron. *A:* y lo esperaron.
H: e soterráronlo lo más honrradamente que pudieron et
atendieron fasta q.t. la c.f. comida et desfecha. *M:* et soterráronlo e estodieron allá tanto fasta que entendieron que
era t. la c. comida o desfecha. Et después dessoterráronlo
e posyeron los h. en u. arquita e partieron de Iherusalin
e traýan el arquita cada uno dellos a vezes por el camino
a sus cuestas.
66. *P* omite: *tanto tienpo.*
67. *SH:* et traýenlo a vezes a cuestas. *G:* e traýan los huesos
a cuestas. *A:* e traýanlos a cuestas.
68. *GAM:* viniendo pidiendo.
69. *M:* rraçiones por amor de Dios. *GAM* omiten: *et trayendo
a su s. a c. GA:* traxeron a su s.
70. *H:* traýan quistión por que todo aquello que les avía
acaesçido. *M:* acaesçido.
73. *S:* et entrando por.
74. *P:* con grand gente q. levavan una buena duenna a q.
76. *M:* de su marido. Añade: *que avía fecho adulterio. GHM:*
dezían.
77. *GA:* salvasse a la dueña. *SM:* cunpliessen. *PH:* cunpliesse.
M: muy grant justiçia.

---

[315] *rraçiones:* comida como mendigos; *LBA* 1628b.

80 tura, entendió que, por mengua de cavallero, fazían
    aquella iustiçia de aquella duenna, dixo a sus conpan-
    neros que, si él sopiesse que la duenna era sin culpa,
    que él la salvaría. Et fuese luego para la duenna et
    preguntól la verdat de aquel fecho. Et ella díxol que
85 çiertamente ella nunca fiziera aquel yerro de que la
    acusavan, mas que fuera su talante de lo fazer. Et
    commo quier que don Pero Núnnez entendió que, pues
    ella de su talante quisiera fazer lo que non devía, que
    non podía seer que algún mal non le contesçiesse a
90 él que la quería salvar, pero pues lo avía començado
    et sabía que non fiziera todo el yerro de que la acu-
    savan, dixo que él la salvaría.

        Et commo quier que los acusadores lo cuydaron
    desechar diziendo que non era cavallero, desque mos-
95 tró el testimonio que traýa, non lo podieron desechar.
    Et los parientes de la duenna diéronle cavallo et ar-
    mas, et ante que entrasse en el canpo dixo a sus pa-
    rientes que, con la merçed de Dios, que él fincaría con
    onrra et salvaría la duenna; mas que non podía seer

---

80. *M:* querían fazer justiçia de a.
83. *M:* para ella e preguntóle a la duenna que le dixesse la v.
85. *GA:* ç. que la acusavan, mas que ella. *H:* ella non fiziera.
     M: nunca ella fiziera.
87. *M:* de que en tal manera entendió don P. N.
88. *M:* que non lo devía fazer e que non podía ser... viniesse
     sy la quisyesse salvar.
91. *S* omite: *fiziera. M:* e supiera todo el yerro que fyziera
     de que la acusavan, dixo que lo non dexaría de fazer, en
     todas guisas dixo que la quería salvar.
93. *A:* cuydaron de desechar. *H:* le querían desechar. *M:* cuy-
     davan desechar.
94. *H:* cavallero en tal que non fuesse pertenesçiente para lo
     fazer.
95. *GA* omiten: *que traýa. M:* testimonio de cómo lo era.
96. *P:* armas et cavallo. *H:* armas et todo lo que ovo menester
     et guisado.
97. *HM:* a sus conpanneros.
98. *M:* que fyncarían con muy grant onrra.
99. *H:* honrra de aquella batalla.

100 que a él non le viniesse alguna ocasión por lo que la
duenna quisiera fazer. Desque entraron en el canpo,
ayudó Dios a don Pero Núnnez et vençió la lid et salvó
la duenna, pero perdió ẏ don Pero Núnnez el ojo, et
assí se cunplió todo lo que don Pero Núnnez dixiera
105 ante que entrasse en el canpo. La duenna et los parientes dieron tanto aver a don Pero Núnnez con que
pudieron traer los huesos del conde su sennor, yaquanto más sin lazeria que ante.

Quando las nuevas llegaron al rrey de Castiella de
110 cómmo aquellos bien andantes cavalleros vinían et
traẏan los huesos del conde su sennor, et cómmo vinían tan bien andantes, plógole mucho ende et gradesçió mucho a Dios porque eran del su rreyno omnes
que tal cosa fizieran. Et envióles mandar que viniessen
115 de pie, assí mal vestidos commo vinían. Et el día
que ovieron a entrar en el rreyno de Castiella, saliólos
a rresçebir el rrey de pie, bien çinco leguas ante que
llegassen al su rreyno, et fízoles tanto bien que oy en

---

100. *M:* v. algunt mal o alguna ocasyón pq. la d. por su voluntad lo q.f.
102. *P:* et vençió et salió la duenna. *H:* v. la batalla. *M:* v. el
canpo.
103. *M* omite: *pero perdió y... en el canpo. G* omite: *don P. N.
el ojo... todo lo que.*
104. *P:* sí se cunplió lo quél dixiera.
105. *M:* et sus parientes de la duenna.
106. *P:* diéronle tanto aver.
108. *P:* más sin trabajo et sin lazeria que ante los traẏan.
110. *M:* de c. venían a pie aquellos tres cavalleros e traẏan... su
sennor puestos en un arqueta.
112. *M:* b.a. ca sopo lo que les avía acaesçido en el canpo; et
quando el rrey esto supo p. mucho dello. *P:* plógol ende
mucho. *G:* omite: *ende.*
113. *M:* Dios porque de su tierra salieran omnes que tan noble
cosa feziessen.
114. *M:* se viniessen para él assẏ de pie e mal vestidos e rres-
gados todos e assẏ commo venían que ansẏ viniessen antél.
115. *G:* commo venían a él.
117. *H:* bien dos leguas et antes que entrasse. *M:* que entrassen.
118. *M:* tanta de onrra e tanto de bien.

día son heredados [316] los que vienen de los sus linages
120   de lo que el rrey les dio.

Et el rrey et quantos eran con él, por fazer onrra
al conde, sennaladamente a los cavalleros, fueron con
los huesos del conde fasta Osma, do lo enterraron.
Et desque fue enterrado, fuéronse los cavalleros para
125   sus casas.

Et el día que don Roy Gonçales llegó a su casa,
quando se assentó a la mesa con su muger, desque la
buena duenna vio la vianda ante sí, alçó las manos
contra Dios et dixo:

130   —¡Sennor!, ¡bendito seas tú que me dexaste ver
este día, ca tú sabes que después que don Roy Gonçales se partió desta tierra, que ésta es la primera carne
que yo comí et el primero vino que yo beví!

A don Roy Gonçales pesó esto, et preguntól que

---

119.   *P:* erederos los que de su linaje vienen. *M:* son muy bien
eredados. *H:* los que venían. *GAHM:* de su linage (*M*
linaje).
121.   *SM:* et todos quantos. *GA:* e quantos todos. *H:* et todos
quantos venían. *SM:* por lo fazer a los cavalleros. *GA:* e
por lo fazer.
122.   *H:* al conde et a los cavalleros.
123.   *M:* la çibdad de Osma a donde lo soterraron onrradamente.
124.   *M:* el conde fue soterrado, los cavalleron demandaron li-
çencia al rrey e f.
127.   *M:* asentóse a la mesa a comer.
128.   *P:* ante sí la vianda. *H:* alçó los ojos et dixo assý. *GA:* a. las
manos a Dios. *M:* la buena muger suya v. la v. delante sý,
a. las manos al çielo contra D. e díxole.
130.   *M:* bendito seas tú por syenpre. (*Vid.* 18.27). *S:* dixeste
veer.
131.   *M:* que tú Sennor sabes bien que del día... desta cassa.
133.   *M:* que yo como... que tengo de bever. *P:* et éste el primero vino que beví.
134.   *P:* E desto pesó mucho a. *A:* pesóle desto. *G:* pesó desto
mucho. *M:* pesó mucho desto. *H* omite: *A don R. G. p.p.
esto.*

---

[316] *heredados:* los que han recibido heredades; *PMC* 2605; *So.*
200*a*; *Apol.* 643*b*.

135 por qué lo fiziera. Et ella dixo que bien sabía él que,
quando se fuera con el conde, quél dixiera que nunca
tornaría sin el conde et ella que visquiesse commo
buena duenna, que nunca le menguaría pan et agua
en su casa; et pues él esto le dixiera, que non era
140 rrazón quel saliesse de mandado, et que por esto non
comiera nin beviera sinon pan et agua.

Otrosí, desque don Pero Núnnez llegó a su casa,
desque fincaron él et sus parientes et su muger sin
otra conpanna, la buena duenna et sus parientes con
145 el grand plazer que avían, començaron a rreyr. Et
cuydando don Pero Núnnez que fazían escarnio dél
porque perdiera el ojo, cubrió el manto por la cabeça
et echóse muy triste en la cama. Quando la buena
duenna lo vio assí estar triste, ovo ende muy grand
150 pesar, et tanto le afincó fasta que le ovo a dezir que
se sintía mucho porquel fazían escarnio por el ojo que
perdiera. Et quando la buena duenna esto oyó, diose
con una aguja en el su ojo et quebrólo, et dixo a don

---

135. *SH:* díxol.
136. *M:* saliera de su tierra con el conde don Rodrigo. *S:* que él
nunca.
137. *H:* tornaría él. *M:* nunca tornaría a ella. *P:* visiquiesse.
HMGA: viviese. *Vid.* 40.53.
138. *M:* buena muger. *M:* le falleçería man [*sic*] e agua.
139. *P* omite: *en su casa*.
140. *P:* quella le saliesse. *H:* que le saliesse ella. *S:* et por esto
nunca.
143. *SHM:* él et su muger et sus parientes. *G:* y sus parientes
e sus mugeres los parientes.
145. *S:* plazer que allý, c. a rr. [*sic*]. *M:* començaron a rreyr
con el grant plazer que avían con su venida, et cuydó don
P.N. *H:* et cuydava... perdió el ojo.
147. *M:* por el ojo que perdiera allá en aquellas tierras, cubrióse
del manto por ençima de la c. *H:* echó el manto sobre
la c. *P:* sobre la cabeça.
149. *S:* assí ser triste. *GA:* assí triste. *P* omite: *assí* y *muy*.
150. *P* omite: *fasta*. *M:* afinçó que le dixesse por qué estava
triste fasta que gelo ovo de dezir que se syntiera mucho
porque fyziera ella e sus parientes grant escarnio porque
era tuerto ca perdiera allá el ojo derecho.
152. *PH* omiten: *buena*.

Pero Núnnez que aquello fiziera ella por que si alguna
155 vez rriesse, que nunca él cuydasse que rreýa por le
fazer escarnio.

Et assí fizo Dios bien âquellos cavalleros buenos
por el bien que fizieron.

Et tengo que si los que tan bien non lo açertaron
160 en vuestro serviçio, fueran tales commo éstos et sopieran quánto bien les vino por esto que fizieron, que
non lo erraran commo lo erraron. Pero vós, sennor
conde, por vos fazer algún yerro algunos que lo no
devían fazer, nunca vós por eso dexedes de fazer bien,
165 ca los que vos yerran, más yerran a sí mismos que a
vós. Et parad mientes que si algunos vos erraron, que
muchos otros vos servieron; et más vos cunplió el
serviçio que aquellos vos fizieron, que vos enpeçió
nin vos tovo mengua los que vos erraron. Et non crea-
170 des que de todos los que vós fazedes bien, que de todos tomaredes serviçio, mas un tal acaesçimiento vos podrá acaesçer: que uno vos fará tal serviçio que ternedes
por bien enpleado quanto bien fazedes a los otros.

155. *GA:* cuydasse él que rreýan dél. *HM:* rreýan.
157. *S:* Et assí Dios bien en todo a. buenos cavalleros [*sic*].
H: aquellos tres. *M* omite: *buenos.*
159. *M:* Et assý, sennor conde, sy esos cavalleros que dezides
que vos faltaron que tan bien. *GA:* también acertaron. *H:*
non fizieron nin acertaron.
160. *P* omite: *et sopieran... fizieron.*
162. *H* omite: *commo lo erraron.*
164. *PGM:* devieran fazer. *M:* non vos entristés, ca los que vos
yerran. *GA:* dexeys de fazer.
165. *A:* a los que más yerran assí mismo que a vos.
166. *H* omite: *Et parad... vos servieron. H:* vos yerran que muchos otros vos sirvieron.
167. *P:* otros muchos. *PHM:* et más vos cunple.
168. *GAP:* que vos enpeçe. *M:* que el que vos enpeçieron.
170. *M:* los que fyzierdes bien.
171. *GA:* tomades servicio. *M:* mas un tal fecho. *P:* vos puede.
GA: vos podría. *H:* vos podrán.
172. *HM:* que vos farían. *G:* que non vos fará tal. *P:* que vos
faga tal serviçio que ayades. *M:* s. que terníades por bien.
173. *AG:* fagades a los otros. *M:* les fyziésedes a él e a los
otros.

El conde tovo éste por buen consejo et por ver-
175   dadero.

Et entendiendo don Johan que este exemplo era
muy bueno, fízolo escrevir en este libro et fizo estos
versos que dizen assí:

Maguer que algunos te ayan errado,
180   nunca dexes de fazer aguisado.

Exemplo XLV

De lo que contesçió a un omne que se fizo amigo et vassallo del Diablo [317]

Fablava una vez el conde Lucanor con Patronio,
su consejero, en esta guisa:

—Patronio, un omne me dize que sabe muchas maneras, tan bien de agüeros commo de otras cosas, en
5   commo podré saber las cosas que son por venir et

---

179. *P:* Si te acaesçiere de vasallos aver yerro.
180. *G:* non dexes. *M:* non dexes por eso del f.a. *A:* Por esso
      non dexes f. a. *P:* en que te caygan non les dexes de bien
      fazer.
      P: con el diablo quel sacó de peligros et en cabo fízolo matar.
      H: acaesçió al diablo con un omne que se avino con él que
      le diesse consejo. *GA:* Del consejo que dio P. al c. L. quan-
      do (*G* que) le dixo un home quel (*A* que él) faría saber
      las cosas que eran por venir e otrosí catar agüeros. Y el
      exemplo fue de lo que contesció al home bueno que fue
      fecho rico e después pobre con el diablo.
3.   *G:* me dixo. *A:* me dixo que sabía.
5.   *P:* cómmo sabré. *H:* podría yo saber. *M:* por que podrá
      saber.

---

[317] Este *exemplo* se encuentra también en el *LBA* 1453-1484. Para
los relatos paralelos más importantes y el comentario del cuento,
vid. R. Ayerbe-Chaux (1975), pp. 7-13 y 350-358. No se puede dejar
de lado la imprescindible bibliografía de D. Devoto (1972), pp. 449-
452.

cómmo podré fazer muchas arterías con que podré
aprovechar mucho mi fazienda; pero en aquellas cosas tengo que non se puede escusar de aver ý pecado.
Et por la fiança que en vos he, ruégovos que me con-
10 sejedes lo que faga en esto.

—Sennor conde —dixo Patronio—, para que vos
fagades en esto lo que vos más cunple, plazerme ýa
que sopiéssedes lo que contesçió a un omne con el
Diablo.

15 El conde le preguntó cómmo fuera aquello.

—Sennor conde —dixo Patronio—, un omne fue
muy rico et llegó a tan grand pobreza que non avía
cosa de que se mantener. Et porque non á en el mundo tan grand desventura commo seer muy mal andante
20 el que suele seer bien andante, por ende, aquel omne,
que fuera muy bien andante et era llegado a tan grand
mengua, se sintía dello mucho. Et un día yva en su

---

6. *P:* m. artes c.q.p. mucho mi fazienda reparar. *H:* podría
fazer muchas cosas et arterías con que podría. *GA:* podré
mucho aprovechar. *M:* e cómmo podrá mucho aprovechar
en mi f.
7. *H:* pero que tengo que se non puede ý escusar pecado.
8. *P:* que non aya ý pecado. *GA:* escusar de non aver pecado.
9. *H:* la confiança. *M:* la grant fyuza. *GA:* la fiuzia que de
vos he. *S:* que de vos he. (*Vid. LBA* 1679a).
10. *P:* en esto lo que faga. *H* omite: *lo que faga.*
12. *GA:* vos cunple más. *PH:* más vos c. *M:* cunple en ello
fazer.
13. *S:* que sepades. *M:* con un diablo que le dezían por su
nonbre don Martín.
16. *S:* fuera muy r. *H:* era. *M:* avía seýdo.
17. *M:* e después de algunos días allegó a ser tan pobre e aver
tanta pobreza e tan grande, en tal guisa que non tenía
ninguna cosa.
19. *GA:* ser omne mal andante. *H* omite: *muy.* *M:* ser omne
pobre e mal andante aquel que de primero fue b.a. *P:*
mayor d. que ser omne rico et después ser pobre, estava
muy cuytado.
20. *M:* et aquel omne era llegado a t.g.m. e menester que se
sentía dende mucho. *H* omite: *por ende... m.b. andante.*
21. *M* omite: *q. fuera m.b. andante.*
22. *GA:* sintióse dello mucho. *S:* en su cabo solo. *A* omite:
en su cabo. *G:* solo en su caballo. *H:* solo por su cabo. *En*

cabo por un monte muy triste et cuydando muy fieramente, et yendo assí tan coytado encontróse con el
25 Diablo.

Et commo el Diablo sabe todas las cosas passadas,
sabía el cuydado con que venía aquel omne, et preguntól que por qué venía tan triste. Et el omne díxole
que para qué gelo diría, ca él non le podría dar con-
30 sejo en la tristeza que él avía.

Et el Diablo díxole que si él quisiesse fazer lo
que él le diría, que él le daría cobro paral cuydado que
avía; et por que entendiesse que lo podía fazer, quel
diría en lo que vinía cuydando et la razón por que
35 estava tan triste. Estonçe le contó toda su fazienda et
la razón de su tristeza commo aquél que la sabía muy
bien. Et díxol que si quisiesse fazer lo que él le diría,
que él le sacaría de toda lazeria et le faría más rico
que nunca fuera él nin omne de su linage, ca él era
40 el Diablo et avía poder para lo fazer.

Quando el omne oyó dezir que era el Diablo tomó

---

su cabo significa aquí «a solas» como en el *LBA* 833c (Blecua, p. 223, nota 755); para otra acepción, *vid.* 11.64.
23. *P* omite: *et cuydando m.f. M:* e muy fuerte cuytado muy
  fieramente. *H:* fuertemente.
24. *M* omite: *et yendo assí. P:* et yendo assí, encontró con.
  G: e asentóse con el D.
27. *SGM:* cuydado en que v. *P:* con que aquel omne yva. *S:*
  preguntól por qué.
29. *P:* que a qué gelo d. *HM:* non le podía. *P:* dar recabdo.
  H: avía de dezir.
32. *P:* cobro en lo que venía cuydando. *M:* consejo a aquella
  tristeza que tenía.
33. *PH:* quel gelo podría fazer.
34. *P:* daría la razón porque e. triste. *M:* diría en todo quanto
  venía pensando et la r.p.q. venía assý triste.
35. *H:* le contó el diablo. Omite: *et la r. de su tristeza. M:*
  el diablo contóle. Omite: *la razón de.*
37. *H:* sy quería. *M:* fazer todo.
38. *M:* faría que fuesse.
39. *H:* que omne nunca fuera de su linaje. *M* omite: *ca él
  era... lo fazer.*
41. *M:* vido el omne que. *P:* oyó que era diablo.

ende muy grand reçelo, pero por la grand cuyta en que estava, dixo al Diablo que si él le diesse manera cómmo pudiesse seer rico, que faría quanto él qui-
45 siesse. Et bien cred que el Diablo sienpre cata tienpo para engannar a los omnes; quando vee que están en alguna quexa, o de mengua, o de miedo, o de querer conplir su talante, estonçe libra él con ellos todo lo que quiere. Et assí cató manera para engannar âquel
50 omne en el tienpo que estava en aquella cuyta.

Estonçe fizieron sus posturas en uno et el omne fue su vasallo. Et desque las abenençias fueron fechas, dixo el Diablo al omne que, de allí adelante que fuesse a furtar, ca nunca fallaría puerta nin casa, por bien
55 çerrada que fuesse, que él non gela abriesse luego, et si por aventura en alguna priessa se viesse o fuesse preso, que luego quel llamasse et le dixiesse: «Acorredme, don Martín», que luego sería con él et lo libraría de aquel peligro en que estudiesse.
60 Las posturas fechas entre ellos, partiéronse.

Et el omne endereçó a casa de un mercadero, de

---

42. *PH* omiten: *muy. P:* cueyta. *S:* cuyta et grand mengua. *H:* c. et pesar et grant mengua. *M:* por la grant mengua e cuyta.
44. *H:* faría todo lo que él q. *M:* todo quanto él q. e mandasse.
45. *A:* Et bien creo. *M:* cata el diablo tienpo para en que los omnes se pierdan.
46. *P:* por que engannen [*sic*] a los omnes. *M:* veen que los omnes están en algunas menguas de cuyta... conplir su voluntad.
47. *GA:* o de mengua, o de dinero o de miedo. *H* omite: *de mengua... su talante.*
48. *M:* libra lo que quiere con las gentes. *PH* omiten: *todo.*
50. *PM:* aquella quexa.
53. *P:* que fuesse a furtar de allý adelante, q. n. fallaría casa nin puerta.
54. *M:* e nunca fallaron.
55. *M:* que el diablo non gela.
56. *P:* p. a. se viesse en alguna priesa.
57. *SH:* que luego fuesse con él.
60. *P* omite: *Las posturas... partiéronse. M:* Et luego que l.p. fueron fechas entre ellos, p. el uno del otro.
61. *P:* fue de noche et endereçó... mercador (*vid.* 36.8). *M:* en-

noche oscura: ca los que mal quieren fazer sienpre
aborreçen la lunbre. Et luego que llegó a la puerta, el
Diablo abriógela et esso mismo fizo a las arcas, en
65 guisa que luego ovo ende muy grant aver.

Otro día fizo otro furto muy grande, et después
otro, fasta que fue tan rico que se non acordava de la
pobreza que avía passado. Et el mal andante, non se
teniendo por pagado de cómmo era fuera de lazeria,
70 començó a furtar más; et tanto lo usó fasta que fue
preso.

Et luego que lo prendieron, llamó a don Martín
que lo acorriesse; et don Martín llegó muy apriessa
et libróló de la prisión. Et desque el omne vio que don
75 Martín le fuera tan verdadero, començó a furtar com-

---

dereçó luego e fuese para casa de un m. muy rico, seyendo
ya noche escura.

62. *P:* ca el que mal faze, luego paresçe la lunbre [*sic*].

63. *M:* aborreçen la luz. *Lunbre:* luz; Blecua (p. 224, nota 763)
cita *Lo.* 80; *vid.* 36.70. *H:* abriógela de guisa que llevó
de allí grant aver.

64. *M:* abriógela el diablo e ansý fizo a todas las otras en tal
guisa que en poco tienpo tovo m.g.a.

65. *P:* que levó ende gran aver.

66. *H* omite: *muy grande. P:* Et otra noche fizo gran furto, et d.
fizo otro furto f.q.f. farto et rico. *M:* después otro día
otro e assí cada día furtava tanto fasta.

67. *H:* et fasta que acordava lo pobreza [*sic*]. *M:* en tal guisa
que se n.a. ya de quanta lazeria en este mundo avía pasado
nin del alma que sabía bien que se avía de perder.

68. *P* omite: *mal andante. GA:* non se tenía por bien pagado.

69. *M:* era tan ayna salido de lazeria.

70. *S:* c. a furtar aun más. *G:* a furtar. *A:* más a furtar.

72. *P* omite: *que lo prendieron.*

73. *P:* «Et seyendo ya judgado mandól don Martín que fuesse
et metiesse mano a su lynjavera et con lo que fallasse
sería quito; et apartó al alcalle et falló en su lynjavera
una taça de plata, et diola al alcalle et fízolo soltar luego».

74. *H:* q. don Martín vio el omne que le fuera verdadero.

75. *M:* tan leal le fuera. *GA:* como de primero. No me extraña
la corrección de *GA* ya que *commo de cabo:* como de último (literalmente), «como al comienzo» (que propone Blecua) carecen de ejemplos que verifiquen la acepción (*vid.*
11.64; 12.81 y 45.22); si se corrigen *SPHM* (cosa aven-

mo de cabo, et fízo muchos furtos en guisa que fue más rico et fuera de lazeria.

Et usando furtar, fue otra vez preso, et llamó a don Martín, mas don Martín non vino tan aýna commo 80 él quisiera, et los alcaldes del lugar do fuera el furto començaron a fazer pesquisa sobre aquel furto. Et estando así el pleyto, llegó don Martín; et el omne díxol:

—¡A, don Martín! ¡Qué grand miedo me pusiestes! 85 ¿Por qué tanto tardávades?

Et don Martín le dixo que estava en otras priessas et non pudiera venir más aýna; et sacólo luego de la prisión.

Et el omne se tornó a furtar, et sobre muchos fur-90 tos fue preso, et fecha la pesquisa, dieron sentençia contra él. Et la sentençia dada, llegó don Martín et sacólo.

Et él tornó a furtar porque veýa que sienpre le

---

turada), podría ser *de cabo* (omitiendo *commo*) = de nuevo: *Du.* 168*d* y *Ali.* 1653*d* (O).

77. *P:* más rico que ante. *M:* tan rico commo quería e sacado de mucha lazeria.

78. *S:* Et usando a furtar. *H:* usando desto. *M:* usando assy de cada día este ofyçio. *P:* a don M., et él non vino... et los alcaldes de aquel lugar do fiziera el furto.

80. *M:* de aquel lugar donde fyziera... pesquisa sobre ello.

82. *GA:* dixo a don Martín. *H* omite: *et el o. díxol.*

84. *PH* omiten: *A, don Martín. GA:* en qué miedo me metistes (*A* omite: *miedo*).

86. *SM:* otras grandes priessas. *H:* en grandes p. *GA:* otras priesas muy grandes et que por esto tardava.

89. *M:* tornó a furtar como de cabo e s. m. furtos que ya avía fecho.

91. *P:* luego llegó don M. et s. otra vez. *M:* allegó en un punto d.M. e sacólo luego de la prisión.

93. *M:* Et él tornó a furtar pues que vido que tan bien le acorría luego su sennor d. M. Et aun otra vez fue preso e llamó a d.M. e d.M. non vino e tanto tardó d.M. fasta que fue juzgado a muerte. Et seyendo ya juzgado, vino d.M. e apeló de la sentençia e tomó alçada para la casa del rey e l. de la p. e fincó quito. *P* omite: *Et él tornó... don Martín.*

acorría don Martín. Et otra vez fue preso, et llamó a
95 don Martín, et non vino, et tardó tanto fasta que fue
judgado a muerte; et seyendo judgado, llegó don Martín et tomó alçada [318] para casa del rrey et librólo de
la prisión et fue quito [319].

Et después tornó a furtar et fue preso, et llamó a
100 don Martín, et non vino fasta quel judgaron que lo
enforcassen. Et seyendo al pie de la forca, llegó don
Martín; et el omne le dixo:

—¡A, don Martín, sabet que esto non era juego,
que bien vos digo que grand miedo he passado!
105 Et don Martín le dixo que él le traýa quinientos
maravedís en una limosnera et que los diesse al alcalde et que luego sería libre. El alcalde avía mandado ya
que lo enforcassen, et non fallavan soga para lo enforcar. Et en quanto buscavan la soga, llamó el omne
110 al alcalde et diole la limosnera con los dineros. Quan-

---

94. *P:* Et otra vez fue preso et d.M. díxol que tomasse alçada
    para la casa del rrey et assí sacólo.
95. *H:* era judgado a muerte et desque judgado llegó d.M. et
    librólo de la prisión.
98. *H:* omite: *et fue quito.*
100. *SH:* fasta que j. *S:* jubgaron. *M:* tan aýna fasta que los
    alcaldes lo j.
101. *M:* Et estando el omne al pie.
102. *P:* Et leváronlo et estando. *P* (omite: *et el o. le dixo*). Ea,
    d.M. que ya non es éste juego. *GA:* dixo a don M. *H:* díxole:
    Sabet que esto.
104. *H:* que mucho grant miedo. *M:* muy grant miedo.
106. *P:* que en su lynjavera fallaría assaz dineros.
107. *PHM:* que sería libre. Añaden: *et él* (*H* el omne) *fízolo assí.*
    P (omite: *alcalde*): et non tenían allý buena soga.
109. *A:* y quando buscaban la soga. *M:* e non fallavan soga; e
    llamó el ome al alcalde.
110. *P:* et diol la soga con los dineros en la lynjavera. *H:* et diole
    los quinientos maravedís. *M:* con los quinientos maravedís.

---

[318] *alçada:* apelación. Blecua (p. 225, nota 765) cita *Estados*
195,4.
[319] *quito:* eximido de gravamen o deuda; libre, exento; *PMC*
1370, 1539, 3715; *Ali.* 1842*a*; *Apol.* 126*c*; *LBA* 1141*d*.

do el alcalde cuydó quel dava los quinientos maravedís, dixo a las gentes que ý estavan:

—Amigos, ¡quién vio nunca que menguasse soga para enforcar omne! Çiertamente este omne non es
115 culpado, et Dios non quiere que muera et por esso nos mengua la soga; mas tengámoslo fasta cras, et veremos más en este fecho; ca si culpado es, ý se finca para conplir cras la justiçia.

Et esto fazía el alcalde por lo librar por los qui-
120 nientos maravedís que cuydava que le avía dado. Et aviendo esto assí acordado, apartóse el alcalde et abrió la limosnera, et cuydando fallar los quinientos mara- vedís, non falló los dineros, mas falló una soga en la limosnera. Et luego que esto vio mandól enforcar.

---

111. *H:* el alcalde vio. *M:* el alcalde tomó los q.m. *P:* quel dava los dineros dixo a los que ý estavan.
113. *P* omite: *Amigos y nunca. M:* menguar soga.
114. *H:* enforcassen omne. *P* omite: *Çiertamente e.o.n. es cul- pado. GA* omite: *Çiertamente. H:* C. non es cunplido su tienpo et Dios.
116. *M:* e paréçeme que será bueno que lo detengamos.
117. *A:* ca si culpado es se cunplirá. *H:* et si culpado es cras cunplirse ha. *G:* culpado es e si fincasse para cunplir. *P:* se finca la justiçia para que se faga cras. *M:* ca sy él culpa oviere o culpado fuere aý finca para se cunplir mannana la justiçia.
119. *P:* librarlo por los dineros. *M:* por lo librar de la muerte.
120. *AH:* maravedís que le avía dado. *M:* que pensava que le a.d.
122. *M:* pensando ally f.l.q.m. Et el alcalde non los falló, mas falló dentro una gruesa e grande soga; e luego que la soga vido el alcalde. *P* (variante especial): «et cuydando fallar los dineros, falló una soga dentro rebuelta; et desquesto vio, mandólo enforcar. Llegó don Martín et díxole que a tales priessas acorría él a sus amigos; et díxole que le sosternía a cuestas en cuanto él pudiesse et que pusiesse los pies ençima dél, et quel sosternía fasta que se fuessen todos los otros, si pudiesse, et synon quel dexaría. Et desque el diablo le sostuvo un poco, díxil al omne: Amigo, ¡cóm- mo pesas! Non te puedo sostener más. Et assí murió et perdió el cuerpo» (línea 129).
123. *H* omite: *non falló l.d. mas.*

125 Et poniéndolo en la forca, vino don Martín et el
omne le dixo quel acorriesse. Et don Martín le dixo
que sienpre él acorría a todos sus amigos fasta que
los llegava a tal lugar.

Et assí perdió aquel omne el cuerpo et el alma,
130 creyendo al Diablo et fiando dél. Et çierto sed que nunca omne dél creyó nin fió que non llegasse a aver mala
postrimería; sinon, parad mientes a todos los agoreros o sorteros o adevinos, o que fazen çercos o encantamientos et destas cosas qualesquier, et veredes que
135 sienpre ovieron malos acabamientos. Et si non me credes, acordatvos de Alvar Núnnez o de Garçi Lasso [320]
que fueron los omnes del mundo que más fiaron en
agüeros et en estas tales cosas, et veredes quál acabamiento ovieron.

140 Et vos, sennor conde Lucanor, si bien queredes
fazer vuestra fazienda para el cuerpo et para el alma,
fiad derechamente en Dios et poned en Él toda vuestra
esperança et vós ayudatvos quanto pudiérdes, et Dios
ayudarvos ha. Et non creades nin fiedes en agüeros

---

128. *H:* los ponía en tal lugar. *M:* los levava al tal lugar.
130. *P:* omne del mundo fio dél que lo non llegasse a mal lugar
et a mala postrimería.
131. *M:* omne del mundo creyó en él. *H:* omne dél fio que non
lo levasse a tal lugar. *M:* a aver mala fin o mala postrimería.
132. *GA:* los a. o adevinos o que fazen ciertos encantamientos.
H: agoreros et solteros [*sic*] o adevinos que fazen tantos e.
133. *P:* e adevinos o encantadores o qualquier destas cosas.
134. *M* omite: *et destas cosas... acabamientos. P* omite: *et veredes.*
135. *P:* Sinon parad mientes en A.N. *H* omite: *me credes.*
136. *M:* Garcilaso de la Vega que fueron más agoreros que todos... fiaron e cataron en agüeros.
138. *P* omite: *et en e.t. cosas. M:* e destas cosas tales vedes que
tales. *A:* acabamiento fizieron. *P:* cómmo acabaron.
140. *M:* syenpre fazer bien de v.
144. *PM:* nin fiedes en otros devaneos (*M* otro devaneo).

---

[320] Estos dos caballeros fueron contemporáneos de don Juan
Manuel y sus hechos se mencionan en la *Crónica de Alfonso XI*,
capítulos 61 y 65.

145   nin en otro devaneo, ca çierto sed que de los pecados
        del mundo que a Dios más pesa et en que omne ma-
        yor tuerto et mayor desconosçimiento faze a Dios, es
        en catar agüeros et estas tales cosas.
        El conde tovo éste por buen consejo, et fízolo assí
150   et fallóse muy bien dello.
        Et porque don Johan tovo éste por buen exemplo,
        fízolo escrevir en este libro, et fizo estos versos que
        dizen assí:

        El que en Dios non pone su esperança,
155   morrá mala muerte, avrá mala andança.

Exemplo XLVI
De lo que contesçió a un philósopho que por ocasión entró en una calle do moravan malas mugeres [321]

        Otra vez fablava el conde Lucanor con Patronio,
su consejero, en esta manera:

---

145. *M:* de los mayores pecados del mundo. *A:* el pecado del
     mundo de más pesar.
146. *P* omite: *mayor tuerto et.*
147. *H:* et desonestamiento faga. *M:* d. le fazen ansý. *PGA:*
     es catar en agüeros. *Vid.* 21.50.
148. *H:* catar agoreros.
154. *A:* Quien no pusier en Dios su esperança. *P:* Fía en Dios
     et pon en Él tu obrar.
155. *G:* e abrá. *H:* et verá. *P:* e non cures de adevinos nin de
     todo su encantar.

     P: que entró en una calleja et cayó en mala fama. *H:* que en-
tró a folgar en una casa do moravan malas mugeres. *GA:* Del
consejo que dio Patronio al conde Lucanor quando dixo
que quería cobrar buena fama, y el exemplo fue de lo que
contesçió a un philósopho con una enfermedad que avía.

---

[321] Alfonso I. Sotelo en su edición (Madrid, Cátedra, 1978⁴, p. 269)
cita un relato de *El espéculo de los legos:* un clérigo es ahorcado
con unos homicidas al ser encontrado con ellos, mientras bebía
en una taberna. Es el mismo motivo, pero la relación es dema-

—Patronio, vos sabedes que una de las cosas del
mundo por que omne más deve trabajar es por aver
5 buena fama et por se guardar que ninguno non le
pueda travar en ella. Et porque yo sé que en esto, nin
en ál, ninguno non me podrá mejor consejar que vos,
rruégovos que me consejedes en quál manera podré
mejor acresçentar et levar adelante et guardar la mi
10 fama.

—Sennor conde Lucanor —dixo Patronio—, mucho
me plaze desto que dezides, et para que vos mejor lo
podades fazer, plazerme ýa que sopiéssedes lo que
contesçió a un muy grand philósopho et mucho an-
15 çiano.

El conde le preguntó cómmo fuera aquello.

---

3. *M:* vos bien sabedes que. *GA* omiten: *vos sabedes que.*
P omite: *del mundo.*
4. *GAH:* deve más trabajar. *M:* deve el omne m.t. es p.a. omne
b.f. *GA* omiten: *aver.*
5. *P:* b.f. et que ninguno no le trave en ella. *H:* b.f. et segurar
que n. non le trave en ella. *GA:* ninguno le puede t.
6. *M:* Et pq. en esto nin en ál non me podría ningún otro
consejar m.q.vos.
7. *SGA:* nin en alguno non me podría. *H:* nin en ál ha quien
mejor me pueda consejar (omite: *que vos*).
8. *H:* podría mejor açertar.
9. *S:* encresçentar. *M:* acreçentar e guardar que vaya cada día
adelante mi buena fama.
11. *M:* d.P., desto me plaze mucho que dezides.
12. *P:* lo podades mejor fazer.
13. *PM:* plazerme ýa mucho.
14. *P:* a un grand ph. et bien ançiano. *GA:* a un ph. e mucho a.
H: a un omne ançiano. *M:* acaesçió a un filósofo moro en
Marruecos que era mucho ançiano.
16. *M:* le rrogó que le dixese. *A:* cómo era a.

---

siado distante para ser significativa. Más cercana está la frase
de la *Disciplina clericalis* citada por D. Devoto (1972), p. 452: «sed
magna necessitate cogitur etiam honestus homo letrinam adire»
(p. 12 de la ed. de González Palencia y p. 104 de la traducción
castellana). Esta frase parece indicar que existía una anécdota,
tan conocida, que a Pedro Alfonso le basta con referirse a ella.
Como se dijo en la introducción (P. 18), este *exemplo* pertenece
al grupo de la vida de Segundo el filósofo.

—Sennor conde —dixo Patronio—, un muy grand philósopho morava en una villa del rreyno de Marruecos; et aquel philósopho avía una enfermedat: que
20 quandol era menester de se desenbargar de las cosas sobejanas [322] que fincavan de la vianda que avía reçebido, non lo podía fazer sinon con muy grant dolor et con muy grand pena, et tardava muy grand tienpo ante que pudiesse seer desenbargado.

25 Et por esta enfermedat que avía mandávanle los físicos que cada quel tomasse talante de se desenbargar de aquellas cosas sobejanas, que lo provasse luego, et non lo tardasse; porque quanto aquella materia más se quemasse, más se desecaríe et más enduresçeríe,
30 en guisa quel seríe grand pena et grand danno para la salud del cuerpo. Et porque esto le mandaron los físicos, fazíelo et fallávase ende bien.

---

17. *P:* un gran ph. *H:* un filósofo. *M:* un g. fylósofo moro morava.
19. *M:* e vínole una enfermedad muy grande; et quando se quería.
20. *G:* desbargar.
21. *GA* omiten: *que fincavan.* *H* omite: *q. avía r.* *P:* de lo demás que fincava de la vianda que comíe.
22. *P:* m.g. dolor et pena. *GA:* et con m.g. quexa.
23. *H:* et muy grant vergüença et pena et tardavan muy grant pieça et m.g. tienpo.
24. *P* omite: *ante q.p.s. desenbargado.*
25. *P:* Et por ende mandávanle l.f.q.c. que oviesse talante.
26. *GA:* quel tomasse gana.
27. *P* omite: *de aquellas c. sobejanas.* *H:* que lo tornasse luego et que lo non destornasse.
28. *M:* et que en ninguna manera non lo tardasse. *GA* omiten: *porque quanto.* *M:* porque ante que.
29. *G:* se que más secaría [*sic*]. *M:* más se quemasse fuesse lançada. *H:* más se secasse más se secaría. *P:* más se secaría.
30. *P:* pena et dolor et danno. *H:* seríe g. mengua et g. dapnno. *M:* e que en esta guisa sería muy grant salud.
31. *S:* Et por esto. *P:* Et porque lo mandavan. *H:* le mandaron los filósofos. *M:* Et pq. los fýsycos le mandaron esto fazer.

---

[322] *sobejanas:* sobradas, superfluas, excesivas; *Ali.* 1933c, 2270c, 2541a (P); *Apol.* 622c. La forma en el *LBA* es *sobejo:* 251b, 688c, etcétera.

Et acaesçió que un día, yendo por una calle de
aquella villa do morava et do teníe muchos discípulos,
35 que aprendían dél, quel tomó talante de se desenbargar
commo dicho es. Et por fazer lo que los físicos le
mandavan, et era su pro, entró en una calleja para
fazer aquello que non podíe escusar.

Et atal fue su ventura, que en aquella calleja do
40 él entró, que moravan ý las mugeres que pública-
mente biven en las villas faziendo danno de sus almas
et desonrra de sus cuerpos. Et desto non sabía nada
el philósopho que tales mugeres moravan en aquel
lugar. Et por las semejanças que en él paresçieron
45 quando salió de aquel lugar do aquellas mugeres moravan, commo quier que él non sabía que tal conpanna
allý morava, con todo esso, quando ende salió, todas
las gentes cuydaron que entrara en aquel logar por

---

33. *PH:* que yendo un día.
34. *H:* do morava con muchos disçiplos. *Disçiplos,* con pér-
    dida de la postónica, se usa en *Apol.* 194*d*, 284*d*, 294*c*, 320*b*,
    321*c*; la forma culta es la única usada en el *LBA* 30*b*, 40*b*,
    476*a*, 1049*d*, 1646*d* y en *Estados* 17.26 y 270.2. *M:* de donde
    el fylósofo morava e a donde.
35. *P* omite: *que aprendían dél. M:* et yendo ansý tomóle.
    GA: a aquel tomó. *M:* de desenbargar el cuerpo de aque-
    llas cosas sobejanas. *SH:* commo es dicho.
37. *SHM:* consejavan. *M:* e que era mucho su provecho. Et
    avino a ser que el fylósofo que entró por. *P* (omite: *entró*):
    calleja para lo fazer. *A:* callejuela. *G:* callegüela.
38. *S:* pudíe.
42. *PH* omiten: *desonrra. P:* él non s. nada q.t.m. allý moravan.
43. *M:* que moravan allý nin que tales m. moravan en a.l.
44. *SGM* añaden: «Et por la manera de la enfermedad que
    él avía et por el grant tienpo que se detovo en aquel lugar.»
    Lo omito del texto, pues falta en *PAH* y tiene trazas de
    ser un añadido posterior.
45. *P:* quando de allý salió. *M:* lugar de donde estavan aque-
    llas mugeres.
46. *GA:* non sabía nada que allí tal conpañía morava. *M:* fue
    juzgado del que salía de fazer algúnt mal, commo quier
    que él era en aquella parte syn culpa. (*M* omite una larga
    porción, hasta la l. 122).
47. *P:* quando salió, todos los quel vieron cuydaron.
48. *H:* las gentes pensaron.

otro fecho que era muy desvariado de la vida que él
50 solía et devía fazer. Et porque paresçe muy peor et
fablan muy más et muy peor las gentes dello quando
algún omne bueno o de grand guisa faze alguna cosa
quel non pertenesçe et le está peor, por pequenna que
sea, que a otro que saben las gentes que es acostun-
55 brado de non se guardar de fazer muchas cosas peores, por ende, fue muy fablado et muy tenido a mal,
porque aquel philósopho tan onrrado et tan ançiano
entrara en aquel lugar quel era tan dannoso paral
alma et paral cuerpo et para la fama.

60 Et quando fue en su casa, vinieron a él sus disçípulos et con muy grand dolor de sus coraçones et con
grand pesar, começaron a dezir qué desaventura o
qué pecado fuera aquél por que en tal manera con-
fondiera a sí mismo et a ellos, et perdiera toda su
65 fama que fasta entonçe guardara meior que omne
del mundo.

Quando el philósopho esto oyó fue muy espantado
et preguntóles que por qué dizían esto o qué mal era
éste que él fiziera o quándo o en qué lugar. Ellos le
70 dixieron que por qué fablava assí en ello, que ya por
su desabentura dél et dellos, que non avía omne en la

---

49. *P:* de la vida quél fazía... paresçe peor et f. mal et peor
dello las gentes.
50. *H:* peor e fabla e muy más mal las g.d.
52. *S* omite: *bueno. P:* veen fazer lo quel non p.
53. *H:* pertenesca.
55. *A:* de fazer no muchas. *G:* de no fazer muchas. *S:* de fazer
muchas pocas pos [*sic*]. *H:* fazer muy pocas pros. *P:* que
es usado de lo fazer.
59. *P:* al c. et al alma et para la fama.
60. *SH:* disciplos.
62. *H:* desaventura fue ésta tal. *P:* desaventura ésta o qué pecado fue éste.
65. *S:* fata. Las dos formas *fata* y *fasta* se usan en *PMC* (*vid.*
R. Menéndez Pidal, *Cantar*, p. 682.39), pero se encuentra
sólo *fasta* en *Apol.* y en el *LBA.*
67. *S:* tanto espantado. *H:* muy mal espantado.
71. *H:* la gran desaventura. *A:* su desventura dellos era. *G:* de
lo de ello era.

villa que non fablasse de lo que él fiziera quando entrara en aquel lugar do aquellas tales mugeres moravan.

75 Quando el philósopho esto oyó, ovo muy grand pesar, pero díxoles que les rrogava que se non quexassen mucho desto, et que dende a ocho días les daría
ende respuesta.

Et metióse luego en su estudio, et conpuso un librete pequenno et muy bueno et muy provechoso. Et
80 entre muchas cosas buenas que en él se contienen,
fabla ý de la buena ventura et de la desabentura, et
commo en manera de departimiento [323] que departe
con sus disçípulos dize assí:

—Fijos, en la buena ventura et en la desaventura
85 contesçe assí: algunas vegadas es fallada et buscada
et algunas vegadas es fallada et non buscada. La fallada et buscada es quando algund omne faze bien
et por aquel buen fecho que faze, le viene alguna buena ventura; et esso mismo quando por algún fecho
90 malo que faze, le viene alguna mala ventura; esto tal

73. *P:* do moravan aquellas buenas mugeres.
74. *P:* Et desto él tomó gran pesar.
75. *GA* omiten: *que les rrogava.*
76. *P* omite: *mucho desto.*
78. *P:* libro pequenno.
79. *S:* aprovechoso; *vid.* P.58.
80. *P:* Et de las buenas cosas que ý se contenían fablava que.
    H: se contenía fablava ý.
81. *GA* omiten: *buenas* y *et de la desabentura.*
82. *GA:* de departimiento, departió con dos. *PH:* que departíe...
    dezía assí.
85. *S:* a las vegadas. *H* omite: *algunas vegadas es f. et b.*
    G omite: *algunas vegadas... buscada es quando.*
86. *H* omite: *la fallada et buscada es. A* omite: *buscada.*
87. *A:* faze algún buen fecho.
88. *G:* et para que el b.f. *A:* o por aquel bien. *P:* por que por
    aquel bien.
89. *H* omite: *et esso mismo... mala ventura. P:* algún mal fecho. *A:* algún buen fecho malo [*sic*].

---

[323] *departimiento:* conversación; del verbo *departir:* conversar:
LBA 567*b*, 789*b*, 1128*b*, 1529*b*.

es ventura, buena o mala, fallada et buscada, ca él
busca et faze por quel venga aquel bien o aquel mal.

Otrosí, la fallada et non buscada es quando un
omne, non faziendo nada por ello, le viene alguna pro
95 o algún bien: assí commo si fuesse un omne por algún
lugar et fallasse muy grand aver o otra cosa muy provechosa por quél non oviesse fecho nada: et esso mismo,
quando un omne, non faziendo nada por ello, le viene
algún mal o algún danno, assí commo si omne fuesse
100 por una calle et lançasse otro una piedra a un páxaro
et descalabrasse a él en la cabeça: ésta es desabentura
fallada et non buscada, ca él nunca fizo nin buscó cosa
por quel deviesse venir aquella desaventura. Et fijos,
devedes saber que en la buena ventura o desaventura
105 fallada et buscada ay menester dos cosas: la una, que
se ayude el omne faziendo bien para aver bien o faziendo mal para aver mal; et la otra, que le gualardone
Dios segund las obras buenas et malas que el omne
oviere fecho. Otrosí, en la buena ventura o mala, fallada
110 et non buscada, ay. menester otras dos cosas: la una,

---

91. *P:* es fallada et buscada, buena ventura o mala. *S:* que
él busca.
94. *GA:* ombre faziendo nada. *S:* no faziendo por ello. *P:* le
viene algún bien. En *P, otrosí* es la última palabra del
fol. 54*v;* la continuación se halla en el fol. 56*r* que em-
pieza: *fallada et non buscada.*
95. *SH:* omne fuesse. *P:* por un camino et f. grand aver.
97. *S:* non oviesse nada fecho.
98. *P* omite: *un omne.*
99. *P* omite: *algún danno. G:* como si fuesse ome. *P:* assí commo
yendo por una calle et cayendo una teja et dale en la cabeça.
101. *H:* descalabrasse a un omne en la cabeça.
102. *P:* él nunca fizo por que le viniesse aquella desaventura.
103. *S:* por que él deviesse venir. *G* omite: *et fijos... ventura
et desaventura.*
104. *H:* buena ventura fallada et non buscada et en la desaventura.
106. *GA:* se enmiende home. *P:* ayude él ante faziendo. *A* omite:
para aver bien. G: faziendo bien para bien.
107. *A:* para mal aver. *G:* para mal. *SG:* la galardone. *A:* las
galardone. *Vid.* 11.173.
109. *SG:* la ventura buena.

que se guarde omne quanto pudiere de non fazer mal
nin meterse en sospecha nin en semejança por quel deva
venir alguna desaventura o mala fama; la otra, es pedir
merçed et rrogar a Dios que, pues él se guarda quanto
115 puede por quel non venga desaventura nin mala fama,
quel guarde Dios que non le venga ninguna desaventura
commo vino a mí el otro día que entré en una calleja
por fazer lo que non podía escusar para la salud de mi
cuerpo et que era sin pecado et sin ninguna mala fama,
120 et por mi desaventura moravan ý tales conpannas, por
que maguer yo era sin culpa, finqué mal enfamado.

Et vos, sennor conde Lucanor, si queredes acresçentar et levar adelante vuestra buena fama, conviene que
fagades tres cosas: la primera, que fagades muy buenas
125 obras a plazer de Dios; esto guardado, después, en lo
que pudierdes, a plazer de las gentes, et guardando
vuestra onrra et vuestro estado; et non cuydedes que
por buena fama que ayades, que la non perderedes si
dexades de fazer buenas obras et fazedes las contrarias,

---

111. *SGAH:* non fazer nin meterse. Creo que la palabra *mal* de
P es indispensable.
112. *H:* omite: *nin en semejança. S:* por que él deva.
113. *GA:* venir aquella desaventura.
114. *P* omite: *quanto puede... nin mala fama.*
115. *GA* omiten: *nin mala fama... ninguna desaventura.*
116. *P* omite: *ninguna.*
118. *P:* de mi cuerpo. *H:* del cuerpo.
120. *A:* por desaventura. *P:* tales personas. *PH* omiten: *por que.*
121. *G:* yo era mager sin culpa. *A:* yo maguer era sin culpa.
H: que finqué con mala fama.
122. *A:* si quisiéredes.
123. *P:* levar vuestra fama adelante. *G:* llevar vuestra fama.
M: para que vuestra onrra vaya adelante, conviene que
fagades muy buenas obras a plazer de Dios.
124. *UH* omiten: *muy.*
125. *GA:* que sean plazer de Dios. *A:* desto. *PGAM:* guardando.
H: guardad. *M:* en lo que podades.
126. *H:* et guardada.
127. *M:* toda vuestra onrra.
128. *M:* que la b.f. que ovierdes. *G:* non perdonedes.
129. *S:* devedes de fazer. *A:* dexássedes. *M:* dexardes las buenas
obras. *SM:* fiziéredes las c. *GA:* faziendo.

130 ca muchos omnes fizieron bien un tienpo et porque después non lo levaron adelante, perdieron el bien que avían
fecho et fincaron con la mala fama postrimera; la otra
es, que roguedes a Dios que vos enderesçe que fagades
tales obras por que la vuestra buena fama se acresçiente
135 et vaya sienpre adelante et que vos guarde de fazer nin
de dezir cosa por que la perdades; la terçera cosa es,
que por fecho, nin por dicho, nin por semejança, nunca
fagades cosa por que las gentes puedan tomar sospecha, por que la vuestra fama vos sea guardada commo
140 deve, ca muchas vezes faze omne buenas obras et por
algunas malas semejanças que faze, las gentes toman tal
sospecha, que enpeçe poco menos paral mundo et paral
dicho de las gentes commo si fiziesse la mala obra. Et
devedes saber que en las cosas que tannen a la fama,
145 que tanto aprovecha o enpeçe lo que las gentes dizen
commo lo que es verdat en sí; mas quanto para Dios
et paral alma non aprovecha nin enpeçe sinon las obras
que el omne faze et a quál entençión son fechas.

---

130. *P:* algún tienpo. *A* omite: *bien. P* omite: *porque después.*
M: enpero que después.
131. *M:* que ante avían fecho.
132. *P:* et fueron con m.f. a la postrimería. *M:* en mala fama
para syenpre. *PH:* la segunda es. *M:* la segunda cosa es.
133. *H:* que fagades a Dios. *G:* enderecedes. *Armas* 678.16: «et
que rogase a Dios que lo endereçase al su servicio».
134. *S:* tales cosas. *H:* vuestra fama.
135. *P* omite: *et vaya s. adelante. H:* de dezir et de fazer cosas.
136. *P* omite: *cosa.*
137. *PH* omiten: *nin por dicho. M:* nin por otra cosa semejante.
138. *PHM:* de que las gentes. *H:* pueden.
139. *M:* enpero syenpre guardad que la obra non sea en sý
mala nin por que la vuestra fama non sea maculada. *P* g.
commo deva.
140. *A:* faziendo omne.
141. *PGAH:* que fazen las gentes. *M:* que an, toman las gentes.
142. *M:* poco nin a lo del mundo nin (palabra ilegible). Omite:
et paral dicho... mala obra.
145. *S:* las gentes tienen et dizen.
146. *M* omite: *en sí. H:* en sí mesmo. *M:* por quanto a Dios nin
al alma.
147. *H:* non ha provecho. *M:* buenas obras o malas que faze;

El conde tovo éste por buen exemplo et rrogó a Dios
150 quel dexasse fazer tales obras quales entendía que cunplía para salvamiento de su alma et para guarda de su
fama et de su onrra et de su estado.

Et porque don Johan tovo éste por muy buen exemplo, fízolo escrevir en este libro, et fizo estos versos
155 que dizen assí:

Faz sienpre bien et guárdate de sospecha
et sienpre será la tu fama derecha.

Exemplo XLVII

De lo que contesçió a un moro con una su hermana que dava a entender que era muy medrosa [324]

Un día fablava el conde Lucanor con Patronio en esta
guisa:

por ende vos llegad a las buenas aunque al pareçer de la
gente non sean en tanto tenidas, que non a las malas,
quanto quier que por ellas parescays de las gentes ser más
loado et tenedido [*sic*].
150. *S:* que cunple.
156. *GA:* e guarte. *P:* F. s. buenas obras, guarte.
157. *A:* e será siempre tu fama d. *H:* sienpre tu fama. *M:* et
será para syenpre. *P:* et assí levarás la tu fama d.

P: que se espantava del rroýdo que fazíe bod, bod, la rredomilla del agua. *H:* acaesçió... con su h. que se espantava et
amortesçía del gorguear et de la gorgorita et non del muerto que yazía en la fuessa. *GA:* Del consejo que dio P. al
c.L. quando tenía un su hermano que era mayor que no
él, e dezía que lo tenía en lugar de padre; y el exemplo
fue de lo que contesçió (*G* contesçía) a un moro con una
su hermana que se espantava de quier (*G* que quier) que
veýa.

[324] Si se acepta que «en la vida de las tradiciones los siglos son
días», se puede explicar este *exemplo* con el breve apunte de María
Goyri de Menéndez Pidal, «Sobre el ejemplo 47 de *El conde Lucanor*», *Correo erudito*, I, 1940, pp. 103-104: En 1580 los morabitos
de Argel consideraban un pecado dejar que la garrafa hiciera *glo,
glo* al beber. *Vid.* D. Devoto (1972), pp. 452-454.

—Patronio, sabet que yo he un hermano que es mayor que yo, et somos fijos de un padre et de una madre
5 et porque es mayor que yo, tengo que lo he de tener en logar de padre et seerle mandado. Et él ha fama que es muy buen christiano et muy cuerdo, pero guisólo Dios assí: que yo so más rrico et más poderoso que él; et commo quier que él non lo da a entender,
10 so çierto que á ende enbidia, et cada que yo he menester su ayuda et que faga por mí alguna cosa, dame a entender que lo dexa de fazer porque sería peccado, et estránnamelo tanto fasta que lo parte por esta manera. Et algunas vezes que ha menester mi ayuda, dame a en-
15 tender que aunque todo el mundo se perdiesse, que non devo dexar de aventurar el cuerpo et quanto he por que se faga lo que a él cunple. Et porque yo passo con él en esta guisa, rruégovos que me consejedes lo que viéredes que devo en esto fazer et lo que me más cunple.
20 —Sennor conde —dixo Patronio—, a mí paresçe que

---

3. *M:* P. yo he un h. q. es m. de días q. yo e s. amos hermanos de p.e de m.
5. *P:* tengo que yo que lo he. *M:* tengo que tiene que le he de tener.
6. *S:* seerle a mandado. *Ser mandado:* «obediente», «servidor», está en el *LBA* 1327c, 1429c, 1503b.
7. *GAH* omiten: *muy. P:* pero guardando Dios. *GA:* aguisólo.
8. *H* omite: *assí. M:* quísolo D. assí fazer. *S:* que so yo. *M:* que yo fuesse m. rr. que él e m.p.
9. *H:* que non él.
10. *P:* á grand enbidia. *M:* enbidia ende.
11. *P* omite: *alguna. H:* cosa, deve de fazer aunque sea p.
12. *M:* lo dexa porque le sería. *P:* será. *M* omite: *et estránna-melo... manera.*
13. *H:* fasta que le digo que lo non faga por e.m.
16. *H:* non devo de aventurar. *PH:* lo que he. *A:* tengo. *H:* por que faga.
17. *P:* cunpla. *P:* con él esta vida.
18. *M:* consejedes lo que devo fazer en esto.
19. *P:* yo en esto puedo fazer. *GA:* yo devo fazer en esto. *H:* que en esto devo fazer. *PH:* más me cunple. *G:* más cunple. *A:* más cunple que yo faga. *M* omite: *et lo que me más cunple.*

la manera que este vuestro hermano trae convusco, semeja mucho a lo que dixo un moro a una su hermana.
El conde le preguntó cómmo fuera aquello.

—Sennor conde —dixo Patronio—, un moro avía una
25 hermana que era tan regalada que de quequier que
veýe o le fazíen, que de todo dava a entender que tomava
reçelo et se espantava. Et tanto avía esta manera, que
quando bevía del agua en unas terrazuelas [325], que las
suelen bever los moros, que suena el agua quando beven,
30 quando aquella mora oýa aquel sueno que fazía el agua
en aquella terrazuela, dava a entender que tan grand
miedo avía daquel sueno que se quería amorteçer [326].

Et aquel su hermano era muy buen mançebo, mas
era muy pobre; et porque la grand pobreza faz a omne
35 fazer lo que non querría, non podía escusar aquel mançebo de buscar la vida muy vengonçosamente. Et fazíalo

---

21. *P:* asemeja mucho lo que. *M:* convusco es lo que.
23. *M:* le rrogó que le dixesse.
24. *M:* un moro tenía.
25. *M:* tan delicada. *H:* tan rreglada q. de qualquier c. que
avían. *A:* que de quier que.
26. *M:* veýa o oýa que fazýan. *S:* o la fazían, que de todos.
27. *H:* cada quando.
28. *P:* una redomilla. *G:* terrabielas. *H:* con una terrazuela.
M: terrazuela nueva. *S:* que la suelen. *P:* commo suelen.
H: con que suelen. *M:* tal commo en que suelen.
29. *M:* quando b. con ella. *A:* beven con ellas. *G:* b. el agua
con ellas. *H:* beben en ellas.
30. *SH:* oyó. *PH:* sonido. *G* omite: *sueno. P* omite: *que fazía...
terrazuela. M* omite: *el agua en.*
31. *S:* terraçuella.
32. *P* omite: *daquel sueno. H:* sonido. *P:* se q. aborreçer
33. *PA:* era buen mançebo. *P:* pero que era m. pobre.
34. *M:* la pobreza. *P:* provedat. *G:* probeça.
35. *GAH:* quiere. *H:* non puede escusar de usar. *M:* non pudo.
36. *GA:* de no buscar. *M:* de aver de buscar. *PA* omiten: *muy.*
M: vergonnosamente. *GA:* fízolo.

---

[325] *terrazuela:* de *terrazo,* jarro de barro para beber agua (Blecua, p. 232, n. 788).
[326] *amorteçer:* desmayar, perder el sentido; *PMC:* 2777; *Du.*
113*b; LBA* 788*d.*

assí: que cada que moría algún omne yva de noche et
tomávale la mortaja et lo que enterravan con él, et desto
mantenía a sí et a su hermana et a su conpanna; et su
40 hermana sabía esto.

Et acaesçió que murió un omne muy rrico, et enterraron con él muy rricos pannos et otras cosas que
valían mucho. Quando la hermana esto sopo, dixo a su
hermano que ella quería yr con él aquella noche para
45 traer aquello con que aquel omne avían enterrado.

Desque la noche vino, fueron el mançebo et su hermana a la fuessa [327] del muerto, et abriéronla, et quando
le cuydaron tirar [328] aquellos pannos muy preçiados que
tenía vestidos, non pudieron sinon ronpiendo los pan-
50 nos o crebando las çervizes del muerto.

Quando la hermana vio que si non quebrassen el
pescueço del muerto, que avrían de ronper los pannos
et que perderían mucho de lo que valían, fue tomar

---

37. *M:* ansý en esta manera que agora oiredes: cada vegada
q.m.a.omne o muger, ývase de n. et desenterrávale et t.
la m. et todo aquello.
38. *G:* enterraron. *M:* et con este ofyzio atal.
39. *PH:* a él. *M:* mantenýase él. *P* omite: *et a su hermana.*
M: toda su c.; et su h. sabía bien esto que su hermano fazía.
41. *M:* un omne de aquella tierra que era m.rr.
42. *P* omite: *otras. M:* otras cosas muchas de joyas e de piedras preçiosas que valían grant condía [*sic*].
45. *M:* ayudarle a traer lo que. *PM:* que avían enterrado
con a.o.
46. *M:* Quando. *P:* vino la noche.
47. *H* omite: *del muerto... tenía vestidos.*
48. *M:* le ovieron de tirar. *PA:* quitar. *GAM:* los pannos. *P* omite:
muy. M: que eran m.p. *G* omite: *que tenía vestidos.*
49. *M:* omite: *vestidos. P:* rrasgándolos. *M:* rronpiéndogelos.
H: rronperse los p. o quebrase muy syn duelo et syn piedad
la cabeça del muerto.
51. *H* omite: *Quando la h... cabeça del muerto. S:* quebran-
tassen. *P:* las çervizes al m. *M:* la cabeça.
52. *P:* avía. *GA:* avían.
53. *M* omite: *de lo que valían.*

---

[327] *fuessa:* fosa, tumba; *Sm.* 314c; *Ali.* 1633c; *LBA* 1524a.
[328] *tirar:* quitar; *LBA* 4d, 10b, 188d, 204d, 272d, 305d, 649d, 1548a,
1666d; *Estados* 63,16.

con las manos, muy sin duelo et sin piedat, de la cabeça
55 del muerto et descoiuntólo todo, et sacó los pannos que
tenía vestidos, et tomaron quanto ý estava, et fuéronse
con ello.

Et luego, otro día, quando se asentaron a comer,
desque començaron a bever, quando la terrazuela co-
60 mençó a sonar, dio a entender que se quería amorteçer
de miedo de aquel sueno que fazía la terrazuela. Quando
el hermano aquello vio, et se acordó quánto sin miedo
et sin duelo descoiuntara la cabeça del muerto, díxole
en su algaravía:

65 —Aha ya ohti, tafza min bocu bocu va liz tafza min
foth encu [329].

---

54. *P:* manos, sin duelo, de la cabeça. *M* omite: *muy.*
55. *P:* descoyuntóle el pescueço. *M* (omite: *que tenía vestidos):*
    todo quanto allí e. et f. con ello para su casa.
56. *H:* vestidos, sanos porque en rronpiendo los pannos se
    perdían mucho de lo que valían, et tomado quanto y e. fué-
    ronse con ello.
59. *H* omite: *desque c.a. bever. P:* desque bevieron. *M* omite:
    desque. P omite: *cuando... a sonar. M:* con la terrazuela
    et sonó ansý commo solía. *H:* con la terrazuela et c. a s.
60. *M:* e la hermana dio a e. *P:* dio a entender al sonido que
    fazía la redomilla q. se q.a. de miedo. *H:* ella que se q.a.
    ella de m. de a. sonido.
61. *M* omite: *que fazía la t.*
62. *PH:* esto vio. *M:* Et desque lo vio el hermano (y omite:
    sin miedo).
63. *A* omite: *sin duelo. H:* quando syn duelo et syn asco. *H:*
    díxole assy.
64. *S:* en algaravía. *M:* en arábigo.
65. *P:* Aha ya oth fit nin fazacheçia. *GA:* Aha ya hati tassa nibo a
    (*G* ai) valo tassa ni fortuheni. *HM* omiten: *Aha... encu.*

---

[329] Los editores han transcrito esto diversamente: Gayangos:
«A haya ohti tasza min botu, botu, va liz tasza fotuh enco».
Knust: «Aha ya uchti tafza min bakki, vala tafza min fatr onki».
María Goyri de Menéndez Pidal, *op. cit.*, p. 104, propone: «Ah ya
ojti tafza min boc boc uala tafza min fotuh encoh»; y Nykl: «Aha
ya ukhti, tafza min baqbaqu wa la (or *les*) tafza min fatq (possi-
bly *fatr, farq*) unqu».

Et esto quiere dezir: «Ahá, hermana, espantádesvos del sueno de la terrazuela que faze boc, boc, et non vos espantávades del descoiuntamiento del pescueço del
70 muerto». Et este proberbio es agora muy retraýdo entre los moros.

Et vos, sennor conde Lucanor, si aquel vuestro hermano mayor veedes que en lo que a vos cunple se escusa por la manera que avedes dicha, dando a entender que
75 tiene por grand pecado lo que vos querríades que fiziesse por vos, non seyendo tanto commo él dize, et tiene que es guisado, et dize que fagades vos lo que a él cunple, aunque sea mayor peccado et muy grand vuestro danno, entendet que es de la manera de la mora que se
80 espantava del sueno de la terrazuela et non se espantava de descoiuntar la cabeça del muerto. Et pues él quiere que fagades vos por él lo que sería vuestro danno si lo fiziéssedes, fazet vos a él lo que él faze a vos: dezilde buenas palabras, et mostradle muy buen talante; et

---

67. *S:* despantádesvos. La forma del verbo es *espantar* en *PMC* 3274; *Apol.* 329*d*; *LBA* 98*c* y quince veces más. *M* omite: *quiere dezir... boc. boc.*

68. *GAH:* sonido. *P:* rredomilla q.f. bod. *GA:* butu, butu. *H:* bac, bac.

69. *H:* descoyuntamiento del omne. *S* omite: *del muerto.*

70. *P* omite: *muy. GA:* es agora aun. *H:* es retraýdo agora del omne e.l.m. *M:* es agora e aun vive e.l.m.

73. *P* vedes. (Y sigue: «Aquí se perdió una foja» y en tinta diferente: «lo que se sigue poco bien puesto»).

74. *G* omite: *a entender... pecado lo que.*

75. *A:* por muy gran. *M:* por pecado. *SM:* queríades. *H:* que pq. es grand pecado non faze lo que vos queredes et tiene que es aguisado (*vid.* 7.44).

76. *M:* et tiene por aguisado que vos le ayudedes en lo que a él c.

77. *S:* lo que al cunple.

79. *GA:* entendiendo que de la m. *M:* entiendo que es. *H:* da a entender que es de la m. de la que. (Omite: *mora que se e.d.s. de la t.*).

82. *A:* vos por lo que sería. *G:* lo que sea.

83. *GAH:* lo fizierdes. *GA* omiten: *a él. M:* conviene a saber, dezirle.

84. *G:* muy buenas p. *P* omite: *muy. M:* demostrándole.

85   en lo que vos non enpeesçiere, fazet por él todo lo que
        cunpliere, mas en lo que fuer vuestro danno, partitlo
        sienpre con la más apuesta manera que pudiéredes, et
        en cabo, por una guisa o por otra, guardatvos de fazer
        vuestro danno.

90   El conde tovo éste por buen consejo et fízolo assí
        et fallóse ende bien.

        Et teniendo don Johan este exemplo por bueno, fízolo
        escrevir en este libro, et fizo estos versos que dizen
        assí:

95   Por qui non quiere lo que te cunple fazer
                tú non quieras por él lo tuyo perder.

EXEMPLO XLVIII

De lo que contesçió a un omne bueno con un su fijo que dezía que avía muchos amigos [330]

        Otra vez fablava el conde Lucanor con Patronio, su
        consejero, en esta manera:

85. *M:* enpeçe. *H:* paresçiere. *GAH* omiten: *todo. H:* fazet por
    ello.
86. *M:* cunple, enpero. *H:* partidvos s. dél. *M:* pagadlo.
88. *H:* en tal que por una manera o por otra que vos guardedes,
95. *A:* Quien no quisier. *G:* Quien no quiere. *H:* El que non
    quiere. *M:* Quien no quiere por tý lo que cunple fazer.
96. *A:* non quieras tú por él. *S:* et tú non quieras lo tuyo
    por él perder.
    GA: a un buen omne. *S:* a uno que provava sus amigos.
    H añade: «et el padre le dixo que nunca pudo aver más de
    un amigo».

[330] Más que dar una síntesis de las opiniones de los críticos
sobre este complejísimo *exemplo*, en la cual, por motivo de espacio, no se les haría justicia, quizá sea mejor limitarme aquí a
los títulos de los trabajos imprescindibles para el estudio del mismo: Kenneth R. Scholberg, «A Half-friend and a Friend and
a Half», *BHS*, XXXV, 1958, pp. 187-198; Salvatore Battaglia,
«Dall'esempio alla novella», *Filología Romanza*, VII, 1960, pp. 29-
38; R. Brian Tate, «Don Juan Manuel and his Sources», *op. cit.*,
pp. 549-554; D. Devoto (1972), pp. 454-459; R. Ayerbe-Chaux (1975),
pp. 160-169 y 358-376.

—Patronio, segunt el mío cuydar, yo he muchos
amigos que me dan a entender que por miedo de perder
5 los cuerpos nin lo que an, que non dexarían de fazer
lo que me cunpliesse; que por cosa del mundo que
pudiesse acaesçer, non se partirían de mí. Et por el
buen entendimiento que vos avedes, rruégovos que me
digades en qué manera podré saber si estos mis amigos
10 farían por mí tanto commo dizen.

—Sennor conde Lucanor —dixo Patronio—, los buenos amigos son la mejor cosa del mundo, et bien cred
que quando viene grand menester y la grand quexa,
que falla omne muy menos de quantos cuyda; et otrosí,
15 quando el menester no es grande, es grave de provar
quál sería amigo verdadero quando la priessa veniesse;
pero para que vos podades saber quál es el amigo verdadero, plazerme ýa que sopiéssedes lo que contesçió a
un omne bueno con un su fijo que dezía que avía mu-
20 chos amigos.

El conde le preguntó cómmo fuera aquello.

—Sennor conde Lucanor —dixo Patronio—, un omne
bueno avía un fijo, et entre las otras cosas quel mandava et le consejava, dizíal sienpre que punnasse en aver

---

4. *M:* que son atanto mis amigos que por miedo.
6. *GAM:* todo lo que. *H:* cunpliere. *M:* a mý cunpliesse.
7. *M:* se non partirían. *S:* parterían.
9. *GA:* podría saber. *H:* podría yo.
10. *A:* tanto por mí.
13. *M:* quando a omne viene algunt g.m. *GA:* la g. quexa y el g. menester.
14. *H:* en ellos menos de quanto cuydan. *M:* fallaría omne menos amigos de quantos él piensa o cuyda. *HM* omiten: *otrosí.*
15. *H:* menester es grande. *M:* grave cosa. *H:* de provar et para ver.
16. *H: quando la p.v... amigo verdadero.*
17. *M:* pero por que vos sepáys para quando la priesa viniere quál es.
18. *M:* acaesçió.
19. *M:* dezía que tenía.
24. *H:* consejávale et dizía que sienpre. *H:* et que le conse-java era que. *GA* (omiten: *dizíal*): que pugnasse (*G:* gui-sase) era en aver. *H:* de aver amigos buenos.

25   muchos amigos et buenos. El fijo fízolo assí, et començó
a aconpannarse et a partir de lo que avía con muchos
omnes por tal de los aver por amigos. Et todos aquellos
dizían que eran sus amigos et que farían por él todo
quantol cunpliesse, et que aventurarían por él los cuer-
30   pos et quanto en el mundo oviessen quandol fuesse
menester.

Un día, estando aquel mançebo con su padre, preguntól si avía fecho lo quel mandara, et si avía ganado
muchos amigos. Et el fijo díxole que sí, que avía muchos,
35   mas que sennaladamente entre todos los otros avía fasta
diez de que era çierto que por miedo de muerte, nin
por ningún reçelo, que nunca le errarían por quexa, nin
por mengua, nin por ocasión quel acaesçiesse.

Quando el padre esto oyó, díxol que se marabillava
40   ende mucho porque en tan poco tienpo pudiera aver

25. *M:* toviesse muchos amigos et buenos. *M* omite: *fijo. H:* Et
fue et fízolo.
26. *SGAHM:* conpannarse. A pesar de que ésta es la grafía en
todos los mss., acepto la corrección de Blecua (p. 236);
en el testamento de don Juan Manuel se lee: «nin se acon-
panne con donna Johana», Giménez Soler, p. 700.25. *H:* avía
con ellos. *M:* a allegarse e a c. con lo que tenía a muchos
omnes. *M:* aquellos con quien se aconpannava.
27. *H:* et ellos dezían (omite: *que eran s.a.*). *A* omite: *Et todos...
sus amigos.*
28. *GM:* dezíanle. *GA:* todo lo que. *H:* con él quanto.
30. *M:* et todo quanto oviessen. *H:* quanto fuesse m. *A* omite:
oviessen quandol.
32. *M:* a.m. fablando con su padre. *GA:* preguntóle su padre.
33. *M:* sy tenía ganados.
34. *S* omite: *Et el fijo... muchos. M:* que muchos amigos tenía.
35. *GA:* mas e que. *H:* et s. que entre todos los amigos que
avía f.d. amigos. *M:* mas entre todos sennaladamente que
tenía diez amigos.
36. *S:* nin de n. reçelo. *H:* nin rreçelo. *M:* por miedo, nin por
rreçelo, nin por muerte, nin por quexa que oviesse, nunca
le dexarían nin nunca le errarían.
37. *S:* erraríe.
38. *GA:* quel viniesse.
39. *S:* marabilla.
40. *M* omite: *ende. H:* podría aver.

tantos amigos et tales; ca él que era ançiano, nunca en toda su vida pudiera aver más de un amigo et medio.

El fijo começó a porfiar diziendo que era verdat lo que él dizía de sus amigos. Desque el padre vio que
45 tanto porfiava el fijo, díxole que los provasse en esta guisa: que matasse un puerco et lo metiesse en un saco, et que fuesse a casa de cada uno daquellos sus amigos, et que les dixiesse que aquél era un omne que él avía muerto; et que era çierto que si aquello fuesse
50 sabido, que non avía en el mundo cosa por que pudiesse escapar de la muerte él et quantos sopiessen que sabían daquel fecho; et que les rogasse, que pues sus amigos eran, quel encubriessen aquel omne et, si menester le fuesse, que se parassen con él a lo defender.
55 El mançebo fízolo et fue a provar sus amigos según su padre le mandara. Et desque llegó a casa de sus amigos et les dixo aquel fecho perigloso quel acaesçiera, todos le dixieron que en otras cosas le ayudaríen; mas

---

41. *S:* mucho ançiano. *H:* era mayor. *M:* era muy viejo e ançiano nunca en todo su tyenpo en quanto trabajara, que nunca.
42. *A:* e otro medio. *M:* más de medio amigo.
43. *M:* con él diziendo (omite: *de sus amigos*).
44. *M:* Quando.
45. *H:* el fijo porfiava. *M* omite: *el fijo. S:* dixo.
46. *M:* manera. *H:* que tomasse un puerco et lo matasse.
47. *M:* costal. *GAM* omiten: *cada. H:* casa de sus amigos. *M:* de sus amigos de noche.
49. *H:* que él que era ç. *M:* que él era ç.
50. *S:* qosa [*sic*] quel pudiesse... a él et a quantos.
51. *GA:* sabían que supiessen. *H:* quantos sabían de a.f. synon por ellos. *M* omite: *él et quantos... daquel fecho.*
52. *M:* le rogase mucho e le dixese q.p. su amigo. *GA:* aquel mal fecho.
53. *HM:* menester fuesse.
54. *GA:* les fuessen.
55. *H:* fízolo assý a provar. *GA:* amigos y les dixo el fecho según. *M:* Et aquel mançebo fizo lo que su padre le mandara e fue a p. a sus amigos según que su padre le mandara e fue a p. a sus a. que su p. le m. [*sic*].
56. *M:* allegó a sus amigos.
57. *M* (omite: *perigloso*): dixéronle todos.

que en esto, porque podrían perder los cuerpos et lo
60 que avían, que non se atrevían a le ayudar et que, por
amor de Dios, que guardasse que non sopiesse ninguno
que avía ydo a sus casas. Pero destos amigos, algunos
le dixieron que non se atrevían a fazerle otra ayuda,
mas que yrían rogar por él; et otros le dixieron que
65 quando le levassen a la muerte, que non lo desanpara-
rían fasta que oviessen conplido en él la justiçia et quel
farían onrra al su enterramiento.

Desque el mançebo ovo provado todos sus amigos
et non falló cobro en ninguno, tornóse para su padre
70 et díxol todo lo quel acaesçiera. Quando el padre assí
lo vio venir, díxol que bien podía ver ya que más saben
los que mucho han visto et provado, que los que nunca
passaron por las cosas. Estonçe le dixo que él non avía
más de un amigo et medio, et que los fuesse provar.
75   El mançebo fue provar al que su padre tenía por

---

59. *M:* en esto que non osavan ca perderían los c. et quanto
avían (omite: *que non se a. a le a.*).

60. *S:* atreverían. *H:* por Dios.

61. *S:* sopiessen ningunos. *H:* guardassen ninguno que avían
venido.

62. *H:* Pero que algunos destos a. *M:* amigos ovo allí algunos.

63. *SM:* atreverían. *H:* atrevían a fazer tal cosa más que.

64. *M:* r. por él a los parientes del muerto; otros ovo allí
que le d.

65. *M:* a matar. *GA:* desmanpararían.

66. *GAH* omiten: *en él. M:* toda aquella iustiçia... mucha onrra.

68. *S:* provado assí. *HM:* provado a todos.

69. *GAH:* cobro ninguno. *M:* cobro ninguno en ninguno dellos.

70. *A:* contesçiera. *G:* acontesciera. *H:* avía acaesçido. *M:* acaesçiera con todos sus amigos et que agora dava por mal
enpleado quanto con ellos gastara: Et desque el p. esto
oyó.

71. *H:* bien podía él ver que. *M:* que ya bien p. ver que más
sabían.

72. *GA:* mucho han passado (*A* añade: *en esto*) e visto e provado. *M:* provaron nada nin p. p. las cosas. Et enpero, que
él avía un medio amigo, que lo fuesse provar.

75. *H:* et que fuesse primero al que tenía su p. por medio
amigo et fue allá et llegó.

medio amigo; et llegó a su casa de noche et levava el
puerco muerto a cuestas, et llamó a la puerta daquel
medio amigo de su padre et contól aquella desaventura
quel avía contesçido et lo que fallara en todos sus ami-
80   gos, et rrogól que por el amor que avía con su padre
quel acorriesse en aquella cuyta.

Quando el medio amigo de su padre aquello vio, díxol
que con él non avía amor nin affazimiento por que
se deviesse tanto aventurar, mas que por el amor que
85   avía con su padre, que gelo encubriría.

Entonçe tomó el saco con el puerco a cuestas, cuydando que era omne, et levólo a una su huerta et ente-
rrólo en un surco de coles; et puso las coles en el surco
assí commo ante estavan et envió el mançebo a buena
90   ventura.

Et desque fue con su padre, contól todo lo quel
contesçiera con aquel su medio amigo. El padre le mandó
que otro día quando estudiessen en conçejo [331], que sobre
qualquier razón que departiessen, que començasse a
95   porfiar con aquel su medio amigo, et, sobre la porfía,

---

76.   *M:* llegó a su puerta e llamó e abrióle e contóle toda aque-
      lla desaventura.
78.   *A:* católe.
79.   *H:* avía acaesçido. *M:* et el cobro que fallara.
80.   *M:* rrogóle mucho et pidióle que por merçed e por el amor
      que tenía.
81.   *S* omite: *quel acorriesse.*
82.   *H:* oyó. *M:* esto oyó. *H* omite: *díxol.*
83.   *GAHM:* fazimiento (*vid.* nota 110). *M:* fazimiento con él.
84.   *H:* se pudiesse.
85.   *G:* encubriera. *M:* encubriría quanto más pudiesse.
88.   Tanto *S* como *H* tienen *sulco* y *surco* en esta línea; la pri-
      mera forma es un latinismo, bien propio de *S. M:* e des-
      pués plantó las coles.
89.   *GA:* en buena ventura.
91.   *M:* el mançebo fue. *GA* omiten: *todo.*
92.   *HM:* acaesçiera.
93.   *M:* quando todos. *GAHM:* estuviessen.
95.   *M:* porfyar mucho.

---

[331] *conçejo:* junta, reunión. Blecua (p. 238, nota 804) cita *Esta-*
dos 196,3.

quel diesse una punnada en el rrostro, la mayor que pudiesse.

El mançebo fizo lo quel mandó su padre et quando gela dio, catól el omne bueno et díxol:

100   —A buena fe, fijo, mal feziste; mas dígote que por éste nin por otro mayor tuerto, non descubriré las coles del huerto.

Et desque el mançebo contó esto a su padre, mandól que fuesse provar âquel que era su amigo conplido. Et

105   el fijo fízolo. Et desque llegó a casa del amigo de su padre et le contó todo lo que le avía contesçido, díxol el omne bueno, amigo de su padre, que él le guardaría de muerte et de danno.

Acaesçió, por aventura, que en aquel tienpo avían

110   muerto un omne en aquella villa, et non podían saber quién lo matara. Et porque algunos vieron que aquel mançebo avía ydo con aquel saco a cuestas muchas vezes de noche, tovieron que él lo avía muerto.

¿Qué vos yré alongando? El mançebo fue judgado

---

96.   *M:* pudiesse dar.
98.   *H:* fízolo assý et dióle una punnada et dixo el amigo a su padre. *M:* le dio la grant punnada en el rrostro que le fizo caer sangre de la cara.
99.   *G:* miróle.
100.   *H:* En verdad fijo.
101.   *A* omite: *mayor. M:* tuerto que tú me fagas nunca. *GA:* las cosas.
102.   *A:* del hurto.
103.   *S:* esto contó. *H:* esto vio contólo.
104.   *GA:* al que era su amigo y él fízolo. *H:* al su amigo entero et el mançebo f. assý. *M:* a otro omne el qual era su amigo entero... f. ansý.
106.   *HM:* acaesçido. *S:* dixo.
107.   *M* omite: *amigo de su padre.*
109.   *H:* avía un omne muerto. *MA:* avía muerto.
110.   *M:* et nunca pudieron saber.
112.   *M:* con el saco. *H:* con un saco.
113.   *M:* tovieron todos, q. él lo a.m. e que non sería alongado de allí. Et por esta sospecha prendieron al mançebo, fyjo del buen omne e fue juzgado que lo matassen.
114.   *H:* judinado. *S:* jubgado. La forma del verbo es *judgar* en *Ali.* 321*b,* 328*b* (P) y 471*d* (P), lo mismo que en las 16 veces

115 que lo matassen. Et el amigo de su padre avía fecho quanto pudiera por lo escapar. Desque vio que en ninguna manera non lo podía librar de la muerte, dixo a los alcaldes que non quería levar pecado de aquel man-

120 çebo, que sopiessen que aquel mançebo non matara el omne, mas que lo matara un su fijo solo que él avía. Él fizo a su fijo que lo conosçiesse; et el fijo otorgólo; et matáronlo. Et escapó de la muerte el fijo del omne bueno que era amigo de su padre.

Agora, sennor conde Lucanor, vos he contado cómmo

125 se pruevan los amigos, et tengo que este exemplo es bueno para saber en este mundo quáles son los amigos, et que los deve provar ante que se meta en grand periglo por su fiuza, et que sepa a quánto se pararán por él, sil fuere menester. Ca çierto seet que algunos

130 son buenos amigos, mas muchos, et por aventura los

---

que el verbo aparece en sus diversas formas en el *LBA* que tiene, además, *judgado* en 1053*a*.
115. *M:* amigo entero... fecho tanto... escapar quanto pudo.
116. *H:* por lo sacar. *M:* Desque non pudo más et conosçió que en ninguna guisa non lo podía escapar de la muerte.
117. *S:* non lo pudiera. *H:* aquella muerte.
118. *M:* que ellos non quisyessen levar... sopiessen por çierto q.a.m. non lo matara.
120. *GA:* un su f. e non tenía otro sino aquél. *M:* fyjo suyo solo que non tenía más de aquél. Et mandó.
121. *S:* al fijo. *H:* que gelo c. *M:* c. et encargógelo mucho que lo dixesse ansý et mataron a su fyjo que non tenía más.
122. *H* omite: *et matáronlo.*
123. *M:* que era el amigo entero.
124. *M:* Et ahe, s.c.L. que agora... se provavan.
125. *H:* era bueno (omite: *en este mundo*).
126. *GA:* saber hombre. *H:* para saber quáles deve omne p.a.q. se deva meter en g.p. de su fazienda.
127. *GAM:* et quáles deve.
128. *S:* fuza. *GA:* para su fiuzia. *S:* pararen. *H:* pararon por el su menester fue [*sic*].
129. *GAM:* si menester fuere. *M:* Sed, sennor.
130. *GA:* los más de los amigos son de la ventura. *H* (omite: *mas muchos*) et por ventura muchos son amigos de la ventura. *M* omite: *mas muchos... de la ventura.*

más, son amigos de la ventura, que, assí commo la ventura corre, assí son ellos amigos.

Otrosí, este exemplo se puede entender espiritual-
mente en esta manera: todos los omnes en este mundo
135 tienen que an amigos, et quando viene la muerte, anlos
de provar en aquella quexa, et van a los seglares et
dízenles que assaz an de fazer en sí; et van a los religiosos et dízenles que rogarán a Dios por ellos; van a
la muger et a los fijos et dízenles que yrán con ellos
140 fasta la fuessa et que les farán onrra a su enterramiento;
et assí pruevan a todos aquellos que ellos cuydavan que
eran sus amigos. Et desque non fallan en ellos ningún cobro para escapar de la muerte, assí commo tornó el fijo
del omne bueno, después que non falló cobro en ninguno
145 daquellos que él cuydava que eran sus amigos, tórnanse
a Dios que es su padre; et Dios dízeles que prueven a
los sanctos que son medios amigos. Et ellos fázenlo. Et
tan grand es la bondat de los sanctos et sobre todos
de Sancta María, que non dexan de rogar a Dios por
150 los pecadores; et Sancta María muéstrale cómmo fue
su madre et quánto trabajo tomó en lo traer et en lo

---

132. *H:* assý son los amigos.
133. *M:* Et aun e. exemplo otrosí se p.e. en espeçialmente.
134. *GA:* de este mundo.
136. *M:* en aquella ora. *A:* y ven.
137. *S:* dízenlos. *GA:* que estos an de ver en sí. *H:* que aver
en sý. *M:* que ver en sý.
138. *H:* que rrogarán a Dios por ellos (repite de la línea anterior).
141. *GA:* todos los que ellos. *M:* cuydad que son. El ms. *H,*
fol. 97r, termina: *Et assý prueva;* el fol. 98v pertenece al
exemplo VII, también truncado.
142. *M:* en ellos cobro.
144. *S* omite: *del omne bueno. M:* del buen omne.
145. *GA:* tenía que eran. *GA:* tornóse. *M:* tornóse a su padre, et
ansý éstos tórnanse a Dios.
147. *M:* amigos medios... Et tanta grande.
148. *M:* santos que son medios amigos... la bienaventurada Virgen María.
149. *GAM:* dexa de r.
150. *GA* omiten: *Sancta María. M:* demuéstrale.
151. *GAM:* trabajo ovo. *S:* en lo tener.

criar; et los sanctos muéstranle las lazerias et las penas que reçebieron por él et todo esto fazen por encobrir los yerros de los pecadores. Et aunque ayan reçebido
155 muchos enojos dellos, non le descubren, assí commo non descubrió el medio amigo la punnada quel dio el fijo del su amigo. Et desque el pecador vee espiritual-mente que por todas estas cosas non puede escapar de la muerte del alma, tórnase a Dios, assí commo tornó
160 el fijo al padre después que non falló quién lo pudiesse escapar de la muerte. Et nuestro sennor Dios, assí com-mo padre et amigo verdadero, acordándose del amor que ha al omne que es su criatura, fizo commo el buen amigo, ca envió al su fijo Ihesu Christo que moriesse
165 non oviendo ninguna culpa et seyendo sin pecado, por desfazer las culpas et los pecados que los omnes me-resçían. Et Ihesu Christo, commo buen fijo, obedeçien-do a su Padre, et seyendo verdadero Dios et verdadero omne, quiso reçebir, et reçebió, muerte, et redimió a
170 los pecadores por la su sangre.

Et agora, sennor conde, parat mientes quáles destos amigos son mejores et más verdaderos, o por quáles devía omne fazer más por los ganar por amigos.

Al conde plogo mucho con todas estas razones, et
175 tovo que eran muy buenas.

Et entendiendo don Johan que este exemplo era

---

153. *S* añade: *et los tormentos et las passiones. M:* por amor dél.
154. *G:* de los pecados. *M:* ayan muchos... non los descubren.
155. *GA:* non lo d.
156. *M:* al fyjo del su a. por la punnada que le dio.
157. *S:* spiritualmente. *GA* omiten: *espiritualmente.*
158. *M:* puede escusar.
159. *A:* tornóse.
160. *M:* quién lo escapasse. *GA:* pudiesse escusar.
162. *M* omite: *padre.*
163. *GA:* su criança. *M:* cordándose de la muerte que al omne era debida por el su pecado et por el grant amor que le avía ca era su fechura.
165. *M:* culpa ninguna.
166. *M:* que en los omnes heran.
167. *S:* fue obediente a su fijo padre [*sic*].
170. *M:* su santa sangre preçiosa.

muy bueno, fízolo escrevir en este libro, et fizo estos versos que dizen assí:

Nunca omne podrá tan buen amigo fallar
180   commo Dios que lo quiso por su sangre conprar.

EXEMPLO XLIX
De lo que contesçió a un omne quel fizieron sennor de una grand tierra [332]

Otra vez fablava el conde Lucanor con Patronio, et díxole:

---

179. *GA:* podría. *M:* tan buen amigo podría fallar.
180. *GA:* sangre salvar. *M:* que nos quiso por la su sangre c. El folio 57v de *P* contiene esta aplicación del exemplo hecha por el copista según lo que él mismo sabía de los ejemplarios: «En otra manera se dize este exemplo: que todo omne que á tres amigos, et al uno non sirve tanto nin lo tiene en cargado. Et el omne vive commo con el rrey que le toma cuenta de quanto á fecho, et desque lo alcança por la cuenta, tiénelo preso et quiérelo matar. Et en esta priesa va él a un amigo quel acorrerá, et el amigo dizel quel dará algo de lo que tiene, mas non llegará con él; et luego va al otro, et dízel que llegará con él fasta la casa del rrey et que luego se tornará a casa; et estos dos amigos son sus encargados. Et el otro que non tiene tan encargado, fue a él et dixo que llegasse al rrey con él, et aquél le dixo: "Nunca tanto me serviste commo a los otros, mas yo llegaré al rrey contigo et rrogaré por ti.". El primero amigo es el mundo a quien sirve el omne mucho. De que muera para yr antel rrey que es Dios, va el omne al mundo que vivía con él, et dal çinco varas de panno para una mortaja de quanto con él ganó et afanó. El segundo amigo es los parientes et el omne va a ellos que le acorran, et ellos le dizen que llegarán a la fuessa con él et se tornarán luego. El tercero amigo, a quien non sirvió tanto, es Dios que es amigo verdadero. Este llegó ante Dios et le rruega por él et lo salva el rrey.»
P: a un rrey en una tierra que avían uso de echarlo en una ysla en cabo del anno. *S* omite el título.

---

[332] Aunque se halla en los ejemplarios (*vid.* R. Ayerbe-Chaux, 1975, pp. 376-381), la fuente inmediata *puede* ser el *Barlaam e*

—Patronio, muchos me dizen que, pues yo só tan onrrado et tan poderoso, que faga quanto pudiere por 5 aver grand rriqueza et grand poder et grand onra, ca esto es lo que me más cunple et más me pertenesçe. Et porque yo sé que sienpre me conseiades lo meior et que lo faredes assí daquí adelante, rruégovos que me conseiedes lo que vierdes que me más cunple en esto.

10 —Sennor conde —dixo Patronio—, este consejo que vos demandades es grave de dar por dos rrazones: lo primero que en este consejo que me vos demandades, avré a dezir contra vuestro talante; et lo otro, porque es muy grave de dezir contra el consejo que es dado a 15 pro del sennor. Et porque en este consejo ha estas dos cosas esme muy grave de dezir contra él; pero, porque todo consejero, si leal es, non deve catar sinon por dar el mejor consejo et non catar su pro, nin su danno, nin si le plaze al sennor, nin si le pesa, sinon

5. *S:* et esto. *H:* que esto.
6. *P:* me más cunple et pertenesçe. *M:* me cunple e más me p.
7. *PHM:* consejastes.
8. *P:* lo vos faredes. *M:* farés.
9. *S:* lo que vierdes lo que [*sic*]. *AH:* más me cunple. *P:* consejedes que me cunple más fazer en esto. *M:* en este fecho.
11. *P:* vos demandades. *H:* es grande de dar. *M:* muy grave. *H:* la primera. *M:* la primera es que.
12. *P* omite: *que me vos demandades. A:* que vos demandades.
13. *GAH:* e la otra. *M:* et la segunda, porque he por m.g.
14. *GA:* muy grave cosa.
15. *A:* E porque este. *P* omite: *ha estas dos cosas esme.*
16. *H:* es grave de.
17. *SPAGH:* porque todo consejo. La corrección que hace *M* es indispensable. *H:* si tal es.
18. *H:* dalle el mejor. *M:* provecho.
19. *P* (omite: *al sennor*): por le dezir lo mejor.

Josafat, cap. IV. Sólo en don Juan Manuel la víctima recibe la corona a ciencia y conciencia de que es por un año, y subraya así la locura innata del hombre que tan fácilmente olvida lo caduco de la existencia. Sólo en don Juan Manuel hay un balance perfecto entre el ejemplo y su aplicación. *Vid.* R. Ayerbe-Chaux (1975), pp. 169-171.

20 dezirle lo mejor que omne viere; por ende, yo non
dexaré de vos dezir en este consejo lo que entiendo
que es más vuestra pro et vos cunple más. Et por ende,
vos digo que los que esto vos dizen que, en parte, vos
consejan bien, pero non es el consejo conplido nin bueno
25 para vos; mas para seer del todo conplido et bueno,
seríe muy bien et plazerme ýa mucho que sopiéssedes
lo que contesçió a un omne que fizieron sennor de una
grand tierra.

El conde le preguntó cómmo fuera aquello.

30 —Sennor conde Lucanor —dixo Patronio—, en una
tierra avían por costunbre que cada anno fazían un sennor. Et en quanto durava aquel anno, fazían todas las
cosas que él mandava; et luego que el anno era acabado, tomávanle quanto avía et desnudávanle et echávanle
35 en una ysla solo, que non fincava con él omne del
mundo.

Et acaesçió que ovo una vez aquel sennorío un omne

---

20. *M:* lo mejor que entendiere que será su pro e su onrra e
lo que le más cunple. *M* omite: *por ende... más cunple.*

21. *H:* vos dexaré dezir lo mejor que viere et entiendo en este
consejo que es vuestra pro et vos más cunple.

22. *P:* más vos cunple... lo que éstos vos dizen.

23. *H:* en tal parte.

24. *P:* dizen bien, pero el consejo non es. *M* omite: *conplido nin.*
A omite: *nin bueno* y *mas para s. del t.c. et bueno. G:* conplido para vos. *H:* el mejor cunplido consejo nin bueno para
vos, mas para que del todo cunplido et bueno sea sería bien
et p. ýa que.

26. *M* omite: *et plazerme ýa mucho.*

27. *SM:* acaesçió. *SP:* quel fizieron. *H:* de una muy buena villa.

31. *GA:* cada un año. *H:* avían de fazer.

32. *M:* en quanto dirase [*sic*]. *P:* quanto él mandava fazían...
era conplido.

34. *M:* quanto tenía. *S:* desnuyávanle (*vid.* 43.126).

35. *P* (omite: *solo*): nadie con él. *GA:* hombre del mundo con él.

37. *H:* Et contesçió que una vez ovo de aver. *M:* un omne aquel
sennorío. *P* (variante especial): «Et una vez acaesçió que
ovo aquella tierra un omne de buen entendimiento; et desque sopo que, el anno conplido, lo avían assí de echar do
los otros».

que fue de meior entendimiento et más aperçebido que
los que lo fueron ante. Et porque sabía que desque
40   el anno passasse, quel avían de fazer lo que a los otros,
ante que se acabasse el anno del su sennorío, mandó,
en grand poridat, fazer en aquella ysla, do sabía que lo
avían de echar, una morada muy buena et muy conplida
en que puso todas las cosas que eran menester para
45   toda su vida. Et fizo la morada en lugar tan encubierto,
que nunca gelo pudieron entender los de aquella tierra
quel dieron aquel sennorío.

Et dexó algunos amigos en aquella tierra assí adeb-
dados et castigados que si, por aventura, alguna cosa
50   oviesse menester de las que él non se acordara de en-
viar adelante, que gelas enviassen ellos en guisa quel
non menguasse ninguna cosa.

Quando el anno fue conplido, et los de la tierra le
tomaron el sennorío et lo echaron desnudo en la ysla,
55   assí commo a los otros fizieron que fueron ante que
él; porque él fuera aperçebido et avía fecho tal morada

---

38.   *H:* omne que de mejor. *M:* otros que ovieron antes que él
      aquel sennorío.
39.   *H:* ante que él.
40.   *M:* fuesse acabado. *GA:* a los otros fizieron. *M:* a los otros
      fazían. *H:* fazer a los que los otros fizieron [*sic*].
41.   *P* omite: *del su sennorío.*
42.   *GAM:* muy gran p. *H* omite: *sabía que.*
43.   *P* omite: *muy buena et.*
44.   *M:* mandó poner. *M:* le eran de menester. *GA:* para en toda.
45.   *M:* aquella morada.
46.   *P:* que gelo nunca. *M:* ninguno de todos los que moravan
      en aquella tierra.
48.   *PGH:* dixo. *M:* dexó encomendado a algunos... pechados e
      obligados. *H:* adebdados commo aperçebidos para que si.
49.   *P:* algunas cosas. *M:* cosas de las que oviesse.
50.   *S:* oviessen. *GA:* de lo que se non. *P:* non se acordava.
51.   *M:* adelante le fuessen neçesario de aver.
52.   *H:* cosa alguna.
53.   *H:* acabado. *M:* los que moravan en aquella tierra.
54.   *P:* quitaron. *S:* tomaren. *M:* aquel sennorío. *P:* enviaron.
      S: echaren desnuyo.
55.   *P* omite: *fizieron. M:* fizieron a los otros.
56.   *GA:* que fuera. *P:* era. *M:* fue. *H:* et fizieran tal.

en que podía bevir muy viçioso et a plazer de sí, fuesse
para ella, et viscó en ella muy bien andante.

Et vos, sennor conde Lucanor, si queredes seer bien
60   consejado, parad mientes en este tienpo que avedes de
bevir en este mundo, pues sodes çierto quel avedes a
dexar et que vos avedes a partir desnudo dél et non
avedes a levar cosa del mundo sinon las obras que
fizierdes; guisad que las fagades tales, por que quando
65   deste mundo salierdes, tengades fecha tal morada en
el otro, por que quando vos echaren deste mundo desnudo, que falledes buena morada para toda vuestra
vida. Et sabet que la vida del alma non se cuenta por
annos, mas dura para sienpre sin fin; ca el alma es
70   cosa espiritual et non se puede corronper, ante dura
et finca para sienpre. Et sabet que las obras buenas o
malas que el omne en este mundo faze, todas las tiene
Dios guardadas para dar dellas gualardón en el otro
mundo, segund sus mereçimientos. Et por todas estas

57. *H:* pudo bevir biçioso a su plazer. *M:* vivir bien e viçiosa-
mente. *P* omite: *et a plazer de sí.*
58. *MH:* para allá. *PGAHM:* bivió. La forma adoptada está sólo
en *S: vid.* 40.53 y *Sd.* 80c; Menéndez Pidal (*Cantar,* p. 279.36)
acentúa: *vísco.*
60. *PSGAH:* que en este. *M:* en este poco.
62. *S:* a parar desnuyo.
63. *S:* a levar en el mundo. *M:* llevar del mundo ninguna cosa.
64. *H:* que las guisedes. *M:* guisad e aparejadvos a que. Omite:
quando... en el otro por que.
66. *PM* omiten: *desnudo.*
67. *S:* que fagades b.m. *M:* falledes en el otro b.m. *AM* omiten:
para toda v.v.
68. *M:* ca la vida. *GH:* la morada del alma e la vida. *A* (omite:
et sabet): del alma e la vida. *M:* mas cuéntase que dura.
H: ante se cuenta por sienpre.
69. *P* omite: *sin fin.*
70. *PH:* non se corronpe.
71. *P:* sin fin. *PM:* buenas obras o malas.
72. *H:* que en este m. fazen. *M:* que omne faze en este mundo.
73. *SGAM:* galardón (*vid.* 11.173).
74. *H:* mereçimiento de cada uno. *M:* Et por eso vos, sennor
conde Lucanor.

75 razones, conséjovos yo que fagades tales obras en este
mundo por que quando dél ovierdes a salir, falledes
buena posada en aquél do avedes a durar para sienpre;
et que por los estados et onrras deste mundo, que son
vanas et fallesçederas, que non querades perder aquello
80 que es çierto que á de durar para sienpre sin fin. Et estas
buenas obras fazetlas sin ufana et sin vana gloria, que
aunque las vuestras buenas obras sean sabidas, sienpre
serán encubiertas, pues non las fazedes por ufana nin
por vana gloria. Otrosí, dexat acá tales amigos que lo
85 que vos non pudierdes conplir en vuestra vida, que lo
cunplan ellos a pro de la vuestra alma. Pero seyendo
estas cosas guardadas, todo lo que pudierdes fazer por
levar vuestra onrra et vuestro estado adelante, tengo
que lo devedes fazer et es bien que lo fagades.

90 El conde tovo éste por buen consejo, et rrogó a
Dios quel guisasse que lo pudiesse assí fazer commo Patronio dezía.

Et entendiendo don Johan que este exemplo era bueno, fízolo escrevir en este libro, et fizo estos versos que
95 dizen assí:

---

75. *P:* que aquí fagades (omite: *en este mundo*).
76. *S:* oviérdes de. *H:* o. de salir dél. *M:* a partir. *P:* falledes
acullá buena posada (omite: *do avedes... sienpre*). *M:* falledes allá b. morada en el otro mundo do vos avedes más
de durar.
77. *GA:* avedes de yr e (*G* a) durar.
78. *PGA:* et porque.
79. *PGA:* vanos et fallesçederos.
80. *P* omite: *para sienpre sin fin.*
81. *G:* uphanas. *A:* ufanía. *P:* ufanas. *M* omite: *que aunque...
vana gloria* (línea 84).
82. *P* omite: *vuestras.*
83. *S:* serían encubiertas.
84. *G:* uphana. *A:* ufanía. *P* omite: *nin por vana gloria* y *acá.*
85. *GA:* toda vuestra vida.
86. *M:* a provecho.
87. *GA:* cosas todas. *HM:* todas estas cosas.
88. *P* omite: *levar.*
89. *P:* lo devés.
90. *S:* buen enxienplo et por buen consejo. *P* omite: *et rrogó...
P. dizía.*

Por este mundo falleçedero
non pierdas el que es duradero.

Exemplo L

De lo que contesçió a Saladín con una duenna, muger de un cavallero, su vassallo [333]

Fablava el conde Lucanor un día con Patronio, su consejero, en esta guisa:

—Patronio, bien sé yo çiertamente que vos avedes tal entendimiento que omne de los que son agora en
5 esta tierra non podría dar tan buen recabdo a ninguna cosa quel preguntassen commo vos. Et por ende, vos ruego que me digades quál es la mejor cosa que omne puede aver en sí. Et esto vos pregunto porque bien entiendo que muchas cosas á menester el omne para saber
10 açertar en lo mejor et fazerlo, ca por entender omne

96. *A:* que es fallescedero. *P:* Por rriqueza deste mundo que es f.
97. *M:* non perdades el que es verdadero. *A:* non quieras perder. *P* non pierdas gloria del otro que es d.
    H: acaesçió al soldán. *SH* omiten: *cavallero. P:* Saladín, soldán de Babilonia con una muger de un su vassallo.
3. *M* omite: *bien.*
4. *PHM:* agora son.
5. *GA:* podría agora. *PHM:* podrían.
7. *H:* rruégovos que me consejedes.
8. *M:* deve aver en sý, que es madre e cabeça de todas las bondades. *A:* entendido tengo. *M:* que bien entendedes (bis). *PH* omiten: *bien entiendo que.*
9. *M:* saber en lo mejor.
10. *P:* ca por saber.

[333] De manera admirable recoge don Juan Manuel y armoniza a la perfección las leyendas que existían en Europa sobre Saladino: el sultán enamorado, el sultán viajero, la hospitalidad violada y retribuida. *Vid.* Gaston Paris, «La legende de Saladin», *Journal des savants*, 1893, pp. 284-299; 354-365; 428-438 y 486-498. Blecua (p. 250, nota 826) señala la constante ideológica que une este *exemplo* y el cap. XIX del *Libro del cavallero et del escudero. Vid.* el comentario de R. Ayerbe-Chaux (1975), pp. 130-137.

la cosa et non obrar della bien, non tengo que mejora mucho en su fazienda. Et porque las cosas son tantas, querría saber a lo menos una, por que sienpre me acordasse della para la guardar.

15 —Sennor conde Lucanor —dixo Patronio—, vos, por vuestra merçed, me loades mucho et sennaladamente dezides que yo he muy grant entendimiento. Sennor conde, yo reçelo que vos engannades en esto. Et bien cred que non á cosa en el mundo en que omne tanto

20 nin tan de ligero se enganne commo en conosçer los omnes quáles son en sí et qué entendimiento an. Et éstas son dos cosas: la una, quál es el omne en sí; la otra, qué entendimiento ha. Et para saber quál es en sí, áse de mostrar en las obras que faze a Dios et al mundo;

25 ca muchos paresçen que fazen buenas obras et non son buenas, que todo el su bien es para este mundo. Et creet que esta bondat que les costará muy cara, ca por este bien que dura un día, sufrirán mucho mal sin fin. Et otros fazen buenas obras para serviçio de Dios

---

11. *M* omite: *bien. P:* mejoraría (omite: *en su fazienda*). *H:* que mejore. *M:* tengo que non mejora.
12. *H:* estas cosas.
13. *P:* a lo menos una cosa que sienpre.
16. *S:* mucho sennaladamente et dezides.
17. *PM* omiten: *muy. H:* mucho buen.
18. *P:* yo reçelo é. *H:* he rreçelo. *M:* he grant rreçelo.
19. *H:* que ay cosa. *M:* mundo en que más ligeramente se enganne et omne c. en c. los omnes qué entendimiento han e quáles son en sý.
21. *PH:* omnes buenos quáles. El ms. *P*, fol. 58v, termina: *los omnes buenos;* continúa en el fol. 55v: *quáles son en sy. S:* quál entendimiento. *A:* de qué e. sean.
22. *M:* la primera... la segunda q.e. tiene.
24. *GA:* hálo... que fiziere a Dios.
25. *M:* muchos fazen b.o. et son buenas pero todo este bien es para este mundo. *P:* et son malas. *SGA:* et son buenas.
26. *S:* todo el bien.
27. *GAM:* toda esta b. *S:* quel costará. *P:* et esta tal b. le costará cara.
28. *H:* durará. *SH:* sufrirá. *P:* sufrirá mal para sienpre.
29. *PH:* otros muchos.

30 et non cuydan en lo del mundo; et commo quier que
éstos escogen la mejor parte et la que nunca les será
tirada nin la perderán, pero los unos nin los otros non
guardan entreamas las carreras, que son lo de Dios et
del mundo.

35   Et para las guardar amas, ha menester muy buenas
obras et muy grant entendimiento, que tan grant cosa
es de fazer esto commo meter la mano en el fuego et
non sentir la su calentura; pero ayudándole Dios, et
ayudándose el omne, todo se puede fazer; ca ya fueron
40 muchos buenos rreyes et otros omnes sanctos; pues
éstos buenos fueron a Dios et al mundo. Otrosí, para
saber quál ha buen entendimiento, ha menester muchas
cosas; ca muchos dizen muy buenas palabras et grandes
sesos et non fazen sus faziendas tan bien commo les
45 cunple, et otros traen muy bien sus faziendas et non
saben o non quieren o non pueden dezir tres palabras
derechas. Otros fablan muy bien et fazen muy bien sus

---

30. *P:* et non cuydando.
31. *P:* lo mejor. *M:* lo mejor para sý. *P:* lo que les non será. *SGA:* lo que.
32. *GAM:* tirado.
33. *PH* omiten: *entreamas. P:* et lo del m. *H:* et non cuyda en lo del mundo. *M:* e del mundo el medio que deve.
35. *H* omite: *menester. P* omite: *muy* y *muy.*
36. *GAM:* grave. *P:* que esto es tan.
37. *G:* con meter. *M:* meter omne.
38. *PM:* la calentura.
39. *PH:* quexándose.
40. *P* omite: *muchos. S:* rreys (*vid.* 25.51). *H:* fueron muchos santos muchos a Dios et al mundo. *M:* otros santos omnes que fueron e son buenos a D. e al m.
43. *PH* omiten: *muy. GA:* buenas obras. *M:* buenas cosas. *P:* gran seso.
44. *H:* tan bien sus faziendas. *SH:* le cunplía. *GA* omiten: *et non fazen sus faziendas... bien sus faziendas.*
45. *S:* mas traen.
46. *MH* omiten: *o non pueden. GA:* o no pueden o no quieren. *M:* saben muy bien dezir.
47. *S:* a derechas (*vid. LBA* 370a). *P:* traen. *M:* tienen. *G:* fazían. *A* omite: *et fazen muy bien.*

faziendas, mas son de malas entençiones, et commo quier que obran bien para sí, obran mal para las gentes. Et
50 destos tales dize la Escriptura que son tales commo el loco que tiene la espada en la mano, o commo el mal príncipe que ha grant poder.

Mas, para que vos podades conosçer quál es bueno a Dios et al mundo, et quál es de buen entendimiento,
55 et quál es de buena palabra, et quál es de buena entençión, para lo escoger verdaderamente, conviene que non judguedes a ninguno sinon por las obras que fiziere luengamente, et non poco tienpo, et cómmo viéredes que mejora o enpeora su fazienda, ca en estas dos cosas se
60 paresçe todo lo que de suso es dicho.

Et todas estas rrazones vos dixe agora porque vos loades mucho a mí et al mi entendimiento, et só çierto que, desque a todas estas cosas catáredes, que me non loaredes tanto. Et a lo que me preguntastes que vos
65 dixiesse quál era la mejor cosa que omne podía aver en sí, para saber desto la verdat, querría mucho que

---

48. *GA:* assí son. *H:* non son de buenas. *S:* coteçiones.
49. *H:* obran para sý bien. *G* omite: *obran b.p. sí. SGH:* malas obras. *A:* para otrie.
50. *S:* Scriptura. *PHM:* santa escriptura.
51. *S:* el grant príncipe.
52. *P:* que tiene. *H:* que ha poder.
53. *S:* vos et todos los omnes podades. *HM:* vos et todos los otros podades. *GA:* vos podades c. en todos los otros omnes (sigo el texto de *P*).
55. *M* omite: *et quál es de b. palabra... entençión.*
59. *S:* et por cómmo... peora. Aunque el derivado *peoría* está en el *LBA* 312*d*, 1363*b* y en *Estados* 137.5 y 146.9, *peorar* es un arcaísmo de *S* que está en *Mil.* 388*b*; *Sd.* 191*d*; *Ali* 2617*d* (P) (*enpeorar* en O). *P:* se prueba lo que. *M* omite: *se paresçe. GAH:* se paresçen.
61. *M:* cosas o rrazones... a mí mucho.
62. *S:* al mío entendimiento.
63. *P:* ç. que de todas. *GAH:* desque entendierdes estas cosas et las catardes. *M:* vierdes todo esto e lo acatardes.
65. *H:* podiera. *M:* avía de aver.
66. *H:* mucho querría q. s. desto.

sopiéssedes lo que contesçió a Saladín con una muy
buena duenna, muger de un cavallero, su vasallo.
El conde le preguntó cómmo fuera aquello.

70 —Sennor conde Lucanor —dixo Patronio—, Saladín
era soldán de Babilonia et traýa consigo sienpre muy
grand gente; et un día, porque todos non podían posar
con él, fue posar a casa de un cavallero. Et quando el
cavallero vio a su sennor, que era tan onrrado, en su
75 casa, fízole quanto serviçio et quanto plazer pudo, et él
et su muger et sus fijos sirviéronle quanto pudieron.
Et el diablo, que sienpre se trabaja en que faga el omne
lo más desaguisado, puso en el talante de Saladín que
olbidasse todo lo que devía guardar et amasse aquella
80 duenna non commo devía.

Et el amor fue tan grande, quel ovo de traer a consejarse con un su mal consejero en qué manera podría
conplir lo que él quería. Et devedes saber que todos
devían rrogar a Dios que guardasse a su sennor de
85 querer fazer mal fecho, ca si el sennor lo quiere, çierto

---

67. *PM* omiten: *muy. H:* con una muger muy buena de un c.
71. *S:* Babillonia (*vid. LBA* 305*b*). *GA* omiten: *sienpre. M:* syenpre consygo.
72. *GA:* día que todos. *M:* acaesçió que porque. *H:* non pudieron. *M:* posar a do yva, que se ovo de yr a posar... cavallero, su vasallo.
73. *M:* aquel cavallero.
75. *P:* mucha onrra et mucho plazer quanto él pudo. *M:* quanto
plazer e serviçio. *A* omite: *et q. plazer. P* omite: *et él et
su m... que pudieron. H:* plazer pudo él et su m. et sus f.
(omite: *sirviéronle q.p.*). *M:* él et toda su conpanna et su
muger.
76. *S* (añade: *et su fijas*): servíanle q. podían.
77. *GA* omiten: *sienpre. P* omite: *se trabaja. M:* omne faga.
78. *P:* lo peor. *H:* desaguisado del mundo. *M:* puso en voluntad al soldán que amasse a.d. commo non devía.
79. *H:* oviesse todo [*sic*]. *GA:* devía amar... commo non d.
80. *H:* duenna commo devía [*sic*].
81. *P:* Et el talante. *H:* ovo de lo traer. *P:* consejar con un consejero malo.
83. *P:* devés... devés. *H:* todos deven.
85. *P* omite: *fecho. M:* quiere fazer lo que no le cunple. *P* omite: *çierto seed.*

seed que nunca menguará quien gelo conseje et quien le ayude a lo conplir.

Et contesçió a Saladín, que luego falló quien le consejó cómmo pudiesse conplir aquello que quería. Et
90 aquel mal consejero, consejól que enviasse por su marido et quel fiziesse mucho bien et quel diesse muy grant gente de que fuesse mayoral; et a cabo de algunos días, quel enviasse âlguna tierra luenne en su serviçio, et quando el cavallero estudiesse allá, que podría él conplir
95 su voluntad.

Et esto plogo a Saladín, et fízolo assí. Et desque el cavallero fue ydo en su serviçio, cuydando que yva muy bien andante et muy amigo de su sennor, fuese Saladín para su casa. Desque la buena duenna sopo que Saladín
100 vinía, porque tanta merçed avía fecho a su marido, rreçibiólo muy bien et fízole mucho serviçio et quanto plazer pudo ella et toda su conpanna. Desque la mesa fue alçada et Saladín entró en su cámara, envió por la duenna. Et ella, teniendo que enviava por ál, fue a él.

---

86. *M:* mengüe. *S:* lo ayude.
88. *P:* commo contesçió. *S:* assí contesçió. *M:* acaesçió. *H:* que luego fabló. *P:* gelo consejó el mal et c. lo p. conplir (omite: *aquello que quería*).
89. *GA:* que él. *G:* querría.
90. *H:* que consejó enviase.
91. *P* omite: *quel fiziesse m.b.* y *muy*.
92. *H:* gente de sý. *M:* de que fuesse capitán. *P:* et que después de algunos días.
93. *M:* muy luenne. *P:* tierra buena en su s. et en quanto el c. allá andudiesse. *HM:* et en quanto el c. fuesse allá.
94. *H:* que podía c. toda su voluntad.
96. *H:* desto. *M:* et deste consejo plugo mucho. *PM:* al soldán.
97. *P:* fue ydo el cavallero, fuese el soldán para su casa, et el cavallero fuese cuydando q. yva b.a. et amigo de su s.
99. *M:* el soldán. *P:* quel soldán fincava en su casa. *M:* vio quel soldán venía a su casa.
100. *HM:* fiziera.
101. *M* omite: *et quanto plazer pudo.*
102. *P:* ella pudo et su conpanna. *HM:* a él et a toda su conpanna. *P:* el soldán ovo comido et la mesa.
103. *M:* entró el soldán... et enbió luego por la buena d.
104. *H:* buena duenna. *P:* cuydava que enviava. *M:* por ella por

105 Et Saladín le dixo que la amava mucho. Et luego que
     ella esto oyó, entendiólo muy bien, pero dio a entender
     que non entendía aquella rrazón et díxol quel diesse
     Dios buena vida et que gelo gradesçíe, ca bien sabíe
     Dios que ella mucho deseava la su vida, et que sienpre
110 rrogava a Dios por él, commo lo devía fazer, porque era
     su sennor et, sennaladamente, por quanta merçed fiziera
     a su marido et a ella.
        Saladín le dixo que, sin todas aquellas rrazones, la
     amava más que a muger del mundo. Et ella teníagelo
115 en merçed, non dando a entender que entendía otra
     rrazón. ¿Qué vos yré más alongando? Saladín le ovo a
     dezir cómmo la amava. Quando la buena duenna esto
     oyó, commo era muy buena et de muy buen enten-
     dimiento, rrespondió assí a Saladín:

120   —Sennor, commo quier que yo só assaz muger de
     pequenna guisa, pero bien sé que el amor non es en

---

otra cosa, f. allá. *H:* fue allá (los folios 102 y 103 están tras-
trocados).

105. *P:* el soldán le dixo cómmo la quería mucho. *M:* el soldán.
P: et luego ella entendiólo. *M:* et ella entendiólo luego.

106. *G:* entendiéndolo. *H:* diole. *M:* fizo que non entendía.

108. *P:* Dios vida. *M:* Dios mucha vida. *S:* et gelo g.

109. *P* omite: *mucho. H:* q. deseava mucho. *G:* la su venida.

110. *S:* rogaría. *HM* omiten: *commo lo d. fazer. P* omite: *pq. era
su sennor... et a ella.*

111. *GA:* quanto bien a merçed. *S:* fazía.

112. *H:* a ella et a su marido.

113. *PM:* el soldán. *G:* estas rr. *H:* aquellas cosas.

114. *M:* amava mucho más. *GA:* a otra muger. *M:* teniéndogelo
todavía en mucha m. mostrava todavía que entendía otra
cosa nin otra rrazón. *P:* et ella dixo que gelo tenía.

115. *AH:* dándole. *P:* aquella rrazón.

116. *H:* qué vos más alongado [*sic*]. *M:* qué vos diré más et
vos yré alongando. *PM:* el soldán. *P:* a cabo vínol a d. que
la amava.

117. *M:* amava de amor carnal. *S:* aquello oyó. *H:* Et commo.
P: Et desque la duenna non pudo negar non lo entendía.

118. *PM:* c. era buena. *PHA:* de buen e.

119. *P* omite: *Saladín. M:* a su sennor ansý.

120. *H:* de buena guisa. *A:* que yo assaz... guisa so. *P:* el fol. 55r
termina: *non es* y continúa en el fol. 59 r: *en poder.*

poder del omne, ante es el omne en poder del amor.
Et bien sé yo que, si vos tan grand amor me avedes
commo dezides, que podría ser verdat esto que vos dezi-
125 des; pero assí commo esto sé bien, assí sé otra cosa:
que, quando los omnes, et sennaladamente los sennores,
vos pagades de alguna muger, dades a entender que
faredes quanto ella quisiere, et desque ella finca mal
andante et escarnida, preçiádesla poco, commo es dere-
130 cho, et finca del todo mal. Et yo, sennor, reçelo que
contesçerá assí a mí.

Saladín gelo començó a desfazer prometiéndole quel
faría quanto ella quisiesse por que fincasse muy bien
andante. Desque Saladín esto le dixo, rrespondiól la
135 buena duenna que, si él le prometiesse de conplir lo que
ella le pidría ante quel fiziesse fuerça nin escarnio,
que ella le prometía que, luego que gelo oviesse conplido, faría ella todo lo que él mandasse.

Saladín le dixo que reçelava quel pidría que non le

---

123. *A:* pienso yo (omite: *tan*). *PM:* et bien sé que.
124. *H* omite: *que podría... vos dezides. M:* ser verdad esto por
bien.
125. *H:* esto sé, assí sé que. *G* omite: *esto. M* omite: *bien. P* omite: *otra cosa.*
127. *GAHM:* algunas mugeres. *M:* dando.
128. *H:* daredes por ellas quanto ellas. *M:* ellas quisyeren. *P:* ella
es escarneçida. *H:* ella, la mal andante es escarnesçida.
M: ellas (todo en plural).
129. *P:* commo es rrazón.
130. *H:* del todo mal andante.
131. *GA:* contescería. *H:* acaesca a mí assy. *M:* faríades ansy
a mí.
132. *P:* prometiól que faría ella lo que q. *GA:* prometiól (*A:* pro-
metíale) quanto ella q.
133. *H:* de fazer quanto. *P:* fincasse b. andante.
134. *M:* Et quando. *H:* esto rrespondió rrespondióle. *P* (omite:
Desque S.e. le d.): Et la duenna rrespondiól que si le prometía. *M:* la duenna... ella le diría.
136. *H:* pidiesse fuerça. *P* omite: *nin escarnio.*
137. *P:* desquél oviesse conplido aquello quel demandasse. *H* omite: *gelo. M:* que lo oviesse c.
139. *P* omite: *que reçelava. M:* el soldán.

140 fablasse más en aquel fecho. Et ella le dixo que non le
demandaría esso nin cosa que él muy bien non pudiesse
fazer. Saladín gelo prometió. La buena duenna le vesó
la mano et el pie et díxole que lo que dél quería, era
quel dixiesse quál era la mejor cosa que omne podía
145 aver en sí, et que era madre et cabeça de todas las
vondades.

Quando Saladín esto oyó, començó muy fuertemente
a cuydar, et non pudo fallar qué rrespondiesse a la
buena duenna. Et porquel avía prometido que le non
150 faría fuerça nin escarnio fasta quel cunpliesse lo quel
avía prometido, díxol que quería acordar [334] sobresto.
Et ella díxole que prometía que en qualquier tienpo que
desto le diesse recabdo, que ella conpliría todo lo que
él mandasse.

155 Assí fincó el pleito entrellos. Et Saladín fuese para
sus gentes; et, commo por otra razón, preguntó a todos
sus sabios por esto. Et unos dizían que la mejor cosa

---

140. *M:* en este fecho. *S:* díxol.
141. *H* omite: *nin cosa... et el pie. P:* non pudiesse bien fazer.
    M: non la pudiesse fazer.
142. *M:* et el soldán. *P:* prometiógelo. *H:* otorgó. *P:* besóle. *M:*
    le besó luego.
143. *H:* Et ella le dixo que le dixesse.
144. *G* omite: *quel dixiesse. GA:* podría. *P:* puede.
145. *M:* deve de aver. *PM:* et que es.
147. *M:* el soldán. *P* omite: *muy fuertemente. S:* fieramente.
148. *M:* a pensar. *H:* a la duenna.
149. *M:* Et commo ya él. *S:* que non le faría.
150. *M:* fuerça ninguna.
151. *P:* acordarse. *HM:* quería aver su acuerdo sobrello.
152. *M:* le dixo. *S:* que qualquier.
153. *H:* le troxiesse recabdo. *M:* que él le diesse desto. *GA:* que
    desto diesse. *P:* lo quél quisiesse.
155. *GA:* pleito assossegado. *HM:* pleito puesto. *PM:* el soldán.
    M: fuese luego.
156. *GAHM:* et començó. *H:* a demandar por esta razón. *M:* a
    preguntar por esta rrazón a todos sus sabios.
157. *H* omite: *por esto. A* omite: *que la mejor c... et otros
    dizían. M:* cosa del mundo q. el o. devía aver.

---

[334] *acordar:* aconsejar; *PMC* 1712, 1942; *Sd.* 46b.

que omne podía aver era seer omne de buena alma. Et otros dizían que era verdat para el otro mundo, mas

160 que ser solamente de buena alma que non sería muy bueno para este mundo. Otros dizían que lo mejor era seer omne muy leal. Otros dizían que, commo quier que seer leal es muy buena cosa, que podría seer leal et seer muy cobarde o muy escasso [335] o muy torpe o

165 o mal acostunbrado, et assí que ál avía menester, aunque fuesse muy leal. Et en esta guisa fablavan en todas las cosas, et non podían açertar en lo que Saladín preguntava. Desque Saladín non falló qui le dixiesse et diesse recabdo a su pregunta en toda su tierra, tomó

170 consigo dos juglares, et esto fizo por que mejor pudiesse andar con ellos por el mundo. Et desconoçidamente passó la mar, et fue a la corte del Papa, do se ayuntan todos los christianos. Et preguntando por aquella rrazón,

---

158. *G:* podría. *PM:* aver en sí. *H* omite: *Et otros... de buena alma.*
159. *M:* que para el otro mundo sería aquello, mas que para ser. *S:* mas porque seer.
160. *GA:* que por ser. *P:* que non era m. b. *M:* sería bueno. *H:* mucho bueno. *GA:* por esto mucho bueno.
161. *P:* Et otros, que lo mejor era ser leal. *GAHM* omiten: *Otros dizían... muy leal.*
162. *PM* omiten: *commo quier que.*
163. *PM:* pero que. *P:* podía. *H:* leal et que sería. *GA:* leal et sería. *M:* leal et muy cobarde.
164. *P:* ser cobarde o e. o torpe.
165. *P:* avía menester ál sin ser leal [*sic*]. *M:* otra cosa avía m. *H:* que avía m. aunque f. leal de aver en sý mejor cosa.
166. *M:* fuesse leal. *S:* Et esta. *P:* desta guisa. *M:* fablavan todas las gentes.
167. *GA:* acordar. *H:* en la que. *P:* el soldán.
168. *P:* el soldán. *GA:* fallava. *PHM* omiten: *dixiesse.*
169. *GA* omiten: *diesse. S:* traxo consigo dos jubglares (la grafía es *juglares* en *LBA* 899*d*, 1440*d*).
170. *GA:* et esto fue. *S:* pudiesse con éstos andar.
171. *GAM* omiten: *con ellos. PH:* por todo el mundo.
172. *PM:* fuese a la c. *P:* ayuntavan.
173. *M:* et preguntó... desto rrecabdo.

---

[335] *escasso:* avaro; *LBA* 246*a*, 714*b*.

nunca falló quien le diesse recabdo. Dende, fue a casa
175 del rrey de Françia et a todos los rreyes et nunca falló
recabdo. Et en esto moró tanto tienpo que era ya are·
pentido de lo que avía començado.

Et ya por la duenna non fiziera tanto; mas porque
él era tan buen omne, tenía quel era mengua si dexasse
180 de saber aquello que avía començado; ca, sin dubda, el
grant omne grant mengua faze si dexa lo que una vez
començe, solamente quel fecho non sea malo o pecado;
mas, si por miedo o trabajo lo dexa, non se podría de
mengua escusar. Et por ende, Saladín non quería dexar
185 de saber aquello por que saliera de su tierra.

Et acaesçió que un día, andando por su camino con
sus juglares, toparon con un escudero que vinía de
correr monte, et avía muerto un çiervo. Et el escudero
casara poco tienpo avía, et avía un padre muy viejo
190 que fuera el mejor cavallero que oviera en toda aquella
tierra. Et por la grant vejez non veýa et non podía salir
de su casa, pero avía el entendimiento tan bueno et tan

---

174. *H* omite: *nunca... recabdo. M:* Et de rroma fuesse.
175. *H:* todos los rregnos. *M* (omite: *et a todos los rreyes*): et
nunca f. quien le diesse desto r.
176. *GAH:* moró allá. *P:* andudo. *M:* Et andudo en esta manera
allá. *PGA* omiten: *ya. GAHM:* muy arrepentido.
177. *P:* por lo que avía.
178. *GAHM* omiten: *Et ya por... que avía començado.*
179. *P:* tan noble tenía quel era muger [*sic*] (omite: *aquello
q.a.c.*).
181. *H:* faze mengua. *P:* mengua es.
182. *P:* salvo que.
184. *H:* non quería Saladín.
185. *P* omite: *de saber.*
186. *H:* andando un día. *P:* viniendo por un camino. *GA* omiten:
andando.
187. *SH:* et toparon. *GAM:* que toparon. *GA* omiten: *con.*
188. *M:* Et aquel escudero.
189. *P:* que casara avía poco t. *HM:* avía p. t. que casara. *H:* padre viejo.
190. *M:* que fuera en su tienpo. *P:* que avía. *GAM:* que fuera.
H omite: *que oviera.*
191. *G:* non avía [*sic*]. *P:* et non salía. *H:* non podría salir.
192. *M:* pero tenía.

conplido, que non le menguava ninguna cosa por la vejez. El escudero que venía de su caça muy alegre, preguntó âquellos omnes que d'onde venían et qué omnes eran. Ellos le dixeron que eran juglares.

Quando él esto oyó, plógol ende mucho, et díxoles quél vinía muy alegre de su caça et para conplir el alegría que, pues ellos eran buenos juglares, que fuessen con él essa noche. Et ellos le dixeron que yvan a muy grant priessa, que muy grant tienpo avía que se partieran de su tierra por saber una cosa et que non pudieron fallar della recabdo et que se querían tornar et que por esso non podían yr con él essa noche.

El escudero les preguntó tanto, fasta quel ovieron a dezir qué cosa era aquello que querían saber. Quando el escudero esto oyó, díxoles que, si su padre non les diesse consejo a esto, que non gelo daría omne del mundo, et contóles qué omne era su padre.

Quando Saladín, a qui el escudero tenía por juglar, oyó esto, plógol ende mucho. Et fuéronse con él. Et desque llegaron a casa de su padre, el escudero le contó

---

193. *M* omite: *por la vejez.*
195. *PHM:* de donde (*vid.* 4.35).
196. *G:* ellos eran. *M:* dixéronle.
197. *M:* Q. el escudero. *P:* Et a él plogo mucho desto.
198. *H:* q. venían. *M:* mucho alegre.
199. *S:* que pues eran ellos. *H:* que eran ellos. *SM:* muy buenos.
200. *M* añade: *et que les daría bien de çenar et buena cama en que dormiessen. PM:* dixéronle. *H* omite: *Et ellos le d... él essa noche* (línea 204).
201. *P:* avía grant t. *GA:* partieron. *M:* salieran.
202. *A:* en demanda de una cosa. *PM:* non podían. *G:* pudieran.
203. *P:* tornar para su tierra... aquella noche.
205. *P:* tanto gelo preguntó... dezir quál era la cosa (omite: *q.q. saber*).
207. *P:* lo oyó.
208. *P:* diesse aquello. *H:* les dava. *M:* desto rrecabdo. *P:* que non les diría.
209. *P* omite: *et contóles... oyó esto.*
210. *M:* miró aquel escudero que le tenía.
211. *H:* esto oyó. *P:* plógoles... et fueron.
212. *M:* contóle el escudero.

cómmo vinía mucho alegre porque caçara muy bien et
aún, que avía mayor alegría porque trayá consigo aque-
215 llos juglares; et dixo a su padre lo que andavan preguntando, et pidiól por merçed que les dixesse lo que
desto entendía él, ca él les avía dicho que, pues non
fallavan quien desto les diesse recabdo, que si su padre
non gelo diesse, que non fallarían omne que les diesse
220 recabdo.

Quando el cavallero ançiano esto oyó, entendió que
aquél que esta pregunta fazía, que non era juglar; et
dixo a su fijo que, después que oviessen comido, que
él les daría recabdo a esto que preguntavan. El escudero
225 dixo esto a Saladín, que él tenía por juglar, de que fue
Saladín mucho alegre, et alongávasele ya mucho porque
avía de atender fasta que oviesse comido.

Desque los manteles fueron levantados et los juglares
ovieron fecho su mester, díxoles el cavallero ançiano
230 quel dixiera su fijo que ellos andavan faziendo una pregunta et que non fallavan omne que les diesse recabdo,

---

213. *H:* muy alegre. *P:* caçara bien.
216. *H* omite: *por merçed. M:* lo que en ello.
217. *PHM* omiten: *él.*
218. *S:* les diesse desto. *P* omite: *desto. P:* su p. non les diesse recabdo.
219. *AH:* dixiesse (*A:* dixese). *P:* diesse rrazón.
221. *P:* Desque el cavallero viejo. *G* omite: *ançiano. H:* esto vio.
222. *P:* quel que esta... non sería juglar.
223. *MH:* a su fyjo (*H:* assý) que les dixiesse que. *M:* que su padre les daría. *G* omite: *que él.*
224. *P:* daría rrespuesta. *GA:* en esto.
225. *M:* díxolo. *P:* al soldán... et desto fue el soldán. *H:* de que fue muy alegre. *M:* et *S.* desque esto oyó fue muy a.
226. *GA* omiten: *et alongávasele... o. comido.*
227. *M:* çenado.
228. *P:* Et desque la mesa fue alçada et los j. vinieron fazer.
229. *PHMGA:* menester (*vid.* P.54).
230. *M:* le avía dicho... andavan por el mundo preguntando una pregunta. *P:* preguntando una cosa.
231. *M:* f. ningunt omne. *PH:* fallavan quién. *M:* recabdo della.

et quel dixiessen qué pregunta era aquélla, et él que les diría lo que entendía.

235 Estonçe, Saladín, que andava por juglar, díxol que la pregunta era ésta: que quál era la mejor cosa que omne podía aver en sí, et que era madre et cabeça de todas las vondades.

Quando el cavallero ançiano oyó esta rrazón, entendióla muy bien; et otrosí, conosçió en la palabra que 240 aquél era Saladín; ca él visquiera con él muy grant tienpo en su casa et reçibiera dél mucho bien et mucha merçed, et díxole:

—Amigo, la primera cosa que vos respondo, dígovos que çierto só que fasta el día de oy, que nunca tales 245 juglares entraron en mi casa. Et sabet que, si yo derecho fiziere, que vos devo conosçer quánto bien de vos tomé, pero desto non vos diré agora nada, fasta que fable convusco en poridat, por que non sepa ninguno de vuestra fazienda. Pero, quanto a la pregunta que faze-250 des, vos digo que la mejor cosa que omne puede aver en sí, et que es madre et cabeça de todas las vondades, dígovos que ésta es la vergüença; ca por vergüença

---

232. *M:* et que pues Dios los avía echado por aquella tierra, que le d. *GA:* que ellos le. *H:* que él les daría rrecabdo.
233. *P:* entendía en aquello. *M:* en ello entendía.
234. *M:* rrespondió Saladín.
236. *H:* podría aver.
238. *HM:* esto oyó. *G:* esto oyó esta razón. *P:* esto vio entendió la rrazón m.b.
239. *H:* conosçió Saladín en la fabla. *M:* conosçió e entendió... Saladino el soldán de Bavilonia... aquel cavallero ançiano avía vivido con él.
240. *SH:* tienpo con él. *P* omite: *muy.*
242. *GA:* dixo.
243. *H:* responda. *PM:* es que vos digo que fasta.
244. *P:* nunca en mi casa entraron (omite: *tales juglares*).
246. *G:* vos quiero.
247. *P:* vos diré yo agora. *H* omite: *nada.*
249. *H* omite: *quanto.* *PH:* que vos fazedes.
250. *PM:* dígovos. *H:* dígol.
252. *M* omite: *dígovos.* *S:* et por vergüença.

suffre omne la muerte, que es la más grave cosa que
puede seer, et por vergüença dexa omne de fazer todas
255 las cosas que non le paresçen bien, por grand voluntad
que aya de las fazer. Et assí, en la vergüença an comienço et cabo todas las vondades, et la vergüença es
partimiento de todos los malos fechos.

Quando Saladín esta rrazón oyó, entendió verdadera-
260 mente que era assí commo el cavallero le dizía. Et pues
entendió que avía fallado recabdo de la pregunta que
fazía, ovo ende muy grant plazer et espidióse del cavallero et del escudero cuyos huéspedes avían seýdo. Mas
ante que se partiessen de su casa, fabló con él el cava-
265 llero anciano, et le dixo cómmo lo conosçía et que era
Saladín, et contól quánto bien dél avía reçebido. Et él
et su fijo fiziéronle quanto serviçio pudieron, pero en
guisa que non fuesse descubierto.

Et desque estas cosas fueron passadas, endereçó Sa-

---

253. *H:* llamas [*sic*] grave c. es que p. ser. *M:* grave cosa del
mundo.
254. *P:* para la vergüença ca dexa [*sic*].
255. *G:* parescería. *H:* non le viene bien nin paresçe bien. *M:* por
muy grant.
256. *P:* Et si vergüença.
257. *H:* et a cabo. *M:* ay cabo et cabeça. *GAMH:* desvergüença.
En *H* se lee *des* entre líneas, como corrección que posiblemente hizo el mismo copista.
258. *P:* departimiento. *HM:* comienço. *PA:* los males. *M:* fechos
e por fazer. Los copistas han tratado de clarificar el texto.
Conservo la lectura de *S*, ya que *partimiento* significa:
«apartamiento», «alejamiento» (del verbo *partir*).
259. *PH:* esto oyó.
260. *P:* commo él dezía. *GAH:* aquel cavallero. *M:* el c. ançiano...
Et desque.
261. *H:* p. que dezía.
262. *P* omite: *muy. H:* mucho plazer. *GAHM:* despidióse (*vid.*
20.67).
264. *P:* que se dende partiessen... departió con él.
265. *GAHM:* díxole. *H:* quel conosçía.
266. *M:* Saladín, soldán de Bavilonia. *S* omite: *bien. H:* avía dél r.
267. *S:* fizieron quanto. *H:* rresçibieron quanto.
268. *GAH:* non fue.
269. *HM:* estas palabras. *P:* fueron assí p.

270 ladín para se yr para su tierra quanto más aýna pudo.
Et desque llegó a su tierra ovieron las gentes con él
muy grant plazer et muy grant alegría por la su venida.
Et después que aquellas alegrías fueron passadas,
fuese Saladín para casa de aquella buena duenna quel
275 fiziera aquella pregunta. Et desque ella sopo que Saladín viníaa su casa, reçibiól muy bien, et fízol quanto
serviçio pudo.
Et después que Saladín ovo comido et entró en su
cámara, envió por la buena duenna. Et ella vino a él.
280 Et Saladín le dixo quánto avía trabajado por fallar repuesta çierta a la pregunta quel fiziera et que la avía
fallado; et pues le podía dar repuesta conplida, assí
commo le avía prometido, que ella otrosí cunpliesse
lo quel avía prometido. Et ella le dixo quel pidía por
285 merçed quel guardasse lo quel avía prometido et quel
dixiesse la repuesta a la pregunta quel avía fecho, et
que, si fuesse tal que él mismo entendiesse que la repuesta era conplida, que ella muy de grado conpliría
todo lo quel avía prometido.

---

270. *S:* yrse. *GH:* para yr. *M:* fuese Saladín para su t. e andudo
tanto quanto más a. pudo.
271. *P:* ovieron con él las gentes grant p. et g. a.
272. *H* omite: *plazer et muy grant. M:* las gentes muy g. alegría con él por su venida.
273. *P:* Et las alegrías fechas.
274. *H:* que le fizo.
276. *P:* viniera. *M* omite: *reçibiól m. bien.*
277. *P:* ella pudo. *M:* pudo ella e su conpanna.
279. *M:* envió luego. *P:* por la duenna. *H* omite: *Et ella v. a él.*
M: a él luego.
280. *PH:* et le dixo (*H:* díxole que) quánto trabajo avía passado.
M: por saber rrespuesta.
282. *M:* fallado commo le avía prometido. *M* omite: *et pues le
podía... avía prometido.*
283. *G* omite: *que ella otrosí... avía prometido.*
284. *S:* quel prometiera. *GA:* díxole.
286. *M:* açerca de la pregunta.
288. *M:* conpliría lo que le.
289. *P* omite: *todo.*

290   Estonçe le dixo Saladín quel plazía desto que ella le
dizía, et díxol que la repuesta de la pregunta que ella
fiziera, que era ésta: que ella le preguntara quál era la
meior cosa que omne podía aver en sí et que era madre
et cabeça de todas las vondades, et quél respondía que
295   la meior cosa que omne podría aver en sí et que es
madre et cabeça de todas las vondades, que ésta es la
vergüença.

Quando la buena duenna esto oyó, fue muy alegre
et díxol:

300   —Sennor, agora conosco que dezides verdat, et que
me avedes conplido quanto me prometistes. Et pídovos
por merçed que me digades, assí commo rrey deve
dezir verdat, si cuydades que ha en el mundo mejor
omne que vos.

305   Et Saladín le dixo que, commo quier que se le fazía
vergüença de dezir, pero pues le avía a dezir verdat
commo rrey, quel dizía que cuydava que era él mejor
que los otros, et que non avía otro mejor que él.

Quando la buena duenna esto oyó, dexóse caer en

290. *P:* Esto plogo a Saladín et díxol que la rrespuesta era ésta.
      H: que ella le dixiera.
292. *H* omite: *ella le preguntara. P* omite: *que ella... aver en sí.*
294. *HM* omiten: *et quél... las vondades.*
295. *S* omite: *podría. P:* que la cosa que es madre.
296. *GAP:* era la vergüença.
298. *S:* esta repuesta oyó. *M:* mucho alegre.
299. *PH:* et dixo.
300. *M* omite: *conosco.*
301. *M:* lo que me prometistes.
302. *GAHM:* digades verdat. *H:* rrey la deve d.
303. *A:* dezir en lo que vos preguntare. *M:* que ay en todo el
      mundo.
306. *A:* muy gran vergüença. *GAM:* de lo dezir. *P:* que pues le
      avía. *M:* pero que pues. *GA:* pero pues él le avía... assí com-
      mo rrey.
307. *P* omite: *commo rrey quel dizía. S:* que más cuydava.
      M omite: *que cuydava. G:* cuydava él. *PM:* que él era. *H:*
      mejor omne que.
308. *P:* que todos. *M* omite: *que los otros. S:* que non que avía.
      H omite: *et que non a.o.m. que él.*
309. *S:* dixóse [*sic*]. *H:* en tierra a sus pies.

310 tierra ante los sus pies et díxol assí llorando muy fieramente:

—Sennor, vos avedes aquí dicho muy grandes dos
verdades: la una, que sodes vos el mejor omne del
mundo; la otra, que la vergüença es la mejor cosa que
315 omne puede aver en sí. Et, sennor, pues vos esto conos-
çedes, et sodes el mejor omne del mundo, pídovos por
merçed que querades aver en vos la mejor cosa del
mundo que es la vergüença, et que ayades vergüença de
lo que me dezides.

320 Quando Saladín todas estas buenas rrazones oyó et
entendió cómmo aquella buena duenna, con la su vondat et con el su buen entendimiento, sopiera aguisar
que fuesse él guardado de tan grand yerro, gradesçiólo
mucho a Dios. Et commo quier que la él amava ante
325 de otro amor, amóla muy más dallí adelante de amor
leal et verdadero, qual deve aver el buen sennor et
leal a todas sus gentes. Et sennaladamente, por la vondat della, envió por su marido et fízoles tanta onrra
et tanta merçet por que ellos, et todos los que dellos

---

310. *GA* omiten: *llorando*. *P* omite: *muy fieramente*. *H:* fuertemente.
312. *GAH:* me avedes. *HM* omiten: *aquí. A:* dichas. *PHM* omiten:
muy. GA: dos muy.
313. *H:* que vos sodes.
314. *P* omite: *la otra... omne del mundo. H:* cosa del mundo
(omite: *que omne... omne del mundo). S:* que el omne.
315. *M:* deve aver. *A:* concededes.
317. *P:* que ayades. *S:* querades en vos.
318. *H* omite: *et q. ayades... me dezides.*
319. *P:* dezides a mí.
320. *P:* oyó todas e.rr. buenas. *G:* razones buenas.
323. *M:* guardado de caer.
324. *GA:* amava atan de coraçón. *H:* amava mucho de coraçón
de ante, amóla. *M:* ante de amor carnal. *G* omite: *ante de
otro amor.*
325. *PM* omiten: *muy. H:* mucho más. *S:* adellante.
326. *M* omite: *leal. M:* sennor a todas. *P:* sennor a sus vasallos.
327. *SH:* la su vondat della.
328. *M:* envió luego. *P:* mucha o. et mucha m.
329. *M:* merçed por amor della. *H:* ellos todos et de los que

330 vinieron fueron muy bien andantes entre todos sus ve-
çinos.

Et todo este bien acaesçió por la vondat de aquella
buena duenna, et porque ella guisó que fuesse sabido
que la vergüença es la meior cosa que omne puede
335 aver en sí, et que es madre et cabeça de todas las vondades.

Et pues vos, sennor conde Lucanor, me preguntades
quál es la mejor cosa que omne puede aver en sí, dígovos que es la vergüença, ca la vergüença faze a omne
340 ser esforçado et franco [336] et leal et de buenas costunbres et de buenas maneras, et fazer todos los bienes que
faze. Ca bien cred que todas estas cosas faze omne más
con vergüença que con talante que aya de lo fazer. Et
otrosí, por vergüença dexa omne de fazer todas las
345 cosas desaguisadas que da la voluntad al omne de fazer.
Et por ende, quán buena cosa es aver el omne vergüença de fazer lo que non deve et dexar de fazer lo que

---

ellos. *M:* en guisa que después los que dellos v. fueron
syenpre.
330. *H* omite: *muy.*
332. *M:* vino o acaesçió. *H:* de la buena duenna.
333. *P* omite: *buena. PH:* quisó. *M:* et por el soldán quel guisó.
334. *G* omite: *omne. M:* deve aver. *M:* cosa mejor.
340. *H:* leal et franco. *HM* omiten: *de buenas costunbres.*
341. *M:* et le faze fazer. *P:* et fazer buenos fechos. *H:* bienes
que deve fazer. *M:* todos los bienes que omne faze et todos
los males que dexa de fazer, todo lo faze la vergüença
más quel talante.
342. *GA:* Pero creed bien. *G* omite: *faze omne... de fazer todas
las cosas. H:* faze o. por v. (omite: *que con talante... et
otrosí por v.*).
343. *A* omite: *que aya.*
345. *GA:* que la voluntad al omne viene de fazer. *PHM:* que
le da la v. *M:* al omne o a la muger.
346. *H:* vergüença et fazer lo que deve (omite: *et dexar de
fazer lo que deve*). *M:* vergüença para fazer lo que deve
et para dexar lo que non deve fazer.
347. *P* omite: *et dexar de f. lo q.d.*

---

[336] *franco:* generoso; *PMC* 1068; *LBA* 155*b*, 513*b*.

deve, tan mala et tan dannosa et tan fea cosa es el
que pierde la vergüença. Et devedes saber que yerra
350 muy fieramente el que faze algún fecho vergonçoso cuydando que, pues que lo faze encubiertamente, que non
deve aver ende vergüença. Et çierto sed, que non ha
cosa, por encubierta que sea, que tarde o aýna non sea
sabida. Et aunque luego que la cosa vergonçosa se faga,
355 non aya ende vergüença, devríe omne cuydar qué vergüença sería quando fuere sabido. Et aunque desto non
tomasse vergüença dévela tomar de sí mismo, que entiende el fecho vergonçoso que faze. Et quando en todo
esto non cuydasse, deve entender quán sin ventura es,
360 pues sabe que si un moço viesse lo que él faze, que lo
dexaría por su vergüença, et non lo dexar por vergüença
nin por miedo de Dios que lo vee et lo sabe todo, et es
çierto quel dará por ello la pena que meresçiere.

---

348. *M:* atanto es mala e dannosa cosa el que. *P* omite: *et tan
fea cosa.*
349. *P:* Et sabed que yerran tan.
350. *GA:* mucho fieramente. *PH:* fuertemente. *P:* yerro vergonçoso. *S:* et cuyda. *P:* et cuydan que lo fazen.
351. *H* omite: *encubiertamente. M:* f. encubierto et que por esto
non deve dello a.v.
352. *GA:* ende aver. *PM:* Ca çierto. *A:* çierto creed. *P:* non á
omne en el mundo, por e. que faga la cosa.
354. *H* (omite: *luego*): se ha fecho. *M:* luego que lo faze.
355. *H:* non ay ende omne v. *PH:* deve. *GAM:* devía.
356. *PH:* será que sea. *M:* que sería vergüença de que. *GAM:*
fuesse sabido. *A* omite: *At aunque... vergonçoso que faze.
M:* Et sy de todo esto.
357. *H* omite: *dévela tomar. G:* devíala. *H:* quien tiende [*sic*]
358. *G:* pleito v. e faze [*sic*]. *M:* vergonnoso que fyzo (omite:
Et quando... vergüença nin por miedo).
359. *H:* entender quanta vergüença es (omite: *sabe que*).
360. *P:* mochacho. *H:* lo quél fizo. *A:* que viere que ven lo que
él faze. *G:* que viere lo que él faze. *GA:* que lo dexara.
361. *H:* dexaría de fazer. *S:* dexar nin aver. *G:* lo dexa por no
aver. *A:* lo dexara por aver. *H:* lo dexaría de fazer por aver.
362. *P:* miedo nin vergüença. *M:* Et mayormente la deve aver
de Dios a quien no se asconde ninguna cosa por encubierta que sea et que le dará la pena que meresçe. *GA:* omiten: *todo.*
363. *H:* daría. *A* omite: *por ello. P:* si la meresçiere.

Agora, sennor conde Lucanor, vos he respondido a
365 esta pregunta que me feziestes et con esta repuesta vos
he respondido a çinquenta preguntas que me avedes
fecho. Et avedes estado en ello tanto tienpo que só
çierto que son enojados muchos de vuestras conpannas,
et sennaladamente se enojan ende los que non an
370 muy grand talante de oyr nin de aprender las cosas de
que se pueden mucho aprovechar. Et contésçeles commo
a las vestias que van cargadas de oro, que sienten el
peso que lievan a cuestas et non se aprovechan de la pro
que ha en ello. Et ellos sienten el enojo de lo que oyen
375 et non se aprovechan de las cosas buenas et provechosas
que oyen. Et por ende, vos digo que lo uno por esto,
et lo ál por el trabajo que he tomado en las otras re-
puestas que vos di, que vos non quiero más responder
a otras preguntas que me fagades, que en este exemplo
380 vos quiero fazer fin a este libro.

364. *PGH* omiten: *vos he respondido... con esta repuesta. M:* he
dado rrespuesta.
365. *A* omite: *que me feziestes. M:* et con ésta son çinquenta
rrespuestas a quantas preguntas me fezistes que vos he
dado.
366. *A:* a las çinquenta. *P:* ç. preguntas o más (omite: *que me
avedes fecho*).
367. *PH:* avemos estado. *M:* avemos en ellas t. tienpo gastado.
368. *S:* son ende. *GA:* enojadas muchas. *M:* enojadas las más.
P: engannadas muchas.
369. *M:* enojan son los que.
370. *P:* an gran t. *MH:* an talante. *P:* deprender de que se pueden
[*sic*].
371. *H:* que omne se puede aprovechar a las quales acontesçió
commo. *M:* Et acaésçeles a éstos.
372. *H:* bestias cargadas. En el códice de Puñonrostro la última
palabra de este capítulo es *cargadas* y sigue inmediata-
mente el título del cuento LIII, apócrifo.
373. *M:* de lo que lievan... provecho que en ello ay. *H:* del oro
que ha en ello. Assý mesmo sienten.
374. *M:* Et ansý éstos... non se quieren aprovechar (omite:
buenas).
377. *M:* et lo otro... las rrespuestas que vos he dado.
378. *H* omite: *vos di*.
379. *S:* que vos fagades que en este enxienplo et en otro que
se sigue adelante deste.

El conde tovo éste por muy buen exemplo. Et quanto de lo que Patronio dixo que non quería quel fiziessen más preguntas, dixo que esto fincasse en cómmo se pudiesse fazer.

385 Et porque don Johan tovo este exemplo por muy bueno, fízolo escrevir en este libro et fizo estos versos que dizen así:

La vergüença todos los males parte;
por vergüença faze omne bien sin arte.

Epílogo

del Libro de los exemplos del conde Lucanor et de Patronio [337]

Otra vez fablava el conde Lucanor con Patronio, su consegero, et díxole assí:

—Patronio, muchos omnes me dizen que una de las cosas por que el omne se puede ganar con Dios es por

5 seer omildoso; otros me dizen que los omildosos son menospreçiados de las otras gentes et que son tenidos

---

381. *GM:* en quanto. *A* omite: *El conde tovo... pudiesse fazer.* *H* omite: *Et quanto... pudiesse fazer.*
382. *M:* a lo que. *G:* quiere. *GM:* fiziesse.
383. *M:* dixo el conde que esto fuesse commo se pudiesse fazer. *G:* fincasse cómmo pudiesse fazer.
389. *A:* por ella faze omne bien sin arte.

---

[337] El estudio fundamental es el de John England, «Exemplo 51 of *El conde Lucanor:* The Problem of Authorship», *BHS,* LI, 1974 pp. 16-27. *Vid.* D. Devoto (1972), pp. 462-464. Sólo se encuentra en *S* y falta en todos los otros manuscritos, incluso *G.* Adolf Birch Hirschfeld, al editar las variantes hechas por Gayangos al texto de *S,* dio a entender que éste las había tomado de *G;* su error se ha perpetuado hasta la edición de Orduna (p. 277, nota 6), aunque ya lo había corregido María Goyri de Menéndez Pidal, *Romania,* XXIX, 1900, p. 601. Edito *S* sin someterlo aquí a las correcciones que he hecho en otras partes (rreyno, desnudo, etc.), ya que es manuscrito único. En los contados casos en que la corrección es indispensable, el texto a corregir va en paréntesis, seguido de la corrección en bastardilla.

por omnes de poco esfuerço et de pequenno coraçón,
et que el grand sennor, quel cunple et le aprovecha ser
sobervio. Et porque yo sé que ningún omne non en-
10 tiende mejor que vos lo que deve fazer el grand sennor,
rruégovos que me conseiedes quál destas dos cosas me
es mejor, o qué yo devo más fazer.

—Sennor conde Lucanor —dixo Patronio—, para que
vos entendades qué es en esto lo meior et *lo que* vos
15 más cunple de fazer, mucho me plazería que sopiéssedes
lo que contesçió a un rrey christiano que era muy poderoso et muy sobervioso.

El conde le rrogó quel dixiesse cómmo fuera aquello.

—Sennor conde —dixo Patronio—, en una tierra de
20 que me non acuerdo el nonbre, avía un rrey muy mançebo et muy rrico et muy poderoso, et era muy soberbio
a grand maravilla; et a tanto llegó la su sobervia, que
una vez, oyendo aquel cántico de sancta María que dize:
«Magnificat anima mea Dominum», oyó en él un viesso
25 que dize: «Deposuit potentes de sede et exaltavit humiles», que quier dezir: «Nuestro Sennor Dios tiró et
abaxó los poderosos sobervios el su poderío et ensalçó
los omildosos». Quando esto oyó, pesól mucho et mandó
por todo su rregno que rayessen este viesso de los libros,
30 et que pusiessen en aquel lugar: «Et exaltavit potentes
in sede et humiles posuit in (natus) *terra*», que quiere
dezir: «Dios ensalçó las siellas de los sobervios poderosos et derribó los omildosos».

Esto pesó mucho a Dios, et fue muy contrario de
35 lo que dixo sancta María en este cántico mismo; ca
desque vio que era madre del fijo de Dios que ella
conçibió et parió, seyendo et fincando sienpre virgen
et sin ningún corronpimiento, et veyendo que era sennora de los çielos et de la tierra, dixo de sí misma, ala-
40 bando la humildat sobre todas las virtudes: «Quia res-
pexit humilitatem ancille sue et ecce enim ex hoc beatam
me diçent omnes generationes», que quiere dezir: «Porque cató el mi sennor Dios la omildat de mí, que só
su sierva, por esta razón me llamarán todas las gentes
45 bien aventurada». Et assí fue, que nunca ante nin después, pudo seer ninguna muger bien aventurada; ca por
las vondades, et sennaladamente por la su grand omildat,

meresçió seer madre de Dios et rreyna de los çielos et
de la tierra et seer sennora puesta sobre todos los
50 choros de los ángeles.

Mas al rrey sobervioso contesçió muy contrario desto: ca un día ovo talante de yr al vanno et fue allá
muy argullosamente con su conpanna. Et porque entró
en el vanno, óvose a desnuyar et dexó todos sus pannos
55 fuera del vanno. Et estando él vannándose, envió nuestro sennor Dios un ángel al vanno, el qual, por la virtud
et por la voluntad de Dios, tomó la semejança del rrey
et salió del vanno et vistióse los pannos del rrey et
fuéronse todos con él paral alcáçar. Et dexó a la puerta
60 del vanno unos pannizuelos muy viles et muy rrotos,
commo destos pobrezuelos que piden a las puertas.

El rrey, que fincava en el vanno non sabiendo desto
ninguna cosa, quando entendió que era tienpo para salir
del vanno, llamó a aquellos camareros et aquellos que
65 estavan con él. Et por mucho que (llos) los llamó, non
respondió ninguno dellos, que eran ydos todos, cuydando que yvan con el rrey. Desque vio que non le
rrespondió ninguno, tomól tan grand sanna, que fue
muy grand marabilla, et començó a jurar que los faría
70 matar a todos de muy crueles muertes. Et teniéndose
por muy escarnido, salió del vanno desnuyo, cuydando
que fallaría algunos de sus omnes quel diessen de vestir. Et desque llegó do él cuydó fallar algunos de los
suyos, et non falló ninguno, començó a catar del un
75 cabo et del otro del vanno, et non falló a omne del
mundo a qui dezir una palabra.

Et andando assí muy coytado, et non sabiendo qué
se fazer, vio aquellos panniziellos viles et rotos que estavan a un (rroncón) rrincón et pensó de los vestir et
80 que yría encubiertamente a su casa et que se vengaría
muy cruelmente de todos los que grand escarnio le
avían fecho. Et vistiósse los pannos et fuesse muy encubiertamente al alcáçar, et quando ý llegó, vio estar a
la puerta uno de los sus porteros que conosçía muy
85 bien que era su portero, et uno de los que fueran con
él al vanno, et llamól muy passo et díxol quel avriesse
la puerta et le metiesse en su casa muy encubiertamente,

por que non entendiesse ninguno que tan envergonça-
damente vinía.

90 El portero tenía muy buena espada al cuello et muy
buena maça en la mano et preguntól qué omne era que
tales palabras dizía. Et el rrey le dixo:

—¡A, traydor! ¿Non te cunple el escarnio que me
feziste tú et los otros en me dexar solo en el vanno et
95 venir tan envergonçado commo vengo? ¿Non eres tú
fulano, et non me conosçes cómmo só yo el rrey, vuestro sennor, que dexastes en el vanno? Ábreme la puerta,
ante que venga alguno que me pueda conosçer, et si non,
seguro sey que yo te faré morir mala muerte et muy
100 cruel.

Et el portero le dixo:

—¡Omne loco, mesquino!, ¿qué estás diziendo? Ve
a buena ventura et non digas más estas locuras, si non,
yo te castigaré bien commo a loco, ca el rrey, pieça
105 ha que vino del vanno, et viniemos todos con él, et ha
comido et es echado a dormir, et guárdate que non
fagas aquí rroýdo por quel despiertes.

Quando el rrey esto oyó, cuydando que gelo dizía
faziéndol escarnio, començó a rabiar de sanna et de
110 malenconia ³³⁸, et arremetiósse a él, cuydándol tomar por
los cabellos. Et de que el portero esto vio, non le quiso
ferir con la maça, mas diol muy grand colpe con el man-
go, en guisa quel fizo salir sangre por muchos lugares.
De que el rrey se sintió ferido et vio que el portero
115 teníe buena espada et buena maça et que él non teníe
ninguna cosa con quel pudiesse fazer mal, nin aun para
se defender, cuydando que el portero era enloqueçido, et
que si más le dixiesse quel mataría por aventura, pensó
de yr a casa de su mayordomo et de encobrirse ý fasta
120 que fuesse guarido et después que tomaría vengança de
todos aquellos traydores que tan grant escarnio le avían
traýdo..

Et desque llegó a casa de su mayordomo, si mal le
contesçiera en su casa con el portero, muy peor le
125 acaesçió en casa de su mayordomo.

---

³³⁸ *malenconia:* tristeza, melancolía. Blecua (p. 257, nota 838)
apunta que esta forma se encuentra hasta en el *Quijote,* I, II.

Et dende, fuesse lo más encubiertamente que pudo para casa de la rreyna, su muger, teniendo çiertamente que todo este mal quel vinía porque aquellas gentes non le conosçían; et teníe sin duda que quando todo el

130 mundo le desconosçiesse, que non le desconosçería la rreyna, su muger. Et desque llegó ante ella et le dixo quánto mal le avían fecho et cómmo él era el rrey, la rreyna (reçellando) *reçelando* que si el rrey, que ella cuydava que estava en casa, sopiesse que ella oýe tal

135 cosa, quel pesaría ende, mandól dar muchas palancadas [339], diziéndol quel echassen de casa aquel loco quel dizía aquellas locuras.

El rrey, desaventurado, de que se vio tan mal andante, non sopo qué fazer et fuesse echar en un ospital

140 muy mal ferido et muy quebrantado, et estudo allý muchos días. Et quando le aquexava la fanbre, yba demandando por las puertas, et diziéndol las gentes et (fiziéndol) *faziéndol* escarnio, que cómmo andava tan lazdrado seyendo rrey de aquella tierra. Et tantos omnes le di-

145 xieron esto et tantas vezes et en tantos logares, que ya él mismo cuydava que era loco et que con locura pensava que era rrey de aquella tierra. Et desta guisa andudo muy grant tienpo, teniendo todos los quel conosçían que era loco de una locura que contesçió a mu-

150 chos: que cuydan por sí mismos que son otra cosa o que son en otro estado.

Et estando aquel rrey en tan grand mal estado, la vondat et la piadat de Dios, que sienpre quiere pro de los pecadores et los acarrea a la manera commo se pue-

155 den salvar, si por grand su culpa non fuere, obraron en tal guisa, que el cativo del rrey, que por su sobervia era caýdo en tan grant perdimiento et a tan grand abaxamiento, començó a cuydar que este mal quel viniera, que fuera por su pecado et por la grant sobervia que

160 en él avía, et, sennaladamente, tovo que era por el viesso que mandara *raer* del cántico de sancta María que de suso es dicho, que mudara con grant sobervia et por tan grant locura. Et desque esto fue entendiendo,

---

[339] *palancadas:* golpes de palo. Blecua (p. 257, nota 840) cita *Mil.* 478 y 890.

començó a aver atan grant dolor et tan grant repenti-
165 miento en su coraçón, que omne del mundo non lo
podría dezir por la voca; et era en tal guisa, que mayor
dolor et mayor pesar avía de los yerros que fiziera
contra nuestro Sennor, que del rregno que avía perdido,
et vio quanto mal andante el su cuerpo estaba, et por
170 ende, nunca ál fazía sinon llorar et matarse et pedir
merçed a nuestro sennor Dios quel perdonasse sus
pecados et quel oviesse merçed al alma. Et tan grant
dolor avía de sus pecados, que solamente nunca se
acordó nin puso en su talante de pedir merçed a nuestro
175 sennor Dios quel tornasse en su rregno nin en su onra;
ca todo esto preçiava él nada, et non cobdiçiava otra
cosa sinon aver perdón de sus pecados et poder salvar
el alma.

Et bien cred, sennor conde, que quantos fazen rro-
180 merýas et ayunos et limosnas et oraçiones o otros bienes qualesquier por que Dios les dé o los guarde o los
acresçiente en la salud de los cuerpos o en la onra o
en los vienes tenporales, yo non digo que fazen mal, mas
digo que si todas estas cosas fiziessen por aver perdón
185 de todos sus pecados o por aver la graçia de Dios, la
qual se gana por buenas obras et buenas entençiones
sin ypocrisía et sin infinta [340], que seríe muy mejor, et
sin dubda avríen perdón de sus pecados et abrían la
graçia de Dios: ca la cosa que Dios más quiere del
190 pecador es el coraçón quebrantado et omillado et la
entençión buena et derecha.

Et por ende, luego que por la merçed de Dios el rrey
se arrepentió de su pecado et Dios vio el su grand repentimiento et la su buena entençión, perdonól luego. Et
195 porque la voluntad de Dios es tamanna que non se
puede medir, non tan solamente perdonó todos sus pecados al rrey tan pecador, mas ante le tornó su rregno
et su onra más conplidamente que nunca la oviera, et
fízolo por esta manera:
200 El ángel que estava en logar de aquel rrey et teníe
la su figura llamó un su portero et díxol:

---

[340] *infinta:* engaño, fingimiento. *Libro infinido,* p. 77, citado por
Blecua (p. 259, nota 843).

—Dízenme que anda aquí un omne loco que dize que fue rrey de aquesta tierra, et dize otras muchas buenas locuras; que te vala Dios, ¿qué omne es o qué cosas
205 dize?

Et acaesçió assí por aventura, que el portero era aquél que firiera al rrey el día que se demudó quando (sallió) *salió* del vanno. Et pues el ángel, quél cuydava *ser* el rrey, gelo preguntava todo lo quel contesçiera con aquel
210 loco, (et) contól cómmo andavan las gentes riendo et trebejando con él, oyendo las locuras que dizíe. Et desque esto dixo el portero al rrey, mandól quel fuesse llamar et gelo troxiesse. Et desque el rrey que andava por loco vino ante el ángel que estava en lugar de rrey,
215 apartósse con él et díxol:

—Amigo, a mí dizen que vos que dezides que sodes rrey desta tierra, et que lo perdiestes, non sé por quál mala ventura et por qué ocasión. Rruégovos por la fe que devedes a Dios, que me digades todo commo cuy-
220 dades que es, et que non me encubrades ninguna cosa, et yo vos prometo a buena ffe que nunca desto vos venga danno.

Quando el cuytado del rrey que andava por loco et tan mal andante oyó dezir aquellas cosas âquél que él
225 cuydava que era rrey, non sopo qué responder: ca de una parte ovo miedo que gelo preguntava por lo sosacar et si dixiesse que era rrey quel mataría et le faría más mal andante de quanto era, et por ende començó a llorar muy fieramente et díxole commo omne que estava muy
230 coytado:

—Sennor, yo non sé lo que vos responder a esto que me dezides, pero porque entiendo que me sería ya tan buena la (muerta) *muerte* commo la vida —et sabe Dios que non tengo mientes por cosa de bien nin de onra en
235 este mundo—, non vos quiero encobrir ninguna cosa de commo lo cuydo en mi coraçón. Dígovos, sennor, que yo veo que só loco, et todas las gentes me tienen por tal et tales obras me fazen que yo por tal manera ando grand tienpo á en esta tierra. Et commo quier que
240 alguno errasse, non podría seer, si yo loco non fuesse, que todas las gentes, buenos et malos, et grandes et pe-

quennos, et de grand entendimiento et de pequenno,
todos me toviessen por loco; pero, commo quier que
yo esto veo et entiendo que es assí, çiertamente la mi en-
245 tençión et la mi crençia es que yo fuy rrey desta tierra
et que perdí el rregno et la graçia de Dios con grand
derecho por mios pecados, et, sennaladamente, por la
grant sobervia et grant orgullo que en mí avía.

Et entonçe contó con muy grand cuyta et con muchas
250 lágrimas, todo lo quel contesçiera, tan bien del viesso
que fiziera mudar, commo los otros pecados. Et pues
el ángel, que Dios enviara tomar la su figura et estava
por rrey, entendió que se dolía más de los yerros en
que cayera que del rregno et de la onra que avía per-
255 dido, díxol por mandado de Dios:

—Amigo, dígovos que dezides en todo muy grand verdat, que vos fuestes rrey desta tierra, et nuestro sennor
Dios tiróvoslo por estas razones mismas que vos dezides,
et envió a mí que só su ángel, que tomasse vuestra
260 figura et estudiesse en vuestro lugar. Et porque la piadat
de Dios es tan conplida, et non quiere del pecador sinon
que se arrepienta verdaderamente (esto perdigo), *este
prodigio* verdaderamente amostró dos cosas para seer el
repentimiento verdadero: la una es que se arrepienta pa-
265 ra nunca tornar âquel pecado; et la otra, que sea el repentimiento sin infinta. Et porque el nuestro sennor Dios
entendió que el vuestro repentimiento es tal, ávos per-
donado, et mandó a mí que vos tornasse en vuestra figura
et vos dexasse vuestro rregno. Et rruégovos et conséio-
270 vos yo que entre todos los pecados vos guardedes del
pecado de la sobervia; ca sabet que de los pecados en
que, segund natura, los omnes caen, que es el que Dios
más aborreçe, ca es verdaderamente contra Dios et contra el su poder, et sienpre que es muy aparejado para
275 fazer perder el alma. Seed çierto que nunca fue tierra,
nin linage, nin estado, nin persona en que este pecado
regnasse, que non fuesse desfecho o muy mal derribado.

Quando el rrey que andava por loco oyó dezir estas
palabras al ángel, dexósse caer ante él llorando muy
280 fieramente, et creyó todo lo quel dizía et adoról por
reverençia de Dios, cuyo ángel mensagero era, et pidiól
merçed que se non partiesse ende fasta que todas las

gentes se ayuntassen por que publicasse este tan grant
miraglo que nuestro sennor Dios fiziera. Et el ángel
285 fízolo assý. Et desque todos fueron ayuntados, el rrey
predicó et contó todo el pleito commo passara. Et el
ángel, por voluntad de Dios, paresçió a todos manifiesta-
mente et contóles esso mismo.

Entonçe el rrey fizo quantas emiendas pudo a nues-
290 tro sennor Dios; et entre las otras cosas, mandó que,
por remenbrança desto, que en todo su rregno para
sienpre fuesse escripto aquel viesso que él revesara con
letras de oro. Et oý dezir que oy en día assí se guarda
en aquel rregno. Et esto acabado, fuesse el ángel para
295 nuestro sennor Dios quel enviara, et fincó el rrey con
sus gentes muy alegres et muy bien andantes. Et dallí
adellante fue el rrey muy bueno para serviçio de Dios
et pro del pueblo et fizo muchos buenos fechos por que
ovo buena fama en este mundo et meresçió aver la gloria
300 del paraýso, la qual Él nos quiera dar por la su merçed.

Et vos, sennor conde Lucanor, si queredes aver la
graçia de Dios et buena fama del mundo, fazet buenas
obras, et sean bien fechas, sin infinta et sin ypocrisía;
et entre todas las cosas del mundo vos guardat de so-
305 bervia et set omildoso sin begueneria [341] et sin ypocrisía;
pero la humildat, sea sienpre guardando vuestro estado
en guisa que seades omildoso, mas non omillado. Et
los poderosos sobervios nunca fallen en vos humildat
con mengua, nin con vençimiento, mas todos los que
310 se vos omillaren fallen en vos sienpre omildat de vida
et de buenas obras conplida.

Al conde plogo mucho con este consejo, et rogó a
Dios quel endereçasse por quél pudiesse todo esto conplir et guardar.
315 Et porque don Johan se pagó mucho además deste
enxiemplo, fízolo poner en este libro, et fizo estos viessos
que dizen assí:

Los derechos [342] omildosos Dios mucho los ensalça,
a los que son sobervios fiérelos peor que maça.

---

[341] *beguenería:* beatería hipócrita. *Vid.* 42.16.
[342] *derechos:* rectos, justos; *Mil.* 284*ab* (citado por Blecua, p. 262,
nota 851); *LBA* 370*a.*

LIBRO DE LOS PROVERBIOS
DEL CONDE LUCANOR
ET DE PATRONIO

Prólogo
del Libro de los proverbios del conde Lucanor
et de Patronio

Después que yo, don Johan, fijo del muy noble infante don Manuel, adelantado mayor de la frontera et
del rreyno de Murçia, ove acabado este libro del conde
Lucanor et de Patronio que fabla de exemplos, et de
5 la manera que avedes oýdo, segund paresçe por el libro
et por el prólogo, fizlo en la manera que entendí que
sería más ligero de entender. Et esto fiz porque yo non
só muy letrado et queriendo que non dexassen de se
aprovechar dél los que non fuessen muy letrados, assí
10 commo yo, por mengua de lo seer, fiz las rrazones et
exemplos que en el libro se contienen assaz llanas et
declaradas.

Et porque don Jayme, sennor de Xérica [343], que es
uno de los omnes del mundo que yo más amo, et por
15 ventura non *amo* a otro tanto commo a él, me dixo que
querría que los mis libros fablassen más oscuro, et me

---

3. *S:* regno.
4. *S:* enxienplos.
5. *G:* según.
6. *S:* plogo [*sic*]. *G:* fize en la manera que yo entendí (omite:
   que sería) más de ligero.
9. *G:* provechar de los q. no fuesen letrados.
10. *G:* puse las razones.
11. *S:* enxienplos. *G:* en este libro.
14. *G:* por aventura non amo a otro más que a él.
15. *G* (omite: *me dixo que*): quería.

---

[343] Don Jaime de Jérica, caballero aragonés muerto en 1335,
ayudó varias veces a don Juan Manuel. *Vid.* Giménez Soler, pp. 567,
572, 586 y 603.

rrogó que si algund libro feziesse, que non fuesse tan
declarado. Et só çierto que esto me dixo porque él es
tan sotil et tan de buen entendimiento, et tiene por
20 mengua de sabiduría fablar en las cosas muy llana et
declaradamente.

Et lo que yo fiz fasta agora, fizlo por las razones
que de suso he dicho, et agora que yo só tenudo de
conplir en esto et en ál quanto yo pudiesse su voluntad,
25 fablaré en este libro en las cosas que yo entiendo que
los omnes se pueden aprovechar para salvamiento de
las almas et aprovechamiento de sus cuerpos et mantenimiento de sus onras et de sus estados. Et commo quier
que estas cosas non son muy sotiles en sí, assí commo
30 si yo fablasse de la sciençia de theología, o metafísica,
o filosofía natural o aun moral, o otras sçiençias muy
sotiles, tengo que me cae [344] más, et es más provechoso
segund el mío estado, fablar desta materia que de otra
arte o sciençia. Et pero que estas cosas de que yo
35 coydo fablar non son en sí muy sotiles, diré yó, con la
merçed de Dios, lo que dixiere por palabras que los que
fueren de tan buen entendimiento commo don Jayme,
que las entiendan muy bien, et los que non las entendieren non pongan la culpa a mí, ca yo non lo quería
40 fazer sinon commo fiz los otros libros, mas pónganla

---

17. *G:* algún l. fiziese.
22. *G* omite: *fizlo por... et agora.*
23. *G:* porque yo só.
24. *G:* volunptad.
27. *G:* aprovechamientro.
30. *G:* si no fablasen de la ciencia de la teología o gumetría
o física o philosophía natural o un moral.
32. *S:* aprovechoso.
33. *G:* según.
34. *G:* Empero que.
36. *S:* los que fueran.
38. *G:* los que las no e.
39. *G:* ca yo no vos querría.
40. *G:* pongan la culpa a don Jaime, quél me.

---

[344] *caer:* tocar, corresponder; *PMC* 513, 805, etc.

a don Jayme, que me lo fizo assí fazer, et a ellos, porque lo non pueden o non quieren entender.

Et pues el prólogo es acabado en que se entiende la rrazón por que este libro cuydo conponer en esta guisa,
45 daquí adelante començaré la materia del libro; et Dios por la su merçed et piedat quiera que sea a su serviçio et a pro de los que lo leyeren et lo oyeren, et guarde a mí de dezir cosa de que sea reprehendido. Et bien cuydo que el que leyere este libro et los otros que yo
50 fiz, que pocas cosas puedan acaesçer para las vidas et las faziendas de los omnes, que non fallen algo en ellos, ca yo non quis poner en este libro nada de lo que es puesto en los otros, mas qui de todos fiziere un libro, fallarlo ha ý más conplido.
55 Et la manera del libro es que Patronio fabla con el conde Lucanor segund adelante veredes[345].

---

41. *G:* et aquellos porque lo non entienden.
43. *S:* el plogo [*sic*].
45. *S:* la manera (*vid.* P.79).
46. *S:* piadat. Aunque *piadat* aparece una vez en el *LBA* 1322*c*, la forma común es *piedad* (373*a*, 1522*c*, 1707*a*) y *piedat* usada ocho veces. *S:* quieran.
47. *G:* que leyeren et oyeren.
48. *G:* cosa de que trayendo.
49. *G* omite: *cuydo que el que... pocas cosas.*
50. *G:* pueden acaesçer por las vidas.
52. *G:* no quise poner nada en e.l.

---

[345] Para estudiar y comprender mejor el *Libro de los proverbios* son insustituibles las pp. 465-477 de Daniel Devoto (1972), lo mismo que las copiosas anotaciones de Knust, pp. 418-433. Devoto apunta varias correspondencias entre los proverbios de don Juan Manuel y las máximas de *Bocados de oro*, obra editada por Hermann Knust en *Dos obras didácticas y dos leyendas*, Madrid, Sociedad de bibliófilos españoles, 1878, y en *Mittheilungen ans dem Eskurial, Litterarischen Verein in Stuttgart*, vol. 141, Tübingen, 1879.

Proverbios I

—Sennor conde Lucanor —dixo Patronio—, yo vos
fablé fasta agora lo más declaradamente que yo pude, et
porque sé que lo queredes, fablarvos he daquí adelante
essa misma materia mas non por essa manera que en
5 el otro libro ante déste. Et pues el otro es acabado, este
libro comiença assí:

1. En las cosas que ha muchas sentençias, non se
puede dar regla general.

El más conplido de los omnes es el que conosçe la
10 verdat et la guarda.

De mal seso es el que dexa et pierde lo que dura et
non ha preçio, por lo que non puede aver término a la
poca durada.

Non es de buen seso el que cuyda entender por su
15 entendimiento lo que es sobre todo entendimiento.

5. De mal seso es el que cuyda que contesçerá a él
lo que non contesçió a otri; de peor seso es si esto
cuyda porque non se guarda.

¡O Dios, sennor criador et conplido!, ¡cómmo me
20 marabillo porque pusiestes vuestra semeiança en omne
nesçio, ca quando fabla, yerra; quando calla, muestra
su mengua; quando es rico, es orgulloso; quando pobre,
non lo preçia nada; si obra, non fará obra de recabdo;
si está de vagar, pierde lo que ha; es soberbio sobre el
25 que ha poder, et vénçese por el que más puede; es

G: Razonamiento que faze Patronio al conde de muy buè-
nos exemplos.
1. G omite: *Lucanor.*
4. S: essa misma manera.
7. G: muchas ciencias.
9. G: El más cumplido hombre.
11. G: dexa perder lo que diere.
16. G: cuyda que contezca.
17. G: a otro... se non guarde.
20. G: posistes.
23. G: non le precian nada; si obrare.
24. G: lo que tiene.

ligero de forçar et malo de rogar; conbídase de grado,
conbida mal et tarde; demanda quequier et con porfía;
da tarde et amidos [346] et con façerio [347]; non se vergüença por sus yerros, et aborreçe quil castiga; el su
30 falago es enojoso, la su sanna, con denuesto; es sospe-
choso et de mala poridat; espántase sin razón; toma
esfuerço ó non deve; do cuyda fazer plazer, faze pesar;
es flaco en los vienes et reçio en los males; non se
castiga por cosa quel digan contra su voluntad.

35 En grave día nasçió quien oyó el su castigo; si lo
aconpannan non lo gradesçe et fázelos lazdrar; nunca
conçierta en dicho nin en fecho, nin yerra en lo quel
non cunple; lo quél dize non se entiende, nin entiende
lo quel dizen; sienpre anda desabenido de su conpanna;
40 non se mesura en sus plazeres, nin cata su mantenençia; non quiere perdonar et quiere quel perdonen; es
escarnidor et él es escarnido; querría engannar si lo
sopiesse fazer; de todo lo que se pagaría tiene que es
lo mejor, aunque lo non sea; querría folgar et que
45 lazdrassen los otros.

¿Qué diré más? En los fechos et en los dichos, en
todo yerra; en lo demás, en su vista [348] paresçe que es
nesçio, et muchos son nesçios que non lo paresçen, mas
el que lo paresçe nunca yerra de lo seer.

---

28. *G:* da darde e amiedos e con çafieros e no se envergüença
por sus hierros.
29. *G:* a quien le castiga.
30. *S:* fallago. *G:* es enojo, la su sanna es con.
31. *G:* de la mala.
32. *G:* do no deve.
38. *G:* lo que dize no se le.
39. *G:* lo que a él dizen... da su conpaña.
42. *S* omite: *et él es escarnido.*
43. *G:* se paga. *S* omite: *tiene.*
44. *G:* querríe él folgar.
46. *G:* Et qué vos diré más.
48. *G:* muchos nescios ay que lo no parecen, mas quien.

---

[346] *amidos:* de mala gana; *PMC* 95, 1229; *Sd.* 104*a*; *FnGz.* 691*b*;
LBA 339*b*, 401*d*, 630*d*, etc.
[347] *façerio:* insulto *Sm.* 178*d*; *LBA* 795*d*.
[348] *vista:* aspecto, apariencia; *LBA* 163*b*, 678*bc*.

50   Todas las cosas an fin et duran poco et se mantienen
con grand trabajo et se dexan con grand dolor et non
finca otra cosa para sienpre, sinon lo que se faze solamente por amor de Dios.

10. Non es cuerdo el que solamente sabe ganar el
55 aver, mas eslo el que se sabe servir et onrar él dél commo deve.

Non es de buen seso el que se tiene por pagado de
dar o dezir buenos sesos, mas eslo el que los dize et
los faze.

60   En las cosas de poca fuerça, cunplen las apuestas
palabras; en las cosas de gran fuerça, cunplen los
apuestos et provechosos fechos.

Más val al omne andar desnudo, que cubierto de
malas obras.

65   Quien ha fijo de malas maneras et desvergonçado
et non reçebidor de buen castigo, mucho le sería mejor
nunca aver fijo.

15. Mejor sería andar solo que mal aconpannado.

Más valdría seer omne soltero, que casar con muger
70 porfiosa.

Non se ayunta el aver de tortiçería [349], et si se ayunta, non dura.

Non es de crer en fazienda agena el que en la suya
pone mal recabdo.

---

52. G omite: *solamente.*
55. G omite: *él.*
58. *G:* lo dize e lo faze.
60. *G:* Ca las cosas.
62. *G:* aprovechosos.
63. *G:* vale el hombre. *S:* desnuyo.
64. *G:* hobras.
65. *G:* de malas obras.
66. *G:* nunca de buen castigo nin fijo.
68. *G:* solo hombre.
69. *G:* mujer soltera [*sic*].
71. *G:* e non se ayunta, non dura.
73. *G:* No es de querer.

---

[349] *tortiçería:* injusticia. Blecua (p. 266, nota 865) cita *Bocados de oro,* p. 83.

75   Unas cosas pueden seer açerca et otras a luenne: pues dévese omne atener a lo çierto.

     20.   Por rebato et por pereza yerra omne muchas cosas, pues de grand seso es el que se sabe guardar de amas.

80   Sabio es el que sabe soffrir et guardar su estado en el tienpo que es turbio.

     En grant cuyta et periglo bive qui reçela que sus consejeros querrían más su pro que la suya.

     Quien senbra sin tienpo non se marabille de non 85 seer buena la cogida.

     Todas las cosas paresçen bien et son buenas, et paresçen mal et son malas, et paresçen bien et son malas, et paresçen malas et son buenas.

     25.   En mejor esperança está el que va por la carrera 90 derecha et non falla lo que demanda, que el que va por la tuerta [350] et se le faze lo que quiere.

     Más val alongarse omne del sennor tortiçiero, que seer mucho su privado.

     Quien desenganna con verdadero amor, ama; quien 95 lesonia, aborreçe.

     El que más sigue la voluntat que la razón, trae el alma et el cuerpo en grand periglo.

     Usar más de razón el deleyte de la carne, mata el alma et destruye la fama et enflaqueçe el cuerpo et 100 mengua el seso et las buenas maneras.

---

75.   *G:* a luengue e pues.
78.   *G:* gran seso es que save g. demás.
82.   *G:* peligro vive quien.
84.   *G:* sienbra.
87.   G omite: *et paresçen bien et son malas, et p. m. et son buenas.*
91.   *G:* faze todo lo que.
92.   *G:* M. vale al hombre alongarse de s.t.q. sere muy su privado.
94.   *G:* con derecho amor.
97.   *G:* cuerpo en peligro.
99.   G omite: *et mengua el seso.*

---

[350] *tuerta:* torcida; *Apol.* 302c. Blecua (p. 267, nota 868) cita *Libro de la caza,* p. 57.

30. Todas las cosas yazen so la mesura; et la manera es el peso.

Quien non ha amigos sinon por lo que les da, poco le durarán.

105 Aborreçida cosa es qui quiere estar con malas conpannas.

El que quiere sennorear los suyos por premia et non por buenas obras, los coraçones de los suyos demandan quien los sennoree.

110 Commo quier que contesçe, grave cosa en seer desemeiante a su linage.

35. Qual omne es, con tales se aconpanna.

Más vale seso que ventura, que riqueza, nin linage.

Cuydan que el seso et el esfuerço que son dessemejantes, et ellos son una cosa.

Meior es perder faziendo derecho, que ganar por fazer tuerto: ca el derecho ayuda al derecho.

Non deve omne fiar en la ventura, ca múdanse los tienpos et contiénense las venturas.

120 40. Por riqueza, nin pobreza, nin buena andança, nin contraria, non deve omne partirse del amor de Dios.

Más danno recibe omne del estorvador, que provecho del quel ayuda.

Non es sabio quien se puede desenbargar de su enemigo et lo aluenga.

125 Qui a sí mismo non endereça, non podría endereçar a otri.

---

101. *G:* cosas ý hazen.
103. *G:* les de, poco les durará.
105. *G:* aborrecedera c. es quien q.e. solo e más quien quiere estar con m.c.
107. *G:* Quien quiere.
110. *G:* es de ser.
112. *G:* que con tales.
113. *G:* seso e ventura.
114. *G:* Cuyda... son dos cosas semejantes et ellas.
118. *G:* la aventura... cámbianse las venturas.
120. *G:* nin por pobreza.
121. *S:* pararse del amor; *vid.* 12.72 y nota 237.
123. *G:* del ayudador.
124. *G:* quien no se sabe guardar.
126. *S:* assí mismo. *G:* enderezca non puede.

El sennor muy falaguero es despreciado; el bravo, aborrecido; el cuerdo, guárdalo con regla.

130   45. Quien por poco aprovechamiento aventura grand cosa, non es de muy buen seso.

¡Cómmo es aventurado qui sabe soffrir los espantos et non se quexa para fazer su danno!

Si puede omne dezir o fazer su pro, *fágalo, et* sinon,
135   guárdese de dezir o fazer su danno.

Omildat con razón es alabada.

Quanto es mayor el subimiento, tanto es peor la caýda.

50. Paresçe la vondat del sennor en quáles obras
140   faze, quáles leyes pone.

Por dexar el sennor al pueblo lo que deve aver dellos, les tomará lo que non deve.

Qui non faz buenas obras a los que las an menester, non le ayudarán quando los ovier menester.

145   Más val sofrir fanbre que tragar bocado dannoso.

De los viles se sirve omne por premia; de los buenos et onrados, con amor et buenas obras.

55. Ay verdat buena, et ay verdat mala.

Tanto enpeçe a vegadas la mala palabra commo la
150   mala obra.

Non se escusa de ser menguado qui por otri faze su mengua.

---

128. *G:* es aborrecido.
129. *S:* con la regla.
131. *G:* mui gran cossa.
133. *G:* se quexa de los fazer.
134. *SG* omiten: *fágalo et.*
136. *G:* Humillar... alabado.
137. *G:* es mejor.
140. *G:* leis pone.
141. *G:* al su pueblo... él les tomará.
142. *G:* non deve aver dellos, él les tomará lo que non deve.
143. *S:* mester.
144. *S:* mester.
146. *G:* e de los b. e honrrados.
149. *S:* enpeeçe.
151. *G:* faze mengua.

Qui ama más de quanto deve, por amor será des-
amado.

155   La mayor desconosçençia es quien non conosçe a sí;
pues ¿cómmo conoscrá a otri?

60.   Et el que es sabio sabe ganar perdiendo et sabe
perder ganando.

El que sabe, sabe que non sabe; el que non sabe,
160   cuyda que sabe.

La escalera del galardón es el pensamiento, et los
escalones son las obras.

Quien non cata las fines fará los comienços errados.

165   Quien quiere acabar lo que desea, desee lo que puede acabar.

65.   Quando se non puede fazer lo que omne quiere,
quiera lo que se pueda fazer.

El cuerdo sufre al loco, et non sufre el loco al
170   cuerdo, ante le faz premia.

El rrey rrey, rreyna; el rrey non rrey, non rreyna,
mas es rreynado.

Muchos nonbran a Dios et fablan en Él, et pocos
andan por las sus carreras.

175   Espantosa cosa es ensennar el mudo, guiar el çiego,
saltar el contrecho; más lo es dezir buenas palabras
et fazer malas obras.

70.   El que usa parar lazos en que cayan los omnes,
páralos a otri et él caerá en ellos.

---

153. *G:* qui ha más... sería descontado.
155. *G:* es que no conozca. *S:* assí.
156. *G:* conocería.
160. *G:* cuyda que non sabe.
161. *G:* A la escalera.
163. *G:* la fin.
165. *G:* pueda acavar.
168. *S:* quiera lo se pueda f.
169. *S* omite: *al cuerdo.*
171. *G:* El rrey reina, el rrey no reina mas es reinado.
174. *G:* andan en las.
175. *G:* enseñar al mundo e g. al çiego, soltar al contrecho.
178. *G:* en que caigan.
179. *G:* cayrá.

180   Despreçiado deve seer el castigamiento [351] del que non
bive vida alabada.

¡Quántoṣ nonbran la verdat et non andan por sus
carreras!

Venturado et de buen seso es el que fizo caer a
185   su contrario en el foyo que fiziera para en que él cayesse.

Quien quiere que su casa esté firme, guarde los
çimientos, los pilares et el techo.

75. Usar la verdat, seer fiel, et non fablar en lo
que non aprovecha, faz llegar a omne a grand estado.

190   El mejor pedaço que ha en el omne es el coraçón;
ésse mismo es el peor.

Qui non enssenna et castiga sus fijos ante del tienpo de la desobediençia, para sienpre ha dellos pecado.

La mejor cosa que omne puede escoger para este
195   mundo es la paz sin mengua et sin vergüença.

Del fablar biene mucho bien; del fablar biene mucho mal.

80. Del callar biene mucho bien; del callar biene
mucho mal.

200   El seso et la mesura et la razón departen et judgan
las cosas.

¡Cómmo sería cuerdo qui sabe que ha de andar
grand camino et passar fuerte puerto si aliviasse la
carga et amucheguasse la vianda!

205   Quando el rrey es de buen seso et de buen consejo
et sabio sin maliçia, es bien del pueblo; et el contrario.

182. S omite: *et. G:* no handan sus c.
184. *G:* Aventurado... que faze.
185. *G:* fozo que él fiziera.
188. *S:* fablar et lo que.
189. *G:* faze llegar hombre.
191. *G:* e ese mismo el peor.
198. *G:* vien; del hablar viene m.m.
200. *G:* juzgan.
202. *G:* cuerdo quien quiere saber que ha.
204. *S:* amuchiguasse («aumentasse»); adopto la forma de *Estados* 50.5.

---

[351] *castigamiento:* consejo, enseñanza. Blecua (p. 269, nota 881)
cita *Mil.* 708c.

Qui por cobdiçia de aver dexa los non fieles en desobediençia de Dios, non es tuerto de seer su des-
210 pagado[352].

85. Al que Dios da vençimiento de su enemigo, guárdese de lo por que fue vençido.

Si el fecho faz grand fecho et buen fecho et bien fecho, non es grand fecho. El fecho es fecho quando
215 el fecho faze el fecho. Es grand fecho et bien fecho si el non fecho faz grand fecho et bien fecho.

Por naturales[353] et vatalla canpal se destruyen et se conquieren los grandes rreynos.

Guiamiento de la nave, vençimiento de lid, melezi-
220 namiento de enfermo, senbramiento de qualquier se-miente, ayuntamiento de novios, non se pueden fazer sin seso de omne et voluntat et graçia espeçial de Dios.

Non será omne alabado de conplida fialdat[354], fata
225 que todos sus enemigos fien dél sus cuerpos et sus fechos. Pues cate omne por quál es tenido si sus ami-gos non osan fiar dél.

90. Qui escoge morada en tierra do non es ·sennor derechero et fiel et apremiador, et físico sabidor, et

---

208. *G:* Por quien c. de a. dexar
212. *S:* guárdasse.
213. *G:* Si el f. grande fecho faz (omite: *et bien fecho*).
215. *G:* el fecho faze gran fecho. Es gran fecho e bien fecho (omite: *si el non fecho f.g.f. et bien fecho*).
217. *G:* naturaleza e batallas canpales.
218. *S:* regnos.
220. *G:* qualquier sementera.
226. *G:* Pues cae el hombre porque él es temido.
229. *S:* derechudero (*vid.* nota 263).

---

[352] Se puede glosar: «Quien por codicia de riqueza, deja estar en paz a los infieles y desobedece así a Dios, no es injusto que Dios esté descontento de él.»

[353] *naturales:* vasallos por nacimiento o por arraigo; *Estados* 173,24 y 176,25.

[354] *fialdat:* fidelidad. Blecua (p. 271, nota 889) cita *Sm.* 406*bc*.

230 conplimiento [355] de agua mete a sí et a su conpanna
en grant aventura.

Todo omne es bueno, mas non para todas las cosas.

Dios guarde a omne de fazer fecho malo, ca por
235 lo encobrir abrá de fazer otro o muchos malos fechos.

Qui faze jurar al que vee que quiere mentir, ha
parte en el pecado.

El que faze buenas obras a los buenos et a los malos, reçibe bien de los buenos et es guardado de los
240 malos.

95. Por omillarse al rrey et obedeçer a los prín-
cipes, et onrar a los mayores et fazer bien a los menores, et consejarse con los sus leales, será omne seguro et non se arrepintrá.

245 Qui escarneçe de la lisión o mal que viene por obra
de Dios, non es seguro de *non* acaesçer a él.

Non deve omne alongar el bien, pues lo piensa,
por que non le estorve la voluntat.

Feo es ayunar con la voca sola et pecar con todo
250 el cuerpo.

Ante se deven escoger los amigos que omne mucho fíe nin se aventure por ellos.

100. Del que te alaba más de quanto es verdat,
non te assegures de te denostar más de quanto es
255 verdat.

—Sennor conde Lucanor —dixo Patronio—, después que el otro libro fue acabado, porque entendí
que lo queríades vos, començé a fablar en este libro

---

230. *S:* assi... assu.
234. *G:* Dios guarda al hombre... ca lo cunplir abrán de fazer
otros muchos m.f.
236. *S:* bee.
243. *G:* con los leales.
246. *G:* segure. *SG* omiten: *non*.
248. *G:* lo non estorve.
256. *G* añade este título: *Escusación de Patronio al conde Lucanor.*

---

[355] *conplimiento:* abundancia; *Estados* 71,10 (citado por Blecua,
nota 891).

más avreviado et más oscuro que en el otro. Et com-
260 mo quier que en esto que vos he dicho en este libro
ay menos palabras que en el otro, sabet que non es
menos el aprovechamiento et el entendimiento déste
que del otro, ante es muy mayor para quien lo estudiare et lo entendiere; ca en el otro ay çinquenta exem-
265 plos et en éste ay çiento. Et pues en el uno et en él
otro ay tantos exemplos, que tengo que devedes tener
por assaz, paresçe que faríedes mesura si me dexássedes folgar daquí adelante.

Proverbios II

—Patronio —dixo el conde Lucanor—, vos sabedes
que naturalmente de tres cosas nunca los omnes se
pueden tener por pagados et sienpre querrían más
dellas: la una es saber, la otra es onra et preçiamien-
5 to, la otra es abastamiento para su vida. Et porque el
saber es tan buena cosa, tengo que non me devedes
culpar por querer ende aver yo la mayor parte que
pudiere, et porque sé que de ninguno non lo puedo
mejor saber que de vos, creed que, en quanto viva,
10 nunca dexaré de vos affincar que me amostredes lo
más que yo pudiere aprender de lo que vos sabedes.
—Sennor conde Lucanor —dixo Patronio—, pues
veo que tan buena razón et tan buena entençión vos
muebe a esto, dígovos que tengo por rrazón de tra-
15 bajar aun más, et dezirvos he lo que entendiere de lo
que aun fata aquí non vos dixe nada. Ca dezir una
razón muchas vegadas, si non es por algún provecho

259. *G* omite: *Et commo quier... que en el otro* (línea 261.).
261. *G:* pero sabet.
263. *G:* mas es m.m. para el que no lo estudiare.
3. *G:* más dello.
7. *G:* porque querría yo aver.
8. *G:* pudiesse... non lo podré mejor.
9. *G* omite: *quanto viva... affincar que me.*
11. *G* omite: *de lo q. v. sabedes.*
16. *G* (omite: *aun*) dezir la razón.

sennalado, o paresçe que cuyda el que lo dize que aquel
que lo ha de oyr es tan boto[356] que lo non puede en-
20 tender sin lo oyr muchas vezes, o paresçe que ha sa-
·bor de fenchir el libro non sabiendo qué poner en él.
Et lo que daquí adelante vos he a dezir comiença
assí[357]:

1. Lo caro es caro, cuesta caro, guárdase caro, acá-
25 balo caro. Lo rafez es rafez, cuesta rafez, gánase ra-
fez, acábalo rafez. Lo caro es rafez, lo rafez es caro.

Grant marabilla será, si bien se falla, el que fía su
fecho et faze mucho bien al que erró et se partió sin
grand razón del con qui avía mayor debdo.
30 Non deve omne crer que non se atreverá a él por
esfuerço de otri, el que se atreve a otri por esfuerço dél.

El que quiere enpeçer a otri, non deve cuydar que
el otro non enpeçerá a él.
35 5. Por seso se mantiene el seso. El seso da seso
al que non ha seso. Sin seso non se guarda el seso.

---

19. *G* omite: *es tan boto... sin lo oyr.*
20. *G:* muchas vegadas e parece.
24. *G:* acávase.
25. *S:* rehez («barato»); sigo la forma de *G* que es la misma
    de *Mil.* 465*d*; *Ali* 845*b*, 2080*c*, 2240*d*; *Apol.* 66*c*, 107*b*, 523*a*;
    LBA 102*c*, aunque en 861*c* se lee *raezes. G:* guárdase (en
    vez de *gánase*).
27. *G:* A gran m.
28. *G:* eró... con quien a.m. deudo.
33. *S:* enpeeçer.
34. *G:* enpezca.
35. *G:* Por seso se m. el seso; da seso al que non ha seso.
36. *G* omite: *sin seso n. se g. el seso.*

---

[356] *boto:* tonto, torpe. Blecua (p. 274, nota 897) cita *Mil.* 285 y
Castigos e documentos, p. 68.
[357] Sigo la agrupación temática que hace David A. Flory en «A
Suggested Emendation of *El Conde Lucanor,* Parts I and II», en
Juan Manuel Studies, pp. 90-99. Como Flory termina con 49 proverbios, a pesar de su buena intención de obtener el número de
cincuenta, mencionado por Patronio, he dividido en dos su número 25. Blecua continúa en sus notas las interesantes correspondencias con *Bocados de oro.*

Tal es Dios et los sus fechos, que sennal es que poco lo conosçen los que mucho fablan en Él.

De buen seso es el que non puede fazer al otro su
40 amigo, de non lo fazer su enemigo.

Qui cuyda aprender de los omnes todo lo que saben, yerra; qui aprende lo provechoso, açierta.

El consejo, si es grand consejo, es buen consejo. Faz buen consejo, da buen consejo. Passe al conçejo
45 *qui* de mal consejo faz buen consejo. El mal conçejo de buen consejo faz mal consejo. A grand conçejo á menester grand consejo. Grand bien es del que ha et quiere et cree buen consejo.

10. El mayor dolor faz olvidar al que non es tan
50 grande.

Qui ha de fablar de muchas cosas ayuntadas, es commo el que desvuelve grand oviello que ha muchos cabos.

Todas las cosas naçen pequennas et creçen; el pe-
55 sar nasçe grande et cada día mengua.

Por onra reçibe onra qui faz onra; la onra dévese fazer onra, guardándola.

El cuerdo, de la bívora faz triaca [358]; et el de mal seso, de gallinas faz veganbre [359].

---

38. *S:* conosçerá.
39. *S* omite: *que.*
42. *G:* hierra. *G:* de lo. *S:* aprovechoso.
43. *G:* «El consejo si es gran consejo párase al consejo de mal consejo e faz buen consejo; a gran consejo ha menester gran consejo e gran bien es etc.».
44. *S* lee claramente *passe* sin tilde de abreviatura; para dar sentido he cambiado dos veces *consejo* por *conçejo*.
52. *G* omite: *el que. S:* desbuelde [*sic*]. *G:* ovillo.
55. *G:* salvo el pesar.
56. *G:* recibe o. q. recibe honrra... deve fazer.
57. *G:* guardando honrra.
58. *G:* faze atriaca. *S* omite: *el.*
59. *G:* las gallinas.

---

[358] *triaca:* contraveneno. Blecua (p. 275, nota 906) cita: *Castigos e documentos,* p. 187.
[359] *veganbre:* veneno; la forma en el *LBA* es *vedeganbre* (414*b*).

60   15. Qui se desapodera non es seguro de tornar a
su poder quando quisiere.

Non es de buen seso qui mengua su onra por cresçer la agena.

Qui faz bien por reçebir bien non faz bien; porque el
65 bien es carrera del conplido bien, se deve fazer el
bien; aquello es bien que se faz bien. Por fazer bien
se ha el conplido bien.

Usar malas viandas et malas mugeres es carrera
de traer el cuerpo et la fazienda et la fama en pe-
70 ligro.

Qui se duele mucho de la cosa perdida que se non
puede cobrar, et desmaya por la ocasión de que non
puede foyr, non faze buen seso.

.20. Muy caro cuesta reçebir don del escasso; quan-
75 to más pedir al avariento.

La razón es razón de razón: por razón es el omne
cosa de razón; la razón da razón. La razón faz al omne
seer omne: assí por razón es el omne; quanto el omne
á más de razón, es más omne; quanto menos, menos.
80 Pues el omne sin razón non es omne, mas es de las
cosas en que non ha razón.

El soffrido sufre quanto deve et después cóbrase
con bien et con plazer.

Rrazón es de venir mal a los que son dobles de
85 coraçón et sueltos para conplir los desaguisados deseos.

Los que non creen verdaderamente en Dios, razón
es que non sean por Él defendidos.

---

60. *S:* assu poder.
62. *G:* por creer.
65. *G:* e deve fazer.
67. *G:* ha conplido el bien.
68. *S:* malas maneras (sigo *G*).
71. *G:* que no se puede.
72. *G:* ocasión que no p. huyr.
74. *G:* cuesta el don.
76. G omite: *La razón es... da razón.*
77. *G:* es al omne, omne (omite: *assí por razón... es más
omne*).
84. *S:* bevir.

25. Si el omne es omne, quanto es más omne es mejor omne.

90 Si el grand omne es bien omne, es buen omne et grand omne; quanto el grand omne es menos omne, es peor omne; non es grand omne sinon el buen omne; si el grand omne non es buen omne, nin es grand omne nin buen omne. Mejor le sería nunca seer omne.

95 Largueza en mengua, astinençia en abondamiento, castidat en mançebía, omildat en grand onra, fazen al omne mártir sin esparcimiento de sangre.

Qui demanda las cosas más altas que sí, et escodrinna las más fuertes, non faze buen recabdo. Razón es
100 que reçiba omne de sus fijos lo que su padre reçibió dél.

30. Lo mucho es para mucho; mucho sabe quien en lo mucho faz mucho por lo mucho, *et* lo poco dexa por lo mucho. Por mengua non perdades lo poco; endereça lo mucho; sienpre ten el coraçón en lo mucho.

105 Quanto es el omne mayor, si es verdadero et omildoso, tanto fallará más graçia ante Dios.

Lo que Dios quiso asconder non es provechoso de lo ver omne con sus ojos.

Por la bendiçión del padre se mantienen las casas
110 de los fijos; por la maldiçión de la madre se derriban los çimientos de rraýz.

---

88 a 95. *G:* «Si el hombre es hombre quanto si el gran hombre he gran hombre; quanto el gran hombre es menos hombre es peor hombre; no es grande hombre, no es buen hombre ni es grande hombre ni es buen hombre. Mejor le sería no ser hombre».

96. *G:* abstenimiento.
97. *G:* humildad.
98. *S:* escarmiento (adopto *G*).
99. *G:* El que.
101. *SG* omiten: *omne.* (Lo adopto de Knust y de Blecua). *S* omite: *quien. G:* quien lo mucho faze, mucho faze mucho, mucho sabe quien lo mucho faze.
102. *SG* omiten: *et. G:* lo poco déxalo por lo mucho.
103. *S:* non pierde.
105. *S:* verdadero omildoso.
107. *S:* aprovechoso.
109. *G:* las cosas de los f.

Si el poder es grand poder, el grand poder ha grand saber. Con gran saber es grand querer; teniendo que de Dios es todo el poder, et de su graçia aver poder,
115 deve creçer su grand poder.

35. Qui quiere onrar a sí et a su estado, guise que sean seguros dél los buenos et que se reçelen dél los malos.

La dubda et la pregunta fazen llegar al omne a la
120 verdat.

Non deve omne aborreçer todos los omnes por alguna tacha, ca non puede seer ninguno guardado de todas las tachas.

El yerro es yerro; del yerro nasçe yerro; del pe-
125 quenno yerro nasçe grand yerro; por un yerro viene otro yerro; si bien biene del yerro, sienpre torna en yerro; nunca del yerro puede venir non yerro.

Qui contiende con el que se paga del derecho et de la verdat, et los usa, non es de buen seso.
130 40. Los cavalleros et el aver son ligeros de nonbrar et de perder, et graves de ayuntar et más de mantener.

El cuerdo tiene los contrarios et el su poder por más de quanto es; et los ayudadores et el su poder por menos de quanto es.
135 Fuerca non fuerça a fuerça; fuerça desfaz con fuer-ça, a vezes mejor sin fuerça; non se dize bien: fuerça a vezes presta la fuerça; do se puede escusar, non es de provar fuerça.

112. *G:* Si el padre... e grand poder.
114. *G:* que es gracia de Dios. *G:* su gran aver poder deve creer.
116. *S:* assí et assu.
117. *G:* de los buenos... de los malos. *S* omite: *et que.*
119. *G:* faze.
122. *G* omite: *ninguno.*
125. *G:* biene gran hierro.
127. *G* omite: *nunca del y.p.v. non yerro.*
128. *G:* Quien tiene.
130. *G:* son buenos de n. e perder.
132. *G:* poder más de q. es, los ayudadores.
135. *G:* no fuerça afuerça se.
136. *S* omite: *dize.*
137. *G* omite: *do se puede... provar fuerça.*

140   Cuerdo es quien se guía por lo que contesçió a los que passaron.

Commo cresçe el estado, assí cresçe el pensamiento; si mengua el estado cresçe el cuydado.

45. Con dolor non guaresçe la grand dolençia, mas con melezina sabrosa.

145   Amor creçe amor; si amor es buen amor, es amor; amor más de amor non es amor; amor de grand amor faz desamor.

Á cuydados que ensanchan et cuydados que encogen.

150   Mientre se puede fazer, mejor es la manera que la fuerça.

Los leales dizen lo que es; los arteros [360] lo que quieren.

50. Vida buena, vida es; vida buena vida da. Qui
155   non á vida non da vida; qui es Vida da vida. Non es vida la mala vida; vida sin vida non es vida: qui non puede aver vida, cate que aya conplida vida.

—Sennor conde Lucanor —dixo Patronio—, porque entendí que era vuestra voluntat, et por el afincamien-
160   to que me fiziestes, porque entendí que vos movíades por buena entençión, trabajé de vos dezir algunas cosas más de las que vos avía dicho en los exemplos que vos dixe en la primera parte deste libro en que ha çinquenta exemplos que son muy llanos et muy de-

---

139. G: Cuerdo es quien sigue do se puede escusar, no es de provar fuerça por lo que aconteció a los que passaron por ello.
143. S omite: mas.
145. G: buen a.es amar amor; amor es más de a. no es amor amar de grand.
150. S: mejor es manera.
154. S: vida de vida [sic]. G: «Vida buena e vida es vida, da vida a quien no ha vida. Non da vida quien es vida. Da vida quien no es vida. Ha la vida e vida su vida; no es vida quien no puede aver vida. Cate como aya cumplimiento de vida».
158. G añade: Razonamiento de Patronio al conde Lucanor.

---

[360] arteros: astutos; Apol. 225a, 406c, 421a; LBA 87a, 615c, 617d, 632d, 698b.

165 clarados; et pues en la segunda parte ha çient proverbios et algunos fueron yaquanto oscuros et los más,
assaz declarados; et en esta terçera parte puse çinquenta proverbios, et son más oscuros que los primeros çinquenta exemplos, nin los çient proverbios.
170 Et assí con los exemplos et con los proverbios, hevos
puesto en este libro dozientos entre proverbios et
exemplos; et más, ca en los çinquenta exemplos primeros, en contando el exemplo, fallaredes en muchos
lugares algunos proverbios tan buenos et tan prove-
175 chosos commo en las otras partes deste libro en que
son todos proverbios. Et bien vos digo que qualquier
omne que todos estos proverbios et exemplos sopiesse, et los guardasse et se aprovechasse dellos, quel cunplirían assaz para salvar el alma et guardar su fazienda
180 et su fama et su onra et su estado. Et pues tengo que
en lo que vos he puesto en este libro ha tanto que
cunple para estas cosas, tengo que si aguisado quisiéredes catar, que me devíedes ya dexar folgar.

PROVERBIOS III

—Patronio —dixo el conde—, ya vos he dicho que
por tan buena cosa tengo el saber, et tanto querría
dél aver lo más que pudiesse, que por ninguna guisa
nunca he de partir manera de fazer todo mio poder
5 por saber ende lo más que yo pudiere. Et porque sé
que non podría fallar otro de quien más pueda saber

---

166. *G:* e son más escuros que los otros primeros cinquenta
exemplos, en esta tercera parte puse cinquenta proverbios
(línea 166).
171. *G:* ha entre exemplos e proverbios docientos e más. (Omite:
ca).
174. *G:* buenos e tan con pro et tan p.
177. *G:* exemplos et proverbios.
178. *S:* cunplían.
182. *G:* guisado... devedes dexar f.
4. *G:* no he de partir mano.
6. *G:* más pudiesse saver.

que de vos, dígovos que en toda la mi vida nunca dexaré de vos preguntar et affincar por saber de vos lo
más que yo pudiere.

10 —Sennor conde Lucanor —dixo Patronio—, pues
assí es, et assí lo queredes, yo dezirvos he segund lo
entendiere de lo que fasta aquí non vos dixe, mas pues
veo que lo que vos he dicho se vos faze muy ligero de
entender, daquí adelante dezirvos he algunas cosas más
15 oscuras que fasta aquí et algunas assaz llanas. Et si
más me affincáredes, avervos he a fablar en tal manera
que vos converná de aguzar el entendimiento para las
entender.

—Patronio —dixo el conde—, bien entiendo que esto
20 me dezides con sanna et con enojo por el affincamien-
to que vos fago; pero commo quier que segund el mio
flaco saber querría más que me fablássedes claro que
oscuro, pero tanto tengo que me cunple lo que vos
dezides, que querría ante que me fablássedes quanto
25 oscuro vos quisierdes, que non dexar de me mostrar
algo de quanto vos sabedes.

—Sennor conde Lucanor —dixo Patronio—, pues
assí lo queredes, daquí adelante parad mientes a lo
que vos diré [361].

---

11. *G:* Si lo entendiere.
13. *G:* lo que vos dixe.
14. *G:* dezirvos he yo. Omite: *más oscuras... algunas assaz.*
19. *G:* que me lo dezís.
20. *G:* e con el enojo p. el a. q.v.f. porque según.
22. *S:* quería. *G:* más claro.
23. *G:* lo que me vos dezís.
25. *G:* no dezir de me no mostrar.
28. *S:* adellante. *G:* mientes en lo que.

---

[361] Creo, con D. Devoto (1972), pp. 474-477, que el trabajo más satisfactorio de interpretación de los proverbios en los cuales el orden de las palabras está trastocado a propósito, lo hizo Carolina Michaëlis de Vasconcelos, «Zum Sprichwörterschatz des Don Juan Manuel», en *Bausteine zur romanischen Philologie. Festgabe für A. Mussafia,* Halle, Niemeyer, 1905, pp. 594-608. Debe tenerse también en cuenta María Goyri de Menéndez Pidal, *Romania,* XXIX, 1900, p. 601.

30   1. En el presente muchas cosas grandes son tienpo grandes et non paresçen, et omne nada en el passado las tiene [362].

Todos los omnes se engannan en sus fijos et en su apostura et en sus vondades et en su canto.

35   De mengua seso es muy grande por los agenos grandes tener los yerros pequennos por los suyos [363].

Del grand afazimiento nasçe menospreçio.

     5. En el medrosas deve sennor ydas primero et las apressuradas ser sin el que saliere llegar enpero

40 fata grand periglo que sea [364].

Non deve omne fablar ante otro muy sueltamente fasta que entienda qué conparaçión ha entre el su saber et el del otro.

El mal por que toviere lo otro en que vee guardar

45 en el que se non deve querer caya [365].

Non se deve omne tener por sabio nin encobrir su saber más de razón.

Non la salut siente nin el bien el siente se contrario [366].

---

30. *G* (omite: *muchas cosas*): grande.
31. *G:* e como nada en el p. los tienen.
33. *G:* hombres enagenan sus.
35. *G:* grandes e tienen.
37. *G:* En el gran.
38. *G:* El menderiosas deve senioreados primero et en.
39. *S:* saliere lugar.
40. *G:* peligro.
44. *G:* en que veer.
45. *G:* deviere querer.
48. *G:* el su bien el siente su c.

---

[362] En el tienpo pasado muchas cosas pareçen grandes et en el presente non son grandes et omne *en* nada las tiene; C. Michaëlis.

[363] Muy grande mengua de seso es tener por grandes los yerros ajenos et por pequennos los suyos.

[364] En las medrosas et apresuradas ydas el sennor deve ser el que saliere primero; enpero que sea sin llegar fata grand periglo.

[365] El que vee el mal que otro toviere, lo deve querer guardar porque en *él* non se caya. Blecua (p. 281, nota 925).

[366] Non siente la salut nin el bien *qui non* siente su contrario. C. M. (pero corregido: el su bien).

50   10. Non faze buen seso el sennor que se quiere servir o se paga del omne que es maliçioso, nin mintroso.

Con más mansedunbre sabios sobervia, con que cosas falago con braveza los acaban [367].

55   De buen seso es qui se guarda de se desavenir con aquél sobre qui ha poder, quanto más con el que lo ha mayor que él.

Aponen [368] que todo omne deve alongar de sí el sabio, ca los fazen con él mal los malos omnes [369].

60   Qui toma contienda con el que más puede, métese en grand periglo; qui la toma con su egual, métese en aventura; qui la toma con el que menos puede, métese en menosprecio.

65   15. Pues lo mejor es qui puede aver paz a su pro et a su onra.

El seso por que se guía, non es su alabado et el que non fía mucho de su seso descubre poridat al de qui es flaco [370].

70   Más provechoso es a muchos omnes aver algún reçelo, que muy grand paz sin ninguna contienda.

Grand bien es al sennor que non aya el coraçón

---

54. *S:* fallago. *SG:* acaba.
55. *G:* se paga de non se.
58. *G:* El pone que.
59. *S:* faze. *G:* los muchos hombres.
60. *G:* métese en peligro.
64. *G:* aver plazer.
66. *S* omite: *se. G:* non es alabado el que.
67. *G:* su poridat al que es flaco.
69. *S:* aprovechoso. *G:* un poco de reçelo.
70. *G:* plazer sin n.c.
71. *G:* el seso esforçado que si oviesse.

---

[367] Los sabios acaban con mansedumbre *et* con falago más cosas que con sobervia et braveza. C. M. (corregido: afago).

[368] *Aponen:* atribuyen, achacan; *Mil.* 559cd; *LBA* 348d, 784c (Blecua, nota 930).

[369] Todo omne sabio deve alongar de sí los malos omnes, ca aponen *que* el mal lo fazen con él. D. Devoto, p. 475.

[370] El que se guía por su seso non es alabado, et el que descubre su poridat al de qui non fía mucho, es de flaco seso; María Goyri.

esforçado et si oviere de seer de todo todo coraçón
fuerte, cúnplel cuerpo assaz lo esforçado [371].

75 El más conplido et alabado para consejero es el
que guarda bien la poridat et es de muertas cobdiçias
et de bivo entendimiento.

20. Más tienpos aprovechan paral continuado deleyte, que a la fazienda pensamiento et alegría [372].

Por fuertes ánimos, por mengua de aver por usar
80 mucho mugeres, et bino et malos plazeres, por ser
tortiçero et cruel, por aver muchos contrarios et pocos
amigos se pierden los sennoríos o la vida.

Errar para perdonar a de ligero da atrevimiento
los omnes [373].

85 El plazer faze sin sabor las viandas que lo non son,
el pesar faze sabrosas sabrosas las viandas [374].

Grand vengança para menester luengo tienpo *de*
encobrir la madureza seso es [375].

25. Assí es locura si el de muy grand seso se quier

---

73. *G:* cunple el cuerpo.
77. *S:* aprovecha. *G:* por el continuado deleyta que la f.
78. *S* omite: *et.*
80. *G:* muchas mugeres e vino e usar muchos plazeres.
81. *S* omite: *contrarios.*
82. *G:* sennores e la vida.
83. *G:* han de ligero. Omite: *da atrevimiento.*
86. *G:* el pesar viandas sabrosas.
87. *S* omite: *de. G:* tienpo para encobrir.
89. *G* (omite: *muy*): quiere m. para lo no ser commo es de
poco.

---

[371] Grand bien es al sennor que aya el coraçón esforçado, et
si non oviere todo lo esforçado de coraçón, cúnplel de seer el
cuerpo assaz fuerte.
[372] A la fazienda más aprovechan tienpos para pensamiento, que
continuado deleyte et alegría; D. Devoto.
[373] Perdonar de ligero da atrevimiento a los omnes para errar;
C. M.
[374] El pesar faze sin sabor las viandas sabrosas; el plazer faze
sabrosas las viandas que non lo son.
[375] Grand madureza de seso es menester para encobrir luengo
tienpo la vengança. Sánchez Cantón.

90   mostrar por non lo seer; commo es poco seso si el
      cuerdo se muestra cuerdo algunas vezes.
         Por fuerte voluntat que sea contender con su ene-
      migo luengo tienpo más fuerte cosa es con su omne [376].
         Dizen por mal uso conplir menester por su talante
95   verdat de quanto menos por fablar o de los omnes
      es o por más saber [377].
         De buen seso es qui non quiere fazer para grand
      obra lo que la ha non teniendo acabar menester apa-
      reiado [378].
100   Más fechos deve omne acomendar a un omne de
      a quantos non puede poner recabdo [379].
         30. Luengos tienpos ha omne obrado dallí adelante
      que creer en qual manera obrará deven assí [380].
         Sennor conde Lucanor —dixo Patronio—, ya de suso
105   vos dixe muchas vezes que tantos exemplos et prover-
      bios, dellos muy declarados, et dellos yaquanto más
      oscuros, vos avía puesto en este libro, que tenía que
      vos cunplía assaz, et por afincamiento que me feziestes

---

92. G: que sea conviene.
94. G: mal hueso... verdat quanto menor.
95. G: fablar va. S: fablar lo.
96. G: es por más savor.
97. G: por gran obra lo que ya no teniendo.
100. G: un hombre... de quanto.
102. Luengo tienpo... que crecer en qualquier manera deven
     assí.
104. G añade: *E treinta proverbios que Patronio fizo al conde
     Lucanor más escuros que todos los otros.*
107. G: escuros.
108. G: cunplían a. et por el a.

---

[376] Por fuerte que sea contender omne luengo tienpo con su
enemigo, más fuerte cosa es con su voluntat; Baist, *Caza*, p. 205.
[377] Los omnes dizen mal por menester o por conplir su talante;
quánto menos es por uso de fablar verdat o de saber más. D. Devoto (con una pequeña corrección: *por* saber).
[378] De buen seso es qui non quiere fazer grand obra, non teniendo apareiado lo que ha menester para la acabar; M. Goyri.
[379] Non deve omne acomendar más fechos a un omne de a quantos puede poner recabdo; Orduna, p. 308, nota 30.
[380] En qual manera omne ha obrado luengos tienpos, assí deven
creer que dallí adelante abrará; C. M.

110 ove de poner en estos postremeros treynta proverbios algunos tan oscuramente que será marabilla si bien los pudieredes entender, si yo o alguno de aquellos a qui los yo mostré non vos los declarare; pero seet çierto que aquellos que paresçen más oscuros o más sin rrazón que, desque los entendiéredes, que fallaredes

115 que non son menos provechosos que quales quier de los otros que son ligeros de entender.

Et pues tantas cosas son escriptas en este libro sotiles et oscuras et abreviadas, por talante que don Johan ovo de conplir talante de don Jayme, dígovos

120 que non quiero fablar ya en este libro de exemplos, nin de proverbios, mas fablar he un poco en otra cosa que es muy más provechosa.

Epílogo

del Libro de los proverbios del conde Lucanor et de Patronio

Vos, conde sennor, sabedes que quanto las cosas spirituales son mejores et más nobles que las corporales, sennaladamente porque las spirituales son duraderas et las corporales se an de corronper, tanto es

5 mejor cosa et más noble el alma que el cuerpo, ca el cuerpo es cosa corrutible et el alma cosa duradera; pues si el alma es más noble et mejor cosa que el cuer-

---

109. *G:* este postremero.
110. *S:* lo pudierdes.
111. *S:* qui lo yo mostré.
112. *G:* mostrare. *S:* non vos lo. *G:* declaran.
113. *G:* escuros.
115. *S:* aprovechosos.
118. *G:* voluntad de.
120. *G:* ya fablar.
122. *G* omite: *muy. S:* aprovechosa.
2. *G:* temporales.
4. *G:* temporales.
5. *G:* mejor cosa el ánima q. el c. et más noble.
6. *G* omite: *cosa.*

po, et la cosa mejor deve seer más preçiada et más
guardada, por esta manera, non puede ninguno negar
10   que el alma non deve seer más preçiada et más guardada que el cuerpo.

Et para seer las almas guardadas ha menester muchas cosas; et entendet que en dezir guardar las almas
non quiere ál dezir sinon fazer tales obras por que se
15   salven las almas; ca por dezir guardar las almas, non
se entiende que las metan en un castillo, nin en un
arca en que estén guardadas, mas quiere dezir que por
fazer omne malas obras van las almas al Infierno. Pues
para las guardar que non cayan al Infierno, conviene
20   que se guarde de las malas obras que son carrera para
yr al Infierno, et guardándose destas malas obras se
guarde del Infierno.

Pero devedes saber que para ganar la gloria del
Paraýso, que ha *de* guardarse omne de malas obras;
25   que menester es de fazer buenas obras, et estas buenas obras para guardar las almas et guisar que vayan
a Paraýso ha menester ý estas quatro cosas: la primera que haya omne fee et biva en ley de salvaçión;
la segunda, que desque es en tienpo para lo entender,
30   que crea toda su ley et todos sus artículos et que non
dubde en ninguna cosa dellos; la terçera, que faga
buenas obras et a buena entençión por que gane el
Paraýso; la quarta, que se guarde de fazer malas obras
por que sea guardada la su alma de yr al Infierno.
35   A la primera, que haya omne fee et biva en ley de
salvaçión: a esta vos digo que segund verdat, la ley de
salvaçión es la sancta fe cathólica segund la tiene et
la cree la sancta madre Ecclesia de Roma. Et bien

---

12. *G:* muchas cosas e no quiere ál dezir.
18. *G* omite: *pues para las... al Infierno.*
20. *G:* guarden.
22. *G:* guardarán.
23. *G:* gracia del paraýso que son.
25. *G* omite: *et estas buenas obras.*
28. *S* omite: *fee.*
31. *G:* ninguno dellos.
32. *G:* guarde el paraýso.

creed que en aquella manera que lo tiene la begizuela
40 que está filando a su puerta al sol, que assí es verdaderamente, ca ella cree que Dios es Padre et Fijo et
Spíritu Sancto, que son tres personas et un Dios; et
cree que Ihesu Christo es verdadero Dios et verdadero omne; et que fue fijo de Dios et que fue engen-
45 drado por el Spíritu Sancto en el vientre de la bien
aventurada Virgen Sancta María; et que nasçió della
Dios et omne verdadero et que fincó ella virgen quando conçibió, et virgen seyendo prennada, et virgen
después que parió; et que Ihesu Christo se crió et
50 cresçió commo otro moço; et después que predicó, et
que fue preso, et tormentado, et después puesto en
la cruz, et que tomó ý muerte por redemir los pecadores, et que descendió a los infiernos, et que sacó
ende los Padres que sabían que avía de venir et espe-
55 raban la su venida, et que resusçitó al terçer día, et
aparesçió a muchos, et que subió a los çielos en cuerpo
et en alma, et que envió a los apóstoles el Spíritu
Sancto que los confirmó et los fizo saber las Scripturas et los lenguages, et los envió por el mundo a pre-
60 dicar el su sancto Evangelio. Et cree que Él ordenó
los sacramentos de Sancta Eglesia et que lo son verdaderamente assí como Él ordenó, et que ha de venir a nos judgar, et nos dará lo que cada uno meresçió, et que resusçitaremos, et que en cuerpo et en alma
65 avremos después gloria o pena segund nuestros meresçimientos. Et çiertamente qualquier vegizuela cree
esto, et esso mismo cree qualquier christiano.

    Et, sennor conde Lucanor, bien cred por çierto que

---

39. *G:* aquella misma manera.
42. *S:* personas un Dios.
45. *S:* en vientre... Virgo.
47. *G:* verdadero omne e que fue con ella.
50. *G:* otro hombre.
51. *G:* después que fue puesto... e tomó hý muerte.
54. *G:* avía de morir.
57. *S* omite: *el Spíritu Sancto.*
61. *G:* E. quales son... Él los ordenó.
63. *G:* e que nos dará.
66. *S:* veguzuela.

todas estas cosas, bien assí commo los christianos
70 las creen, que bien assí son; mas los christianos que
non son muy sabios nin muy letrados, créenlas sinplemente commo las cree la Sancta Madre Eglesia et
en esta fe et en esta creençia se salvan. Mas si lo qui-
siérdes saber cómmo es et cómmo puede seer et cóm-
75 mo devía seer, fallarlo hedes más declarado que por
dicho et por seso de omne se puede dezir et entender
en *el* libro que don Johan fizo a que llaman *De los
Estados*, et tracta de cómmo se prueva por razón que
ninguno, christiano nin pagano, nin ereje, nin judío,
80 nin moro, nin onme del mundo, non pueda dezir con
razón que el mundo non sea criatura de Dios, et que,
de neçessidat, conviene que sea Dios fazedor et criador et obrador de todos, et en todas las cosas: et que
ninguna non obra en Él. Et otrosí, tracta cómmo
85 pudo ser et cómmo et por quáles razones pudo ser
et deve seer que Ihesu Christo fuesse verdadero Dios
et verdadero omne; et cómmo puede seer que los sacramentos de Sancta Ecclesia ayan aquella virtud que
Sancta Eglesia dize et cree. Otrosí, tracta de cómmo
90 se prueva por razón que el omne es conpuesto de
alma et de cuerpo, et que las almas ante de la re-
surrectión avrán gloria o pena por las obras buenas
o malas que ovieron fechas seyendo ayuntadas con
los cuerpos, segund sus meresçimientos, et después
95 de la resurrection que lo avrán ayuntadamente el alma
et el cuerpo; et que assí commo ayuntadamente fizieron el bien o el mal, que assí ayuntadamente, ayan el
galardón o la pena.

Et, sennor conde Lucanor, en esto que vos he dicho

70. *G:* créenlas e cúmplenlas assaz.
74. *S* omite: *saber. G* omite: *cómmo es.*
75. *G:* deviera seer.
77. *G:* al qual.
78. *G* omite: *por razón.*
79. *S* omite: *christiano.*
83. *G:* obrador de todas las cosas et en t.
85. *G:* cómmo puede ser commo... razones puede.
89. *G:* dice e tracta.
92. *G:* avían gloria.

100 que fallaredes en aquel libro, vos digo assaz de las
dos cosas primeras que convienen para salvamiento
de las almas, que son: la primera, que aya omne et
viva en ley de salvaçión; et la segunda, que crea toda
su ley et todos sus artículos et que non dubde en
105 ninguno dellos. Et porque las otras dos, que son:
cómmo puede omne et deve fazer buenas obras para
salvar el alma et guardarse de fazer las malas por
escusar las penas del Infierno, commo quier que en
aquel mismo libro tracta desto assaz conplidamente,
110 pero, porque esto es tan menester de saber et cunple
tanto, et porque por aventura algunos leerán este libro
et non leerán el otro, quiero yo aquí fablar desto; pero
só çierto que non podría dezir conplidamente todo lo
que para esto sería menester. Diré ende, segund el
115 mio poco saber, lo que Dios me endereçe a dezir, et
quiera Él, por la su piadat, que diga lo que fuere su
serviçio et provechamiento de los que lo leyeren et
lo oyeren.

Pero ante que fable en estas dos maneras —cómmo
120 se puede et deve omne guardar de fazer malas obras
para escusar las penas del Infierno, et fazer las buenas para ganar la gloria del Paraýso— diré un poco
cómmo es et cómmo puede seer que los Sacramentos
sean verdaderamente assí commo lo tiene la sancta
125 Eglesia de Roma. Et esto diré aquí, porque non fabla
en ello tan declaradamente en el dicho libro que don
Johan fizo.

Et fablaré primero en el sacramento del cuerpo de
Dios; que es el sacramento de la hostia, que se con-

---

106. *G:* cómo hombre puede.   *SG* omiten: *buenas.*
107. *G:* salvar las ánimas. *G:* las malas obras.
109. *S:* ssaz.
110. *G:* et cunplir tanto.
111. *G:* este libro que non.
114. *G:* será menester. Pero diré... el mi saber e lo que.
115. *G:* endereçare a dezir... sancta piedad.
117. *G* omite: *lo leyeren et lo.*
120. *G* omite: *et deve.*
121. *G:* los vienes para g. la gracia.
124. *G* omite: *sancta.*

130 sagra en el altar. Et comienço en éste porque es el
más grave de creer que todos los sacramentos; et
probándose esto por buena et por derecha razón, todos los otros se pruevan. Et con la merçed de Dios,
desque éste oviere provado, yo provaré tanto de los
135 otros con buena razón, que todo omne, aunque non
sea christiano, et aya en sí razón et buen entendimiento, entendrá que se prueva con razón; que para los
christianon non cunple de catar razón, ca tenudos son
de lo creer, pues es verdat, et lo cree sancta Eglesia,
140 et commo quier que esto les cunple assaz, pero non
les enpesçe saber estas razones, que ya de suso en
aquel libro se prueva por razón que forçadamente
avemos a saber et creer que Dios es criador et fazedor de todas las cosas et que obra en todas las cosas
145 et ninguna non obra en Él.

Otrosí, es provado que Dios crió el omne et que non
fue criado solamente por su naturaleza, mas que lo
crió Dios de su propia voluntat. Otrosí, que lo crió
conpuesto de alma et de cuerpo, que es cosa corporal
150 et cosa spiritual, et que es conpuesto de cosa duradera et cosa que se ha de corronper; et éstas son el
alma et el cuerpo, et que para éstas aver amas gloria
o pena, convenía que Dios fuesse Dios et omne; et
todo esto se muestra muy conplidamente en aquel li-
155 bro que dicho es.

Et pues es provado que Ihesu Christo fue et es

---

131. *G:* los otros sacramentos.
132. *G:* buena et derecha.
134. *G:* Et aun con... esto oviere p. provaré t.
135. *G:* hombre que no sea.
136. *G:* et ay en sí... entenderá.
138. *G:* non conviene catar.
139. *G:* la sancta.
140. *S:* les cunplía.
141. *S:* razones ya de. *G* omite: *en aquel libro.*
144. *G:* que Él obra en todas e que ninguna.
146. *G:* es verdad que.
147. *G:* por naturaleza.
148. *S:* lo crió apuesto.
149. *G* omite: *es.*
152. *G:* estas ánimas ayan aver gloria o p. conviene q. D.que.

verdaderamente Dios, et Dios es todo poder conplido,
non puede ninguno negar que el sacramento que Él
ordenó que lo non sea et que non aya aquella virtud
160 que Él en el sacramento puso; pero que si alguno
dixiere que esto tanne en fe et que él non quiere aver
fe sinon en quanto se mostrare por razón, digo yo que
demás de muchas razones que los sanctos et los doctores de sancta Eglesia ponen, que digo yo esta razón:
165 Çierto es que nuestro sennor Ihesu Christo, verdadero Dios et verdadero omne, seyendo el jueves de la
çena a la mesa con sus apóstoles, sabiendo que otro
día devía seer fecho sacrifiçio del su cuerpo, et sabiendo que los omnes non podían seer salvos del po-
170 der del diablo —en cuyo poder eran caýdos por el
pecado del primer omne—, nin podían seer redemidos sinon por el sacrifiçio que dél se avía de fazer,
quiso, por la su grand bondat, soffrir tan grand pena
commo sufrió en la su passión, et por aquel sacrifiçio
175 que fue fecho del su cuerpo, fueron redemidos todos
los sanctos que eran en el Linbo, ca nunca ellos pudieran yr al Paraýso sinon por el sacrifiçio que se
fizo del cuerpo de Ihesu Christo; et aun tienen los
sanctos et los doctores de sancta Eglesia, et es verdat,
180 que tan grande es el bien et la gloria del Paraýso, que
nunca lo podría omne aver, nin alcançar, sinon por la
passión de Ihesu Christo, por los meresçimientos de
sancta María et de los otros sanctos. Et por aquella
sancta et provechosa passión fueron salvos et redemi-
185 dos todos los que fasta entonçe eran en el Linbo et serán
redemidos todos los que murieren et acabaren derechamente en la sancta fe cathólica. Et porque Ihesu Christo,
segund omne, avía de morir et non podía fincar en

---

161. *G:* tiene en fe... sinon quanto se muestra.
162. *G:* digo que.
165. *G:* Esto es que; omite: *verdadero Dios et.*
166. *G:* seyendo Él el j... dicípulos.
169. *G:* poderío.
171. *G:* podrían ser.
174. *G:* en la passión.
178. *G:* aun teniendo los sanctos.
184. *S:* aprovechosa. *G:* passión de Ihesu Christo.

el mundo et Él era el verdadero cuerpo por que los
190 omnes avían a seer salvos, quísonos dexar el su cuerpo
verdadero assí conplido commo lo Él era, en que se
salvassen todos los derechos et verdaderos christianos;
et por esta razón, tomó el pan et bendíxolo et partiólo
et diolo a sus disçiplos et dixo: «Tomat et comet, ca
195 éste es el mio cuerpo»; et después tomó el cálix, dio
gracias a Dios, et dixo: «Bevet todos éste, ca ésta es
la mi sangre»; et allí ordenó el sacramento del su
cuerpo. Et devedes saber que la razón por que dizen
que tomó el pan et bendíxolo et partiólo es ésta: cada
200 que Ihesu Christo bendizía el pan, luego Él era partido tan egual commo si lo partiessen con el más
agudo cochiello que pudiesse seer. Et por esto dize
en el Evangelio quel conosçieron los apóstoles después
que resusçitó en *el* partir del pan; ca por partir el pan en
205 otra manera commo todos lo parten, non avía la Sancta
Scriptura por qué fazer mençión del partir del pan, mas
fázelo porque Ihesu Christo partía sienpre el pan, mostrando cómmo lo podía fazer tan marabillosamente.

Et otrosí, dexó este sancto sacramento por que
210 fincasse en su remenbrança. Et assí, pues se prueva
que Ihesu Christo es verdadero Dios et assí commo
Dios pudo fazer todas las cosas, et es çierto que fizo
et ordenó este sacramento, non puede dezir ninguno
con razón que non lo devía ordenar assí commo lo
215 fizo; et que no ha conplidamente aquella virtud que
Ihesu, verdadero Dios, en él puso.

Et *el* baptismo, otrosí, todo omne que buen entendimiento aya, por razón deve entender que este sacra-

---

191. *G:* conplido assí commo.
194. *G:* díxoles.
196. *G:* Beved todos desto.
199. *G:* et lo partió.
201. *S:* partiesse.
202. *G:* cochillo más agudo.
204. *G:* partirlo en otra.
206. *G:* mençión del pan, mas porque.
210. *G* omite: *Et assí... verdadero Dios.*
213. *G:* pudo hombre dezir... que lo non devía.
218. *S* omite: *que.*

mento se devió fazer et era muy grand menester; ca
220 bien entendedes vos que commo quier que el casamiento sea fecho por mandado de Dios et sea uno de
los sacramentos, pero, porque en la manera de la en-
gendración non se puede escusar algún deleyte, por
ventura non tan ordenado commo seríe menester, por
225 ende todos los que nasçieron et nasçerán por engen-
dramiento de omne et de muger nunca fue nin será
ninguno escusado de nasçer en el pecado deste deleyte. Et a este pecado llamó la Scriptura «pecado
original», que quiere dezir, segund nuestro lenguaje,
230 «pecado del nasçimiento»; et porque ningund omne
que esté en pecado non puede yr a Paraýso, por ende
fue la merçed de Dios de dar manera cómmo se alin-
piasse este pecado; et para lo alinpiar, ordenó nuestro
sennor Dios, en la primera ley, la circunçisión; et com-
235 mo quier que en quanto duró aquella ley cunplían aquel
sacramento, por que entendades que todo lo que en
aquella ley fue ordenado, que todo fue por figura
desta sancta ley que agora abemos, devédeslo entender
sennaladamente en este sacramento del baptismo, ca
240 entonçe circunçidavan los omnes, et ya en esto paresçe que era figura que de otra guisa avía de seer;
ca vos entendedes que el sacramento conplido egual-
mente se deve fazer, pues el circunçidar non se puede
fazer sinon a los varones; pues si non se puede nin-
245 guno salvar del pecado original sinon por la çircunçisión, çierto es que las mugeres que non pueden este
sacramento aver, non pueden seer alinpiadas del pecado
original. Et assí, entendet que la circunçisión que fue
figura del alinpiamiento que se avía de ordenar en la
250 sancta fe cathólica que nuestro sennor Ihesu Christo
ordenó assí commo Dios. Et quando Él ordenó este

---

224. *S:* mester.
227. *G:* de no nasçer.
230. *S:* et por ningund.
234. *G:* la ley primera.
238. *G:* figura de aquesta.
240. *G:* circundavan. *S:* ya en esta.
243. *G:* la circunçidad... pues assí.
246. *G:* aver este sacramento.

sancto sacramento, quísolo ordenar aviendo reçebido
en sí el sacramento de la çircunçisión, et dixo que non
viniera Él por menguar nin por desfazer la ley, sinon
255   por la conplir, et cunplió la primera ley en la çircunçisión, et la segunda, que Él ordenó, reçibiendo baptismo
de otri, commo lo reçebió de sant Iohan Baptista.

Et por que entendades que el sacramento que Él
ordenó del baptismo es derechamente ordenado para
260   alinpiar el pecado original, parad en ello vien mientes
et entendredes quánto con razón es ordenado.

Ya de suso es dicho que en la manera del engendra-
miento non se puede escusar algún deleyte; contra este
deleyte, do conviene de aver alguna cosa non muy linpia,
265   es puesto uno de los elementos que es el más linpio, et
sennaladamente para alinpiar, ca las más de las cosas
non linpias todas se alinpian con el agua; otrosí, en bap-
teando la criatura dizen: «Yo te bateo en *el* nonbre del
Padre et del Fijo et del Spíritu Sancto»; et métenlo en el
270   agua. Pues veet si es este sancto sacramento fecho con razón, ca en diçiendo «yo te bateo en el nonbre del Padre
et del Fijo et del Spíritu Sancto» ý mismo dize et non-
bra toda la Trinidat et muestra el poder del Padre et
el saber del Fijo et la bondat del Spíritu Sancto; et
275   dize que por estas tres cosas, que son Dios et en Dios,
sea alinpiada aquella criatura de aquel pecado original
en que nasçió; et la palabra llega al agua, que es elemento, et fázese sacramento. Et este ordenamiento deste
sancto sacramento que Ihesu Chriso ordenó es egual
280   et conplido, ca tan bien lo pueden reçebir, et lo reçiben
las mugeres commo los omnes. Et assí, pues este sancto
sacramento es tan menester, et fue ordenado tan con

---

252. *G* omite: *sancto.*
254. *G:* desmenguar.
255. *G:* et cunplió en sí.
265. *S:* es puesto unos.
269. *S* omite: *es. G* omite: *sancto.*
276. *G:* sea alinpia... original que nasçió.
277. *G:* es el elemento.
278. *G* omite: *sacramento. Et e.o.d. sancto.*
282. *G* omite: *ordenado. S:* mester.

razón, et lo ordenó Ihesu Christo, que lo podía ordenar
assí commo verdadero Dios, non puede con razón dezir
285 omne del mundo que este sancto sacramento non sea
tal et tan conplido commo lo tiene la madre sancta
Eglesia de Roma.

Et quanto de los otros çinco sacramento que son: penitençia, confirmación, casamiento, orden, postrimera un-
290 çión, bien vos diría tantas et tan buenas razones en cada
uno de dellos, que vos entendríades que eran assaz; mas
déxolo por dos cosas: la una, por non alongar mucho el
libro; et lo ál, porque sé que vos et quien quier que esto
oya, entendrá que tan con razón se prueva lo ál commo
295 esto.

Et pues esta razón es acabada assí commo la yo
(pudo) *pude* acabar, tornaré a fablar de las dos maneras
en cómmo se puede omne, et deve, guardar de fazer
malas obras para se guardar de yr a las penas del
300 Infierno, et podrá fazer et fará buenas obras para la
gloria del Paraýso.

Sennor conde Lucanor, segund de suso es dicho, sería
muy grave cosa de se poner por escripto todas las cosas
que omne devía fazer para se guardar de yr a las penas
305 del Infierno et para ganar la gloria del Paraýso, pero
quien lo quisiesse dezir abreviadamente podría dezir
que para esto non ha menester ál sinon fazer bien et
non fazer mal. Et esto sería verdat; mas porque esto
sería, commo algunos dizen, grand verdat y poco seso,
310 por ende conviene que —pues me atreví a tan grand
atrevimiento de fablar en fechos que cuydo que me non
pertenesçía segund la mengua del mio saber— que de-

---

283. *G:* que lo pudo.
286. *G:* tenía la sancta madre.
288. *G:* otros sacramentos que son çinco.
289. *G* omite: *unçión.*
291. *G:* entenderedes que son.
293. *G* termina abruptamente en las palabras: *que esto oya.*
En la misma línea enpieza una porción que pertenece, no
a don Juan Manuel, sino que está tomada de *Flores de
filosofía.* De aquí en adelante, con *S*, ms. único, la palabra
a corregir la pongo en paréntesis, y la corrección seguida
en bastardilla.

clare más cómmo se pueden fazer estas dos cosas; por
ende, digo assí: que las obras que omne ha de fazer
315 para que aya por ellas la gloria del Paraýso, lo primero,
conviene que las faga estando en estado de salvaçión.
Et devedes saber que el estado de salvaçión es quando
el omne está en verdadera penitençia, ca todos los vienes
que omne faze non estando en verdadera penitençia,
320 non gana omne por ellos la gloria del Paraýso; et razón
et derecho es, ca el Paraýso, que es veer a Dios et es la
mayor gloria que seer puede, non es razón nin derecho
que la gane omne estando en pecado mortal, mas lo
que omne gana por ellas es que aquellas buenas obras
325 lo traen más aýna a verdadera penitençia, et esto es
muy grand bien. Otrosí le ayudan a los bienes deste
mundo para aver salud et onra et riqueza et las otras
bienandanças del mundo. Et estando en este bien aventurado estado, las obras que omne ha de fazer para
330 aver la gloria de Paraýso son assí commo limosna et
ayuno et oraçión, et romería, et todas obras de misericor-
dia; pero todas estas buenas obras, para que omne por
ellas aya la gloria de Paraýso, ha (mester) *menester* que
se fagan en tres maneras: lo primero, que faga omne bue-
335 na obra; lo segundo, que la faga bien; lo terçero, que la
faga por escogimiento. Et, sennor conde, commo quier
que esto se puede assaz bien entender, pero por que sea
más ligero aún, dezirvos lo he más declarado.
　　Fazer omne buena obra es toda cosa que omne faze
340 por Dios, mas es (mester) *menester* que se faga bien, et
esto es que se faga a buena entençión, non por vana gloria, nin por ypocrisía, nin por otra entençión, sinon solamente por serviçio de Dios; otrosí, que lo faga por escogimiento; esto es, que quando oviere de fazer alguna obra,
345 que escoja en su talante si es aquélla buena obra o
non, et desque viere que es buena obra, que escoja
aquélla porque es buena et dexe la otra que él entiende
et escoje que es mala. Et faziendo omne estas buenas
obras, et en esta manera, fará las obras que omne deve
350 fazer para aver la gloria de Paraýso; mas por fazer omne
buena obra si la faz por vana gloria o por ypocrisía o
por aver la fama del mundo, maguer que faz buena
obra, non la faz bien nin la faz por escogimiento, ca el

su entendimiento bien escoge que non es aquello lo
355   mejor nin la derecha et verdadera entençión. Et a este
tal contesçerá lo que contesçió al senescal de Carcassona,
que maguer a su muerte fizo muchas buenas obras,
porque non las fizo a buena nin a derecha entençión,
non le prestaron para yr a Paraýso et fuese para el
360   Infierno. Et si quisiéredes saber cómmo fue esto deste
senescal, fallarlo hedes en este libro en el capítulo XL.

Otrosí, para se guardar omne de las obras que omne
puede fazer para yr al Infierno, ha (mester) *menester* de
se guardar ý tres cosas: lo primero, que non faga omne
365   mala obra; lo segundo, que la non faga mal; lo terçero,
que la non faga por escogimiento; ca non puede omne fazer cosa que de todo en todo sea mal sinon faziéndose
assí: que sea mala obra, et que se faga mal, et que se faga
escogiendo en su entendimiento omne que es mala, et
370   entendiendo que es tal, fazerla a sabiendas; ca non seyendo ý estas tres cosas, non sería la obra del todo mala;
ca puesto que la obra fuesse en sí mala, si non fuesse
mal fecha, nin faziéndola, escogiendo que era mala, non
seríe del todo mala; ca bien assí commo non sería la
375   obra buena por seer buena en sí, si non fuesse bien
fecha et por escogimiento, bien assí, aunque la obra
fuesse en sí mala, non lo sería del todo si non fuesse
mal fecha et por escogimiento. Et assí commo vos di
por exemplo (de) *el* senescal de Carcaxona que fizo
380   buena obra, pero porque la non fizo bien non meresçió
aver nin ovo por ello galardón, assí vos daré otro exemplo de un cavallero que fue ocasionado et mató a su
sennor et a su padre; commo quier que fizo mala obra,
porque la non fizo mal nin por escogimiento, non fizo
385   mal nin meresçió aver por ello pena, nin la ovo. Et
porque en este libro non está escripto este exemplo,
contarvos lo he aquí, et non escrivo aquí el exemplo del
senescal porque está escripto, commo de suso es dicho.

Assí acaesçió que un cavallero avía un fijo que era
390   assaz buen escudero. Et porque aquel sennor con quien
su padre bivía non se guisó de fazer contra el escudero
en guisa por que pudiesse fincar con él, ovo el escudero, entre tanto, de catar otro sennor con quien visquiesse. Et por las vondades que en *el* escudero avía

395 et por quanto bien le servió, ante de poco tienpo fízol
cavallero. Et llegó a muy buen estado. Et porque las
maneras et los fechos del mundo duran poco en un
estado, acaesçió assí: que ovo desabenençia entre aquellos dos sennores con quien bivían el padre et el fijo, et
400 fue en guisa que ovieron de lidiar en uno.

Et el padre et el fijo, cada uno dellos, estava con
su sennor; et commo las aventuras acaesçen en las lides,
acaesçió assí: que el cavallero, padre del otro, topó en
la lit con aquel sennor con quien el su sennor lidiava,
405 con quien bivía su fijo; et por servir a su sennor, entendió que si aquél fuesse muerto o preso, que su sennor
sería muy bien andante et mucho onrado, fue travar
dél tan rezio, que cayeron entramos en tierra. Et estando sobre él por prenderle o por matarle, su fijo, que
410 andava aguardando a su sennor et serviéndol quanto
podía, et desque vio a su sennor en tierra, conosçió que
aquel quel tenía era su padre.

Si ovo ende grand pesar, non lo devedes poner en
dubda, pero doliéndose del mal de su sennor, començó
415 a dar muy grandes vozes a su padre et a dezirle, lla-
mándol por su nonbre, que dexasse (assu) *a su* sennor,
ca, commo quier que él era su fijo, que era vasallo de
aquel sennor que él tenía de aquella guisa, que si non
le dexasse, que fuesse çierto quel mataría.

420 Et el padre, porque non lo oyó, o non lo quiso fazer,
non lo dexó. Et desque el fijo vio a su sennor en tal
periglo et que su padre non lo quería dexar, menbrándose de la lealtad que avía de fazer, olbidó et echó tras
las cuestas el debdo de la naturaleza de su padre, et
425 entendió que si descendiesse del cavallo, que con la
priessa (dellos) *de los* cavallos que ý estavan, que por
aventura ante que él pudiesse acorrer, que su sennor
que sería muerto: llegó assí de cavallo commo estava,
todavía dando vozes a su padre que dexasse (assu) *a su*
430 sennor, et nonbrando a su padre et (assí) *a sí* mismo.
Et desque vio que en ninguna guisa non le quería dexar,
tan grand fue la cuyta, et el pesar et la sanna que ovo,
por commo vio que estava su sennor, que dio tan grand
ferida a su padre por las espaldas, que passó todas las
435 armaduras et todo el cuerpo. Et aun tan grand fue aquel

desaventurado (colpe) *golpe*, que passó a su sennor el cuerpo et las armas assí commo a su padre, et murieron entramos de aquel (colpe) *golpe*.

Otrosí, otro cavallero de parte de aquel sennor que
440 era muerto, ante que sopiesse de la muerte de su sennor, avía muerto al sennor de la otra parte. Et assí fue aquella lit de todas partes mala et ocasionada.

Et desque la lit fue passada et el cavallero sopo la desaventura quel acaesçiera en matar por aquella oca-
445 sión a su sennor et a su padre, endereçó a casa de todos los reyes et grandes sennores que avía en aquellas comarcas et, trahendo las manos atadas et una soga a la garganta, dizía a los (reys) *reyes* et sennores a que yva: que si ningún omne meresçía muerte de traydor
450 por matar su sennor et su padre, que la meresçía él; et que les pidía él por merçed que cunpliessen en él lo que fallassen quél mereçía, (pero) si alguno dixiesse que (lo) *los* matara por talante de fazer trayción. Que él se salvaría ende commo ellos fallassen que lo devía fazer.
455 Et desque los reyes et los otros sennores sopieron cómmo acaesçiera el fecho, todos tovieron que commo quier que él fuera muy mal ocasionado, que non fiziera cosa por que meresçiesse aver ninguna pena, ante lo preçiaron mucho et le fezieron mucho bien por la grand
460 lealtad que fiziera en ferir a su padre por escapar a su sennor. Et todo esto fue porque, commo quier que él fizo mala obra, non la fizo mal, nin por escogimiento de fazer mal.

Et assí, sennor conde Lucanor, devedes entender por
465 estos exemplos (et por que la razón que lo que) *la razón por que las obras para* que el omne vaya a Paraýso es menester que sean buenas, et bien fechas, et por escogimiento. Et las por que el omne ha de yr al Infierno conviene que sean malas, et mal fechas, et por escogi-
470 miento; et esto que dize que sean bien fechas, o mal, et por escogimiento es en la entençión; ca si quier dixo el poeta: «Quidquid agant homines, intentio judicat omnes», que quiere dezir: «Quequier que los omnes fagan (todas) *todos* serán (judgadas) *judgados* por la
475 entençión a que lo fizieren».

Agora, sennor conde Lucanor, vos he dicho las ma-

neras por que yo entiendo que el omne puede guisar
que vaya a la gloria del Paraýso et sea guardado de
yr a las penas del Infierno. Et aún por que entendades
480 quánto engannado es el omne en fiar del mundo, nin
tomar loçanía [381], nin sobervia, nin poner grand esperança en su onra, nin en su linage, nin en su riqueza,
nin en su mançebía, in en ninguna buena andança que
en el mundo pueda aver, fablarvos he un poco en dos
485 cosas por que entendades que todo omne que buen entendimiento oviesse devía fazer esto que yo digo.
    La primera, qué cosa es el omne en sí; et quien en
esto cuydare entendrá que non se deve el omne mucho
presçiar; la otra, qué cosa es el mundo et cómmo passan
490 los omnes en él, et qué galardón les da de lo que por
él fazen. Quien esto cuydare, si de buen entendimiento
fuere, entendrá que non debría fazer por él cosa por
que perdiesse el otro, que dura sin fin.
    La primera, qué cosa es el omne en sí. Çiertamente
495 esto tengo que sería muy grave de dezir todo, pero,
con la merçed de Dios, dezirvos he yo tanto que cunpla
assaz para que entendades lo que yo vos quiero dar a
entender.
    Bien creed, sennor conde, que entre todas las anima-
500 lias que Dios crió en el mundo, nin aun de las cosas
corporales, non crió ninguna tan conplida, nin tan menguada commo el omne. Et el conplimiento que Dios
en él puso non es por ál sinon porquel dio entendimiento
et razón et libre albedrío, porque quiso que fuesse
505 conpuesto de alma et de cuerpo; mas, desta razón non
vos fablaré más que es ya puesto en otros logares assaz
conplidamente en otros libros que don Johan fizo; mas,
fablarvos he en las menguas et bilezas que el omne ha
en sí, en cosas, tanto commo en otras animalias; et en
510 cosas, más que en otra animalia ninguna.
    Sin dubda, la primera bileza que el omne ha en sí,
es la manera de que se engendra, tan bien de parte del
padre commo de parte de la madre, et otrosí la manera
commo se engendra. Et porque este libro es fecho en

---

[381] *tomar loçanía:* enorgullecerse. Blecua (p. 296, nota 958) cita
Mil. 747cd.

515   romançe —que lo podrían leer muchas personas tan bien
      omnes commo mugeres que tomarían vergüença en
      leerlo, et aun non ternían por muy guardado de torpedat
      al que lo mandó escrevir—, por ende non fablaré en
      ello tan declaradamente commo podría, pero el que lo
520   leyere, si muy menguado non fuere de entendimiento,
      assaz entendrá lo que a esto cunple.
         Otrosí, después que es engendrado en el vientre de
      su madre, non es el su govierno sinon de cosas tan
      (sobervias) *sobeianas* que naturalmente non pueden fin-
525   car en el cuerpo de la muger sinon en quanto está
      prennada. Et esto quiso Dios que naturalmente oviessen
      las mugeres aquellos humores [382] sobeianos en los cuer-
      pos, de que se governassen las criaturas; otrosí, el
      lugar en que están es tan cercado de malas humidades
530   et corronpidas, que sinon por una telliella muy delgada
      que crió Dios, que está entre el cuerpo de la criatura et
      aquellas humidades, que non podría bevir en ninguna
      manera.
         Otrosí, conviene que suffra muchos trabaios et mu-
535   chas cuytas en quanto está en el vientre de su madre.
      Otrosí, porque a cabo de los siete meses es todo el
      omne conplido et non le cunple el govierno de aquellos
      humores sobeianos de que se governava en quanto non
      avía (mester) *menester* tanto dél, por la mengua que sien-
540   te del govierno, quéxase; et si es tan rezio que pueda que-
      brantar aquellas telas de que está cercado, non finca
      más en el vientre de su madre. Et estos tales son los
      que nasçen a siete meses et pueden tan bien bevir commo
      si nasçiessen a nuebe meses; pero si entonçe non puede
545   quebrantar aquellas telas de que está cercado, finca
      cansado et commo doliente del grand trabajo que levó,
      et finca todo el ochavo mes flaco et menguado de go-
      vierno. Et si en aquel ochavo mes nasçe, en ninguna guisa
      non puede bevir. Mas, de que entra en el noveno mes,
550   porque ha estado un mes conplido, es ya descansado et
      cobrado en su fuerça, en qualquier tienpo que nasca en
      el noveno mes, quanto por las razones dichas, non deve
      morir; pero quanto más tomare del noveno mes, tanto

---

[382] *humores:* líquidos. Blecua (p. 297, nota 964) cita *Sm.* 126.

es más sano et más seguro de su vida; et aun dizen que
555 puede tomar del dezeno mes fasta diez días, et los que
a este tienpo llegan son muy más rezios et más sanos,
commo quier que sean más periglosos para sus madres.
Et assí bien podedes entender que, por qualquier destas
maneras, por fuerça ha de soffrir muchas lazerias et
560 muchos enojos et muchos periglos.

Otrosí, el periglo et la cuyta que passa en su nasçimiento, en esto non he por qué fablar, ca non ha omne
que non sepa que es muy grande a marabilla. Otrosí,
commo quier que quando la criatura nasçe non ha
565 entendimiento por que lo sepa *esso* fazer por sí mismo,
pero nuestro sennor Dios quiso que naturalmente todas
las criaturas fagan tres cosas: la una es que lloran; la
otra es que tremen; la otra es que tienen las manos
çerradas. Por el llorar se entiende que viene a morada
570 en que ha de bevir sienpre con pesar et con dolor, et
que lo ha de dexar aun con mayor pesar et con mayor
dolor. Por el tremer se entiende que viene a morada
muy espantosa, en que sienpre ha de bivir con grandes
espantos et con grandes reçelos, de que es çierto que ha
575 de salir aun con mayor espanto. Por el çerrar de las
manos se entiende que viene a morada en que ha de
bivir sienpre cobdiçiando más de lo que puede aver, et
que nunca puede en ella aver ningún conplimiento
acabado.

580 Otrosí, luego que el omne es nasçido, ha por fuerça
de sofrir muchos enojos et mucha lazeria, ca aquellos
pannos con que los han de cobrir por los guardar del
frío et de la calentura et del ayre, a conparaçión del
cuero del su cuerpo, non ha panno, nin cosa que a él
585 legue, por blando que sea, que non le paresca tan áspero
commo si fuesse todo despinas. Otrosí, porque ellos non
han entendimiento, nin los sus mienbros non son en estado, nin han conplisión por que puedan fazer sus obras
commo deven, non pueden dezir nin aun dar a entender
590 lo que sienten. Et los que los guardan et los crían, cuydan
que lloran por una cosa, et por aventura ellos lloran
por otra, et todo esto les es muy grand enojo et grand
quexa. Otrosí, de que comiençan a querer fablar, passan
muy fuerte vida, ca non pueden dezir nada de quanto

595 quieren nin les dexan conplir ninguna cosa de su voluntad, assí que en todas las cosas an a passar a fuerça de
sí et contra su talante.

Otrosí, de que van entendiendo, porque el su entendimiento non es aun conplido, cobdiçian et quieren sien-
600 pre lo que les non aprovecha, o por ventura que les
es dannoso. Et los que los tienen en poder non gelo
consienten, et fázenles fazer lo contrario de lo que ellos
querrían, porque (dellos) *de los* enojos non ay ninguno
mayor que el de la voluntad; por ende passan ellos muy
605 grand enojo et grant pesar.

Otrosí, de que son omnes et (en) *an* su entendimiento
conplido, lo uno por las enfermedades, lo ál por ocasiones et por pesares et por dannos que les vienen,
passan sienpre grandes reçelos et grandes enojos. Et
610 ponga cada uno la mano en su coraçón, si verdat quisiere
dezir, bien fallará que nunca passó día que non oviesse
más enojos et pesares que plazeres.

Otrosí, desque va entrando en la vegedat, ya esto non
es de dezir, ca tan bien del su cuerpo mismo commo
615 de todas las cosas que vee, de todas toma enojo, et por
aventura todos los quel veen toman enojo dél. Et quanto
más dura la vegez, tanto más dura et cresçe esto, et
en cabo de todo viene a la muerte, que se non puede
escusar, et ella lo faze partir de sí mismo et de todas
620 las cosas que vien quiere, con grand pesar et con grand
quebranto. Et desto non se puede ninguno escusar et
nunca se puede fallar buen tienpo para la muerte; ca
si muere el omne moço, o mançebo, o viejo, en qualquier
tienpo le es la muerte muy cruel et muy fuerte para sí
625 mismo et para los quel quieren bien. Et si muere pobre
o lazrado, de amigos et de contrarios es despreçiado;
et si muere rico et onrado, toman sus amigos grand
quebranto, et sus contrarios grand plazer, que es tan
mal commo el quebranto de sus amigos. Et demás, al
630 rico contesçe commo dixo el poeta: «Dives divitias,
etcétera» [383], que quiere dezir que el rico ayunta las ri-

---

[383] «Dives divitias non congregat absque labore non tenet absque metu nec deserit absque dolore.» *Vid.* María Rosa Lida de
Malkiel, *Estudios*, p. 116.

quezas con grand trabajo, et posséelas con grand temor,
déxalas con grand dolor.

Et assí podedes entender que por todas estas razo-
635   nes, todo omne de buen entendimiento que bien parasse
mientes en todas sus condiçiones, devía entender que
non son tales de que se (diviesse) *deviesse* mucho presçiar.

Demás desto, segund es dicho de suso, el omne es
640   más menguado que ninguna otra animalia; ca el omne
non ha ninguna cosa de suyo con que pueda bevir, et
las animalias todas son vestidas, o de cueros o de cabellos o de conchas o de pénnolas con que se pueden
defender del frío et de la calentura et de los contrarios;
645   mas el omne desto non ha ninguna cosa, nin podría
bevir si de cosas agenas non fuesse cubierto et vestido.

Otrosí, todas las animalias ellas se gobiernan que non
an menester que ninguno gelo aparege; mas los omnes
non se pueden governar sin ayuda dotri nin pueden
650   saber cómmo pueden bevir si otri non gelo muestra. Et
aun en la vida que fazen, non saben en ella guardar tan
conplidamente commo las animalias lo que les cunple
para pro et para salut de sus cuerpos.

E assí, sennor conde Lucanor, pues veedes manifies-
655   tamente que el omne ha en sí todas estas menguas,
parad mientes si faze muy desaguisado en tomar en sí
sobervia, nin loçanía desaguisada.

La otra, que fabla del mundo, se parte en tres partes: la primera, qué cosa es el mundo; la segunda,
660   cómmo passan los omnes en él; la terçera, qué galardón
les da (dello) *de lo* que por él fazen.

Çiertamente, sennor conde, quien quisiesse fablar en
estas tres maneras conplidamente, avría (manera) *materia* assaz para fazer un libro; mas, porque he tanto
665   fablado, tomo reçelo que vos et los que este libro leyeren
me ternedes por muy fablador o tomaredes dello enojo;
por ende non vos fablaré sinon lo menos que yo pudiere
en esto, et fazervos he fin a este libro, et ruégovos que
non me affinquedes más, ca en ninguna manera non vos
670   respondría más a ello, nin vos diría otra razón más de
las que vos he dicho. Et lo que agora vos quiero dezir
es esto: que la primera de las tres cosas, qué cosa es

el mundo, çiertamente esto seríe grand cosa de dezir,
mas yo dezirvos he lo que entiendo lo más brevemente
675 ·que pudiere.

Este nonbre del «mundo» tómase de «movimiento» et
de «mudamiento», porque el mundo sienpre se muebe
et sienpre se muda, et nunca está en un estado, nin él,
nin las cosas que están en él son *quedas*, et por esto
680 ha este nonbre. Et todas las cosas que son criadas son
mundo, mas él es criatura de Dios et Él lo crió quando
Él tovo por bien et qual tovo por bien, et durará quanto
Él tobiere por bien. Et Dios solo es el que sabe quándo
se ha de acabar et qué será después que se acabare.

685 La segunda, cómmo passan en él los omnes; otrosí,
sin dubda, sería muy grave de se dezir conplidamente.
Et los omnes todos passan en el mundo en tres maneras: la una es que algunos ponen todo su talante et
su entendimiento en las cosas del mundo, commo en
690 riquezas et en onras et en deleytes et en conplir sus
voluntades en qualquier manera que pueden, non catando a ál si*non* a esto; assí que dizen que en este mundo
passassen ellos bien, ca del otro nunca bieron ninguno
que les dixiesse cómmo passavan los que allá eran. La
695 otra manera es que otros passan en el mundo cobdiçiando fazer tales obras por que oviessen la gloria del
Paraýso, pero non pueden partirse del todo de fazer
lo que les cunple para guardar sus faziendas et sus
estados, et fazen por ello quanto pueden, et, otrosí, guar-
700 dan sus almas quanto pueden. La terçera manera es que
otros passan en este mundo teniéndose en él por estrannos, et entendiendo que la principal razón para que el
omne fue criado es para salvar el alma, et pues nasçen
en el mundo para esto, que non deven fazer ál, sinon
705 aquellas cosas por que meior et más seguramente puedan salvar las almas.

La primera manera, de los que ponen todo su talante
et su entendimiento en las cosas del mundo, çiertamente
éstos son tan engannados et fazen en ello tan sin razón
710 et tan grand su danno et tan grand poco seso, que non
ha omne en el mundo que conplidamente lo pudiesse
dezir; ca vos sabedes que non ha omne del mundo que
(dexe) *diesse* por una cosa que valiesse diez marcos

çiento, que todos non toviessen que era assaz de mal
715 recabdo; pues el que da el alma, que es tan noble criatura de Dios, al diablo, que es enemigo de Dios, et dal
el alma por un plazer o por una onra que por aventura
non le durará dos días —et por mucho quel dure a
conparaçión de la pena del Infierno en que sienpre ha
720 de durar non es tanto commo un día—; demás, que aun
en este mundo aquel plazer o aquella onra o aquel
deleyte por que todo esto quiere perder, es çierto que
durará muy poco, ca non ha deleyte por grande que sea,
que de que es passado, que non tome enojo dél, nin ha
725 plazer, por grande que sea, que mucho pueda durar et
que se non aya a partir tardi o aýna con grand pesar;
nin onra, por grande que sea, que non cueste muy cara
si omne quisiere parar mientes a los cuydados et trabajos et enojos que omne ha de sofrir por la acresçen-
730 tar et por la mantener. Et cate cada uno et acuérdese
lo quel contesçió en cada una destas cosas; si quisiere
dezir verdat, fallará que todo es assí commo yo digo.

Otrosí, los que passan en el mundo cobdiçiando fazer
por que salven las almas, pero non se pueden partir de
735 guardar sus onras et sus estados, estos tales pueden errar
et pueden açertar en lo meior; ca si guardaren todas
estas cosas que ellos quieren guardar, guardando todo
lo que cunple para salvamiento de las almas, açiertan
en lo mejor et puédenlo muy bien fazer; ca çierto es
740 que muchos (reys) *reyes* et grandes omnes et otros de
muchos estados guardaron sus onras et mantenieron
sus estados, et, faziéndolo todo, sopieron obrar en guisa
que salvaron las almas et aun fueron sanctos; et tales
commo éstos non pudo engannar el mundo, nin les ovo
745 a dar el galardón que el mundo suele dar a los que non
ponen su esperança en ál sinon en él, et éstos guardan
las dos vidas que dizen activa et contenplativa.

Otrosí, los que passan en este mundo teniéndose en
él por estrannos et non ponen su talante en ál sinon en
750 las cosas por que mejor puedan salvar las almas, sin
dubda éstos escogen la meior carrera; et digo, et atré-
vome a dezir que, çierto, éstos escogen la mejor carrera,
porque desta vida se dize en *el* Evangelio que María
escogió la meior parte la cual nuncal sería tirada. Et

755 si todas las gentes pudiessen mantener esta carrera, sin
dubda ésta sería la más segura et la más aprovechosa
para aquellos que lo guardassen; mas, porque si todos
lo fiziessen sería desfazimiento del mundo, et Nuestro
Sennor non quiere del todo que el mundo sea de los
760 omnes desanparado, por ende non *se* puede escusar que
muchos omnes non (passan) *passen* en *e*l mundo por
estas tres maneras dichas.

Mas Dios, por la su merçed, quiera que passemos nós
por la segunda o por la terçera destas tres maneras, et
765 que vos guarde de passar por la primera; ca çierto es
que nunca omne por ella quiso passar que non oviesse
mal acabamiento. Et dígovos que desde los (reys) *reyes*
fasta los omnes de menores estados, que nunca vi omne
que por esta manera quisiesse passar que non oviesse
770 mal acabamiento paral su cuerpo et que non fuesse en
sospecha de yr la su alma a mal logar. Et sienpre el
diablo, que trabaja quanto puede en guisar que los omnes
dexen la carrera de Dios por las cosas del mundo, guisa
de les dar tal galardón —commo *se* cuenta en este libro
775 en el capítulo (tal) *XLV*— que dio el diablo, (a) don
Martín, *al* que era mucho su amigo.

Agora, sennor conde Lucanor, demás de los exemplos
et proverbios que son en este libro, vos he dicho assaz
a mi cuydar para poder guardar el alma et aun el cuerpo
780 et la onra et la fazienda et el estado, et, loado (a) Dios,
segund el mio flaco entendimiento, tengo que vos he conplido et acabado todo lo que vos dixe.

Et pues assí es, en esto fago fin a este libro.

Et acabólo don Johán en Salmerón, lunes, XII días
785 de junio, era de mil et CCC et LXX et tres annos.

ÍNDICE DE PALABRAS *

---

* Se dan el *exemplo* y la línea (separados por un punto) de las notas que acompañan las variantes textuales. Las notas al pie de página van indicadas por n. Las abreviaturas significan: PG: prólogo general; P: prólogo del *Libro de los exemplos*; E.E.: epílogo del *Libro de los exemplos*; Prov.P.: prólogo del *Libro de los proverbios*; Prov.E.: epílogo del *Libro de los proverbios*.

âlguna: a alguna, 50.93.
aljuba: gabán árabe, n. 206.
alongado: alejado, n. 54.
alongar, allongar, 12.44.
alongarse: alejarse, n. 218.
allanar: alisar, n. 260.
allegar: acercarse, 26.103.
amanesçer, 1.157.
amenaçar, menaçar, 12.55.
amidos: de mala gana, n. 346.
amorteçer: desmayarse, n. 326.
amortiguamiento: apocamiento, debilidad, n. 198.
amos, entramos: ambos, 2.132.
amucheguar: aumentar, Prov. 1.204.
anbra: ámbar, n. 249.
andança, «buena a.», «bien a.», 1.26.
andudo: anduvo, 24.85; 35.84.
annadir, ennadir, 41.5.
aoiar: aojar, 29.31.
apareçer, pareçer: nacer, 26.62.
aparejado: dispuesto, preparado, n. 41.
aparejamiento: preparación, n. 147.
apartadizo, partadizo: huraño, retraído, n. 215.
aperçebimiento, aperçibimiento: preparación, prevención, n. 195; 15.20.
aperçebir, 19.12.
apoderarse: hacerse poderoso, n. 223.
aponer: atribuir, achacar, n. 368.
apostado: abastecido, n. 71; 26.54.
apostar: adornar, n. 222.
apostura: buen porte, esbeltez, n. 78.
apuesto: lujoso, n. 128.
âquello: a aquello, n. 55; 19.8; 22.103; 29.53; 35.52.
aquexar, quexar: apresurarse, 11.84.
ardides, ardidos: valientes, esforzados, n. 185.
artero: astuto, n. 360.
artes et maestrías: artimañas y engaños, n. 86.
arrastrar, rastrar, 28.39.
arrebatadamente, rebatadamente, 36.7.
arrebatar, rebatar: obrar con apresuramiento, 2.163.
arrepentimiento, repentimiento, 6.33.
asmar: pensar, n. 95.
assacador: difamador, cizañero, n. 299.
assacar: achacar, imputar, n. 169; 44.23 y 26.
assaz: bastante, n. 35.

assossegado, sosegado: conveniente, apropiado, 20.26.
  convenido, ajustado, n. 127.
assossiego, sosiego, 16.19.
asusiego, sossiego, 4.60.
atabales, tabales, 24.84.
atan, tan, P. 27.
atender: esperar, n. 133; 21.7; 50.227.
atramuzes, 10.19.
aún: además, n. 100; n. 118; 10.43; 22.6; 23.6; 35.4; 38.35; 50.214;
  Prov.E. 479.
avenirse en uno: ponerse de acuerdo, n. 104.
aver de + inf., aver a + inf., 26.44.
ayna: pronto, aprisa, n. 125.
ayuntar, juntar, 9.59.
ayuso: abajo, n. 162.

Babilonia, Babillonia, 50.71.
barata: confusión, 43.153.
barvacana: primeras fortificaciones, n. 151.
bastescades (de basteçer: abastecer), n. 149.
beguenería: beatería hipócrita, n. 341.
beguina, 42.16.
bendicho, bendito, 18.27; 44.130.
bien andante: afortunado, n. 59.
Bolonia, Bolonna, 14.16.
bolver: revolver, agitar, n. 245.
bolliçio: alboroto, sedición, 1.87.
bordón, vordón, 1.154.
boto: torpe, n. 356.
buena andança, bien andança, 1.28.
buena mente, buenamente, 26.66.

ca: porque, n. 1.
cabo, «en cabo», «en el cabo», 11.64; 12.81; 47.88.
  de cabo: de nuevo, 45.76.
    cercano, 12.81.
  en su cabo: a solas, 45.22.
caer: tocar, corresponder, n. 344.
  convenir, n. 145; n. 161.
çafondar, afondar: hundirse, 38.20.
candela: vela, 36.72.
capiello: caperuza, 41.5.
cargo, carga: obligación, 25.196.
carrera: viaje, camino, n. 183.
casamiento, «mover c.»: sugerir matrimonio, n. 214.

casar, casarse, 35.14.
  casar con, casar de, 27.193.
castigamiento: consejo, enseñanza, n. 351.
castigar: aconsejar, amonestar, n. 43.
  gobernar, ordenar, n. 272.
catar: buscar, n. 25; 20.5.
catar por ál: atender, mirar a otra cosa, n. 196.
cativo, captivo: cautivo, 1.120.
  infeliz, desgraciado, n. 136; E.E. 156.
catredal, catedral, 31.11.
cava: foso, n. 151.
caya de fazer: convenga hacer, n. 145.
çerca, açerca, 25.294.
çient, çiento, 20.23; 35.169.
cobdiçiando, cudiçiando, 42.110.
cobrar: remediar, solucionar, n. 21.
cobro: remedio, solución, n. 234.
colorado: adornado de colores retóricos, n. 224.
començar de, començar a, 8.30; 27.301; 32.91; 42.137.
commo quier que: aunque, n. 2.
conçejo: júnta, reunión, n. 331.
conortar: confortar, n. 81; 36.41.
conorte (sust.): consuelo, n. 116; 10.39.
conosçiente: conocido, 17.26.
conpanna, conpannía, 19.77; 28.86 y 93.
conplido: perfecto, excelente, n. 11; 27.223.
conplimiento: perfección, n. 75.
  fidelidad, n. 354.
conplisión: temperamento, n. 203.
conquiera: conquiste, n. 111.
consejo: remedio, n. 89; 18.87; 27.424; 39.17.
contenente: semblante, 21.66; 35.101.
contienda: disputa, n. 156.
contra: hacia, n. 280; 43.64 y 91; 44.129; Prov.E. 391.
contrario, contrallo, 2.23; 16.27; 26.139; 27.44.
convusco: con vos, n. 67; 17.31; 28.83; 32.144; 35.178.
coyta, cueyta, cuyta, cuita: desventura, 10.26.
costa: gasto, n. 253.
cras: mañana, n. 271; 45.118.
criar: alimentar y educar en casa a un hijo extraño, n. 312.
cuento: regatón, casquillo o punta de la lanza, n. 152.
culebra, culuebra, 21.91.
cunnado: pariente por afinidad, 27.260.
cunplir: corresponder, convenir, n. 5.
  bastar, n. 314.
cuydar: pensar, imaginar, creer, n. 17.

encobrir, encubrir, 27.173.
encomendar, acomendar, comendar, 1.10; 27.62; 31.23.
ende: de ello, en ello, n. 22.
enderesçar: dirigirse, n. 58; 35.81; 46.133.
enderesçar, aderesçar, 11.28.
engafesçer: volverse leproso, n. 313.
enpeçer: dañar, perjudicar, n. 137; 32.126; Prov. 2.33.
enpeorar, peorar, 50.59.
ensennoreávanse, ensenorgavan, 22.24.
entramos, entrambos, 2.131.
envergonçar, envergonnar, 17.22; 29.62.
escanto: remedio, hechizo, n. 286.
escapól: le libró, n. 57.
escarneçiéndol, escarniçiéndolo, 41.71.
escarnido: injuriado, n. 153.
escasso: avaro, n. 335.
escátima: perjuicio, afrenta: 29.4; 43.7.
escondidos, ascondidos, 19.25; 22.74; 25.31; 26.106 y 129; 29.23.
escripto, escrito, P. 38; 25.94.
escudiella, escudilla, 10.19.
esento, exento, essenpto, 31.18.
esleer: elegir, 11.83.
espantar, despantar, 47.67.
espedir, despedir, 11.156; 20.67; 50.262.
espic: nardo, n. 248.
esquilmo: producto del ganado o de la tierra, n. 304.
estar, 18.56.
estrado: mobiliario, n. 72.
estrannar: rehuir, esquivar, n. 113; 47.13.
estrumento, instrumento, estrumento, 24.85; 41.37.
evad: he aquí, n. 219.

fabliella: dicho, proverbio, 36.32.
façerio: insulto, n. 347.
falaguera: halagüeño, lisonjero, n. 10.
fallesçido: faltado, fallado, n. 130.
fasta, fata, 46.65.
fazanna: historia ejemplar, ejemplo, n. 220.
    dicho, refrán, sentencia, n. 239.
fazienda: asuntos, negocios, n. 51; n. 105.
fe aquí: he aquí, n. 238.
fermoso, fremoso, 5.12.
ferrado: herrado, guarnecido de hierros o clavos, n. 31.
fialdat: fidelidad, n. 354.
fiança, 9.77.
fincada: permanencia, n. 283.

judgar, jubgar, 48.114.
juglares, jubglares, 50.169.
juntar, ayuntar, 9.59.
jura: juramento, n. 229.

labrar: construir, reparar, n. 148.
lançar, alançar, 25.199.
lazeria: penuria, pobreza, n. 33.
lazradamente: pobremente, miserablemente, n. 307.
lazrado, lazdrado: afligido, desgraciado, miserable, n. 164; 16.37.
lesonia: lisonja, 5.35.
librado: resuelto, n. 121.
librar, vender, resolver, n. 279; 26.8; 45.48.
lieve: levante (de *levantar*), n. 73*b*.
loado Dios, loado a Dios, 3.107; 12.3; 21.89; 23.3; 41.65.
loçanía, «tomar loçanía»: enorgullecerse, n. 381; Prov.E. 657.
logares: ocasiones, n. 142.
luenne: lejos, n. 277; Prov. 1.75.
lugar, «vos traxo a lugar»: os puso en ocasión, n. 309.
lunbre: luz, 45.63.

llegar: venir, 26.103.

madrugar, madurgar, 21.62; 24.96.
maestradas: estudiadas, artificiosas, n. 191.
maestría: remedio, mixtura, n. 300.
maestrías et artes: engaños y artimañas, n. 86.
maguer que: aunque, n. 84.
mal en uno, «estar m. en u.»: enemistado, n. 103.
malenconia: tristeza, melancolía, n. 338.
maltraer: maltratar, n. 29.
maltraydo: maltratado, n. 112.
mançeba, moça, 11.57.
mançebia: juventud, mocedad, n. 187.
mandado: obediente, servidor, 47.6.
mandar: ofrecer, otorgar en don o en testamento, n. 292.
manera, materia, P. 79.
manera: razón, n. 26.
mannana, «otro dia mannana», 15.50; 24.90.
    «de grand mannana»: muy de mañana, n. 189; 35.149.
manzellamiento: daño, deshonra, n. 175.
mas de tanto: pero con todo, n. 233; 32.115.
matynes, maytines, 31.17.
mayoral: jefe, n. 174; 22.83; 42.35.
mejoría, mejorías, 25.77.

melezina, melizina, P. 47.
menbrarse: acordarse, n. 241.
menester, mester, P. 54; 12.71; 50.229.
mengua: falta, n. 16: «de mengua»: por falta de, n. 99.
menguado: miserable, pobre, n. 267.
menguar: faltar, n. 181.
mercadero, mercader, 36.10; 45.61.
mercado: contrato mercantil, n. 310.
mercaduría, merchandía, 4.31.
merçed, «pedir por m.», «pedir m.», 27.107.
mesclar, 20.24.
mester: oficio, P. 54; 33.55; 50.229.
mesura: comedimiento, consideración, n. 308.
mintroso, mentiroso, 26.6; 40.41.
misacantano, 28.22.
morar: tardar, n. 278; 50.176.
mostrar, amostrar, 20.46; 26.77 y 100.
mover, «mover casamiento»: sugerir matrimonio, n. 214.
    «mover un pleyto»: proponer un negocio, n. 76.
    «mover para», «mover por», 36.65.
    moverá, movrá, 15.143.
movimiento: conmoción, perturbación, n. 274.
muesso: mordisco, n. 109.
muy, mucho (en pred. adj.), 26.53.

natural: vasallo por nacimiento o por arraigo, n. 353.
naturalmente: por su naturaleza, n. 8.
nave, 36.75.
nobleza: obra notable, n. 209.

ó, do, donde, 4.35; 27.7; 50.195.
ocasión: desgracia, daño grave, n. 167; 36.84; 44.100; Prov. 2.72.
ocasionado: perjudicado, desgraciado, n. 168; Prov.E. 382 y 442.
ojo, «tener a ojo», 13.42.
omenajes: promesa de fidelidad, n. 230.
omildades: acatamiento, n. 208.
«omnes onrrados», «onrrados omnes», 24.83.
oras: horas canónicas, n. 252.
otrosí: también, igualmente, n. 34.

pagadero: agradable, atrayente, n. 226.
pagamiento: apetencia, atracción, gusto, n. 9.
pagarse de: preciarse, contentarse, n. 4; P. 48.
palabra: proverbio, 16.31.
palacio: sala, aposento de una casa, n. 257.

palancadas: golpes de palo, n. 339.
parar: convenir, concertar, n. 287.
   preparar, n. 157; 12.72; 48.54; Prov. 1.121.
   colocar, n. 141.
   dejar, n. 108.
pararse: hacer frente, estar de pie, n. 48.
paresçencia: apariencia, aspecto, n. 227.
paresçer: mostrarse, 26.62.
   semejar, 27.413.
partimiento: apartamiento, alejamiento, 50.258.
partir: apartar, disuadir, n. 40.
   renunciar, n. 237.
   compartir, marchar, 12.72.
passada, «dar passada»: tolerar, n. 193; 29.59.
   «aver passada»: tener recursos, n. 268.
passo, «tornar su passo»: volver despacio, n. 154.
pechado: pagado, n. 106.
pedaços, «fazer pedaços», «fazer pieças», 35.86.
pedricar, pedrigar, predicar, predigar, PG. 32; 14.40; 40.19.
peligro, periglo, 1.143; 12.20; 26.44; 32.9; 38.6.
pella: bola, pelota, n. 180.
pénnola, péndola, 5.44; 19.60; Prov.E. 643.
pensar: cuidar, n. 123.
peorar, 50.59.
pero que: aunque, 27.328.
pieça: cantidad, n. 216.
   rato, n. 47; 29.28 y 44.
piedad, piadat, P. 68; Prov.P. 46.
pihuela: correa de guarnición para sujetar el halcón, 41.6.
pintado: elegante, n. 205.
plazeríe, plazdríe, 17.6.
pleyto: negocio, n. 76.
poblar solares, n. 63; n. 64.
pobreza, pobredat, 44.39; 47.34.
poco, pequenno, 2.12.
poder: protección, amparo, custodia, n. 91.
poner: acordar, n. 30; n. 131.
pofiar, porfidiar, 12.90.
poridad: secreto, n. 13; 19.47.
pos, en pos, en pos de, 12.68; 15.64; 22.45; 24.53; 35.84.
postiella, postilla: pústula, 27.79; 44.54.
postura: acuerdo, n. 166.
premia: apremio, n. 158; Prov. 1.107.
prestar: ayudar, n. 293.
prieto: negro, n. 79.

pro (fem.): provecho, 1.196; 7.7.
proes: provechos, n. 265.
prólogo, plogo, P. 78.
provechoso, aprovechoso, P. 58; 21.17; 22.141; 23.13; 25.295; 26.36;
 27.184; 33.62; 41.6; 46.79.
punar, punnar, pugnar, 12.76; 29.52.

quanto, en quanto: mientras, n. 170.
quebrarle, quebrarse, 18.38.
quequier: cualquier cosa, n. 213; 29.50.
quexa: pena, preocupación, apuro, n. 38.
quexamiento, aquexamiento, 11.149.
quexarse: impacientarse, n. 276.
quexoso: impaciente, apremiante, n. 188.
quisiéredes, quisierdes, 23.66.
quito: libre, exento de gravamen o deuda, n. 319.

rraçiones: comida como mendigo, n. 315.
rafez, rehez: barato, Prov. 2.25.
ramas, ramos, 26.61 y 114.
rrastrávanla, arrastrávanla, 28.39.
razón, «sin razón», «a sin r.», 12.63.
 «razón derecha», «razón et derecho», 15.98.
rebato: asalto repentino, n. 155; Prov. 1.77.
recabdo: favor, servicio, 20.120.
 juicio, sentido, cordura, n. 45; n. 179; 20.114.
 «fazer buen r.»: hacer buena ganancia, n. 73a.
 «poner r.»: dar solución, n. 90.
 «dexar r.» y «dar r.», n. 28; 50.5.
reçelar, reçelarse, 9.8.
reçio, rezio, 13.22; 22.24.
recudir: acudir, responder, n. 135; 42.145.
recudir, recodir, 12.23.
recudrá: resultará, n. 202.
renta, renda, 25.146.
repintimiento, arrepentimiento, 6.33; 27.112; 36.95 y 101; 50.176.
respuesta, repuesta, 24.145; 37.10.
retraer: contar, 24.82; 47.70.
 echar en cara, n. 132.
rrehenes: fianzas, n. 231.
rrevesado: opuesto, contrario, n. 235; 43.16.
rreyes, rreys, 25.51; 41.28; 50.40.
rreyno, regno, P. 42; 18.25; 32.27.
rromance: idioma castellano, PG. 40.
rroydo: alboroto, comentarios de la gente, n. 150.

salvo, «en salvo», «en su salvo», 12.57.
salvo, sólo que, 2.148.
savor: deseo, n. 178.
sazón: tiempo, n. 122.
segund, n. 66.
segurado, seguro, asegurado, 19.68.
segurança: salvoconducto, n. 92.
semejar a, semejar con, P. 12.
senescal: jefe de la nobleza, n. 290.
sennalarse: destacarse, 44.7.
sentirse: dolerse, n. 88; 37.26 y 37.
senziella, senzilla, 26.78.
seso: pensamiento, n. 46.
   «poco seso»: algo insensato, n. 190.
   consejo, dicho, proverbio, n. 275; 50.44.
sey, sed, 2.140.
siede: sienta (de *sentarse*), n. 73*b*.
sierra, xierra, 30.30.
so tierra, so la tierra, 26.38.
sobeiano: sobrado, superfluo, n. 322.
sol que, salvo que, 2.148.
sospecha, poner sospechas, 22.102.
sudava, suava, 14.35.
surco, sulco, 48.88.
suso, «de suso»: arriba, anteriormente, n. 117; 50.60.

tabardíe, 20.34.
tajar: cortar, n. 258.
talante: voluntad, n. 114.
   «tener en su talante», 27.369.
talle: proporción del cuerpo, n. 259.
tanga: taña, toque las campanas, n. 254.
tanmanna: tan grande, n. 83; E.E. 195.
tener en poco, tomar en poco, 6.26.
tentaçión, tenptaçión, 25.34.
terrazuela: jarro de barro, n. 325.
terrería: amenaza terrorífica, 29.9.
thesoro, tesoro, 14.8; 24.125.
tirar: quitar, n. 328; 50.32.
tiseras, tixeras, 29.31.
tomar: sufrir, n. 288.
   «tomar loçanía»: enorgullecerse, n. 381.
   «tomar fiança», 9.77.
tortiçería: injusticia, n. 349; Prov. 3.81.
trabajarse, trabajar, n. 18; 22.41.

trabar: arguir, n. 39.
trabar de, trabar con, 27.106; 46.6.
traer (pret.), 2.48; 20.53.
    trayades, traygades, 19.77.
trasladar: copiar, PG. 15.
trebeiar: burlarse, jugar, n. 184.
    participar en un torneo, n. 210.
trebejo: burla, juego, n. 68.
treble, teble: triple, 26.80.
tremer: temblar, n. 107.
triaca: contraveneno, n. 358.
tronpas, tronpetas, 24.84.
tuerto (sust.): agravio, injusticia, n. 129.
    (adj.): torcido, n. 350.

ungento, unguente, 27.84.
uno... otro + verbo en sing., 22.30.
uviasse: llegase, n. 270; 37.2 y 17.

vagar (sust.): tiempo disponible, n. 139.
    «dar vagar»: dar tiempo, n. 255.
valdío: inútil, n. 138.
valía: poder (sust.), n. 68.
vegada: vez, n. 24.
veganbre: veneno, n. 359.
vendría, vendería, 7.21.
venir, «por venir», «de venir», 24.12.
    imperf. de indic., 1.166.
ventura, «por ventura», «por aventura», 1.109; 42.104.
verso, viesso, 1.205.
viçio: deleite, comodidad, n. 163; 37.46.
viçioso: cómodo, regalado, n. 228.
vio, vido, 6.28.
viso, vista, 5.51.
vista: apariencia, aspecto, n. 348.
vivir, visqué, n. 53.
    visquiesse, 40.53; 44.137.
    viscó, 49.58.

yantado: almorzado, n. 126.
yaquanto: algo, n. 14; 12.7; 35.75.
yermar, ermar, 21.105.
yuso: abajo, n. 297.

TÍTULOS PUBLICADOS

COLECCIÓN CLÁSICOS

Núm. 1

Miguel Hernández

**Perito en lunas.
El rayo que no cesa**

Edición, estudio y notas:
Agustín Sánchez Vidal

Núm. 2

Juan de Mena

Laberinto de Fortuna

Edición, estudio y notas:
Louise Vasvari Fainberg

Núm. 3

Juan del Encina

**Teatro
(Segunda producción dramática)**

Edición, estudio y notas:
Rosalie Gimeno

Núm. 4

Juan Valera

Pepita Jiménez

Edición, estudio y notas:
Luciano García Lorenzo

Núm. 5

Alejandro Sawa

Iluminaciones en la sombra

Edición, estudio y notas:
Iris M. Zavala

Núm. 6

José M.ª de Pereda

Sotileza

Edición, estudio y notas:
Enrique Miralles

Núms. 7 y 8

Pero López de Ayala

Libro rimado del Palaçio

Edición, estudio y notas:
Jacques Joset

Núm. 9

Antonio García Gutiérrez

**El Trovador.
Los hijos del tío Tronera**

Edición, estudio y notas:
Jean-Louis Picoche y
colaboradores

Núm. 10

Juan Meléndez Valdés

Poesías

Edición, estudio y notas:
Emilio Palacios

Núms. 11 y 12

Miguel de Cervantes

Don Quijote de la Mancha

Edición, estudio y notas:
Juan Bautista Avalle-Arce

Núm. 13

León Felipe

**Versos y oraciones de caminante
(I y II). Drop a Star**

Edición, estudio y notas:
José Paulino Ayuso

Núm. 14

Juan de Mena

Obra lírica

Edición, estudio y notas:
Miguel Angel Pérez Priego

Núm. 15

San Juan de la Cruz

Cántico espiritual. Poesías

Edición, estudio y notas:
Cristóbal Cuevas García

Núm. 16

Juan Eugenio Hartzenbusch

Los amantes de Teruel

Edición, estudio y notas:
Jean-Louis Picoche

COLECCIÓN ESTUDIOS